Dietrich Weber / Heimito von Doderer

DIETRICH WEBER

Heimito von Doderer

STUDIEN ZU SEINEM ROMANWERK

C. H. BECK'SCHE VERLAGSBUCHHANDLUNG

MÜNCHEN 1963

Druck: Buchdruckerei Georg Appl, Wemding
Printed in Germany

VORWORT

Bewundernd und resigniert zugleich hat Herbert Eisenreich der Einleitung zu seiner Doderer-Auswahl WEGE UND UMWEGE (1960) den Titel: HEIMITO VON DODERER ODER DIE VEREINBARKEIT DES UNVEREINBAREN gegeben und darin auf die kaum übersehbare geistige Ahnenreihe, die in Doderers Werk nach- und auflebt, verwiesen. Auf derselben Spur befindet sich Ivar Ivask in seinem DAS GROSSE ERBE betitelten Aufsatz über österreichische Literatur (1962), in dem er Doderers Werk als einen Kulminationspunkt österreichischer Dichtung betrachtet. Im allgemeinen sieht die Kritik in Doderers bisherigen Hauptwerken DIE STRUDLHOFSTIEGE (1951) und DIE DÄMONEN (1956) die ebenso lebendige wie getreue Chronik Österreichs im 20. Jahrhundert, so z. B. Ernst Alker und Hilde Spiel. Eisenreich feiert vor allem den Sprachkünstler, Hanns von Winter den Kompositeur, Hans Weigel den „Fanatiker der Wirklichkeit". Karl August Horst erblickt Doderers besondere Leistung für die Literaturgeschichte in seiner „Ereignispsychologie" (die Doderer selbst „Fatologie" nennt) und ist im übrigen der Meinung, man müsse alle vorgefaßten literarhistorischen Termini beiseite räumen, um den Blick für die Eigentümlichkeit des Dodererschen Werkes frei zu bekommen (Merkur 104, 1956).

Dies letztere ist auch das Prinzip der vorliegenden ersten umfangreicheren Schrift über Doderer. Das heißt: sie will zunächst einmal sichten und informieren, und ihr Verfahren ist deshalb die immanente Werk-Interpretation; literarische Bezüge und Vergleiche kommen nur am Rande zu Wort. Alles andere als eine Gesamtdarstellung – eine solche wäre verfrüht –, hat sie doch das gesamte bisher veröffentlichte Romanwerk Heimito von Doderers zum Gegenstand und untersucht es vor allem im Hinblick auf seine Form und seine Wirklichkeitsproblematik.

Da indessen der Künstler, wie Doderer in einem Aufsatz über A. P. Gütersloh (1955) sagt, „im eben getanen Werk schon nicht mehr ganz enthalten" ist – man träfe hinter ihm vorbei, „wenn man gerade dieses zum Zielpunkt der Erörterung, des Lobes oder Tadels nimmt" –, versucht die vorliegende Schrift auch den folgenden sich daraus ergebenden Grundsatz zu beherzigen, nämlich: „die Flugrichtung gält' es zu erkennen und voraus zu zielen, so wie ein trefflicher Schütze den Vogel erreicht". Das heißt: das bisherige Romanwerk Heimito von Doderers wird nicht nur für sich selbst, sondern zugleich als Stufe auf einem Weg betrachtet, der sich in einem künftigen Roman, dem sogenannten ROMAN NR. 7, zu vollenden scheint. Dieser ist der „Zielpunkt", der die „Flugrichtung" bestimmt. Und es ist kein verschwommenes Bild, das sich da abzeichnet; denn jener ROMAN NR. 7 ist von Doderer selbst bereits theoretisch anvisiert (in dem PERSPEKTIVEN überschriebenen Anhang zu seiner Rede über GRUNDLAGEN UND FUNKTION DES ROMANS, 1959) sowie praktisch in nuce antizipiert, nämlich in dem formalen Experiment DIE POSAUNEN VON JERICHO (geschrieben 1951). So weit wird Doderer nach seinen eigenen Setzungen beurteilt.

Erst mit der These der Dialektik von Form und Wirklichkeit gerät die Abhandlung über die letztlich unfruchtbare Tendenz, Doderer nur durch sich selbst zu bestätigen, hinaus. Es handelt sich bei dieser These um ein Beispiel jener „Vereinbarkeit des Unvereinbaren", von der Eisenreich spricht. Doderer hat sich den Vorwurf, er sei ein „Formalist", mit Einschränkung als ein Kompliment gefallen lassen, und er nennt sich ebenso gern und gleichfalls mit Einschränkung einen „Naturalisten". In der höchst eigentümlichen Verbindung von Form und Wirklichkeit oder von „Formalismus" und „Naturalismus" (die einander ja streng genommen ausschließen) erblickt der Verfasser das Zentrum des Dodererschen Werkes. Dies ist sozusagen der „Fall Doderer". Und auf diesen einzigen Punkt ist im Grunde die ganze vorliegende Arbeit konzentriert; ihr präziser Titel würde demnach lauten: „Die Dialektik von Form und Wirklichkeit als constituens des Dodererschen Romanwerkes". Mit anderen Worten: es ist das Problem des „totalen Romans", in dem sich die universale Form und die multiversale Wirklichkeit dialektisch verschränken.

Der „totale Roman", der hier vom Werk selbst und von der Komposition her in den Blick tritt, bedeutet, von der Haltung des Schriftstellers zu seinem Werk her gesehen, nichts anderes als Jean Pauls „humoristische Totalität". Und tatsächlich ist neben dem eingeschlagenen auch ein anderer Weg der Deutung möglich, der zu demselben Ziel führen dürfte: nämlich eine Untersuchung, die den Humoristen Doderer in den Mittelpunkt stellt. Diese Komponente des Dodererschen Wesens ist in allen seinen Werken sichtbar: durch die verschiedenen Werkstufen hindurch in dem Band gesammelter Erzählungen DIE PEINIGUNG DER LEDERBEUTELCHEN (1959), episodisch in EIN UMWEG (1940) und sogar in dem todernsten Roman EIN MORD DEN JEDER BEGEHT (1938), mit Ausschließlichkeit bereits in dem humoristisch-grotesken Werk DIE ERLEUCHTETEN FENSTER ODER DIE MENSCHWERDUNG DES AMTSRATES JULIUS ZIHAL (1951), und in dem jetzt erscheinenden Roman DIE MEROWINGER ODER DIE TOTALE FAMILIE dürfte sich Doderer in dieser Beziehung selbst übertreffen. Die humoristische Weltsicht aber – und darauf kommt es ja an – ist für DIE STRUDLHOFSTIEGE wie für DIE DÄMONEN verbindlich.

Diese gewichtige Komponente kommt – gemäß der Themenstellung – in der vorliegenden Schrift nicht zum Ausdruck, so wenig wie Doderers Österreichertum und – das wurde schon vermerkt – bis auf wenige Ausnahmen überhaupt literarische Bezüge und Vergleiche. In dieser Richtung weiterzuarbeiten, behält der Verfasser sich vor.

Die jetzt veröffentlichte Abhandlung lag im Wintersemester 1961/62 der Philosophischen Fakultät der Universität Hamburg als Dissertation vor. Mein aufrichtiger Dank gilt gleichermaßen Herrn Professor Dr. Adolf Beck, meinem verehrten Lehrer, der diese Arbeit betreut und ihren Fortgang stets hilfreich mit Ratschlägen gefördert hat, wie dem Dichter selbst, Herrn Dr. Heimito von Doderer, der meine Arbeit in entgegenkommender Weise durch die Beantwortung von Sachfragen unterstützt und mir Einblick in unveröffentlichte Manuskripte gewährt hat. Im besonderen danke ich dem Biederstein Verlag München dafür, daß er mir die Lektüre von Doderers noch nicht publizierten Tagebüchern ermöglichte, und nicht zuletzt der C. H. Beck'schen Verlagsbuchhandlung München, die in großzügiger Weise die Veröffentlichung dieser Arbeit besorgt hat.

Im Juli 1962 D. W.

INHALTSVERZEICHNIS

VIERTER TEIL

FORM UND WELT DER ‚DÄMONEN'

EINLEITUNG

DER HISTORISCHE ORT DES DODERERSCHEN ROMANWERKES

1

Mehr als alle anderen Dichtungsformen ist der Roman Wirklichkeitskunst, weniger als alle anderen hebt er sich von der Wirklichkeit ab; denn für die große Epik ist – mit einem Wort von Georg Lukács – „die jeweilige Gegebenheit der Welt ein letztes Prinzip, sie ist in ihrem entscheidenden und alles bestimmenden transzendentalen Grunde empirisch"[1]. Zu allen Zeiten ging es und geht es dem Roman um Gestaltung, Erfassung und Deutung der Wirklichkeit. Eben darin beruht die Aporie seiner Definition unter rein ästhetischen Aspekten. Bestimmt sich sein Wesen als Kunst vor allem durch Geschlossenheit der Form und durch Abgeschlossenheit der Fiktion, so ist er, gemessen an seinem Wirklichkeitsgehalt, der ihn gleichermaßen, aber auf anderer Ebene konstituiert, prinzipiell offen, nämlich gegenüber der wirklichen Welt. Im transzendentalen Sinn ist die Welt für den Roman das Objekt seiner Darstellung, im ästhetisch-immanenten Sinn ist sie sein Subjekt (nicht von ungefähr spricht man von der Welt eines Kunstwerks als seinem „Sujet"). So gesehen, wird der Roman in dem Maße zur Kunst, wie er seine transzendentale (also außerliterarische) Kategorie außer Kraft setzt zu Gunsten der Eigengesetzlichkeit der literarischen Fiktion, oder: wie er den vorliterarischen Wirklichkeitsstoff nicht in der Roheit, in der er sich vorfindet, beläßt, sondern ihn auf eine Funktion im Gesamtgefüge des Romans reduziert und also verwandelt. Nur so wird die Reproduktion zur Produktion, der nachschaffende Akt zur schöpferischen Tat. Indessen ist jener Umsetzungsprozeß kein absoluter; denn der Wirklichkeitsstoff bleibt trotz seiner Verwandlung und Einschmelzung in die Fiktion letztlich immer noch den Kategorien der Wirklichkeit unterworfen. Das heißt für den Roman im ganzen: trotz der Eigengesetzlichkeit der Fiktion, an der er sich mißt, bleibt seine Orientierung nach den Gesetzen der Wirklichkeit erhalten. All das ist in der Dialektik des Begriffes „Wirklichkeitskunst" inbegriffen, und solange man an diesem genus proximum für den Roman festhält, läßt sich seine doppelseitige Orientierung – einerseits nach der Wirklichkeit, andererseits nach der Kunst hin – nicht aufheben.

Noch im 19. Jahrhundert löste sich die Aporie verhältnismäßig leicht dadurch, daß die transzendentale Kategorie der Empirik unbefangen verlängert wurde und unter dem Namen des Realismus alsbald eine dem Roman immanente Kategorie erschien[2]. Die Gesetze der Romankunst folgten den Gesetzen der Wirklichkeit. Ausgehend davon, daß jedes Kunstwerk – und freilich auch das realistische – ein geschlossener Kosmos ist, ein Continuum, ein Immanenz-Raum – wie die Welt, könnte man in Bezug auf den vormaligen Roman sagen: als Wirklichkeitskunst steigert er den bloßen Vergleich mit der Welt zur Analogie. Die Welt abbildend, gestaltet er sprachlich eine Welt, die exemplarisch für jene wirkliche dasteht. Das heißt: die Kluft zwischen Roman und Welt ist hier keine andere als die zwischen Sprache und Sache, sie ist dem Sein nach (dort erdichtete, hier wirkliche Welt), nicht aber dem Wesen nach greifbar. Der Roman ist hochgradige Annäherung an die Welt, wesentliche Deckung. Wie der Name das Ding entschlüsselt, so begreift sich der Roman als Sinnschlüssel für die Welt. Was diese von sich aus nicht preisgibt, die ihr immanente Sinn-Bedeutung, das gewinnt ihr jener durch sprachliche Gestaltung ab. Die Welt bleibt das Objekt des Romans; so wenigstens verlangt es die illusionistische Haltung. Der Romancier erzählt zwar wie eh und je eine Welt, gibt jedoch vor, von einer Welt zu erzählen. Zwischen ihm und seinem Leser steht als tertium comparationis die wirkliche Welt, auf die sich ihrer beider Vertrauen gründet. Innerhalb des Romans im ästhetischen Bezug bedeutet das: der „fiktive, persönliche Erzähler" und der einbezogene, ebenso fiktiv gedachte, „persönliche Leser"[3] verständigen sich zwanglos über die erzählte Welt, weil der Autor und der Leser (als Mensch) über ihre Sicht der wirklichen Welt, von der sie sich umschlossen wissen, eine stillschweigende Übereinkunft getroffen haben.

Indessen steht solche Konvention, die ja keine Glaubensgemeinschaft ist, sondern ein vollends säkularisierter Bezug, selbst schon auf unsicherem Boden; denn die Welt des Romans, um noch einmal Lukács zu zitieren, ist gekennzeichnet durch ihre „transzendentale Obdachlosigkeit"[4]: sie gründet sich auf die Wirklichkeit, die selbst kein Felsgrund ist, die vielmehr in jedem Augenblick unvermutet auseinanderbrechen kann. Mit einem Zerfall der Wirklichkeit ist deshalb notwendig auch die Existenz des Romans in Frage gestellt.

2

Dies ist die historische Situation des Romans in der ersten Hälfte des 20. Jahrhunderts. Die sogenannte „Krise des Romans" ist oft erörtert worden, so daß hier, wo es nur um die historische Ortung der Romandichtung Heimito von Doderers geht, eine knappe Zusammenfassung genügen möge[5].

Die Krise des Romans ist – als der Ausfluß einer weitläufigen Krise der Wirklichkeit überhaupt – zunächst und vor allem eine Krise des Realismus. Zwar bleibt die Empirik auch im modernen Roman die Ausgangsbasis – unverkennbar aus dem Material ihres Erfahrungsbereichs bauen Thomas Mann wie James Joyce, Marcel Proust wie Robert Musil und sogar Franz Kafka ihre stilistisch überhöhte Romanwelt auf –, jedoch mit der wachsenden Unsicherheit der Welt, umfassend charakterisiert als „allgemeiner Realitätsschwund“[6], zerfiel auch die „Identität der Erfahrung“[7], wurde die transzendentale Kategorie der Empirik selbst fragwürdig. Wenigstens erwies sich die unbefangene Verlängerung von der Empirik zum Realismus als unmöglich.

Bei alledem bleibt der Roman der ersten Jahrhunderthälfte an den realistischen Roman des 19. Jahrhunderts gekettet wie die Parodie an das parodierte Original. (Bezeichnenderweise wurden Kafkas nachgelassene Romane DER PROZESS und DAS SCHLOSS, sofern man ihnen jenen Terminus überhaupt noch zuspricht, „Parodien von Romanen“ genannt[8].) Den Prozeß der Ablösung vom realistischen Roman hat Hermann Broch in seiner Romantrilogie DIE SCHLAFWANDLER (1931–1932) gestaltet; die drei Romane unterscheiden sich in Wirklichkeitsauffassung und Stilhaltung gemäß den drei dargestellten Epochen 1888, 1903 und 1918; die allmähliche Entnaturalisierung ist das verbindende Motiv. Hieraus geht am eindringlichsten hervor, daß der realistische Roman des 19. Jahrhunderts für den Roman des 20. Jahrhunderts das polemische Objekt darstellt. Jener ist Absprungbasis und Reibungsfläche für diesen. Es handelt sich um die „Rebellion“ gegen einen Stil, der dem neuen Weltbild nicht mehr gerecht wird[7].

Auf Grund dieses seines negativen Ursprungs ist der moderne Roman zunächst selbst ein negativer. James Joyce's ULYSSES (1922) ist „a novel to end all novels“ genannt worden. Thomas Mann möchte seine Romane DER ZAUBERBERG (1924), JOSEPH UND SEINE BRÜDER (1933–1943) sowie DOKTOR FAUSTUS (1947) in diesem Diktum, das er zitiert, einbegriffen wissen; ihm scheint, „als käme auf dem Gebiet des Romans heute nur noch das in Betracht, was kein Roman mehr sei“[9]. Insgesamt sind die Romane der Krise, da sie den konventionellen Roman auflösten und den Roman überhaupt ad absurdum führten, mit gewisser Berechtigung als „negative Epopöen“[10] oder „intellektuelle Para-Romane“[11] bestimmt worden. (Neuerdings gibt es in Frankreich den sogenannten „Anti-Roman“[12].) Sie sind der Endpunkt einer Entwicklung, die im Naturalismus des 19. Jahrhunderts begann – eine Folge des progressiven „Zerfalls der Werte“[13]; sie befinden sich „in einer normenlos gewordenen Welt“[14].

Indessen gibt es zwei charakteristische Momente, welche die Rede von einer spezifischen Krise des Romans legitimieren. Einmal ging es dem modernen Roman trotz aller Entwirklichung um die Bewältigung der

Wirklichkeit. Zum andern ist es bezeichnend, daß die ganze Problematik der Krise auf der Ebene des Romans selbst ausgefochten wurde: die Werke, welche den Roman zu überwinden trachteten, nannten sich immer noch Romane. Das Problem war ein praktisches, eben das der Wirklichkeitsbewältigung; und das beweist, daß hier eine echte Krise des Romans vorlag: ein produktiver Nullpunkt, in dem Endpunkt einer Entwicklung und Ansatzpunkt eines Neuen zusammenfallen[15].

So zeigen die Kriterien des Romans der Krise nahezu durchgängig ein ambivalentes Gesicht. Wurde in Marcel Prousts gewaltigem Werk A LA RECHERCHE DU TEMPS PERDU (1914–1927) die äußere Welt in einen durch die Erinnerung gestifteten „Innenraum" verwandelt[16], so bedeutete das den Verlust der Außenwelt gleichermaßen wie die Entdekkung einer fundamentalen Kategorie aller Epik: nämlich der Erinnerung. Die Aufhebung der Chronologie, des naiv-erzählerischen „und dann"[17] zu Gunsten des Zeitsprungs – ebenfalls zuerst bei Proust – stellte einerseits die „Geschichte" in Frage, die Forster als „Erzählen von Begebenheiten in zeitlicher Folge" und zugleich als „Rückgrat" des Romans definiert[18], und demonstrierte auf der anderen Seite die wesentliche Bedeutung der Simultaneität[19]. Die Zerschlagung der „Fabel", das heißt, des Romans unter dem Aspekt der Sinnfolge oder des Kausalzusammenhangs[20], etwa in André Gides Roman LES FAUX-MONNAYEURS (1926), beschwor zugleich einen lebensgemäßen Fragmentarismus. Wirklichkeitsfragmente verschiedenartigster Herkunft werden hier mit der Absicht der Absichtslosigkeit locker zu einem vielschichtigen Gefüge komponiert.

Der „Verlust des Helden" ist am besten zu beobachten bei Joyce, wie Mandelkow gezeigt hat[21]: Stephen Dedalus ist in A PORTRAIT OF THE ARTIST AS A YOUNG MAN (1916) durchaus noch „Held" im klassischen Sinn; im ULYSSES (1922) ist er eine „synthetische Figur"[22]. Dieser Prozeß folgte der „Tendenz zur Entindividualisierung", die von der Psychoanalyse inauguriert wurde[23]. Wie die einfache „Geschichte" wurde das individuelle Schicksal – diese beiden Aspekte gehören aufs engste zusammen[24] – als nicht mehr repräsentativ empfunden für das Geschehen der Zeit. So stellen sich Joyce's ULYSSES (mit Leopold Bloom und Stephen Dedalus), Thomas Manns DOKTOR FAUSTUS (mit Adrian Leverkühn), auch Hermann Brochs TOD DES VERGIL (1941) als eine Welt „synthetischer Figuren und Vorgänge" dar. „Es entsteht das mehrschichtige, mehrstöckige Kunstwerk, in dem das Geschehen auf mehreren Ebenen zugleich spielt."[22]

Angesichts der Vielschichtigkeit der Welt wurde auch die Identität des Stils fragwürdig. „Wenn es den Stil nicht mehr gibt", heißt es bei Jens, „muß man die Stile beherrschen: auch Zitat und Montage sind Künste."[25] Thomas Mann sagt: „Ich kenne im Stilistischen eigentlich nur noch die Parodie. Darin nahe bei Joyce ..."[26] Allerdings praktiziert Mann wie

Joyce Montage und Zitation. Und wenn er seinen DOKTOR FAUSTUS als „Roman meiner Epoche, verkleidet in die Geschichte eines hoch-prekären und sündigen Künstlerlebens“[27] konzipiert, so ist er wiederum „nahe bei Joyce“, dessen ULYSSES wahrlich den „Welt-Alltag einer Epoche“[28] darstellt. Hier sind alle „neuen Wirklichkeiten“ (Blöcker) und alle neuen Formen vereinigt; in dem „‚schöpferischen‘ Eklektizismus“ der „Stilagglomeration“ erkannte Broch das Zentrum der Joyceschen Darstellungskunst[29]. Unter positivem Aspekt bedeutet das die wichtige Erkenntnis, daß die Sprache ihrem jeweiligen Objekt angemessen sein müsse. „Ich fühlte wohl“, sagt Thomas Mann in Bezug auf seinen DOKTOR FAUSTUS, „daß mein Buch selbst das werde s e i n müssen, wovon es handelte, nämlich konstruktive Musik.“[30]

Die Einschaltung von Kommentaren in die Handlung – schon bei Gide und Broch – führte in Robert Musils MANN OHNE EIGENSCHAFTEN (Erster Band 1930, erste Gesamtausgabe 1952) über die Relativierung der Handlung bis zur Aufhebung des Erzählerischen überhaupt zu Gunsten des Essayismus. Dieses gewaltige Fragment hat man inzwischen als prinzipiell fragmentarisch erkannt, das heißt: es ist unvollendbar, der fragmentarische Charakter liegt in der Konzeption selbst[31]. Das bedeutet am Ende die Aufhebung der Komposition, und damit nähert sich Musil dem „totalen Roman“, in dem Gütersloh die Überwindungsform des Romans erblickt[32].

Im Zuge der Auflösung des Romans findet auch der „innere Monolog“ seinen Platz – da nämlich, wo er verabsolutiert wird. Die „erlebte Rede“ – als eine Vorstufe des „inneren Monologs“ – ist eine legitime epische Praxis; sie setzt den Erzähler voraus, der gerade hier seinen fiktionalen Realismus erfüllt, da er sich ganz zurückzieht, um die Figur rein in ihrer Subjektivität (in der „fiktiven Ich-Originität“ der Romanfigur[33]) erscheinen zu lassen. Noch innerhalb dieser Grenze verbleibt der „innere Monolog“ Marion Blooms am Schluß des ULYSSES. Wird aber wie bei Virginia Woolf der „innere Monolog“ zum alleinigen Gestaltprinzip verselbständigt, so ist er nicht mehr die „erlebte Rede“ einer Figur, sondern letzten Endes der Bewußtseinsstrom des Erzählers selbst. Der Betrachter wird eins mit dem Gegenstand seiner Betrachtung, die epische Distanz wird verlassen, und daraus folgt die völlige Lyrisierung des Romans. Dies trifft ebensowohl auf Hermann Brochs Werk DER TOD DES VERGIL zu, von dem der Dichter in einer Selbstrezension sagt: „Das Brochsche Buch ist ein innerer Monolog und demgemäß als ein lyrisches Werk anzusehen.“[34]

Allenfalls hier mag das dogmatische Urteil Wolfgang Kaysers gelten: „Der Tod des Erzählers ist der Tod des Romans.“[35] Im übrigen aber scheint mir der „Tod des Erzählers“ so wenig wie der „Tod des Romans“ erwiesen; einen festen Standort des Erzählers hat es nie gegeben; Standortwechsel und Perspektivenbruch gehören zum Roman und sind nicht etwa erst durch die „Unsicherheit der Welt" beschworen worden.

Die Verabsolutierung des Perspektivenbruchs führte zur „aperspektivischen Situation" und damit zur allseitigen Abgeschlossenheit der Fiktion, die der Illusion keinen Einlaß mehr bietet[36]. Sind auf solche Weise die Illusion und mit ihr die Konvention aufgehoben, so ist doch zugleich ein gewichtiges Prinzip des Romans überhaupt freigelegt: nämlich die Eigengesetzlichkeit des erzählerischen Geschehens, die es immer gegeben hat, die nur durch den Illusionismus, der vorgab, den Gesetzen der außerliterarischen Wirklichkeit zu folgen, weitgehend verdeckt geblieben war.

Der Katalog solcher formaler Kriterien, der sich noch erweitern ließe – ein gemeinsames Strukturmerkmal, das den Unterschied zwischen modernem und konventionellem Roman erschöpfend bestimmt, ist oft gesucht worden, wird sich jedoch kaum auffinden lassen, wenigstens zur Zeit noch nicht, da sich der moderne Roman gegen eine umfassende historische Betrachtung noch sperrt –, der Katalog sei abgeschlossen mit einem Hinweis auf den experimentalen Grundzug des Romans der Krise. Herbert Eisenreich nennt die Romanciers dieser Epoche „methodologische Experimentatoren"[37]. Die Technik wurde zum Gegenstand des Kunstwerks. In Gides FALSCHMÜNZERN etwa ist die Hauptfigur ein Romancier, der es unternimmt, eben den Roman der Falschmünzer zu schreiben. Thomas Manns Buch DIE ENTSTEHUNG DES DOKTOR FAUSTUS trägt den Untertitel ROMAN EINES ROMANS[38].

Im ganzen bezeichnet die „Krise des Romans" eine „Literaturrevolution" weit höheren Grades als jene des Naturalismus gegen Ende des 19. Jahrhunderts, die sich selbst als Revolution verstand. Gerade deshalb aber ist der Roman der Krise nur im Zusammenhalt mit dem vormaligen realistischen Roman, gegen den er revoltiert und von dem er sich ablöst, greifbar.

3

Das Romanwerk Heimito von Doderers setzt sich demgegenüber ab; soviel scheint festzustehen, wenn auch eine historische Betrachtung unmittelbar gegenwärtiger Erscheinungen mit Notwendigkeit vorläufig bleiben muß. Vorläufig bleibt auch, ob es sich dabei um eine Überwindung der Krise handelt. Wenigstens hat Doderer sich theoretisch in provozierender Weise gegen den Roman des bisherigen 20. Jahrhunderts ausgesprochen und zum Naturalismus zurückgewandt, und er hat diese Provokation mit seinen beiden Hauptwerken, den großen Romanen DIE STRUDLHOFSTIEGE (1951) und DIE DÄMONEN (1956), praktisch bestätigt, ohne jedoch auf die Ebene des 19. Jahrhunderts zurückzufallen[39]. Seine Schreibweise ist die Replik auf den Zerfall der Wirklichkeit und damit auf die Entnaturalisierung und den Anti-Naturalismus des Romans in der ersten Hälfte des 20. Jahrhunderts.

Wirklichkeit ist in Doderers Terminologie die restlose Durchdringung und wechselseitige Überlagerung von Innen und Außen. Von hier aus fällt ein neues Licht auf jenen Zerfall der Wirklichkeit, der die moderne Situation kennzeichnet: er kann nunmehr buchstäblich vorgestellt werden als der Bruch zwischen Innen und Außen, zwischen Ich und Welt. Dieses Verhältnis, das eine Einstimmung und Übereinstimmung war, hat sich zur absoluten Konfrontation verhärtet, mehr noch: der Bezug überhaupt scheint aufgehoben. „Wenn man die Welt nicht mit den Augen der Welt ansieht und sie schon im Blick hat, so zerfällt sie in sinnlose Einzelheiten, die so traurig getrennt voneinander leben wie die Sterne in der Nacht" – so heißt es einmal bei Musil[40], der mit Hofmannsthal, Rilke und Kafka zuerst das moderne Wirklichkeitserlebnis formulierte[41]. Dies konsequent verlängert bedeutet: das Ich steht einer nunmehr absurden Welt gegenüber, und – an der Absurdität der Welt scheiternd – findet es sich auf seine existentielle Einsamkeit zurückgeworfen. Für den Roman ergibt sich daraus notwendig seine Auflösung in der Richtung eines extremen Subjektivismus[42]. Deshalb – um den Roman bei seinem Begriff zu erhalten und die Wirklichkeit neu zu sichern – sieht Doderer die entscheidende Aufgabe, die sich dem Roman heute stellt, in der „Wieder-Eroberung der Außenwelt"[43], von deren Konsistenz nämlich gleichermaßen die der Innenwelt (und am Ende der Person) abhängt, da beide zusammen erst die Wirklichkeit ausmachen. Nach Doderer vermag ein erweiterter Naturalismus diese Aufgabe zu lösen.

Es ist ein „Naturalismus Phase II" (so könnte man sagen in Analogie zu jenem Begriff eines „Expressionismus Phase II", mit dem Gottfried Benn den Ort seiner späten Lyrik bestimmt), und zwar Phase II im doppelten Sinn. Einerseits handelt es sich um einen „Spätnaturalismus" oder „Spätrealismus" (mit welchem Terminus Roy Pascal das Werk von Doderer, Frisch und Böll belegt[8]), und damit ist die konservative Basis bezeichnet; andererseits handelt es sich um eine Art von zweitem, d. h. durch die Reflexion hindurchgegangenem, Naturalismus, der nämlich der Effekt einer apriorisch gefaßten Form-Konzeption ist. Die Behauptung der „Priorität der Form" bildet den Kern von Doderers Romantheorie[44], und die Praktizierung dieses Grundsatzes macht die Unvergleichlichkeit seines Romanwerkes aus; denn dadurch erst unterscheidet Doderer sich grundlegend von den Naturalisten des 19. Jahrhunderts, und dadurch erst wird er der komplizierten und komplexen Wirklichkeit des 20. Jahrhunderts habhaft und gerecht.

Er geht nicht von einem vorgegebenen, gültigen Weltbild aus, sondern von einer in keiner Weise ideell präokkupierten Form-Konzeption, die ein solches Weltbild beschwört. Denn die Welt ist in Teilbereiche, die unabhängig voneinander und beziehungslos nebeneinander zu existieren scheinen, zersplittert, sie ist atomisiert, sie stellt sich nur mehr als Multiversum dar. So gesehen, macht es keinen Unterschied, ob man von einem Zerfall der Wirklichkeit oder von einer Krise der Universalität spricht[45]. Um die Universalität aber geht es; ohne „universalen Anspruch“ würde sich der Roman – nach Doderers Auffassung – zu einer Art „Amüsierbranche“ spezialisieren[45].

Als grundlegende Form-Elemente dienen Doderer die kleinsten Wirklichkeitspartikel. „Gegen die ‚großen Gesichtspunkte‘“ setzt er „die ‚kleinen‘ Anschaulichkeiten ..., diese als das Leben selbst, jene als die einbrechende Todesblässe bezeichnend: und damit anzeigend, daß ich, am Zweiten krank, durch das Erste zu gesunden hoffe“[46]. Und so nennt er die „genauen Anatomien vieler verschiedener Augenblicke aus dem Leben vieler verschiedener Menschen“ die „Moleküle“ oder auch die „Atome“ des Romans[47]. Strukturell bedeutet das für den ganzen Roman seine „episodäre Zentrierung“[48], eine Praktik, die man vorläufig als „Mosaik-Technik“ bezeichnet hat. Dadurch aber, daß Doderer jedes Stück Wirklichkeit, das er gestaltet, nicht in der Vereinzelung beläßt, sondern durch hin und wider laufende Beziehungen (realer wie metaphorischer Natur) mit einem anderen verknüpft zeigt und am Ende in einem funktionalen Gesamtgefüge (im formalen Sinn) aufgehoben erweist, erreicht er – ohne eine fragwürdig gewordene ideelle Sinngebung – einen „Sinn“, der sich freilich gemäß solcher Herkunft nicht ideell aussprechen und logisch fassen oder gar ideologisch benennen läßt, der aber deswegen nicht minder gültig ist. Es handelt sich um eine Art „Formlogik“, und man kann sagen: die Form ist bei Doderer die sinnschaffende Kraft. Mit dem „Sinn“ aber ist zugleich eine universale Ganzheit beschworen.

Es ist also im ganzen kein negativer Vorgang der Zerschlagung und Atomisierung einer als Ganzes vorgegebenen Welt, die ohne weiteres universal darstellbar wäre, sondern umgekehrt ein synthetischer Prozeß, der die Universalität erst zeitigt. Zwar ist das Ganze der erzählten Welt durch das priorisch gegebene Formbild schon antizipiert, das durch die inhaltliche Füllung, den Wirklichkeitsstoff, dann nur bestätigt zu werden scheint; jedoch handelt es sich dabei nicht um eine Methode nach Art des hermeneutischen Zirkels; denn einmal wirkt sich die inhaltliche Füllung nicht nur bestätigend, sondern – vermöge der ihr innewohnenden eigenen Dynamik, der Dynamik der Wirklichkeit – auch korrigierend auf das Formbild aus, und zum andern ist die Form grundsätzlich eine Weise der Beschwörung, sie ist für sich nichts, sondern realisiert sich erst nach Maßgabe dessen, was und wieviel an Wirklichkeitsstoff sie zu tragen vermag.

Das Verhältnis von Form und Wirklichkeit ist ein dialektisches. Es läßt sich auf die anfangs berührte Aporie der Wirklichkeitskunst zurückführen. Die Wirklichkeit ist divergierend und multiversal, die Form ist konzentrierend und universal. Doderers Lösung der Aporie besteht in der dialektischen Konkretion von Form und Wirklichkeit; es kommt, wie er sagt, nicht darauf an, die Dialektik zu entscheiden, sondern sie „auszuhalten"[49]. Das bedeutet einmal eine restlose wechselseitige Durchdringung: die Wirklichkeit wird formal aufgehoben, und die Form bereichert sich mit Wirklichkeit. Das heißt zum andern: die Wirklichkeit wird als Wirklichkeit erst faßbar, indem sie sich als Form artikuliert, und die Form realisiert sich erst, indem sie sich als Wirklichkeit konkretisiert.

Einfacher, obwohl auch dialektisch gefaßt, bedeutet das Romanwerk Heimito von Doderers mit einem Wort, das seine historische Stelle gleichermaßen wie seine Unvergleichlichkeit bestimmt, die Einholung der Wirklichkeit durch die Form und zugleich die Einholung der Form durch die Wirklichkeit. Wie es sich auf der literarhistorischen Ebene als eine wesentliche Vermittlung zwischen dem Naturalismus des 19. Jahrhunderts und der Formkunst des 20. Jahrhunderts darstellt, so bedeutet es auf der kategorialen Ebene die Konkretion von Form und Wirklichkeit. Im besonderen dies mittels Formanalyse und Sichtung der Wirklichkeitsproblematik herauszuarbeiten, setzt sich die vorliegende Abhandlung zum Ziel[50].

ERSTER TEIL

DIE ORTUNG DES SCHRIFTSTELLERS

1. KAPITEL

DIE GEBURT DES SCHRIFTSTELLERS – DODERERS VERHÄLTNIS ZU GÜTERSLOH

Den wesentlichen Geburtsakt des Schriftstellers nennt Doderer seine „Bekehrung zur Sprache". Der Künstler, so sagt er, ist „zunächst ein physiognomischer Geburts-Stand ... Er wird sicher früher oder später sich selbst einholen, seinem verliehenen Stande bewußt beitreten, dem schon fliegenden Pfeil erst die Spitze aufsetzend; ein unumgänglicher Akt, durch den jedes Leben erst in Besitz genommen, durch den einer erst richtig belehnt werden kann mit dem, was er schon hat."[1] Den entscheidenden Geburtsakt im Falle Heimito von Doderers selbst bewirkte seine Begegnung mit Albert Paris Gütersloh, den er seinen einzigen Lehrer nennt, und als dessen einzigen Schüler er sich selbst bezeichnet[2].

Im Jahre 1929, zur Zeit der Vollendung seines zweiten Romans DAS GEHEIMNIS DES REICHS – DIE BRESCHE war bereits 1924 erschienen – las Doderer Güterslohs Selbstdarstellung BEKENNTNISSE EINES MODERNEN MALERS (1926). Hier fand er außen formuliert, was innen ihn bewegte, was er selbst gelebt, und was einen vorläufigen Ausdruck in seinen ersten Werken gewonnen hatte. „Die in diesem Werke zur Description gelangenden Vorgänge und Stufen", so schreibt er, „habe ich alle persönlich erlebt – frappierend war es, sie im Buche eines Schriftstellers, den ich damals kaum kannte, anzutreffen!"[3] Dieses Bekenntnis ist sowohl wörtlich wie metaphorisch zu verstehen, ja beide Aspekte sind kaum voneinander zu trennen. Denn wie der ursprüngliche und richtige Titel der Güterslohschen Schrift MEINE GROSSE UND KLEINE GESCHICHTE, EINE LEBENSBESCHREIBUNG QUASI UN' ALLEGORIA lautet[4], was nichts anderes bedeutet als innere und äußere Biographie in einem, so betrifft die Biographie dessen, dem man ein Schicksal zugesteht, den inneren Weg eines Lebens, der sich den äußeren restlos integriert hat[5]. Doderer verweist in diesem Zusammenhang auf zwei Stellen der Güterslohschen BEKENNTNISSE, in denen er seine eigene Situation gespiegelt fand. Es ist da die

Rede einmal vom Krieg als einem „Vorgebilde jüngsten Gerichts"[6] – und das hatte Doderer im Ersten Weltkrieg tatsächlich erlebt, als er „bis zur Schlacht von Olesza (Ostgalizien 12. VII. 1916) monatelang in vorderster Linie gestanden" hatte[7]; zum andern spricht Gütersloh vom Lehrer als einem „neuen apokalyptischen Richter" „jenseits der Schlachtfelder", „der zu lehren scheint, während er urteilt, der nicht mit Kriegsruhm auf die Walstatt lockt, sondern mit böser, zweideutiger Bescheidenheit den ungleich gefährlicheren Lorbeer der Wissenschaften und Künste in Händen hält"[6] – und das ist die Situation, in der sich Doderer eben befand. Beider Funktion aber, des Krieges und des Lehrers, ist es – nach Gütersloh –, dem jungen Menschen den „Weg ins natürliche Dasein" zu sperren[6]. Liefert der Krieg nichts als eine „Parodie der Auswahl" mit „wahllos geworfenem Lose"[8], indem er, wie Doderer sagt, „spielend den noch Unfertigen vernichtet"[9], so erscheint vor dem Überlebenden der Lehrer, der sokratisch das „in die Wiege gelegte" Los des Schülers hebt, ihn belehnt mit dem, was er schon hat[8] – und dies gegen dessen Vater, der in direkter Verlängerung mit dem Sohne die Wiederholung seines Schicksals meint, welche den Weg des „natürlichen Daseins" ausmacht. Hier ist der zentrale Punkt in der Begegnung Doderers mit Gütersloh berührt. Gütersloh wurde für Doderer die zweite Autorität neben dem Vater, der sokratische Lehrer, dessen Typus er in seinem Buch beschreibt, der „große Freund und Mitwisser und Besiegler"[10] – wie schon Slobedeff in Doderers BRESCHE und wie später Hohenlocher für Castiletz in EIN MORD DEN JEDER BEGEHT. In Güterslohs Schrift nämlich fand Doderer hinter allen äußerlich biographischen Bezügen, die am Ende unwesentlich sein mögen, die Definition seiner selbst als Schriftsteller. Gütersloh sagt dazu in einem Interview:

> Wenn Heimito von Doderer, mein treuer und einziger Freund (seit dem Hingange des Doktor Franz Blei) mich seinen einzigen Lehrer nennt, so kommt dies daher, daß ich, vor vielen Jahren, bei seinem wesentlichen Geburtsakte, mit den zufälligen Instrumenten des Arztes, zufällig in seinem Zimmer anwesend gewesen war. Zufällig hat er mein Buch DIE GROSSE UND KLEINE GESCHICHTE gelesen. Von abends bis morgens. Die aufgehende Sonne beschien das schöne Kind.[11]

Nicht von ungefähr bedient sich Gütersloh dieser Metapher; denn „schön ist", so sagt er in den BEKENNTNISSEN, „was entscheidend wirkt, und so ist schön auch, was sich entschieden hat"[12]. Allein, solch dezidierter Geburtsakt ist ein lebendiger Vorgang, der in jener Äußerung „punktförmig" – gleichsam „more geometrico" – abgekürzt erscheint[13]; auch hier ist gegenwärtig zu halten, was Gütersloh zu Beginn seiner Selbstdarstellung vermerkt, daß er „ein plumpes Schema für einen luziden Organismus" setze[14]. Auf dem Organischen des Vorgangs liegt denn auch der Akzent, wenn Doderer erläutert:

Ich begann eines abends, um 11 Uhr heim kommend, die BEKENNTNISSE zu lesen, und las auf der Stelle das ganze Buch durch, bis 6 Uhr früh, gleichsam von Stein zu Stein durch diesen schäumenden und reißenden Bach springend und weitaus nicht alles recipierend. Das geschah erst in der folgenden Zeit, und Schub auf Schub durch die Jahre.[13]

Das Bild des Schriftstellers, der er zu sein hatte und doch noch nicht war, stand nun einmal vor ihm, und schubweise trachtete er es zu füllen. Dabei bewirkte Gütersloh, wie Doderer schreibt, „im persönlichen Umgang absichtslos weiter diese Schübe, und mehr noch als sein Buch", und so gelang es ihm schließlich, „das, was er einen Schriftsteller nennt, gleichsam aus dem Boden zu stampfen, oder zu evocieren"[13].

Indessen verhalf Güterslohs Schrift Doderer nicht nur zur Definition seiner selbst, sondern gab ihm darüber hinaus auch den Anstoß zur Formulierung seines Menschenbildes, das ja als nächstfolgendes Akzidens zur Definition des Epikers gehört. Eine knappe Skizze der Grundgedanken und -intentionen von Güterslohs BEKENNTNISSEN kann das verdeutlichen.

Güterslohs Schrift stellt den Modellfall der „wahren Entwicklung"[15] eines Künstlers dar; und das ist für ihn die Kette seiner „Dezisionen", sittlicher Bekehrungsakte. Der Rückgriff auf die Ebene des Sittlichen ist notwendig deshalb, weil dieser allein gegenüber der Ebene, auf der sich der Künstler bewegt, Transzendenz eignet. Von einer solchen vor- oder über- oder am besten meta-künstlerischen Ebene aus, die den Künstler erst legitimiert, kann Gütersloh – die Talente einmal vorausgesetzt – dem Dezidierten die Priorität vor dem Musischen zuerkennen[16]; anders: das Gewissen ist ihm die letzte und inappellable Instanz, und er kann behaupten, daß dem „Siege des Gewissens, dessen also, was als schöpferische Sonne hinter aller Gestalt steht und dieser Gestalt Schatten auf Bild und Buch wirft, und solcher Entscheidung die Begabungen einfach folgten"[17]. Die Konsolidierung eines solchen archimedischen Punktes gegenüber der Kunst sowohl wie der Welt nennt Gütersloh „spirituelles Leben", den Sieg „im geistigen Kampfe um das Leben, der den physischen vollkommen in sich integriert hat – und das eben ist die Wandlung"[15]. Der Entschluß aber zu solcher Wandlung oder Bekehrung – den eine „Stimme" wie das sokratische Daimonion, ein „Auftrag", ja ein „Befehl"[18], vom Künstler verlangt – erfordert zugleich die Aufgabe alles dessen, was man war. Und so beginnt der Weg des spirituellen Menschen mit dem „geistigen Verluste des Vaters"[19], dessen Schicksal zu wiederholen nichts als eine Parodie wäre, und mit dem Verlassen der Klasse, in die er geboren wurde[20], denn all das samt den ererbten Gütern scheint ihm unverdient, zu wenig sein eigenes Werk[21]. Durch solche Dezision erst, die einem Opfer gleichkommt, entdeckt er seine „physiognomische Existenz", wird er frei, und dies ist der Punkt seiner „zweiten Geburt"[22], seiner „Personsverwandlung“; er gewinnt dem Leben eine „zweite Dimension“ ab und „inauguriert“ eine „neue Dinglichkeitsreihe“, die als die Ebene seiner Personalität wider das „schematische Dasein“ verläuft[23]. Die so gewonnene Freiheit aber ist vorerst nichts als Bindungslosigkeit; es gilt sie neu zu befestigen. Der normale Mensch, der hier erst einer wäre, wird seine Bindung in der Verwirklichung seiner Physiognomie gewinnen. Der Künstler aber, um den es Gütersloh geht, tritt mit jener zweiten Geburt in die „Familie seiner Wahlverwandten“[24]. Sie nennt Gütersloh das „aristokratische Kommissariat“ der wenigen „konstanten Typen“, welche die Kultur schaffen und am Leben erhalten, eine spirituelle Aristokratie, die nicht Adel ist, sondern darstellt und vorstellt, wie Adel entsteht, und so Adel remplaciert[25]. Allein, die nur kommissarische Sendung des Künstlers, das „bloß Beispielmäßige“ seiner Erscheinung[25], erzwingt es, daß er nicht bei jener zweiten Geburt sich beruhige, sondern daß diese nur ein metaphorischer Bekehrungsakt für ihn sei, und einer unter anderen. Denn der Künstler, dessen „Entwicklung“ „keinen unwesentlichen Punkt in der Geschichte des Menschengeschlechtes unberührt läßt“, und der, „um hegelisch zu reden, den Weg der Weltseele bis zu diesem Augenblicke rekapituliert“[26], demonstriert jenen Akt der Wiedergeburt immer aufs neue. Er gelangt nicht zu einer Gestalt, die er ist, sondern – durch seine Dezisionen – von Figur zu Figur, „die alle er vorstellt(e), ohne sie zu sein“[27]. Nur so ist die kontradiktorische Figurenwelt eines Dichters zu erstellen und zu erklären. Um etwa das Phänomen Shakespeare zu deuten, sagt Gütersloh, müsse man „von katastrophalen Charakterveränderungen dieses Dichters sprechen, um das lebendige, unausgetragene Nebeneinander von Schurken und Heiligen, Primitiven und Überspitzten als ein rekapituliertes Nacheinander begreiflich zu machen“[28]. Nicht Figur zu sein also, sondern nur Figuren vorzustellen, ist das Schicksal des Künstlers. Das ist das Opfer seines „heroischen Schuldienstes am Menschengeschlechte“[29], nur so aber ist Universalität gewährleistet, die er repräsentiert.

Zwischen dem Bild des Schriftstellers, wie Doderer ihn sieht (es soll im folgenden Kapitel nachgezeichnet werden), und diesen Güterslohschen Gedanken besteht eine offenkundige Analogie. Die Entwicklung des Künstlers, die Gütersloh als seine eigene darstellt – „in den vorgeführten symbolischen Figuren“, so sagt er, „bin ich bescheiden enthalten wie die Konkretion in der Idee“[26] – und die Doderer ebenso durchlaufen hat, also jene durch Dezision gewonnenen symbolischen Figuren sind, wie Gütersloh sagt, „meine und meinesgleichen eigenste Hervorbringungen, abgekürzte Selbstbildnisse und nicht gesteckte Ideale“[26]. Eine solche „Biographie quasi un' allegoria“[26] zeichnet, seinerseits in abgekürzter Form, Heimito von Doderer bereits im Jahre 1938 unter dem Titel DER AQUÄDUKT[30].

Dieser Essay ist eine einzige Metapher. Mit dem Bild des Aquädukts veranschaulicht Doderer die Ebene spirituellen Lebens – den Strom des Lebens und des Geistes, welche sich im Künstler integrieren – als einen Bereich, in den der Künstler gehört, von dem aber der junge Mensch noch ausgeschlossen ist. Denn diesem steht das „Allzufertige der Welt" und ihrer Sprache als abstrakte Unanschaulichkeit fremd gegenüber, und er weiß, daß ein direktes Ergreifen der Welt, das den lebendigen Prozeß der Rezeption abkürzte – ein „talentvolles Hinaufsteigen und Hineinsteigen von seitwärts" in den Aquädukt –, nur Fertigkeit im negativen Sinn bewirkte, Scharlatanerie wäre. So sieht er sich angehalten, jener Abstraktheit auf die Spur zu kommen, indem er ihre Entstehung rekapituliert. Er sucht – rückwärts gewandt „in der Gegenrichtung des Wassers" und „einen seltsamen Zickzackweg einschlagend" – die Quelle selbst des Aquäduktes auf und mündet so in ihn ein. Nach dem Aufbruch zu den Gründen der Sprache und damit der Wirklichkeit – dies ist der dezidierte Akt der Bekehrung zur Sprache – auf der idealen Höhe des Aquädukts verwirklicht der Künstler bereits seine Existenz.

Wenn es nun in Doderers Tagebuch heißt: „Hat man eine Art zu leben einmal in's Perfektum gebracht, dann hat man bald alle Arten zu leben verstanden, oder befindet sich mindestens in der Möglichkeit hiezu"[31], so wäre dies der Punkt, wo Doderer sich von Gütersloh ablöst. Nachdem er die spirituelle Ebene des Aquädukts lediglich als die Funktion erkannt hat, den Blick des Künstlers grenzenlos zu öffnen – „Umsicht, auch im Sinne der Umschau, das war's, was der Aquädukt verlieh, ja dies vor allem" –, kehrt er zu seinem ursprünglichen Ansatz zurück. Denn seine Umsicht – oder, wie er später sagt, seine Apperzeptivität – richtet sich auf den einfachen Menschen, der ihm Bürge der Wirklichkeit ist. Damit fällt einerseits ein neues Licht auf die beispielmäßige Sendung des Künstlers, der allein deshalb nicht Figur werden darf, weil er Figur zu sehen hat[32]. Zugleich aber tritt hier neben die Parallelität im äußerlich Biographischen und im metaphorisch Wesentlichen zwischen Güterslohs Schrift und Doderers Existenz eine weitere Parallelität, wenn sich nunmehr feststellen läßt: Doderer fand seine eigene Problematik bei Gütersloh paradigmatisch formuliert. Auf das Paradigmatische nämlich kommt es hier an. Hatte Güterslohs theoretische Schrift den aristokratisch gedachten Typus des Künstlers und seine Entwicklung zum Gegenstand, so galt Doderers epische Praxis schon in der BRESCHE dem Fall eines sogenannten Alltagsmenschen. Und hier sah Doderer die gleichen Gesetze wirksam, die Gütersloh allein dem Künstler als dessen aristokratisch-spirituelles Privileg zuzubilligen schien. Jetzt, durch Gütersloh zu seiner Definition als Schriftsteller gelangt, mit der epischen Gestaltung, die er schon praktizierte, allererst belehnt – hier wurde der erzählende Schriftsteller geboren –, übertrug Doderer das Güterslohsche Grundschema der

„Entwicklung" des Künstlers auf die „Entwicklung" des Menschen überhaupt. Zur Allgemeingültigkeit erhoben, heißt diese Problematik bei Doderer „Personswerdung" oder „Menschwerdung", eines der Hauptthemen seines Werkes seit dem Erstlingsroman. Die „Entwicklung" des Künstlers nach Gütersloh bedeutet wie die „Menschwerdung" nach Doderer, beide auf die oben schon zitierte und später noch näher zu erläuternde metaphorische Formel reduziert: sich selbst einholend, dem schon fliegenden Pfeil erst die Spitze aufzusetzen.

Bei alledem kann von einem Einfluß Güterslohs auf Doderer im üblichen literarhistorischen Sinne keine Rede sein. Allerdings könnte ein Umstand sehr wohl einen solchen Einfluß vermuten lassen, nämlich die gemeinsame Wurzel beider Autoren im Expressionismus. Gütersloh zählt mit seinem Roman DIE TANZENDE TÖRIN (1911 und 1913) zu den Mitbegründern des Expressionismus (auch in seinen 1923 verfaßten BEKENNTNISSEN lassen sich noch typisch expressionistische Züge nachweisen); und Doderer – der übrigens jenen Güterslohschen Roman schon in der sibirischen Kriegsgefangenschaft (1916–1920) kennen lernte – Doderer ist in seinem Frühwerk offensichtlich vom Expressionismus beeinflußt[33]. Jedoch, die künstlerische Praxis beider Autoren führt letztlich weit auseinander. Ihre entscheidende Begegnung erfolgte ausschließlich auf der gegenüber der Kunst transzendentalen Ebene, von wo aus eine Ortung des Künstlers erst möglich wird. Dies zeigt in aller Schärfe Doderers Schrift DER FALL GÜTERSLOH. EIN SCHICKSAL UND SEINE DEUTUNG (1930); sie ist auf eben dieser Ebene geortet und visiert von daher den „Fall Gütersloh" an, das heißt: „die doppelte Möglichkeit des Ausdruckes, eines spezifisch malerischen und eines spezifisch dichterischen Ausdruckes, die beide in diesem Leben gleichen Rang nebeneinander behaupten"[34]. Es sei noch erwähnt, daß Doderer bis heute zahlreiche Äußerungen über Gütersloh veröffentlicht hat – die wichtigste davon ist der große Aufsatz VON DER UNSCHULD IM INDIREKTEN[35] –; und immer wieder betont er, was er seinem Lehrer Gütersloh verdankt: die Bekehrung zur Sprache. Wie aber zu jeder Art von Bekehrung „nur in ganz geringem Maße anzuleiten"[36] ist, fast nur durch die Anwesenheit des Vorbildes, das den Blick auf sich zwingt, so sagt Gütersloh mit sokratischer Bescheidenheit, Doderers wesentlicher Geburtsakt sei „zufällig" durch ihn, der hier Sokrates war, ausgelöst worden. Ebenso bescheiden aber hält Doderer an dem Lehrer-Schüler-Verhältnis fest: „Nie, und bis auf den heutigen Tag", sagt er, „habe ich als ‚Gleichrangiger' mit Gütersloh gesprochen. Denn der Abstand zwischen Lehrer und adoptiertem Schüler ist ein hierarchischer, und uneinholbar, da sei der Schüler, wer er wolle."[13] Will man angesichts dieser Konstellation dennoch von einem Einfluß Güterslohs auf Doderer sprechen, so nur, wenn gleichermaßen die aus jenem Verhältnis notwendig sich ergebende Rückwirkung Doderers auf Gütersloh in Betracht gezogen wird. Denn der Lehrer, im Schüler fruchtbar, wird durch diesen wie bestätigt so auch bereichert. Zugleich aber – und das ist das letzte sokratische Ziel – geht die Bestätigung des Lehrers durch den Schüler über die bloß passive Rezeption hinaus und ist immer schon die schöpferische Realisierung der eigenen Person jenseits der Kategorien von Lehrer und Schüler.

2. KAPITEL

DIE ORTUNG DES SCHRIFTSTELLERS – DODERERS ROMANTHEORIE

1

Kein Problem ist – nach Doderer – auf derselben Ebene lösbar, auf der es erscheint[1]. So ist – gemäß der „doppelten Anwendungsart“ der Sprache, nämlich „gestaltweise“ und „zerlegungsweise“[2] – die Problematik des Romans (des gestaltenden Ausdrucks) nur auf der Ebene der Kritik (der zerlegenden Aussage) zu erörtern. Der gestaltende Schriftsteller wird geortet von dem zerlegenden Anti-Schriftsteller, den er immer schon in sich trägt[3]; denn in der Distanz wird die Intimität erst realisiert. Solche Selbstortung als der innere Dialog eines Schriftstellers bildet das Zentrum der Romantheorie Heimito von Doderers.

Allerdings ist Doderers Traktat GRUNDLAGEN UND FUNKTION DES ROMANS, der die gleichnamige Pariser Rede um zwei Randkapitel bereichert, umfassender angelegt. Die Einleitung mit dem Titel THEORETIKER UND PRAKTIKER kommentiert und kritisiert in einer Art Forschungsbericht verschiedene Definitionen des Romans. Und unter dem Titel PERSPEKTIVEN liefert das Schlußkapitel verstreutes Diskussionsmaterial zur Romantechnik. Der Hauptteil enthält neben Doderers Abgrenzung gegenüber den Romanciers der Krise seine Stellungnahme zur Situation und Funktion des zeitgenössischen Romans und leistet schließlich einen Beitrag zur Typologie des Romans überhaupt; denn wann immer ein Schriftsteller über sich selbst und seine exemplarische Tätigkeit aussagt, fallen Prinzipien allgemeiner Art notwendig ab.

Im Kern aber ist Doderers Traktat keine literaturwissenschaftliche Abhandlung, welche „die zahllosen Formen und Möglichkeiten des Romans gegeneinander“ ausspielen würde; er ist auch nicht eine „bloß theoretische Meinung“, sondern – wie die Innsbrucker Rede ZUM THEMA EPIK, der diese Zitate entnommen sind – als Theorie eines Praktikers ein „Bekenntnis“; „denn nur das Bekenntnis hat ortenden Wert“[4]. Das Bekenntnis eines Schriftstellers bedeutet die Definition seiner selbst als Schriftsteller, es ist eine Besinnung auf seine Kategorie und insofern nicht lediglich eine Selbstinterpretation, sondern immer schon eine Definition des Schriftstellers überhaupt. Zunächst und vor allem darum geht es Doderer, und dann erst um eine Wesensbestimmung des Romans. Auf solche Weise faßt er das Problem in seinem Ursprung; denn „was ein Roman ist, bestimmt derjenige, welcher ihn schreibt“, sagt Gütersloh, den Doderer in diesem Zusammenhang zitiert[5]. Demgemäß ist Doderers Romantheorie im wesentlichen eine Typologie des idealisch gedachten Schriftstellers; sie entwirft ein Bild desjenigen, der den Roman schreibt, und zeichnet kategorial die Verfassung seiner Person. Und von daher stellt sich dann die Definition des Romans zwangsläufig ein.

Die folgende Einführung in Doderers Romantheorie fixiert diesen Blickpunkt, begreift aber dabei jene Ortung des Schriftstellers durchaus im Sinn eines Bekenntnisses als die idealtypische Selbstortung Heimito von Doderers. Nicht also darum geht es, Doderers Romantheorie auf ihre Allgemeingültigkeit zu prüfen – liegt doch ohnehin im Falle der Theorie eines Praktikers der Akzent nicht so sehr auf der Allgemeingültigkeit als vielmehr auf der exemplarischen Bedeutung. Denn der Anti-Schriftsteller im Schriftsteller ist kein Selbstwert, sondern lediglich eine Funktion der Selbstbesinnung. Das heißt: letztlich ist Doderers Romantheorie im Hinblick auf seine Romanpraxis geschrieben, und ausschließlich in diesem Hinblick soll sie hier betrachtet werden, nämlich als die theoretische Grundlegung seiner Romandichtung und als die Voraussetzung zu ihrem Verständnis. Einzig darin besteht die Legitimation für eine Behandlung der Romantheorie Heimito von Doderers innerhalb der Betrachtung seines Gesamtwerkes. Nach der Maxime: „Was ein Roman ist, bestimmt derjenige, welcher ihn schreibt“ soll also die Selbstortung Heimito von Doderers und demgemäß seine Bestimmung seines Romans kritisch-systematisch referiert und erläutert werden. Dabei werden alle ins einzelne der Technik gehenden Fragen vorerst ausgeklammert: sie sollen zur Analyse der Dichtung selbst herangezogen werden.

2

Wenn Doderer in seinem Tagebuch über sich selbst schreibt: „... ich als Naturalist ...“[6], und später: „Die naturalistische Technik – sie wende ich an, wenngleich ich nicht Naturalist im eigentlichen Sinne bin ...“[7], so bedeutet dieser Widerspruch nicht so sehr eine schwankende Haltung, er ist vielmehr in der Konzeption des Naturalismus als Kunst begründet. Der Naturalismus nämlich, konsequent gedacht, schließt die Kunst aus, er ist Spiegel der Welt, die durch die Spiegelung nur verdoppelt, nicht aber erfaßt werden kann. Umgekehrt heißt das: Kunst ist die Überwindung des Naturalismus; schon die Sprache und dann die Form, die den Roman zum Kunstwerk erheben, lösen den Begriff des absoluten Naturalismus auf. „Der pur-sang Naturalismus ist undurchführbar, weil eine auf seiner widernatürlichen Ebene autochthone Sprache fehlt."[8] Auf der Basis des Naturalismus indessen den Prozeß jener Überwindung stufenweise zu vollziehen, das setzt Doderer sich vor: „Aller Naturalistenbrauch muß schließlich, wenn sauber ausgeübt, seine Grenzen berühren. Und das eben will ich ja."[9] Von daher ist sein Bekenntnis zum Naturalismus zu verstehen. Für Doderer ist der Naturalismus notwendige Voraussetzung, Durchgangsstufe und Überwindungsform. Denn:

> ... dieses eine kann zweifellos nur der naturalistische Roman leisten, der sich jener Ingredienzien bedient, die unser Alltag bietet: den ganzen Schrecken oder Klimbim gewichtlos zu machen, ihn zum Schweben zu bringen und schließlich die immer gleichen Wände, welche uns da umschließen, in Fenster umzuschaffen, durch die wir hinaus schauen, während die Transzendenz, sei's auch nur metaphorisch, durch den Blick in ein Jenseits im Diesseits, hereinscheint.[10]

Hier wird die Kluft sichtbar, die Doderer vom Naturalismus des 19. Jahrhunderts trennt. Zwar ging die naturalistische Praxis auch im 19. Jahrhundert keineswegs restlos in der Reproduktion der Fassade als Selbstzweck auf (wie zeitgenössische Schriftsteller polemisch zu sagen pflegen), und doch eignete den Naturalisten im Gegensatz zum „wirklichen Romandichter", wie Doderer mit Recht sagt, eine „nervöse Abneigung gegen die Transzendenz"; sie hatten „ihre Technik letzten Endes aus Ressentiment ... und nicht wie er [der wirkliche Romandichter] aus dem Willen zur ‚dezidierten Deskription'"[8]. Die „dezidierte Deskription" ist in der Tat das Prinzip des Dodererschen Naturalismus; und von einer Verengung der Perspektive auf einen flachen „Photographen-Naturalismus" kann keine Rede sein, wenn Doderer bekennt:

> Die unmittelbar uns umgebende Welt ist so abgründig heran-stehend und so sehr grundiert vom Geheimnis, daß die ausschweifendsten Träume, damit verglichen, als harmlose Seichtigkeiten erscheinen. Das ist mein Bekenntnis für den Naturalismus und gegen die Romantik, einfach weil ich diese in jenem schon enthalten finde.[11]

Diese Anschauung beruht im ganzen auf der Überzeugung von der doppelten Seinsweise der Welt, die eben nicht nur ist, sondern in ihrem Sein zugleich auch bedeutet. Und dieser geheimen Bedeutung ist nachzuspüren, wenn man die Welt erfassen will. Hier gilt Goethes Satz: „Man suche nur nichts hinter den Phänomenen: sie selbst sind die Lehre"[12]; und hier erweist sich, daß Doderers Naturalismus, wenn anders dieser Begriff noch gilt, durchaus von Goetheschem Charakter ist. Die „Erkundigung ums Phänomen" ist ein Hauptwort in seinen Tagebüchern. In Goethes Italienischer Reise findet er das für ihn selbst verbindliche „unerschütterliche Grundwissen, daß unser Geist nur sicher geht, bewahrt vor schweren Verfehlungen und die zarte Hülle des komplexen Lebens nie zerreißend, wenn er im Jetzt und Hier und so Seienden einen inappellablen Text erblickt, der in den durchaus dem Erfahrbaren entnommenen Schriftzeichen giltig und verbindlich über das jenseits davon Liegende aussagt“[13]. Dies führt unmittelbar auf das Phänomen als Symbol, und zwar im Sinne Goethes. „Die Phainomena“, sagt Doderer, „sind letzten Endes Symbole, die uns paradoxerweise – für nichts dastehen sollen. Sie sind, was sie bedeuten, zugleich und zuletzt immer wieder selbst.“[14] So besteht Doderers Naturalismus und zugleich dessen Überwindung darin, das Phänomen allseitig zu erkunden und nichts hinter ihm zu suchen, sondern im Vergänglichen das Gleichnis[15], im Diesseits das Jenseits aufzuspüren und scheinen zu machen.

3

All das setzt die Unverbrüchlichkeit der Empirik und die Erkennbarkeit der Welt voraus. So greift Doderer immer wieder auf Lukács zurück und sieht mit ihm in der jeweiligen Gegebenheit der Welt eine letzte „inappellable Instanz“[16] für die Epik. Nach Doderer hat der Schriftsteller „von vornherein innig die Erkennbarkeit der Schöpfung aus dem, was sie uns in wechselndem Flusse darbietet, umarmt, und meint fest, daß die Sachen, wie sie sich als Konkretionen zeigen, durchaus sie selbst sind, ja, mehr noch – daß sie durchaus auch wir selbst sind“[17]. Dies basiert auf der thomistischen analogia entis, die Doderer in übertragener Bedeutung als „festen Konnex zwischen Innen und Außen“[18] – und das heißt für ihn: als Wirklichkeit – begreift. Insofern, meint Doderer, sei der Romancier „so etwas wie ein geborener Thomist“[19]. Nach dieser Theorie fallen Innen und Außen auf der Basis des Seins zusammen, sie gehorchen derselben Mechanik. Das reine Außen ist die Wirklichkeit an sich, das reine Innen ist lediglich Wirklichkeit für den Menschen, die Konkretion beider erst ist die Wirklichkeit im vollen Sinne. Dabei aber gehört der äußeren Faktizität der Vorrang. „Die Tiefe ist außen. Das Innen ist nur ein Weg dorthin.“[20] Im Außen gilt es das Innen zu erkennen wie im Diesseits das Jenseits. Das heißt: die Erkenntnis der Welt schließt die Selbsterkenntnis immer schon ein, und die fundamentale Selbsterkenntnis ist nur mit der Welterkenntnis zugleich denkbar[21]. Diese Überzeugung begründet wiederum Doderers Naturalismus, seine Blickrichtung nach außen: „Die Tiefe ist wirklich außen, in der dinglichen Sprache des Lebens und seiner unwidersprechlichen Dialektik.“[22] Daraus folgt freilich für den Schriftsteller, wie Doderer ihn sieht, die „restlose Zustimmung zum erfahrbaren Leben unter welchen Zuständen und Umständen immer“[23]; „denn eines will ja der Künstler ganz unbedingt: daß nämlich Leben sei“[24]. Solche uneingeschränkte Lebens- und Weltbejahung Heimito von Doderers dringt bis in seine Ästhetik: „Alles ist von vornherein schön, weil seiend“[25], heißt es im Tagebuch, und ferner: „Der

Schritt hinaus ist alles. Auch ästhetisch. Was wirklich geschehen wird, ist schön. So einfach ist die Ästhetik des Romanciers."[26] Das ist abermals Goethisch; der Anklang an die Worte des Lynkeus ist unüberhörbar.

4

Jene Synopsis von Innen und Außen, der Wirklichkeitsblick, heißt bei Doderer „Apperzeption". Da für ihn die Erkennbarkeit der Welt prinzipiell außer Zweifel steht, ist ihm die Apperzeption eine „unio chymica zwischen Innen und Außen, die psychische Erscheinungsform der Analogia Entis"[27]. Sie erscheint in zwei Arten, die in sich gestuft sind: über das formale Kenntnisnehmen führt sie zur existentiellen Wahrnehmung. Diese letztere ist die eigentliche Apperzeption[28]: sie „erfordert Hingabe"[29], ist eine „Verschmelzung, ein erotischer Vorgang"[30]; „sie allein verbindet den Menschen wirklich und wirksam mit der Objektswelt"[31]. Dementsprechend ist die Apperzeptivität, das heißt: „hohes Wachsein"[32], „Geöffnet-Sein"[33] oder „höchste Zugänglichkeit"[34], eine „Vollendungskategorie" des Schriftstellers[34], ja seine kategoriale Personsverfassung. Hier ist nun Goethe ganz ausdrücklich ein Vorbild für Doderer. „Welch ein gewaltiger Apperzipierer!" schreibt er nach der Lektüre der ITALIENISCHEN REISE, „Welch ein verdauungsfreudiger Riesenmagen für's Empirische ist das!"[35] Und es nimmt nicht wunder, wenn in diesem Zusammenhang zu lesen ist: Apperzeptivität – „Das sind die glücklichen Augen, von denen Goethe seinen Lynkeus singen läßt. Und so wird ‚die Person bewahrt'."[36] Die Apperzeptivität also gilt es zu perfektionieren, denn „man muß in einem sehr guten Gewissen stehen, um die Welt so schauen zu können wie sie wirklich ist"[37].

Die Voraussetzung für solchen Wirklichkeitsblick ist das konservative Verhalten des Schriftstellers – „Ver-halten auch im anderen Sinne des Wortes"[38] –, seine Gelassenheit. „Ge-lassen heißt: so gelassen, wie etwas eben ist, un-alteriert."[39] „Man benehme sich wie die Polizei am Tatort vor dem Eintreffen der Mordkommission: da darf kein Sessel gerückt, kein Fältchen verschoben, kein Stäubchen geblasen werden, bevor nicht viele photographische Aufnahmen gemacht sind. Ein solches Verhalten ist Voraussetzung wirksamer Apperzeption."[39] Dies zusammengefaßt bedeutet: „Jede wirkliche Apperzeption ist konservierend. Was man genau sehen will, wünscht man nicht geändert zu haben."[40] Indessen ist die Apperzeption „kein rein empfangender, sondern ein durchaus produktiver Akt", allein schon „durch ihre praktische Identität mit der Sprachwerdung"[41]. Dieser Aspekt soll weiter unten verfolgt werden; hier nur soviel: im ganzen ist die Apperzeption als ein lebendiger Akt des Subjekts, gerichtet auf die Welt als ein lebendiges Objekt, lebensgemäß von paradoxalem Charakter, sie ist – mit den Worten von Günter Ralfs – sowohl „spontane Rezeptivität" wie „rezeptive Spontaneität", sowohl „aktive Passion" wie „passive Aktion"[42].

5

Von daher kommend nennt Doderer den Erzähler einen „wesentlich passiven Typus ..., der die eintretende Constellation erwartet"[43]. Diese Konstellation betrifft den Erinnerungs-Stoff. Denn jeder apperzipierte Sachverhalt ist mit der Apperzeption schlagartig in die Vergangenheit gerückt. „Alles muß vor allem einmal vergangen sein"[44]; erst das Vergangene ist überschaubar, und „erst das Überschaubare kann erzählt werden"[45]. So ergibt sich für Doderer auch „unwiderleglich, daß man Abwesende besser und deutlicher sieht als Anwesende. Abwesende sind gewissermaßen vergangen."[46] Insofern konstituiert die „fruchtbare Gedächtnis-Distanz, aus der allein irgendwas gesehen, das heißt in den goldnen Schnitt zwischen Nähe und Entfernung gerückt werden kann"[47], den „erzählerischen Zustand". „Denn was dem erzählerischen Zustand zugrunde liegt", sagt Doderer, „ist nichts geringeres als der Tod einer Sache, nämlich der jeweils in Rede stehenden, die ganz gestorben, voll vergessen und vergangen sein muß, um wiederauferstehen zu können."[48] Erst mit dem gänzlichen Abgestorbensein ist der ganze Komplex „von allen Wünschbarkeiten und Sinngebungen gereinigt" und gleichgültig geworden[48]. Und „damit ist seine spontane freisteigende Wiederkehr ermöglicht, sein Wieder-Erscheinen auf einer neuen und anderen Ebene: nämlich jener der Sprache. Ecrire, c'est la révélation de la grammaire par un souvenir en choc. Wiederkehren kann nur, was vergangen war, wirklich vergangen war nur, was wiedergekehrt ist. Die Gegenwart des Schriftstellers ist seine wiedergekehrte Vergangenheit; er ist ein Aug', dem erst sehenswert erscheint, was spontan in die historische Distanz rückt."[49]

Hier liegt ein weiterer Grund für Doderers Naturalismus. „Es muß alles möglicherweise gewesen sein, was ich erzähle", schreibt er im Tagebuch, „mehr als das, es muß sicher so gewesen sein: und nur, damit sich das so verhalte, bau' ich aus vertrauten, in meiner Empirik vorkommenden Materialien, aus Materialien meines Alltags: damit mir so zu Mute sei, mit Recht, als erinnerte ich mich. Ein geheimster Grund für den Naturalismus, ja, den Verismus."[50]

Bei alledem ist es dem Schriftsteller nicht gegeben, „vorsätzlich irgendwen oder irgendwas von den Toten zu erwecken"[51]; denn jede vorsätzliche Dirigierung vernichtet die konservative Haltung, verstellt die Apperzeption und alteriert die Phänomene um irgendwelcher Zielsetzungen willen. Vielmehr ist der Erzähler – mit gleichsam nach innen gekehrter Apperzeptivität – „ein immerwährender Lauscher der frei steigenden Vorstellungen und hat mit diesen vertrautesten Umgang“; „er hängt ab von der Chemie seines Gedächtnisses“[51]. Von der autonomen Kategorie der Erinnerung aufgerufen, erscheint das „Gewirr“ seiner Vergangenheit immer schon als „Gewirk“[52]; denn „die Auswahl zwischen dem Wesentlichen und dem Unwesentlichen ist hier längst getroffen“[53]. Und so kann Doderer sagen: „Es brauchte sich einer nur wirklich zu erinnern und er wäre ein Dichter.“[53]

6

Hier wird der Blick frei auf die Genesis des Schriftstellers. Für Doderer steht die „Personswerdung“ des Schriftstellers unter doppeltem Aspekt. Einmal ist sie eine „Bekehrung zur Sprache“[54]: „Schriftsteller ist Derjenige, der es ablehnt – mehr! dem's unmöglich geworden ist – irgendwas anders zu begreifen als durch ein Organ der Grammatik.“[55] Dabei versteht Doderer unter Grammatik „nicht die Schulgrammatik mit ihren orthographischen Auswüchsen . . ., sondern die Kunst des Schreibens schlechthin und also die Kategorie, unter welcher der Schriftsteller lebt“[56]. Ihn beherrscht die feste Überzeugung: „Alles kommt aus der Sprache. Komische Mistkäfer oder ein Sonnenband auf deinen Blumenkisteln vor dem Fenster. Denn im Anfang war das Wort. Alles geht in die Sprache, beim Schriftsteller. Denn am Ende ist die Grammatik; bis der letzte Rest von Leben in sie abgewandert und damit die re-ligio wieder hergestellt erscheint: für diesmal.“[57] „In der Kategorie des Grammatischen lebend“[58] aber, weiß sich der Schriftsteller außerstande, die Sprache zu definieren. „Ich komme mir . . . vor wie ein Elektrotechniker“, sagt Doderer, „der geht mit dem Strom um und kein Mensch hat noch sagen können, was das eigentlich ist. Genau so verhält sich's mit der Sprache.“[59] Gleichwohl ist für den Schriftsteller die Sprache mit der Wahrheit identisch[60], ihr haftet das „unausrottbare Parfum der Objektivität“[61] an. Daraus ergibt sich ein Grundsatz Heimito von Doderers: „Wörtlichkeit ist die Kernfestung der Wirklichkeit.“[62] Das heißt: die „Bekehrung zur Sprache“ ist immer schon eine Bekehrung zur Wirklichkeit. Jene Bekehrung, die in Schüben gewonnen werden kann, läuft also parallel mit der fortschreitenden Konsolidierung der apperzeptiven Verfassung. Apperzeptivität ist identisch mit der „Sprachwerdung“, hieß es schon weiter oben, und das bedeutet: „Die apperzeptive Verfassung ist das Antichambre der Grammatik. Man wird nicht vorgelassen, sondern sie selbst tritt unvermutet heraus, zu sehen, wen sie hier noch wartend habe.“[63] Aus diesem Grunde nennt Doderer Apperzeptivität und Sprache die wesentlichen „Vollendungskategorien“ des Schriftstellers[64].

Zum andern kommt die „Personswerdung" des Schriftstellers einem „Akte der Selbst-Aufhebung" gleich, und zwar der „Selbst-Aufhebung durch Schreiben"; denn der Schriftsteller benennt „sein Leben nicht anders ... als den Befreiungskampf um das Leben seiner Sprache: bis zur Wörtlichkeit"[65]. „Nicht Figur zu werden, sondern Figur zu sehen ist seine Lebensform."[66] So wird er der Welt entsagen, auf die Perfektionierung seiner Person verzichten, „sich unvollendet stehen lassen"[67]: „ein Akt von profunder Undankbarkeit, Untreue und Inkonsequenz. Denn, was ihm einst a l l e s bedeutete, wird jetzt ein Fall unter Fällen. Er muß sein Leitbild opfern, sein ἡγεμονικόν (Hegemonikon) ...: erst das heißt sich unvollendet stehen zu lassen."[68] „Er ist Einer, der weder an der Welt noch an sich selbst arbeiten will, wahrlich ein Mensch ohne Zielsetzungen."[69] Nur auf diesem Weg indes „fällt das Egozentrische, kann der Eros zum Objektiven frei werden, die Möglichkeit eines aliozentrischen Sehens – und damit des eigentlichen Betretens jeder Figur"[70]. Der „Eros zum Objektiven" freilich fordert die Selbstaufhebung des Subjekts, die „Loslösung von den Objekten – wodurch sie's erst ganz werden"[71], wodurch sie nämlich nicht mehr als Objekte dem Subjekt gegenüber stehen, sondern in ihrer Realität aufleuchten. Das alles bedeutet: „zum Complexen – resignieren"[72]. Und so ist Doderers „ideal gedachter Autor" der „letzte Mann, der das Complexe und Ganze des Lebens bis zum Äußersten verteidigen wird gegen jede endgültige Lösung, der in des Lebens Mitte sitzt und zugleich unter dem furchtbaren Verdachte steht, er hätte sich daneben gestellt, mit seiner Behauptung: daß alles schön sei, was man genau und ausführlich sieht"[73]. „Des Lebens Mitte" – das ist der archimedische Punkt, der ortlose Ort, den Gütersloh den „Stein der Mitte" nennt[74]. Die Ortlosigkeit ist der Ort des Schriftstellers, der archimedische Punkt seiner selbst, ein „Jenseits im Diesseits", wie ein bei Doderer beliebter Ausdruck lautet. DER FREMDLING SCHRIFTSTELLER, so nennt er eine Rede, in der er sagt: „diesen Typus konstituiert d i e D i s t a n z, der goldene Schnitt zwischen Nähe und Ferne, Vertrautheit und Fremdheit, der eine optimale Optik gewährt, in welcher allein die Aura aus den Menschen und Dingen tritt, also das eigentlich Sichtbar-Machende"[75]. An diesem Punkte wird die Apperzeption grenzenlos. Und das Werk des Schriftstellers als sprachgewordene Apperzeption repräsentiert das Leben, indem es Leben reproduziert. Wer aber „restlos apperzipiert, will nichts mehr mitteilen"[76]. Das heißt: der Schriftsteller ist „kein Mitteilender, welcher hervorsprudelt und gegen den Hörer zu das Gleichgewicht verliert, weil er in diesen unbedingt den oder jenen Eindruck hineinpressen will. Des Erzählers Rede ist stabil, sie ruht in sich selbst, sie ist Monolog: wie aufsteigende Erinnerung."[77]

7

Das Komplexe und Ganze des Lebens, hieß es, wird der Schriftsteller verteidigen – dies bedeutet seinen Universalismus, der freilich schon in der grenzenlosen Apperzeption und in der Sprache begründet ist. „Im Anfang war das Wort. Wir kommen von dort und gehen dorthin. Die Existenz eines Schriftstellers ist daher nur als universal denkbar."[78]

Die Universalität des Romans, die daraus folgt, ist, wie Doderer immer wieder betont, „Erbe Goethes"[79]. Von der Universalität „hängt das Schicksal der Gattung Roman heute ab, die ohne universalen Anspruch sofort zu einer Art ‚Amüsierbranche' sich spezialisiert"[80]. Goethe indessen „hat dem Schriftsteller ... die Möglichkeit zur neuzeitlichen Universalität gezeigt und zugleich ihm deren Last aufgeladen: denn im Leben des Geistes ist die jeweils vorderste Findung nicht eine Spitze, auf welche keineswegs jeder die Sachen treiben muß, sondern sie wird sogleich zum verbindlichen Maß und Bezugspunkt für alle"[81].

Zum „Griff nach Goethes ... Erbe" befähigt den Romanschreiber die „Eigentümlichkeit seines Materials, der Sprache"[82]. Das „offen daliegende Geheimnis der Sprachkunst ... – offen daliegend, merkwürdig unbemerkt zugleich! –" besteht darin, daß „ihr Material doppelt anwendbar ist, gestaltweis und zerlegungsweise"[83]. Die doppelte Anwendbarkeit zeichnet die Sprache aus gegenüber dem Material aller anderen Künste – der Musik, der Malerei, der Skulptur usf. Das nennt Doderer das „Wunder unserer Kunst"[84]: „Einerseits kann sie [die Sprache] rein als Material der Gestaltung gebraucht werden, wie Farbe, Ton, Thon, oder Stein. Ebenso groß aber ist ihre Kraft, wenn sie nicht gestaltweis, sondern zerlegungsweise, also analytisch auftritt, wenn nicht etwas dargestellt wird mit den Mitteln der Sprachkunst, sondern über etwas gesprochen oder geschrieben."[85] Im Gebrauch beider Anwendungsarten – der Darstellung und der Darlegung, wie man sagen könnte – liegt nun die Möglichkeit, „sich jeder Sache überhaupt zu bemächtigen"[86], und damit die Möglichkeit zur Universalität. Jene „doppelte Anwendbarkeit" aber „verpflichtet auch zur doppelten Anwendung", das heißt: „beide zusammengefügten Hemisphären"[87], „beide Anwendungsarten der Sprache erst machen zusammen einen Schriftsteller aus, und schon gar den Romancier. Wie nimmermüde synchronisiert laufende Kolben tauchen jene zwei Möglichkeiten der Sprache blitzend auf und ab; ja sie werden einander ständig steigern. Jeder starke Stoß in die Gestaltung wird wie ein nachgrollendes Echo die zerlegungsweise Kraft auf den Plan rufen, deren Schärfe es dann geradezu provoziert, daß die Wogen der Gestaltung über ihr zusammenschlagen ..."[88]

Dies führt schon ins Technische, das hier nicht eigens behandelt werden soll. Im Hinblick auf den Typus des Romanschriftstellers läßt sich zusammenfassen: Der ‚Dichter' und der ‚Schriftsteller' – oder wie Doderer sonst sagt: der gestaltende Schriftsteller und der zerlegende Anti-Schriftsteller[89] – müssen immer in einer Person „koexistieren"[90]. Und im Hinblick auf den Roman bedeutet das seine Möglichkeit zum „Gesamt-Kunstwerk"[91].

8

Hier endlich fällt der Begriff der Kunst. Allerdings: weder der Naturalismus noch der Universalismus, weder die Apperzeptivität noch die Erinnerung – wenngleich alle diese Momente konstitutiv sind – legitimieren den Roman als Kunst. Erst durch „die Priorität der Form vor den Inhalten" wird „der Roman zum eigentlichen Sprachkunstwerk"[92]. Nur die Form, die Doderer „im Sinne der Scholastik" begreift, ist „schöpferisch": sie schafft den Inhalt[93]. Das ist der Kern der Romantheorie Heimito von Doderers. Die Priorität der Form ist für ihn die Wesensursache der Erzählkunst, der gegenüber die inhaltliche Kategorie der Erinnerung zur bloßen conditio sine qua non verblaßt. Objektiv als Wesensursache, erweist sie sich subjektiv im Einfall. Doderer umschreibt den Einfall, das blitzartige Angerührtsein, dessen Wesen sich dem deutenden Zugriff entzieht, als das Eintreffen der Form, den Zündschlag der Form, der ein zuweilen noch von keinem Inhalt tingiertes „dynamisches Gesamtbild"[94] eines ganzen Werkes schlagartig erstehen läßt. Ist das Gesamt-Formbild eingetroffen, „wendet sich der Romancier von alledem ab und lediglich mehr den nun reichlich sich darbietenden jeweiligen Inhalten zu"[95]. „An Inhalten", sagt Doderer, „besteht – wenn einmal ein gewisses Stadium der ‚Zugänglichkeit' erreicht ist – nie ein Mangel."[96] Hier beginnt die „Wissenschaft vom Leben"[97], „die unausgesetzte Erforschung des Lebens"[98]; denn es gilt die geheimnisvoll erfahrene Form zu bestätigen und integral zu füllen. Der Anruf der Form setzt zugleich einen Anspruch, dem zu gehorchen ist. Die Bemühung um die Inhalte geht deshalb letztlich darauf aus, in ihnen und aus ihnen eben denselben Zündschlag zu erfahren[99], der nunmehr dem der Form entgegenschlägt und so Form und Inhalt verschmelzt zu dem lebendigen Ganzen, das sie immer schon waren. Daß hierbei die Form ihre anfängliche Eigenbedeutung verliert, ist nur selbstverständlich. Form und Inhalt als dialektische Pole verschränken sich ineinander zu einem unauflösbaren Ganzen. Die Füllung der Form durch die Inhalte aber ist zugleich Bereicherung – und zuweilen gar eine Korrektur – der Form. So wird deutlich, daß die Bemühung um die Inhalte von Anfang an darauf zielte, die mit dem Formbild gegebene Komposition wieder zu verwischen, um letztlich Form und Inhalt zum Ganzen des Lebens zu integrieren; denn um die Lebenstotalität ging es ja ganz ursprünglich[100].

Auf der anderen Seite bedeutet die Priorität der Form die „Erkenntnis, die allein den Schriftsteller bewohnen kann: daß nämlich, den erzählerischen Zustand einmal erreicht, vollends gleichgültig und gleichwertig wird – was man dann denkt und schreibt“[101]. Diese These ist, wenn die dialektische Zusammengehörigkeit von Form und Inhalt in Evidenz gehalten wird, durchaus keine radikale Abwertung des Inhalts, vielmehr wird hiermit nur die wesentliche Rangfolge der beiden Glieder des dialektischen Continuums bezeichnet, nämlich als Form – und Inhalt. Übrigens findet diese Rangstufung bereits in Doderers Formulierungen ihren Niederschlag: es ist stets von der Form (im Singular) und den Inhalten (im Plural) die Rede, womit letzteren eine einzigartige Funktion schon abgesprochen ist. Die Inhalte aber mögen gleichgültig und gleichwertig sein, – nach vollendetem Werk werden sie nie mehr auswechselbar sein können. Denn nach dem Eintreffen des Formbildes muß einmal eine Entscheidung für diesen und nur diesen Inhalt einsetzen. Solche Entscheidung indessen ist immer schon getroffen, und zwar durch die Form selbst, denn: diese Form kennt nur diesen Inhalt. Das Band zwischen Form und Inhalt ist das einer ursprünglichen Affinität. Das formale Gesamtbild, das im Einfall auftrifft, enthält in seiner Aureole schon den Keim der ganzen Erzählung, ja diese selbst – ganz. So lautet denn auch der Kernsatz von Doderers Romantheorie: „Für den Romancier ist die Form die Entelechie jedes Inhaltes.“[102] Und in der Paraphrasierung dieses Satzes mit Hilfe von Goethes Wesensbestimmung der Entelechie wird Doderers Grundgedanke vollends anschaulich: als „geprägte Form, die lebend sich entwickelt“.

Praktisch schließlich bedeutet die Priorität der Form eine Annäherung des Romans an seine „epische Schwester in der Musik, nämlich die große Symphonie“[103]. Denn gegenüber der Symphonie für großes Orchester, die Beethoven, wie Doderer sagt, in einer „katastrophalen“ Tat erschuf, zeigt der Roman allerdings „technische Zurückgebliebenheit“[104]. Dem abzuhelfen und den Roman in Nacheiferung der großen Symphonie vorwärts zu treiben, setzt Doderer seinem Schaffen zum Ziel. „Ein entscheidender Vorstoß in der Kunst“, sagt er, „kann nie geschehen durch neue Gedanken oder das Ergreifen neuer Inhalte ... Sondern nur neue technische Mittel vermögen die Kunst immer neu zu begründen, Mittel, die einer unter dem Zwang der Not erfindet, weil er mit den alten nicht mehr auskommt.“[105] So gesellt sich zum Erbe Goethes das Erbe Beethovens, das heißt: der universale Anspruch gilt wie für die Weltgestaltung so auch für die Form des Romans. An diesem Punkt erst ist der Roman als „Gesamtkunstwerk“ zu realisieren: „Architektur des Aufbaus, Musik der sprachlichen Kadenz – der Satz im symphonischen Sinne – und die Leuchtkraft der Bilder.“[106]

9

Nach alledem kann Doderer konstatieren: „Ich für mein Teil bin heute so beschaffen, daß ich, nach dem Kopfsprung in den Naturalismus, mit der – Form wieder auftauche.“[107] In der Tat: die Konkretion von Form und Wirklichkeit erst ermöglicht den naturalistischen Roman als Kunst. Dennoch bleibt die Ambivalenz von Form und Wirklichkeit als wechselseitige Spannung bestehen. Einerseits definiert Doderer die „Kunst der Erzählung“ als „die restlose Übertragung einer Sinnfolge in den plausiblen Jargon der Kausalität“[108]. Andererseits ist ihm „vielleicht das einzig Bleibende und wirklich Edle an einem konsequenten Naturalismus, daß er alles Sinnlose völlig bei seinem Begriffe läßt, als einen integrierenden, einen zugelassenen und also zulässigen Bestand-Teil des Lebens“[109]. Diese Paradoxie ist lebensgemäß. Um der Lebensgemäßheit willen muß die Sinnganzheit der Form paradoxer Weise das Sinnlose sich integrieren, ohne doch dabei den Roman aufzuheben. Die organische Auflösung der Form versteht sich freilich schon von daher, daß sie zunächst Konzept ist; ferner von der Sprache her als der eigentlichen Kategorie des Schriftstellers; denn „im großen und ganzen muß jede Komposition als prä-grammatische Fixierung angesehen werden, die in der grammatischen Improvisation des täglichen Textes sich jedesmal auflöst und das so lange, bis das Werk fertig und von ihr nichts mehr übrig ist“[110]. Schließlich ist die Form aufzulösen auf Grund ihres Charakters als Einfall: „Jeder Einfall ist ordinär, sensationell, eine Geschwulst im Denken, die sich von diesem gern absondert, ein Tumor, der sich dann selbst organisiert. Unser Blut muß die Kraft haben, ihn aufzulösen und rückzubilden, dann kreist er in ihm als erregendes Gift, das zu einer neuen Stufe der Gesundheit helfen kann.“[111] Die Form „lebend zu entwickeln“ heißt also fast schon sie überwinden. So bewegt sich „jede Roman-Komposition ... an der Grenze des Kompositionslosen“[112]. Dabei kommt das „niemals nachlassende Bestreben“ des Schriftstellers, „die Komposition – die sich vom Inhaltlichen her fortwährend bereichert und gliedert – wieder zu vernichten, ... aus seinem eingeborenen Wissen von der Unendlichkeit des epischen Feldes, von der Lebenstotalität“[113]. Die ideale Lösung des Problems besteht also darin, daß letztlich das Leben selbst die Komposition des Romans bestimmt, daß seine verborgene Struktur mit der Struktur des Romans zusammenfällt. Freilich ist die „Regie des wirklichen Lebens ... immer nur in einiger Annäherung zu erreichen“[114]; aber der ideale Maßstab bleibt die volle Konkretion und Kongruenz von Form und Wirklichkeit. Und unter diesem Maßstab definiert Doderer die Kunst des naturalistischen Romans dahingehend, „daß einer in ein erfundenes Gewand schlüpft und bei wirklichen Ärmeln herauskommt“[115].

ZWEITER TEIL

ZWEI ASPEKTE DES FRÜHWERKS

3. KAPITEL

DIE MENSCHWERDUNG – DODERERS MONOGRAPHISCHE ROMANE

1

Doderers Prinzipien: Priorität der Form und dennoch totale Erfassung der Totalität des Lebens – die Angelpunkte seiner Romantheorie – werden von seinem Spätwerk vollauf erfüllt, gelten jedoch für eine gewichtige Gruppe seiner früheren Werke noch nicht. Dies sind die monographischen Romane: DIE BRESCHE. EIN VORGANG IN VIERUNDZWANZIG STUNDEN (1924, geschrieben 1921), EIN MORD DEN JEDER BEGEHT (1938) und DIE ERLEUCHTETEN FENSTER ODER DIE MENSCHWERDUNG DES AMTSRATES JULIUS ZIHAL (1951, geschrieben 1939). In ihnen ist einerseits die Form noch nicht zur Selbständigkeit befreit, sondern von einem Problem bestimmt und getragen; andererseits können diese Romane auf Grund ihrer monographischen Struktur, indem sie ein Einzelschicksal zum Gegenstand haben, nicht mehr als einen engen Ausschnitt des Lebens bieten. Gleichwohl bilden die monographischen Romane unter dem Aspekt der Weltgestaltung sowohl wie der Form die Voraussetzung des Spätwerks. Voraussetzung nämlich der Wirklichkeitsgestaltung im umfassenden Sinn ist die Ortsbestimmung des Menschen in der Wirklichkeit. Und das ist es, was Doderer die „Menschwerdung" nennt, deren Erörterung und Gestaltung sein Frühwerk gilt. Ein Problem gestalten aber heißt: es als Problem schon überwinden. Formal aufgehoben, ist es zu seinem Lebensgrund, aus dem es heraustrat, zurückgeführt. Insofern ist die Problemgestaltung Voraussetzung für jene freie formale Gestaltung, wie sie in Doderers Spätwerk erreicht ist.

Allein dadurch, daß der Weg Heimito von Doderers mit einem Problem beginnt, ist es gerechtfertigt, seine monographischen Romane in einer grundsätzlichen Erörterung ihrer Problematik zusammenzufassen. Und solche Voruntersuchung hat einzig die Funktion, den geistigen Unterbau des Spätwerks zu erhellen[1]. So soll im folgenden das Problem der Menschwerdung zunächst in Form eines theoretischen Modells dargelegt und dann in seiner spezifisch dichterischen Gestalt veranschaulicht werden. Die Zweiteilung geschieht gemäß der doppelten Ebene, auf der sich der Schriftsteller bewegt. Im dichterischen Werk und vom gestaltenden Schriftsteller her ist freilich ein Problem immer schon Gestalt und immer nur als Gestalt faßbar. Dem zerlegenden Anti-Schriftsteller aber ist das Problem durchaus Problem. In seiner Rede auf Heimito von Doderer sagt A. P. Gütersloh: „Ich jedenfalls behaupte, und der vor mir sitzt, mein Freund Doderer, sitzt als lebendiger Beweis meiner Behauptung da, daß ein Erzähler, der nicht wie er, vor dem Schreiben philosophische Hindernisse von der Größe erratischer Blöcke aus dem Weg räumen muß, uns nichts erzählen soll, uns nichts zu erzählen hat."[1a] Es versteht sich freilich von selbst, daß auch hier der Anti-Schriftsteller im Schriftsteller kein Selbstwert ist. Der Dichter ist kein Philosoph, und auch der Anti-Schriftsteller in ihm nicht. Sein Denken ist nicht Philosophie im systematischen, sondern allenfalls Philosophieren im existentiellen Sinne, und das auch nur „vor dem Schreiben". Deshalb ist das Problem der Menschwerdung bei Heimito von Doderer nicht auf seine philosophische Relevanz zu prüfen, sondern einzig im Hinblick auf seine dichterische Fassung zu analysieren. Denn, um noch einmal Gütersloh zu zitieren, „aufs Abstrahieren, aufs Gewinnen des Abstraktums, ist's dem damaligen Doderer angekommen. Nicht aber, um mit dem Abstraktum eine philosophische Steinsammlung zu bereichern, sondern um es, nach genauer Besichtigung, dem aufgeschlitzt in Narkose liegenden Ding wieder zurückzugeben."[1a] In eben diesem Vollzug soll die „Menschwerdung" als Problem und als Gestalt betrachtet werden.

2

Der Begriff „Menschwerdung" setzt voraus, daß es ein Leben gebe, da der Mensch noch nicht eigentlich Mensch ist. Dieses „Vor-Leben"[2] – DIE ERLEUCHTETEN FENSTER erzählen die „Vor-Geschichte" eines Menschen[3] – ist für Doderer die Befangenheit im Charakter. Denn nach seiner Überzeugung ist der Mensch „universal gemeint, wenn auch nicht nach allen Seiten fähig, so doch von allen Seiten ansprechbar"[4]. Der Charakter aber ist „deperzeptiv"[5]; durch ihn ist die Universalität des Menschen beschränkt. „Jede Eigenschaft verbarrikadiert ein Stück Horizont."[6] Indessen beruhigt sich Doderer in seiner Polemik gegen den Charakter keineswegs bei der Kritik von Eigenschaften – das bliebe an der Oberfläche, denn „ein Charakter ist keine Addition von Eigenschaften (proprietates, Vermögen). Jeder hat alle Eigenschaften ... Der Akzent, die

Betonung, die Verzerrung, sie sind hier alles. Ohne sie käme kein Charakter in's Leben, geriete er nie in Bewegung."[7] Durch die Verzerrung aber konstituiert sich der Charakter zum Selbstwert, ohne doch der wesentliche Ausdruck des Menschen zu sein. Das ist der Angriffspunkt der Polemik, und damit steht Doderer in scharfem Gegensatz zur klassischen Auffassung des Charakters, der dort als der höchstste Wert des Menschen gilt, nämlich als die äußere Ausprägung und Verwirklichung des im Innern angelegten personalen Keimes, der „lebend sich entwickelt". Für Doderer sind Charakter und Person auseinandergebrochen. Der Charakter ist ihm eine biologische Tatsache[8], eine „Epiphonie von den Vätern und Ahnen her", welche von der Personalität nicht mehr voll repräsentiert wird[5]. Im Charakter befangen, kann sich der Mensch nicht realisieren, verbleibt er in der Anonymität. Insofern ist der Charakter für Doderer geradezu ein Unwert: „Jeder Charakter ist schlecht, selbst der gute, ja gerade der."[5]

Immerhin ließe all das noch eine Bildung zu, so etwa, daß die Person durch Disziplinierung die einzelnen Ausprägungen des Charakters bestimmte; das Dilemma beginnt erst mit der Unveränderlichkeit des Charakters. „Die Konstanz der Charaktere steht für mich außer Zweifel"[9], sagt Doderer, und er nennt sie „eine der härtesten Tatsachen des Lebens"[10]. Damit ist eine „Entwicklung" von vornherein ausgeschlossen. „Es gibt keine Entwicklung eines Charakters, sondern nur sein Sichtbarwerden durch Manifestation seiner verschiedenen Seiten in den verschiedensten hochkomplexen Situationen des Lebens."[9] Ebenso fällt die Disziplinierung als Prinzip dahin: „In der Disziplin seh' ich keine Idealität, nur eine Krücke. Wer sie braucht, lasse sich damit seine Bresthaftigkeit angezeigt sein. Es besteht die Illusion, daß durch Disziplin die Substanz vermehrt werden könne. Diese Selbst-Täuschung ist die größte Gefahr der Diszipliniertheit und die trügerischste Hoffnung der Verschlampung. Disziplin macht nur evident was man hat und nicht hat, besonders letzteres, und hierin besteht ihre eigentliche Funktion."[11]

Bei aller Unerbittlichkeit der Diagnose jedoch liegt schon in der Tatsache, daß sich der Charakter diagnostizieren läßt, die Möglichkeit, das Dilemma zu beheben. Denn – das impliziert jene Erkennbarkeit – der Charakter ist etwas am Menschen, das sich noch objektivieren läßt, er macht ihn nicht aus, er bleibt eben am Menschen. Dasjenige erst im Menschen, was sich nicht mehr objektivieren läßt, macht ihn eigentlich aus, und das ist seine personale Existenz. In der Person sieht Doderer den eigentlichen Menschen. Hier vollzieht sich des Menschen eigentümliches, individuelles Schicksal, begibt sich seine Existenz – im wörtlichen Verstande: nachdem er aus sich, aus seinem Charakter, herausgetreten ist. Den personalen Kern aus der Schale des Charakters zu befreien und das ganze Dasein dem Diktat der Person zu unterwerfen: das ist der Sinn der „Personswerdung". Und demgemäß definiert Doderer: „Menschwerdung" oder „Personswerdung" heißt: „neben der ersten Dinglichkeitsreihe der faktizitären Welt – Leitbild, Charakter, Hegemonikon – eine zweite Dinglichkeitsreihe errichten, die jene erste objektiviert"[5]. Darauf also konzentriert sich die Anstrengung, den Charakter, den man hat, durch die Person, die man ist, in Besitz zu nehmen und zu halten, statt von ihm in Besitz gehalten zu werden. Das aber wäre schon die Überwindung des Charakters.

Der doppelten Schichtung von „charakteriellem"[12] Dasein und personaler Existenz entsprechen zwei heuristische Disziplinen verschiedener Stufung. Nach dem Gesetz, daß „kein Problem auf jener Ebene lösbar ist, auf der es sich stellt"[7], vollzieht Doderer den „entscheidenden Sprung", den Gütersloh ihm demonstriert hat[13], nun aber nicht auf die Ebene des Sittlichen wie Gütersloh, der vorgibt, als Künstler und um die Ortsbestimmung des Künstlers bemüht, „nur Erlebnisse moralischer Natur" gehabt zu haben, sondern von der empirischen Charakterpsychologie zur „dialektischen Psychologie" oder, wie er sie nach Baudelaire auch bezeichnet, zur „Mechanik des Geistes"[14]. Diese Disziplin, die der Romancier „für seinen Hausgebrauch" betreibt[15], ist einmal grundsätzlich vor-moralisch, vor-ethisch, vor-religiös[16] – damit geht Doderer einen Schritt über Gütersloh hinaus – und zum andern vor-psychologisch. Und hier wird deutlich, daß Doderers Polemik gegen den Charakter nur die andere, wenngleich primäre, Seite seiner Polemik gegen die herkömmliche Psychologie ist. Denn so wenig der Charakter den Menschen ausmacht, so wenig ist die analytische Psychologie die Disziplin, den Menschen ganz und wesentlich zu erfassen. Ein Verbessern, wie es die Psychoanalyse anstrebt, kann nur einzelne Eigenschaften betreffen, niemals das Ganze eines Charakters. Es richtet im ganzen nichts aus, weil es auf der Ebene des Charakters verbleibt: Eigenschaften, die alle ohnehin jeder hat, lassen sich hier verbessern, ohne daß damit der innerste Nerv – jener Akzent, der einen Charakter erst ins Leben bringt – berührt wäre. Überdies müßte solches Verbessern, nach Doderers Auffassung, als Perfektionierung des Charakters in verhängnisvoller Weise zur Verdichtung der Befangenheit des Menschen führen, die nicht als eine Existenz gemeint ist. Dagegen stellt Doderer fest:

> Immer bleibt doch der Charakter, mag er in noch so vielen Einzelphänomenen sich uns darstellen, nur als ein Ganzes überwindbar, was einer Entwertung der psychologistischen Selbstanalysis (bei der einer immer noch etwas Wertbetontes in der Hand behalten möchte) zu Gunsten der Mechanik des Geistes gleichkommt. Wer die Hebel dieser Mechanik zu fassen kriegt und sie richtig zu ziehen versteht, wird mittels ihrer den Charakter als Ganzes leicht aus den Angeln heben und sein Leben um neu gepflanzte Angeln drehen und schwingen machen.[9]

Der Weg zu solcher Überwindung aber ist mit dem Charakter selbst schon gegeben:

Es enthält wohl jeder Charakter einen vom Schöpfer tief eingebauten absichtlichen Konstruktionsfehler in seiner Mechanik, als die größte Gefahr, aber auch die größte Möglichkeit für das Leben des Trägers, letzteres etwa so, daß einer nur diese Stelle zu entdecken braucht, um damit auch schon seinen ganzen übrigen Charakter aus den Angeln heben zu können, ihn aufzuheben, und völlig frei zu werden ... sagen wir mal: jeder Charakterfehler eine Lebensaufgabe.[17]

Demnach gilt es den Charakter abzuklopfen und seine brüchige Stelle zu finden, da klingt es hohl, und da muß man bohren, denn da liegt der Schatz verborgen: nämlich der personale Kern des Menschen[5]. Insofern ist der Charakter ein „Vehikel“, mittels dessen sich der Mensch zu seiner Existenz aufzuschwingen vermag; und insofern ist jeder Mensch für seinen Charakter schuldig, falls er ihn nicht als solches Vehikel benutzt[5]. Hier wird nun auch verständlich, weshalb Doderer jeden Charakter im Prinzip schlecht nennt, und gerade den guten; denn bei diesem liegt der „eingebaute Konstruktionsfehler“ um so tiefer verborgen. Der Mensch, der einen scheinbar harmonischen Charakter besitzt, wird in einem stärkeren Maße als andere von seinem Charakter in Besitz gehalten.

Obwohl mit alledem ein Dualismus zwischen Charakter und Person gesetzt zu sein scheint, geht es Doderer stets um den ganzen Menschen. Denn der Charakter ist für die Personalität des Menschen zwar irrelevant, gleichwohl aber notwendige Voraussetzung dafür, die Person überhaupt erst ins Leben zu bringen. Wenn es bei Platon einmal heißt: nicht unsere Augen sehen, sondern wir sehen vermittels der Augen[18], so könnte man in Doderers Sinn sagen: nicht der Charakter lebt, sondern wir leben vermittels des Charakters. Unsere höchste Anstrengung wird sich darauf richten, den Charakter, wenn einmal seine „deperzeptive“ Funktion erkannt ist, zu sprengen, um so erst ganz und in freier Apperzeptivität zu leben, obgleich wir doch wissen, daß wir ohne Charakter nicht lebensfähig sind, sowenig wir ohne Augen sehen. Diese Paradoxie, die Doderer indessen nicht, wie hier getan, auf die Spitze treibt, bezeichnet präzis den Sachverhalt: der Charakter ist der äußere Halt und zugleich die Überwindungsform, eben jenes Vehikel, für die Person. Nicht also darum geht es, den Charakter zu töten – er bleibt das Material, in dem die Person erscheint –, sondern seine Selbstwertlichkeit zu relativieren und so den konstitutiven Nullpunkt des Daseins vom Charakter in die Person zu verlegen. Jener Dualismus, den mit der christlichen Dualität von Leib und Seele zu vergleichen völlig verfehlt wäre, ist also lediglich ein inneres Widerspiel im Menschen, der als ein Ganzes beisammen gelassen wird.

Der ganze Mensch manifestiert sich nach Doderers Ansicht in seiner Physiognomie; sie begreift er „als Ausdruck der Sendung einer Person im Materiale ihres Charakters“[19], das heißt: als die Konkretion (Zusammengewachsenheit) von Person und Charakter. Die Person ist der Mensch in seiner ineffablen Individualität (omne individuum ineffabile). Der Charakter ist der Mensch als psychische Konstitution, der Mensch auf der

Ebene der empirischen Psychologie – nicht mehr und nicht weniger in eben dem Sinne, wie der Leib der Mensch auf der Ebene der Biologie ist. Die Physiognomie aber ist das dritte Vermittelnde, das die Gegensätze überwölbt und in sich vereint. So muß es auch, wie Doderer als „Offene Frage an mein Schicksal" notiert, „vor der Erringung eines selbständigen Daseins einen Punkt geben, wo man auch äußerlich zur Person kristallisiert, vielleicht ganz vorübergehend, für ein kurzes nur, und um sich so bald wie möglich wieder in die Anonymität aufzulösen und die unzuständige Charge einer sozusagen dramatis persona abzulegen"[20].

Dies ist der Punkt, wo Doderer die Problematik aus dem Bereich des Abstrakten auf die Basis der Anschaulichkeit wiederum zurückführt. Mit Schopenhauer, dem er nicht nur in dieser Beziehung folgt, ist er davon überzeugt, daß – wie jener es in seinem Aufsatz ZUR PHYSIOGNOMIK[21] formuliert – „das Äußere das Innere darstellend wiedergebe und das Antlitz das ganze Wesen des Menschen aussprechend offenbare". Schopenhauer begreift die Physiognomie als „das Substrat, das schlechthin Gegebene", „das Monogramm alles Denkens und Trachtens" eines Menschen, erkennt sie jedoch zugleich als eine „Hieroglyphe, die sich allerdings", wie er fortfährt, „entziffern läßt, ja, deren Alphabet wir fertig in uns tragen". Damit ist schon gesagt, daß die Physiognomik „eine große und schwere Kunst" ist; sie erfordert die höchste Objektivität des Betrachters. Es ist reizvoll zu beobachten, wie Schopenhauer unversehens eine Situation zerlegungsweise beschreibt, die erst im Roman gestaltweise und anschaulich darzustellen möglich wird, wenn er sagt: „um die wahre Physiognomie eines Menschen rein und tief zu erfassen, muß man ihn beobachten, wann er allein und sich selbst überlassen dasitzt. Schon jede Gesellschaft und sein Gespräch mit einem Andern wirft einen fremden Reflex auf ihn, meistens zu seinem Vortheil, indem er durch die Aktion und Reaktion in Thätigkeit gesetzt und dadurch gehoben wird. Hingegen allein und sich selber überlassen, in der Brühe seiner eigenen Gedanken und Empfindungen schwimmend, – nur da ist er ganz und gar e r s e l b s t. Da kann ein tief eindringender physiognomischer Blick sein ganzes Wesen, im Allgemeinen, auf Ein Mal erfassen. Denn auf seinem Gesichte, an und für sich, ist der Grundton aller seiner Gedanken und Bestrebungen ausgeprägt, der arrêt irrévocable Dessen, was er zu seyn hat und als was er sich nur dann ganz empfindet, wann er allein ist." Hier war Schopenhauer, hätte er diese Situation praktisch verwirklichen wollen, nahe daran, die Grenze der Objektivität zu überschreiten in Richtung auf jenen Realismus hin, den es einzig im Roman geben kann – als die Loslösung des Betrachters nämlich von den Objekten, „wodurch sie's erst ganz werden", wie Doderer sagt. Jede objektive Aussage bleibt noch an das aussagende Subjekt gebunden, der realistische Ausdruck aber hat sich von seinem Autor abgelöst.

Das meint Doderer, wenn er von der „Indeskriptibilität ... des Individuellen überhaupt durch das direkte, zerlegungsweise Wort“ spricht; „wozu auch sonst“, so schreibt er weiter, „brauchte ich als Naturalist hunderte von Seiten einer erzählenden Darstellung, die als Ganzes eine einzige Metapher ist?“[7] Was ein Mensch ist als diese bestimmte Person, läßt sich in der Tat nicht direkt benennen, sondern allenfalls daran ablesen, wie er sich in seinen Aktionen und Reaktionen verhält. Die Deskription seiner Zustände und seiner Handlungen ist der lebensgemäße Umweg, das Sein eines Menschen zu veranschaulichen. Denn: „Operari sequitur esse. Das Handeln kommt aus dem Sein.“[22]

Gleichwohl ist dieser Bezug problematisch; der Spannung nämlich zwischen Handeln und Sein liegt diejenige von Determination und Freiheit zu Grunde. Das Handeln ist determiniert; und deshalb gesteht Doderer ihm letztlich keine repräsentative Bedeutung zu, wohl aber der Haltung, die sich in der Verhaltensweise des Menschen bei seinen Handlungen dokumentiert. In der Haltung äußert sich das Sein des Menschen, und hier ist er frei. Das Verhalten des Handelns aber (Verhalten im anderen Sinne des Wortes) heißt Zustand. So könnte man positiv formulieren, was Doderer mit einer negativen Wendung meint, wenn er sagt: „Alles Handeln ist Zustandsflucht.“[23] In jedem Zustand eröffnet sich das Sein des Menschen. Einem Zustand kommt jene repräsentative Bedeutung zu, die das Handeln nicht hat. Zustand ist für Doderer „ein Begriff umfassender und allgemeiner Art, welcher in der Hierarchie der Begriffe einen sehr hohen Platz einnimmt – etwa gleich hinter ‚Leben‘ oder gar ‚Sein‘“[23], und er definiert: „ein Zustand ist das, was wir bereits von uns wissen, bevor wir es durch unsere Aktionen zu erfahren trachten. Alles Handeln ist Zustandsflucht. Jedoch die Apperzeption von Zuständen ist der Weg, am tiefsten mit sich selbst bekannt zu werden.“[23]

Die Zusammenfassung alles dessen bietet eine weitere Tagebuchstelle: „Wer handelt, fällt an seinen Handlungen entlang, und nach den Gesetzen der inneren und äußeren Physik. Über das eigene Sein aber scheint der Mensch entscheiden zu dürfen. Hierin, in dieser Grunderkenntnis, wird man über den Doktor Schopenhauer kaum mehr hinaus kommen. So präsentiert sich denn jeder Zustand wie ein Tor zum intelligiblen Ich des Menschen.“[23] Wiederum indes führt Doderer die Problematik zur Anschaulichkeit zurück. Denn beides, Handeln und Sein, konstituiert den ganzen Menschen, wie Handlungen und Zustände die Grundweisen sind, in denen er erscheint. „Muß ich nicht“, so schreibt Doderer, „jene Möglichkeit [gemeint ist die Freiheit, über das eigene Sein zu entscheiden] an den äußersten Rand drängen in meiner Dialektik und sie gleichsam stauen, um sie bei ihrem Begriffe zu erhalten? Dann wird sie nicht in Blässe zerfließen. Sie geht um im Leben; das zu leugnen kann meine Sache nicht sein, wenn ich die einmalige und einzigartige sozusagen chemische

Durchdringung von Physiognomie und Charakter annehme in jedem ‚vultus', worin die erste gleichsam für das intelligible, der zweite für das empirische Ich dasteht."[24]

Volle Anschaulichkeit gewinnt der ganze Sachverhalt des Menschseins wie der Prozeß der Menschwerdung – das Menschenbild Heimito von Doderers – erst durch die erzählerische Gestaltung im Roman. Eine Tagebuch-Notiz, die zum Beschluß der theoretischen Ausführungen zitiert sei, mag die Grenze andeuten, die der zerlegungsweisen Sprache gesetzt ist; das Lebendige des Vorgangs zeichnet sich allerdings schon darin ab:

> ... Jedoch begleiten uns ja die unverwandelten Potenzen des eigenen Charakters. Er wurde – hier kann ich freilich nur aus meiner eigenen Lebensgeschichte Aussage tun – im Laufe der Personswerdung dialektisches Objekt und polemische Konstruktion, der andere Pol einer stets neu zu gewinnenden Spannung, anfangs in vielen Punkten negiert, später, als seine unveränderliche biologische Einheit erkannt war, als beisammen zu lassendes Ganzes wenigstens in effigie geopfert. Das hindert ihn nicht, entscheidend aufzutreten, den dialektischen Apparat neu zu provozieren; und so, die Personswerdung täglich rekapitulierend, beginnt man jeden Tag ab ovo und hat auf diese Art schon einige Erfolge, ja sogar eine allmähliche Wanderung und Verlegung des Nullpunkts erzielt.[25]

3

Die dichterische Gestaltung der Menschwerdung geschieht auf zweierlei Art: als metaphorische und als „Bewegungs-Deskription"[26], womit erst die eigentlich epische Erzählung gemeint ist. Die erste zeichnet ein Bild und betrifft die Menschwerdung als Akt; die letzte gestaltet die Menschwerdung als Prozeß.

Den Akt der Menschwerdung begreift Doderer formal als das „tertium intercedens"[5], ein dazwischentretendes „übergewaltiges Drittes"[27], zwischen Geburt und Tod, welches ein Dasein allererst erheblich macht, und (indem dadurch das „Vor-Leben" zum Leben befreit wird) inhaltlich als eine „zweite Geburt". Dies sind die zentralen Begriffe, den Sachverhalt zu erschließen. Schon bei Gütersloh heißt es: „Das Leben am Leben zu erhalten dadurch, daß man zwischen Anfang und Ende, die sonst glatt ineinander verliefen und nicht nur einzelne Personen, sondern das ganze Menschengeschlecht mit sich in einen endgültigen Abgrund rissen, eine zweite Geburt einschiebt, die uns mit den nötigen Organen ausstattet, die Pflicht unter allen Umständen zu leben und sei es auch unter den unglücklichsten als die höchste Bewahrung von Personalität zu empfinden und diesen Personscharakter, ihn auszubilden und zu vererben, als das letzte Ziel von Leben: das ist Aufgabe des Lehrers ..."[28]

Wie das Ziel der Menschwerdung die Verwirklichung der Person ist – der menschgewordene Mensch ist der wirkliche Mensch –, so ist das tertium intercedens selbst ein Ereignis von vollgültiger Wirklichkeit, und das heißt bei Doderer stets: der restlosen Durchdringung von Innen und Außen, von Aktion und Passion. Dies wird deutlich schon in der BRESCHE. In Jan Herzka, dessen Fall der Roman darstellt, lebt verborgen und unlegitimiert – im „Halbschatten" seines Bewußtseins[29] – ein Hang zu sadistischer Peinigung. Das ist der „eingebaute Konstruktionsfehler" seines Charakters, das „Leck" in seiner Seele, wie es in den ERLEUCHTETEN FENSTERN heißt[30]. Der abnormen inneren Regung kommen äußere Umstände in herausfordernder Weise entgegen – „unerbittlich sind des Lebens Mechanismen"[31] –, das Außen bricht ein, und das Innen bricht aus, beide verschmelzen zur Wirklichkeit, der Herzka nun hilflos gegenübersteht.

Die Metaphorik der Bresche ist voll ausgestaltet. Dem kleinen Roman, der offenkundig – sprachlich wie thematisch – vom Expressionismus[32] beeinflußt ist, liegt ein metaphorischer Kosmos zugrunde, dessen einzelne Glieder auf das genaueste miteinander korrespondieren, und der nahezu Eigengesetzlichkeit zu beanspruchen scheint. Zum Beispiel erweist sich jetzt der metaphorische Titel DIE BRESCHE, der zunächst nicht ohne weiteres verständlich ist, als der genaue, den Sachverhalt in der Tiefe präzis bezeichnende terminus, dem gegenüber die synonymen Begriffe „Menschwerdung", „zweite Geburt", „tertium intercedens" im Unanschaulichen verblassen. Im dritten Teil, dem Zentrum des Romans – er steht auch nach Umfang und Zeit der Handlung in der Mitte: hier wird in Herzkas Traum alles Vorherige wiederholt und assoziativ verwoben, und hier wird zugleich die Lösung, die der Schluß dann systematisch ausbreitet, angedeutet –, im dritten Teil ist jene Metaphorik zur Absolutheit erhoben. Strukturell ist solche absolute Metaphorik – wie man wohl sagen darf in Parallelität etwa zur absoluten Musik – durch den Traum gerechtfertigt. Herzka träumt sein Leben: dessen zielstrebige Richtung wird als „schnurgerade Linie" vorgestellt, die in „hellen Röhren" fließt; die Röhre, in der er sich fortbewegt, bildet zugleich die schützende „Umwandung" oder „Umhegung" des Berufes; mit der „Bresche" „zersplittert" die „gerade Linie", indem die „Wand" „durchgebrannt" wird. Das Metaphorische, das zunächst als Umschreibung erschien, ist hier zur eigentlichen Weise des Beschreibens geworden. Die Prävalenz der Metapher vor der direkten Bedeutung ist ein wichtiger Aspekt, der später noch behandelt werden soll.

Indessen wird vorher schon – nach der Exposition des Herzkaschen Charakters und seiner verborgenen Möglichkeiten, der Lebensumstände und des Ungenügens an ihnen – auf seinen Fall – im doppelten Sinne: als Absturz und als exemplum – hingewiesen; einmal aktivisch: noch hat Herzka bisher „das (so sehr zerbrechliche!) Gehege eines geregelten Lebens" nicht durchbrochen; dann passivisch: noch ist er „niemals aus diesem Gehege herausgefallen, von der Wucht anderer Kräfte überlastet";

schließlich werden Aktion und Passion verknüpft: „Noch hatte er nicht fallend in den dünnen Zaun jene erste bleibende Bresche gelegt, hinter der letzten Endes nur Auflösung oder Überwindung stehen."[33]

Dieses Zitat, grundsätzlich genommen, läßt sehr wohl bei aller Rezeptivität eine gewisse Spontaneität zu. Eine spontane Existenzverwirklichung gelingt in den DÄMONEN Leonhard Kakabsa, dem einzigen idealen Helden bei Doderer, indem er im Traum die Dialektgrenze überschreitet – ein Akt von äußerster Zartheit und eine ungeheure Tat zugleich. Sie gelingt ferner Léon Pujot in der gleichnamigen Erzählung, der sich aus seinem ärmlichen Dasein „emporreißt", „in einem Augenblicke, der allen Willen, den er je im Leben besessen, versammelte"[34]. Zumeist aber ist bei Doderer das Aus-sich-Heraustreten ein passiver, schmerzvoll erlittener Akt. Der Mensch, der nicht aus sich heraus tritt, wird aus sich heraus geschleudert. Herzka wird „aus den Angeln gehoben"; Castiletz begeht einen „Mord"; Zihal stürzt aus dem „ätherblauen Begriffshimmel" seines Amtes; Mary K. erleidet einen Unfall. Denn der Mensch, der im Charakter seinen ganzen Halt hat, hält an ihm fest und konsolidiert so unvermeint eine Befangenheit, nämlich die Deperzeption. Das aber beschwört seine Krise. Und hier tritt jene Interzession – Gütersloh spricht einmal von „Dazwischenkunft" – in ihr eigentliches Recht. In einem brutalen Ereignis, eben dem intercedens, zeigt sich dem Menschen unabweisbar die Wirklichkeit, mit der er sich abzufinden, in die er sich einzufinden hat.

Diese Situation, die Voraussetzung der Menschwerdung, wird von Doderer immer wieder gestaltet. Lebensgemäß dialektischer Struktur, ist die Interzession Last und Gnade zugleich, Desillusionierung und verheißungsvolle zweite Geburt. Sie nimmt dem Menschen das „Steuer seines Lebensschiffleins" aus der Hand, zerschlägt ihm die Illusion, sein Leben dirigieren zu können, und sprengt den vertrauten Charakter, ohne zunächst einen anderen Halt zu gewähren.

4

Wie die Menschwerdung jedermann als Verpflichtung auferlegt ist, so trifft jeden einmal seine Interzession. Dies besagt formelhaft Doderers Romantitel EIN MORD DEN JEDER BEGEHT. Indessen ist keine Interzession je die erste. Ehe sie zum massiven Ereignis kristallisiert, ist sie immer schon gewesen und stets anwesend als das „feine Stimmchen"[5], mit dem das Leben unüberhörbar – und doch selten gehört, weil der Mensch in seiner Selbstbefangenheit nicht hören will – sich ausspricht. Allerdings: „facta loquuntur" – an diesem Grundsatz hält Doderer fest –, „Tatsachen allein entscheiden", aber, wie er fortfährt, „gleichgültig ob sichtbare oder unsichtbare, und die letzteren werden nur allzubald auch einer bloß physikalischen Optik zugänglich“[35]. Die Wirklichkeit bedarf zu ihrem Begriff nicht des brutalen und vernichtenden Ereignisses. Denn „auch die unhörbaren Dinge haben ihre Trompetenstöße, und auch die Nerven haben ihre Ohren“, wie Gütersloh einmal sagt[36]. So wird deutlich, daß die Spontaneität Kakabsas, der seine Interzession ergreift, und die Rezeptivität etwa Castiletz', der von seiner Interzession ergriffen wird, sich gar nicht prinzipiell unterscheiden. Der Unterschied ist nur ein gradueller: der wache Kakabsa folgt dem erstbesten Wink – indem er hört, gehorcht er schon –, während der langsamere Castiletz erst mit unabweisbaren Tatsachen konfrontiert werden muß, um sie als wirklich zu erkennen.

Neben der entscheidenden Interzession des Castiletzschen Lebens, jenem „Mord“, den der Titel des Romans bezeichnet, stehen mehrere zartere Anrufe, die alle hätten entscheidend werden können. Am Fall Castiletz läßt sich am besten ablesen, daß das ganze Leben eine Kette von Interzessionen darstellt. Der „Mahner“ zur Menschwerdung, wie Doderer jenes „feine Stimmchen“ als eine Art Daimonion mit Gütersloh nennt, ist freilich allgegenwärtig aus dem einfachen Grund, weil er die Stimme des Lebens ist. Wer das Leben, das anders als wirklich nicht Leben wäre, das heißt, das nur als fester Konnex zwischen seinem Träger, dem Innen, und seinem Felde, dem Außen, denkbar ist, – wer das Leben, wenn es als erste unscheinbare Wirklichkeit sich zeigt, nicht sofort und unbedingt annimmt, der überläßt es seiner eigenen Mechanik, deren Subjekt er sein sollte, deren Objekt er nun wird. Schon an den jungen Castiletz tritt das Leben als dezidierte Frage heran, auf die er mit dem Einsatz seiner Person zu respondieren hätte. Das Leben tritt ihn an, wie es in den DÄMONEN von Herzka heißt[37]. Er aber, in sich selbst befangen, will die Frage nicht hören. Er weicht dem Leben aus, und das ist jedesmal von verhängnisvoller Wirkung. Denn was mit einem zarten Anruf begann, endet mit dem Tod[38].

5

Ein anderer Aspekt des Anrufes ist Doderers Symbolik des Fensters. In dem Roman DIE ERLEUCHTETEN FENSTER ODER DIE MENSCHWERDUNG DES AMTSRATES JULIUS ZIHAL – mit diesem doppelt bezeichnenden Titel – heißt es an entscheidender Stelle in einem gnomischen Satz, der in den DÄMONEN in Bezug auf Geyrenhoff wörtlich wiederholt wird: „Wer an das Fenster tritt, wie hier unser Amtsrat, der tritt unter sein Gestirn; und gewiß wäre auch diese ferne und glimmende Ansprache aus dem Dunkel zu deuten, wenn wir's nur vermöchten.“[39] Castiletz beobachtet den Selbstmord am Holzstapel vom Fenster aus; er „trat von einem Bein auf das andere, griff mit der Hand an die Fensterscheibe“[40]. In der

STRUDLHOFSTIEGE wird zu Beginn Mary K.s isoliertes Dasein, das in sinnloser Langeweile zu erstarren droht, in dem „lautlosen, völlig gleichmäßigen" „Abfädeln" der Autotaxis vergegenständlicht, welche Erscheinung sie vom Fenster aus betrachtet. Am Ende heißt es von ihr: „Die den Anruf vom Fenster her empfing", und bei gesteigerter Spannung: „Sie erhob sich, einer Art von Zwang folgend, und trat gegen das Fenster zu."[41]

Das Fenster ist für Doderer sinnbildlich der Ort grenzenloser Apperzeption, zu der jener Anruf auffordert, und zugleich der Ort des Hereinscheinens der Transzendenz, von welcher der Anruf kommt. Das aber heißt: das Fenster ist der eigentlich existentielle Ort der Verwirklichung einer Person. Durch das Fenster wird die Brücke vom Innen ins Außen geschlagen. Mit dem Blick durch sein eigenes Fenster tritt der Mensch schon aus sich heraus, verwirklicht er seine Existenz. Denn wer seine Grenze erkennt, hat sie schon überschritten; er hat seinen Stand diesseits der Grenze durch sein Wissen des Jenseits befestigt. Macht man mit dem wörtlichen Sinn des Begriffes „Existenz" Ernst, so ist man schon bei Güterslohs – und Doderers! – Fundamentalsatz: „Die Tiefe ist außen." Auf Grund der analogischen Struktur von Innen und Außen gilt es, im Außen das Innen, also sich selbst, zu erkennen. Mit der Synopsis von Innen und Außen aber ist überdies eine höhere Ebene gewonnen, welcher die transzendente „Elongatur" beider im Blick liegt[42]. Und so öffnet sich dem Menschen der Existenzgrund seiner selbst. An der Grenze, wo Diesseits und Jenseits sich berühren, erkennt er sich selbst als ein „Jenseits im Diesseits". Solche Absolutheit, die allerdings jede Interzession meint, führt schon über die Menschwerdung hinaus, sie bedeutet die Erlösung des Menschen überhaupt.

6

Wird die bisherige als Charaktergeleis unabänderlich fixierte Linie eines Lebens durch die Interzession auf einen aporetischen Nullpunkt geführt, so bildet solcher Nullpunkt bei aller Härte positiv den „biographischen Knotenpunkt"[35] einer zweiten Geburt, der ein neues, erweitertes Leben verheißt. Der Charakter, mit dem der Mensch in der selbstverständlichsten Weise intim war, ist, da er zerspellt, schlagartig in die Distanz gerückt und so allererst sichtbar geworden. Der „eigene Mensch" weicht zurück[43]. Insofern erhebt die Interzession den Menschen auf den archimedischen Punkt seiner selbst.

Die dialektische Konstellation wird besonders deutlich in den ERLEUCHTETEN FENSTERN. Zihal wird immer weniger Amtsrat und immer mehr Mensch; die Menschwerdung des Amtsrates bedeutet ja wörtlich, also weniger schön als genau, die Werdung des Amtsrates zum Menschen. Sie vollzieht sich sinngemäß unter zwei entgegengesetzten Aspekten: einerseits der Fall des Amtsrates, ist sie andererseits der Aufstieg des Menschen. Darauf aber kommt es an: durch die Deskription des Falles den Aufstieg zu veranschaulichen. Das Bild der „Bewegung nach aufwärts"[44] ist ständiges Attribut der Menschwerdung – von Léon Pujot, der sich emporreißt, bis zur „einsamen Sterbehöhe" Paul Brandters am Galgen[45]. Castiletz, so heißt es an bedeutsamer Stelle, befindet sich „wie auf dem Dache seines Lebens"[46]. Noch plastischer wird der Sachverhalt des Über-sich-selbst-Hinausseins dann bei Zihal und Mary K.: Zihal, dessen Befangenheit mit dem Bild eines allseits abschließenden Säckchens umschrieben wird, gelangt dahin, „im Säckchen zu stehen und zugleich das Säckchen zu sehen"[47]; Mary K. „hat sich wie der berühmte Baron Münchhausen sozusagen am eigenen Zopf aus dem Sumpf gezogen"[48].

Wie die Interzession den Menschen auf den archimedischen Punkt seiner selbst und also ins Ortlose erhebt, so versetzt sie ihn als eine Epoche ins Zeitlose. Zihals „biographischer Knotenpunkt" ist der meßbaren Zeit enthoben; die Wende seines Schicksals tritt in einem „angehaltenen Stück Zeit"[35] ein, und das ist ja nichts anderes als die Übersetzung des Begriffes „Epoche". In der Erzählung DIE AMPUTATION haben die beiden Knaben bei ihrem epochalen Erlebnis die Empfindung, „als werde ihnen das Leben wie ein Uhrwerk abgestellt"[49]. Im Ortlosen und Zeitlosen und doch hier und jetzt, innen zugleich und außen, ist das tertium intercedens – im Leben und zugleich außerhalb des Lebens – ein Schicksalsereignis von unausmeßbarer Tiefe und Paradoxie. Nicht umsonst stellt Doderer es als ein Drittes zwischen Geburt und Tod, mit welchen Schicksalsereignissen es den gleichen Rang hat. So auch beschrieb Gütersloh den Lehrer, dessen Aufgabe es sei, den Menschen zu seiner zweiten Geburt zu führen, als „frenetischen Verehrer des Schöpfers, als jüngsten Richter – um durch die paradigmatische Vorwegnahme des eschatologischen Ereignisses, dieses zu einer bloßen Apotheose zu machen, die nur bestätigt, was fait accompli"[50].

Bei alledem ist das tertium intercedens ein Ereignis von Bedeutung in dem Sinne, den Doderer gern anführt: es will nämlich nicht so sehr und nicht nur selbst etwas sein, als auf etwas hindeuten[51]. Das tertium intercedens deutet auf ein neues Leben hin. Der Mensch, über sich selbst emporgehoben, zur Selbsterkenntnis und zum Leben gelangt, hat von solcher Höhe herabzusteigen; ihm bleibt die Aufgabe, die Selbsterkenntnis in der Selbstbejahung zu realisieren. Insofern ist die Interzession eine Probe, die das Leben dem Menschen stellt, indem es die Bewährung an seiner schmerzvollen Gnade verlangt. Hier beginnt die „Entscheidungsschlacht"[52] zwischen Auflösung und Überwindung, welche existenzbedrohende Alternative in der BRESCHE formuliert ist, und damit die Menschwerdung erst im eigentlichen Sinne, nämlich die Menschwerdung als Prozeß. Und hier wird der exponierte Punkt der Interzession auf die Basis des Lebens zurückgeführt. Denn: „Immer ist Entscheidungs-Schlacht", sagt Doderer, „das Leben ist eine universale Gelegenheitsmacherei dafür."[53] Ebensowohl könnte man, im Sinne Doderers noch einen Schritt weitergehend, sagen: Immer ist Interzession, denn jeder Weg ist ein Umweg.

7

Dies führt unmittelbar auf Doderers Lebensbegriff, der vor der Betrachtung der Menschwerdung als Prozeß erörtert werden soll. Das Leben, das sich gegen eine umfassende Definition grundsätzlich sperrt – andernfalls wäre es nicht das Leben –, muß doch immer wieder in epigrammatischer „Kurzerledigung"[54] unter einen Begriff gezwängt werden – andernfalls wäre der Mensch nicht zu leben fähig.

Doderers Lebensbegriff ist zuinnerst mit seinem Begriff des Indirekten verbunden. „Der indirekte Weg" ist für ihn das „Grundgesetz" „in der Mechanik sowohl des Geistes als auch des äußeren Geschehens"[22], und das heißt, beides umfassend, in der „Mechanik des Lebens". Denn „direkt bedeutet vollkommen gerade; das kommt im Leben, welches nur Kurven kennt, nicht vor"[55]. Das Leben verfolgt niemals eine gerade, direkte Richtung auf ein Ziel hin, durch welche es sich zum ausgerichteten Weg-zum-Ziel degradierte; es ist vielmehr prinzipiell ein Umweg und bewegt sich in einer ihm eigentümlichen Kurvenbahn, die aus der Sicht des Menschen immer nur als indirekt zu bezeichnen ist. Zum andern bedeutet „direkt", wie Doderer vermerkt, als participium von dirigo „gelenkt"[55]. Und das heißt: das Leben in seiner „indirekten und kurvenreichen Organik"[55] ist etwas durchaus Selbständiges, es vollzieht sich autonom, seiner eigenen Mechanik gemäß, es läßt sich nicht dirigieren.

Den indirekten Weg als das constituens und characteristicum des Lebens hat Doderer zuerst in zwei Werken exemplarisch gestaltet: in dem Roman EIN UMWEG, der schon diesen bezeichnenden Titel trägt, und in der großen Erzählung DAS LETZTE ABENTEUER. Der „aus dem Zeitstoffe des österreichischen Barocks"[56] gebaute Roman ist barock auch und vor allem in der Unbedingtheit der Problemstellung. Fortuna, das anonyme Schicksal, ist die blind und willkürlich herrschende, unerbittliche Macht, welcher der Mensch ausgeliefert ist. In jedem Augenblick droht der „stumpfe Stoß, der spielend den noch Unfertigen vernichtet"[57]. Trotz und angesichts der Vergänglichkeit aber des Menschen und der Welt ist gerade dies die Mahnung, sich selbst zu befestigen, dem Tod als dem schicksalhaft gesetzten Ziel aller zu entgehen dadurch, daß man das Leben als den Weg dorthin zu einer Erheblichkeit führt, der gegenüber das Ziel gleichgültig wird. Ein gültiges Leben wird stets erweisen, daß der Weg mehr ist als das Ziel. Demgemäß in der Brechung des direkten Schicksalsweges zum indirekten Lebensweg das Leben selbständig zu erstellen, ist die problematische Grundtendenz des Romans EIN UMWEG. Allerdings bleibt der negative Ansatz dieser Operation hier noch sichtbar, denn das schicksalhafte Ziel, der Tod, in den Schicksal und Leben zusammenfallend münden, ist schon in der Umrahmung entscheidend betont – der Roman spielt zwischen Galgen und Galgen – und bleibt allgegenwärtig als das unbedingte Richtmaß, das den Weg – und auch den Umweg – im Grunde für nichtig erklärt und ihn lediglich als einen Weg-zum-Ziel bestimmt. Diese Schärfe wird in der Erzählung DAS LETZTE ABENTEUER aufgegeben. Hier ist die Prävalenz des Schicksals durch die Autonomie des Lebens verdrängt. Hier erst ist jene Brechung vollkommen: der Weg ist in das lebensgemäße Recht seiner Selbständigkeit gesetzt: weder an einen Zweck gebunden noch als direkte Bewegung auf ein Ziel hin fixiert, ist er in sich zweckfrei und ziellos das Leben.

Mit der Bestimmung des Lebens als des prinzipiell Indirekten rückt das Problem der Menschwerdung erst ins rechte Licht – dieser entscheidende Vorgang in der „Mechanik des Lebens" ist freilich erst von der Basis des Lebens her voll verständlich. Einerseits ist nunmehr der Ort der Interzession bestimmt als der exponierte Punkt einer Wendung, den die Kurvenbahn des Lebens beschreibt; und, da Doderer das Leben als grundsätzlich kurvenhaft definiert, erklärt sich auch die Formel: Interzession ist immer. Zum andern wird unter diesem Aspekt die Lebensungemäßheit des Charakters in aller Schärfe deutlich. Denn mit der Konstanz des Charakters ist die Lebenslinie des Menschen im Grunde schon als eine direkte Zielrichtung von der Geburt geradewegs auf den Tod zu festgelegt; und dieser Weg, gerade durchlaufen, wäre allerdings lebensungemäß. Hält man nämlich an der Indirektheit des Lebens fest, so ist alles Direkte, Gemeinte und Gewollte, jede vorsätzliche Einrichtung des Lebens eine lebensungemäße Ausreckung der Kurve zur Geraden. Jede Ausrichtung des Lebens nach einzelnen Prinzipien – und mögen sie wie immer erhaben sein – ist eine unzulässige Verabsolutierung, welche, indem sie eine einzige von den vielen möglichen Perspektiven ins Leben legt, die freie Apperzeption beschränkt und dadurch schließlich zur Verkennung, ja Leugnung der Vielfalt des Lebens führt. So gesehen fallen die Direktheit des Charakters und jegliche Art verabsolutierender Dirigierung im Prinzip zusammen: beide sind „deperzeptiv". Und deshalb kann Doderer sagen, das „charakterielle" Leben sei nicht als das eigentliche Leben des Menschen gemeint[5]. Indessen ist nicht nur dem Menschen die Freiheit gewährt, seinen Charakter zu sprengen, sondern das Leben selbst drängt auf solche Brechung, auf die Brechung nämlich des direkten Charakterweges zum indirekten Weg eigentlichen Lebens; das ist die wesentliche Funktion jenes tertium intercedens. Durch die Interzession jedes einzelnen Daseins wird also das Indirekte des Lebens jeweils neu konstituiert und zugleich im ganzen bestätigt.

8

Nach alledem ist der Blick frei auf die Menschwerdung als Prozeß. Die Interzession befreit den Menschen von seinen „charakteriellen" Fesseln und enthüllt seinen personalen Geburts-Stand; solche zweite Geburt wirft ihn zurück auf das, was er ist, und damit voraus auf das, was er zu sein hat. Erst wenn der Mensch den Vorwurf seines Seins in lebendigem Vollzug eingeholt hat, hat er sich selbst verwirklicht, ist er eigentlich Mensch. Dies ist die Forderung, welche die zweite Geburt impliziert: den Akt auch zu setzen, der bereits an einem geschehen ist, „ergreifen, wovon man ergriffen ist"[58]. Demgemäß sieht René Stangeler den „Sinn" des Lebens „in der Erfüllung – des eigenen Schicksals, das gemeint war von Anfang an, welches man endlich einholt ... in der vollkommenen Ausfüllung jener Gestalt, die einem gewissermaßen aufgetragen war ..."[59]. Das eigene Schicksal zu erkennen, bewirkt die Interzession, es aber zu bejahen und praktisch auszufüllen – das liegt allein bei jedem Menschen selbst. Hier ist er frei; und hier wird über ihn entschieden, wenn er seine Freiheit nicht benutzt.

An diesem Punkt endete DIE BRESCHE. Ausdrücklich hieß es, Herzka müsse zurück und wieder auf den Weg, und solches Zurück bedeute eigentlich Vorwärts. Das aber wurde nur als Forderung ausgesprochen. Die zweite Geburt konnte in dem VORGANG IN VIERUNDZWANZIG STUNDEN nicht realisiert werden. Die endgültige Lösung des Problems bietet erst der Roman EIN MORD DEN JEDER BEGEHT, der nunmehr ausführlicher behandelt werden soll. Hier wird die Einholung dessen, was einer ist, veranschaulicht an dem Prozeß der Einholung dessen, was er getan hat, in welcher Tat er allein deshalb ganz enthalten ist, weil sie nicht wissentlich von ihm ausgeführt worden, sondern als ein Schicksalsereignis durch ihn und letzten Endes auch an ihm geschehen ist. Die Problemstruktur der Menschwerdung und die formale Struktur des Romans decken sich auf das genaueste.

9

Da die Menschwerdung zweifellos eine spezifische Form der „Entwicklung" ist, stellt sich das Werk in die große Tradition des Entwicklungsromans. Verwirklichung der Person und Befestigung des Menschen in der Wirklichkeit lautet ganz allgemein die Formel der Menschwerdung bei Doderer und die des Entwicklungsromans überhaupt. Gleichwohl ist der

MORD nur mit Vorbehalt in diese Gattung einzuordnen. Denn bei Doderer kann weder von einem Bildungs- noch von einem Erziehungsroman die Rede sein. Der Begriff der Bildung, im Goetheschen Sinne verstanden als organische Entfaltung und äußere Befestigung der als Entelechie im Innern angelegten Persönlichkeit, hat in seinem Menschenbild keinen Platz; und ebensowenig wie eine Lehre gibt es bei ihm in irgendeiner Weise pädagogische Antriebe, trotz der vorbildlichen Gestalten etwa Slobedeffs und Hohenlochers: diese nämlich können lediglich die Menschwerdung des Helden, die als ein existentieller Vorgang höchstpersönlich vollzogen wird, von außen bestätigen und besiegeln. Allenfalls hilft der naturalistische Entwicklungsbegriff weiter, indem die Determination des Menschen durch Vererbung und Milieu sich mit der für Doderer spezifischen Fixierung des Menschen im vorgegebenen Charakter vergleichen ließe. Aber im Grunde ist jede Art von „Entwicklung" nur als Vorwärtsbewegung denkbar, während die Menschwerdung bei Doderer gerade eine einholende Rückbewegung meint. „Entwicklung", so sagt er, den Begriff eigenwillig interpretierend, „setzt Verwicklung voraus, ist also besten Falls Abstellung eines Übels, Einholung und verspätete Herstellung des Normal-Zustandes; als selbständiger Wert angesehen nichts als Unfug."[60] Demgemäß folgt die Struktur im MORD der Enthüllungstechnik des KÖNIG ÖDIPUS. Wie die Menschwerdung des Helden in der progressiven Analyse seines Lebens besteht, so bietet der Roman im ganzen die Analyse eines Falls. Wie für den Helden die Menschwerdung die Einholung seiner selbst ist, so bedeutet der Roman für den Autor die Einholung seines Menschenbildes. Damit ist ein genereller Sachverhalt berührt: der Entwicklungsroman ist von vornherein analytisch angelegt; denn das Menschenbild, auf das sich der Held zubewegt, liegt dem Roman als Voraussetzung immer schon zu Grunde. Schillers Wort zum WILHELM MEISTER gilt ganz grundsätzlich: „Lehrjahre sind ein Verhältnisbegriff, sie fordern ihr Correlatum, die Meisterschaft, und zwar muß die Idee von dieser letzten jene erst erklären und begründen."[61] Der Dichter schreibt also seinem Menschenbild, das er schon hat, gleichsam entgegen. Im klassischen Falle jedoch bleibt die Entwicklung des Helden an ein stufenweise fortschreitendes Werden und Wachsen gebunden; der Roman folgt der Chronologie (die freilich in eine Sinnfolge verwandelt ist), und dadurch wird die ursprünglich analytische Tendenz des Romans weitgehend wieder aufgehoben.

Bei Doderer dagegen ist der analytische Grundimpuls gewahrt. Der programmatische Einsatz schon bezeichnet diese Tendenz:

> Jeder bekommt seine Kindheit über den Kopf gestülpt wie einen Eimer. Später erst zeigt sich, was darin war. Aber ein ganzes Leben lang rinnt das an uns herunter, da mag einer die Kleider oder auch Kostüme wechseln wie er will.
> Der Mann, dessen Leben hier erzählt werden soll – sein Fall hat innerhalb der deutschen Grenzen und noch darüber hinaus einige Neugier erregt, als hin-

tennach die Sachen genauer bekannt wurden – dürfte fast einen Beleg dafür abgeben, daß man des bewußten Eimers Inhalt nimmer abzuwaschen vermag.

Der Erzähler hält das Ganze des Castiletzschen Lebens von Beginn an stets gegenwärtig, er bespricht dieses Leben, deutet und analysiert. Obwohl er den Helden wie im klassischen Entwicklungsroman durch die Stadien der Kindheit und Jugend bis zur Reife verfolgt, geht es ihm nicht wie dort um die Lebensgeschichte eines Mannes in seiner stufenweisen Entfaltung, sondern wesentlich nur um seinen Fall. Wie in Albert Camus' Erzählung DER FALL (LA CHUTE, 1956) ist hier die ganze Lebensgeschichte des Helden lediglich das Instrumentarium, das die Voraussetzungen und Folgen eben des Falls ausbreitet, für sich selbst aber nichts ist. Das Zentrum des Romans ist der „Mord", und die Lebensgeschichte hat lediglich instrumentale Funktion. Formal bedeutet das: der „Mord" ist der novellistische Kern des Romans, der solchermaßen selbst einen streng novellistischen Bau aufweist. Dieser Grundzug ist schon in der BRESCHE bemerkbar. Aber das berechtigt keineswegs dazu, in beiden Romanen sozusagen vergrößerte Novellen zu erblicken; hier wird vielmehr Doderers Bestreben evident, durch strenge Fügung den Roman als künstlerische Form zu sichern.

Ein weiterer Unterschied gegenüber dem klassischen Entwicklungsroman ist der Tod des Helden nach abgeschlossener „Entwicklung": dort wäre der Tod des Helden ein Paradox, hier aber, unter existentiellem Aspekt, bedeutet gültiges Menschsein immer schon das Fertigsein zum Tode. Im klassischen Entwicklungsroman wird der Held mit allen Waffen, das Leben zu meistern, ausgerüstet und sodann buchstäblich ins Leben entlassen: die Romanfigur wird Person. „Gib deine Waffen weiter, Hans Unwirrsch!" – so endet Wilhelm Raabes HUNGERPASTOR (1864). Raabe will ein Beispiel der „Weltentwicklung" geben; er läßt seinen Helden zum toten Vater sprechen: „Ich bin den Weg gegangen, den du mir gewiesen hast", und er beschließt den Roman mit einem Ausblick auf den Sohn des Helden: „Ein Geschlecht gibt die Waffen des Lebens weiter an das andere." Diese Kontinuität und Übertragbarkeit gibt es bei Doderer nicht mehr; wir, sagt Gütersloh – und Doderer könnte hier mitgemeint sein –, „die wir nicht an das generationsweise Fortschreiten glauben, sondern an die persönliche Verwandlung, wozu aber nur in ganz geringem Maße anzuleiten ist ..."[62]. Das existentielle Moment, das sich aus der Literatur des zwanzigsten Jahrhunderts nicht wegdenken läßt, schließt die Übertragbarkeit von Werten aus. Castiletz kann keine Waffen weitergeben, nicht nur, weil er am Ende einem Unfall zum Opfer fällt, sondern weil die Verwirklichung der Existenz durchaus personal und prinzipiell unveräußerlich ist.

Dennoch ist diese Existenzverwirklichung von exemplarischer Gültigkeit, und den Zug zum Beispielhaften hat Doderers Roman mit dem

Entwicklungsroman gemeinsam. EIN MORD DEN JEDER BEGEHT deutet auf die allgemeine Basis hin, die durch das ganze Werk hindurch gegenwärtig bleibt. Der angeführte Einsatz schon bietet einen Katalog von Verallgemeinerungen: „jeder", „wir", „man". Jedes Dasein wird einmal durch ein dazwischentretendes Drittes unterbrochen. Jedem Dasein ist der Schritt zur Existenz (im wörtlichen Verstande) auferlegt. Jedermann ist bestimmt, aus der Anonymität bloßen Daseins herauszutreten und damit erst eigentlich Mensch zu werden. EIN MORD DEN JEDER BEGEHT, und wie dieser Conrad Castiletz sich zu seinem „Mord" verhält: das ist die Grundformel des Romans.

10

Das Werk ist in vier Teile von jeweils fast gleichem Umfang gegliedert[63]. Der erste Teil exponiert mit der Kindheit und Jugend des Conrad Castiletz seinen Charakter und damit das Hauptgeleis seines Lebens. Zugleich aber fällt hier schon ohne sein Wissen die schicksalhafte Interzession (der „Mord"), und damit liegt der Ausgangspunkt für seinen eigentlichen Schicksalsweg fest. Der Lebensweg, der im Vor-Leben in sich einheitlich war, ist auf einen biographischen Knotenpunkt geführt und spaltet sich in Charaktergeleis und Schicksalsweg. So ergeben sich zwei Handlungsstränge, die in entgegengesetzter Richtung verlaufen: das Charaktergeleis wird in direkter Vorwärtsbewegung unbefangen verlängert und im Beruf perfektioniert; schicksalhafte Forderung aber bleibt die Rückbewegung auf die Interzession zu, denn dieser Ausgangspunkt des Schicksalsweges ist zugleich dessen Zielpunkt. Dient also der zweite Teil des Romans jener Perfektionierung des Charakters auf der bedrohlichen Basis des zwar verborgenen, aber allgegenwärtigen Schicksals, so befindet sich Castiletz im dritten Teil – wiederum ohne sein Wissen – vollends auf seinem Schicksalsweg, wenn er eine vermeintlich frei gewählte Richtung einschlägt. Im vierten Teil tritt der verborgene Schicksalsweg ans Licht und erreicht sein Ziel: die Interzession wird eingeholt und realisiert, die Menschwerdung ist vollzogen. Hier am Ende zeigt sich, daß alle fernere Vorwärtsbewegung der äußeren Handlung seit der Interzession nur scheinbar ist; in Wahrheit ist sie nur die Funktion, jene Rückbewegung auf die Interzession hin zu ermöglichen. Und die Rückbewegung erweist sich jetzt als die wesentliche Vorwärtsbewegung, als die dialektische Bewegung der Einholung.

11

Gelegentlich einer Bahnfahrt wird der Lebensweg des Conrad Castiletz in metaphorisch-symbolischer Weise vorweggenommen:

Ein breiter, goldener Rücken sperrte die Strecke, der bei immer geringerer Entfernung zur Wand aufwuchs: hoch vor dem blauen Himmel zackte das Weinlaub. Die Fahrt ging an einem Stationsgebäude brausend vorbei, geradewegs auf diese Wand los; und jetzt erst wurde unten an ihrem Fuße ein kleiner, schwarzer, rußiger Mund sichtbar. Dann schloff der Zug dröhnend in den Schlauch, dessen Wände aus Rauch zu bestehen schienen.

Castiletz sprang vom Sitz. Draußen heulte und wetterte es langgezogen in der Dunkelheit, und dazwischen zerplatzten zahllose kleinere Geräusche, wie Fässer voller Scherben, die man entleert. Es schien lange zu dauern. Plötzlich jedoch war alles Toben gaumig nach rückwärts verschluckt, wie von einem großen Munde, und der Zug lief wieder geruhig hin in seinen weichen, schleifenden Geräuschen. Conrad sah in eine neue Welt hinein, die jetzt bei sinkendem Abend immer weiter und doch zugleich immer abgeschlossener sich auftat: ein gedehntes Bergrund, oben ganz gerade, fast beängstigend gerade vor dem Abendhimmel abkantend, grauer Schaum des Laubwalds an den dämmernden Flanken, die mit der Regelmäßigkeit einer Trichterwand das weite Talbecken schlossen, worin im Bogen man fuhr. Und nun, zurückblickend, erspähte Castiletz klein am Grund und Fuße der Wand dort rückwärts den doppelten rußigen Einschlupf, aus dessen einer Öffnung man eben noch hervorgebraust war.[64]

In dieser Schilderung eines äußeren Vorgangs, der in sich sinnvoll ist, wird zugleich der Lebensweg des Conrad Castiletz gespiegelt. Wie die Bahnfahrt auf vorgelegtem Geleis, so verläuft sein Leben auf dem vorgegebenen Geleis seines Charakters. Die gerade Richtung ist betont: die Fahrt geht „geradewegs" auf eine Wand zu. Die Wand interzediert das Leben, zeigt aber dennoch die Möglichkeit des Durchbruchs: den Tunnel. Unter ungeheurem Lärm im Tunnel fällt die Interzession; in der Dunkelheit des Tunnels vollzieht sich im vorgelegten Schlauch, abgeschlossen vom Leben, Conrads Suche nach sich selbst. „Bei sinkendem Abend" indes – und das heißt doch wohl: am Ende seines Lebens – sieht er „in eine neue Welt hinein", die „immer weiter und doch zugleich immer abgeschlossener sich auftat" – das ist die Reife der Apperzeption, der das Leben in aller Weite und Vielgestalt immer sinnvoller seine Abgeschlossenheit offenbart. Nach solchem Erleben und auf geruhiger Fahrt „im Bogen" – das bedeutet: in den Kurven des endlich erkannten indirekten Weges – erscheint der Einschlupf „dort rückwärts" ganz klein und unerheblich.

12

Conrad Castiletz ist ein gewöhnlicher Mensch. Solche Bezeichnung bedeutet für Doderer die Zuerkennung einer der höchsten Tugenden, die er kennt, oder das vernichtendste Werturteil, das er über einen Menschen fällt, je nachdem, ob der Akzent auf dem Einfachen oder auf dem Ordinären liegt, welche beiden Bedeutungen jener Begriff hat. „Ein ganz gewöhnlicher Mensch, das schwerste, was es zu sein gibt", heißt es in der STRUDLHOFSTIEGE, „einfach zu leben"[65] nämlich, wobei man den Ton beliebig auf „leben“ oder auf „einfach“ legen kann. Auf der anderen Seite aber notiert Doderer im Tagebuch: „... manche haben das von Anfang an, aus dem Charakter, ab ovo ... Und sie wollen es gar nicht anders, sie haben es nie anders gewollt. Diese sind die gemeinsten und ordinärsten Kerle, die es überhaupt geben kann, ganz platte Burschen, Hausmeister.“[66]

In diesem Dilemma befindet sich Castiletz in der Szene am Tümpel, die seine Kindheit exemplarisch charakterisiert[67]. Als ein „Mitläufer“ des Lebens, der die Gabe hat, „nicht aufzufallen“, versucht er sich gemein zu machen mit seinen Kameraden, wird jedoch von ihnen, die mit sicherem Instinkt seine Andersartigkeit (und andere soziale Stellung) spüren, in ihren Kreis gar nicht aufgenommen. Sein Werben um die Kameraden stellt Doderer als ein sprachliches Problem dar. Castiletz nimmt, um sich bei jenen beliebt zu machen, ihre Ausdrucksweise an. Aber solche Anpassung findet kein Echo; umgekehrt vielmehr verschafft er sich zufällig einigen Respekt, als er einmal gerade „ohne Angleichung an die Sprechweise seines Gegenüber“ – „es klang ihm selbst, als hätte er aus einem Schulbuch vorgelesen“ – einem der Jungen die Beschaffenheit der Molche erklärt. Allein, er schämt sich darüber und nimmt seine Rede gleichsam zurück. Darin aber offenbart sich das Fragwürdige seines Verhaltens. Denn jede wahre Gemeinschaft gründet sich nach Doderer auf die dezidierte Manifestation der Individualität jedes Beteiligten. Castiletz jedoch scheut sich davor, sein eigenes Gesicht zu zeigen, weil er damit seine prinzipielle Einsamkeit in aller Härte auf sich zu nehmen hätte; er flieht in die Anonymität einer fragwürdigen Gemeinsamkeit, die von der Gemeinheit nicht weit entfernt ist; er will nicht anders sein als die andern. Wohl spürt er das Dilemma: er hat die Empfindung, „als hätte er bei diesen Knaben irgendeine Sache von Wichtigkeit unerledigt gelassen, die hinter sich zu bringen ihm durchaus nicht gelingen wollte“. Und an einen „wendenden Punkt“ geführt, nimmt er schließlich – im „Bewußtsein von einem entscheidenden Augenblicke“ – die Gelegenheit wahr, sich hervorzutun. „Es zeigte sich die Möglichkeit, nun endlich freizugeben, was in Gesellschaft dieser Knaben sonst immer in ihm zusammengedrückt und wie eine niedergehaltene Sprungfeder hatte liegen müssen – es freizugeben, kost' es, was es wolle. Die Fäden durchzureißen, die ihn, wie es schien, ganz leichthin und zufällig an solches Treiben banden, beiseite zu treten, und sei's, daß er dann allein dastünde, und die Anderen unmutig oder gar als Feinde ihm gegenüber.“ So tritt er mit krampfhafter Anstrengung – „mit einem seltsam schweren, heftigen und ungelenken Schritte ...“ – aus sich heraus. Diese Manifestation seiner selbst aber ist verspätet und deshalb schmerzvoll. „Leben“, so heißt es einmal in der STRUDLHOFSTIEGE, „besteht darin, daß man sich einläßt: sich selbst hineinläßt“[68]; dies aber – so müßte man fortsetzen –, ohne sein Ich zu verlieren, ohne das Gesetz seiner Person aufzugeben zu Gunsten des Ortes, an dem man sich befindet[69]. Castiletz hat sich zu tief eingelassen – er ist infiziert, der „Sumpfgeruch" ist tief innen in ihm – und um so gewaltsamer ist seine Anstrengung, sich zu befreien; ein physisches Fieber erst reinigt ihn.

Dieses Schwere, Dumpfe, Gewaltsame und Verkrampfte bezeichnet den Charakter des Conrad Castiletz; um so mehr noch, als ihm – eine Kontrafaktur – sein Schulfreund Günther Ligharts gegenübergestellt wird, ein, wie ihm scheint, „aus unvorstellbar leichtem, reinem und glücklichem Stoffe bestehendes Wesen"[70]. Ligharts bringt das Gesetz seiner Person mit sich; ihm eignet die Fähigkeit der „epigrammatischen Kurzerledigung": ein Phänomen oder eine Situation sofort zu erkennen und gleichsam beim Schopfe zu fassen, eine Fähigkeit, die Castiletz gänzlich fehlt. Ligharts ist frei; und das ist das „eigentlich Neue", was Castiletz aus der Begegnung mit dem Freunde gewinnt: „Man konnte also aus freiem Entschluß und Ermessen sich irgendeiner Sache zuwenden. Man konnte also – in irgendeine Richtung gehen." Castiletz kann das nicht; bei ihm herrscht eine tiefe Befangenheit „im vorgelegten Geleise"[71], die sich schon in seiner Kindheit verhängnisvoll verdichtet.

13

Der hervorstechendste Zug seines Charakters ist der Trieb zur Ordnung. (Die Ordnung bei Doderer ist ein Thema für sich. Herzkas wesentliche Eigenschaften: „Genauigkeit, Peinlichkeit und Vorsicht, beinahe Ängstlichkeit"[72] finden sich bei Castiletz wieder; der Amtsrat Zihal verfällt der „totalen Ordnungspein"[73]; Schlaggenberg ist ein Ordnungsfanatiker; ja, über DIE DÄMONEN sagt Doderer: „Könnte mein Buch überhaupt thematisch benannt werden ... dann hieße es vielleicht DIE ORDNUNG."[74]) Schon die Spiele des Kindes lassen einen auffallenden Ordnungszusammenhang erkennen, und der heranwachsende Knabe beginnt bald sein Handeln bewußt nach dem Prinzip der Ordnung auszurichten. Durch einen gewaltsamen Eingriff in seine Entwicklung aber wird ihm die Ordnung schlagartig zur Befangenheit. Sein von Natur jähzorniger Vater – „Ebenholzschwärze" ist sein Charakteristikum – überrascht ihn, als er es einmal an der Ordnung hat fehlen lassen, und der über das Maß des Anlasses weit hinausgehende Zornausbruch des alten Castiletz stößt ihn mit einem einzigen Schlage vollends in seinen Charakter. Er achtet nunmehr umsichtig und peinlich darauf, „daß nicht irgendwo irgendwas ungeordnet und unbemerkt übriggeblieben sei, was sich dann gegen ihn drohend in Bewegung setzen würde"[75]. Damit ist seine Ordnungsliebe negativ geworden, sie ist nur mehr Sicherung gegen die Unordnung. Und das wird sein Verhängnis, denn jene Gegenmaßnahme richtet sich unvermeint gegen das Leben überhaupt. Er setzt die Ordnung absolut, das heißt, er löst sie vom Leben; und je mehr er sie perfektioniert, um so mehr schließt er sich vom Leben ab. Nach alledem verliert die Feststellung, die sein Leben beiläufig und wesentlich zugleich bezeichnet, ihren beruhigenden Ton; sie lautet: „So führte der junge Mann ein geordnetes Dasein.“[76]

14

Durchaus geordnet erscheinen denn auch die beiden Liebeserlebnisse des jungen Castiletz. Von Liebe kann keine Rede sein. „Er tat es, wie man sonst irgend etwas tut, ohne übertriebene Zärtlichkeit“, „ohne allzu große Eingenommenheit“[77]. Und die stehende Redensart in beiden Fällen ist: „Es ging alles gut.“[78] Der enge Sehschlitz, durch den Castiletz in die Welt blickt, ist die Ordnung. Alles, was er erlebt, verwandelt sich ihm unter der Hand in einen Baustein seines „Ordnungskosmos“. So sieht er vor den Verabredungen mit Ida Plangl heimlich auf die Uhr, „jedoch nicht eigentlich, weil etwa sein Herz mit den Sekunden getickt hätte diesem Stelldichein entgegen. Sondern damit nichts ungeordnet sei ...“[79] Und „während der Heimreise ... war Conrad stets zufrieden, ja innerlich befriedigt, als von einer Sache, deren Wert außer Zweifel stand, die man unbedingt mitmachen mußte, die unter keinen Umständen versäumt werden durfte“[79]. Ebenso empfindet er in seinem Verhältnis zu Frau Anny Hedeleg, der Sekretärin seines Vaters: „das muß man unbedingt mitmachen“[80]; und „es ging alles gut. Das neue Schubfach paßte in die Kommode des Conrad Castiletzschen Lebens. Es schloß sich glatt und öffnete sich, wenn man dessen bedurfte.“[81] Hier offenbart sich die Selbstbefangenheit als unheimlich anmutende Kälte, wenn Castiletz auf die Mitteilung der Hedeleg – „diesen Namen gebrauchte er in seinen Gedanken“: die Hedeleg![82] –, sie habe ein Rendezvous mit seinem Vater, vollkommen gleichgültig reagiert. Von Liebe also ist nicht die Rede, aber alles ist „in Ordnung“. Aufs tiefste ist Castiletz befangen „im vorgelegten Geleise“ des Charakters, und das verstellt ihm den freien Blick ins Leben, ja tötet dieses ab.

15

„Man darf hier boshaft werden und sagen, daß Conrad Castiletz durchaus geordnet in seine Verstrickung fiel.“[83] Dieser Satz aus dem zweiten Teil des Romans betrifft den eigentlichen Fall des Conrad Castiletz (im doppelten Sinne des Wortes), der mit dem Zentralereignis des Romans, schon im ersten Teil, beginnt. Das Zentralereignis ist zugleich das tertium intercedens des Castiletzschen Lebens. Wenn es behutsam im Zusammenhang von harmlosen Familienanekdoten versteckt ist, so ist solche Verschleierung des Wesentlichen (ganz abgesehen davon, daß sie ein Spannungselement darstellt) einmal strukturell legitimiert, da Castiletz die entscheidende Bedeutung des Ereignisses für sein Leben hier noch nicht erkennt; zum andern ist es der sinnfällige Ausdruck dafür, daß der Mensch ja doch keineswegs von vornherein weiß, was und wer er ist. Castiletz beteiligt sich, getrieben von dem Wunsch, nach dem Muster jener Anekdoten „solchermaßen Zugespitztes oder Abgerundetes – wie man will – selbst zu erleben, ja gewissermaßen selbst hervorzubringen“[84], an einem Scherz, der den Tod der jungen Louison Veik verursacht. Ihm aber bleibt diese Wirkung seines Übermutes verborgen; der „Mord“ ist für ihn nichts weiter als eine mißglückte Anekdote.

Diese dritte „selbstgemachte“ Anekdote nun, die gar keine richtige geworden war, stand des längeren gleichsam aus Conrad hervor, sozusagen wie ein nur halb ins Holz geschlagener Nagel: aber es blieb daran niemand hängen, das heißt, es bot sich nie ein solcher passender Zusammenhang irgendeiner Unterhaltung, daß man sie hätte einstreuen können. Zudem, sie war nicht fertig geworden.[85]

Einmal allerdings wird sie von ihm erzählt, und zwar seinem Vater, der „aufs heftigste ungehalten“ wird über „solche dumme Büberei“.

Hiedurch wurde nun der hervorstehende Nagel mit einem einzigen Schlage bis ans Köpfchen ins Holz getrieben, ja eigentlich samt dem Köpfchen, so daß es bereits einer sorgfältig tastenden Hand bedurft hätte, um die Stelle zu finden, wo er einst eingeschlagen worden war: anders, Conrad vergaß diesen seinen ersten Versuch, die Romantik festere Formen annehmen zu lassen, gerne und bald, weil nun schon zu viel peinliches Erinnern sich damit verknüpfte.[86]

So ist die Interzession tief in ihn eingebohrt; und sie ist unwiderruflich, denn sie hat einen äußeren Bezugspunkt: den Tod Louison Veiks. Demgemäß erfolgt die Forderung des Lebens, das schicksalhafte Ereignis einzuholen (es „einzuordnen“) von zwei Seiten: vom reinen Innen (die vergessene Geschichte) und vom reinen Außen (der Castiletz nicht bekannte Tod Louisons). Hier bedarf es des Zündschlags zwischen Innen und Außen, der beide zur Wirklichkeit verschmelzt. So impliziert die Unabgeschlossenheit der Anekdote ihre Vollendung, die im übrigen den ganzen Roman ausmacht. Denn wie die Menschwerdung des Conrad Castiletz darin besteht, das tertium intercedens seines Lebens einzuholen, so ist die Struktur des Romans durch die einholende Rückbewegung auf das Zentralereignis hin bestimmt.

16

Die Einholung selbst ist ein lebendiger Prozeß der Verwirklichung. Parallel mit der fortschreitenden Enträtselung des Falles Louison Veik, der so erst eigentlich realisiert wird – denn noch ist die verbindende

Brücke zwischen Innen und Außen nicht geschlagen –, läuft die Personsverwirklichung des Conrad Castiletz, die eben dadurch veranschaulicht ist. Castiletz gerät in den Bannkreis Louison Veiks und so in die Fänge seines Schicksals. Louison ist als das verkörperte tertium intercedens seines Lebens allgegenwärtig; wie außen so ist sie tief innen in ihm. Ihre magische Anwesenheit bekundet sich bereits bei seinem ersten Besuch im Hause Veik. Ohne daß er bisher von ihr weiß, fühlt er sich „unvermittelt und ohne jeden einzusehenden Grund von der Lage, in welcher er sich augenblicklich befand, unheimlich berührt, gegen jede Vernunft, jedoch sehr deutlich“[87]. Solche „innere Betroffenheit“[87] („wie die Berührung eines Nervs“[88]) ist der Ausdruck einer augenblicklichen Anrainung jenes reinen Innen und Außen, die auf ihre Verbindung drängen. Ein Porträt Louisons wird ihm zum entscheidenden Erlebnis. Ihm, der von seinem Vater auf ein „wohlvorbereitetes Geleis“ gesetzt in einem „geordneten Dasein“ befangen lebt, wäre bisher niemals „auch nur der Gedanke aufgetaucht, in ein anderes hinüberzuwechseln“[89]. Hier jedoch, vor Louisons Bild, „wurde für Conrad ein bisher nie Vorstellbares anschaulich: nämlich die Möglichkeit eines ganz anderen Lebens, als das seine war, ja das Wechseln in ein anderes Geleis hinüber – dies wurde denkbar, ja, es wurde in seltsamer Weise wirklich“[90]. Hier tritt ihm das Bild seines eigenen Schicksals handhaft vor Augen; denn Louison, das ist er selbst, zwischen ihm und ihr besteht eine „physiognomische Verwandtschaft“[91]. Und jenes andere Geleis, das zu betreten möglich wird, ist nichts geringeres als seine physiognomische Existenz. Wenn er allerdings diese Möglichkeit noch nicht zu aktualisieren vermag, so wird er wenigstens seiner Befangenheit im vorgelegten Geleis des Charakters inne, und damit ist der erste Schritt aus der Befangenheit heraus getan. Im gleichen Maße, wie er sein jetziges und schon lange so eingefahrenes Leben als unbefriedigend empfindet, da es ihn nicht erfüllt, trifft ihn in sekundenlanger Versunkenheit in sich selbst immer „das Antlitz Louisons als die eigentlich lebendige, verwandte und nicht aus fremdem und hergeholtem Stoff bestehende Fortsetzung jenes vergangenen Lebens“. Er hat die Empfindung, als sei sein Leben von einem gewissen Punkt an von „einer Art riesenhaftem Deckel“ überdeckt und unterdrückt, „von dessen bloßer Deckelnatur Castiletz eine gewisse Kenntnis hatte: dies nun war die eigentlichste und geheimste Wirkung Louisons; denn sie erhob sich jetzt am anderen, ihm zugekehrten Ende, unter welchem er selbst noch lag; jedoch sie war ganz vom gleichen Stoffe wie der erste Teil des Lebens ...“[92]. Damit ist die interzedierende Wirkung Louisons offenkundig und zugleich die einholende Bewegung bestimmt. Louison war sein Leben, und sie muß er einholen, um sein Leben und sich selbst einzuholen. So bleibt denn als Rest aller seiner Vorstellungen in Bezug auf Louison die Forderung in ihm zurück, „daß hier irgend etwas – zu tun wäre“[92], und er faßt, diesem Zwang folgend, den Entschluß, die Aufklärung des vermeintlichen Raubmordes an Louison Veik selbst zu übernehmen. Solcher Entschluß, mit dem Castiletz seine Sehnsucht nach einer frei gewählten Richtung endlich zu verwirklichen glaubt, ist im Grunde kein freier Akt, sondern nur die Antwort auf die Weisung des Schicksals, dem er passiv unterliegt.

17

Bezeichnenderweise ist der Fall Louison Veik durch direkte kriminalistische Bemühungen nicht aufgeklärt worden; das ist nebenbei der schlagende Erweis, daß es sich hier gar nicht um einen Kriminalfall handelt, und daß demzufolge ebensowenig das Werk ein Kriminalroman zu nennen ist, wie eine oberflächliche Betrachtung zunächst vermeinen könnte[93]. Der Fall Louison Veik ist vielmehr einer der „Musterfälle des Schicksals", „angesichts derer die Vernunft abzutreten hat"[94]. Wie dem jungen Castiletz der „Mord" als ein schicksalhaftes intercedens zugefallen ist, so fällt ihm später seine Entdeckung zu. Das alles geschieht auf dem indirekten und autonomen Wege des Lebens. Deshalb wird er jedesmal, wenn er seinem Charakter gemäß ordnend und dirigierend vorgeht, auf Irrwege gelenkt, wie die Kriminalisten; oder seine Anstrengungen verlaufen ergebnislos. Wenn er zum Beispiel beim ersten überhitzten und unbedachten Anlauf einen Ohrring Louisons im Tunnel findet, so ist er auf diesen Fund geradezu gestoßen worden. Als er aber am folgenden Tag mit Hilfe eines Bahnbeamten den Tunnel systematisch absucht, ist solche Nachsuche wahrhaftig eine Nach-Suche und bleibt ohne Ergebnis. Obwohl er diese Überlegung selbst anstellt und weiß, daß jener Fund ausnahmehaft war und solches Glück sich nicht durch direkte Suche beschwören läßt – soweit wenigstens ist seine Befangenheit in der Ordnung schon gelockert –, ist er sich trotzdem diesen Kontrollgang um der Ordnung willen schuldig. Bei alledem liegt das für Castiletz revolutionierende Neue darin, daß er das Indirekte des Lebens erkennt; zu bequemen vermag er sich ihm allerdings noch nicht. Mit seiner Erkenntnis des Indirekten nämlich übertreibt er es sogleich und entwickelt gleichsam eine Art Wundergläubigkeit. Und damit fällt er in die Direktheit zurück; denn indem er das Wunder erwartet, beginnt er es schon zu berechnen: er sucht im direkten Zugriff zu nehmen, was nur indirekt und von selbst als ein „Hinzugegebenes" sich einzustellen pflegt. Unter diesem Zeichen steht die Verfolgung des vermeintlichen Täters Henry Peitz. Die Umstände lassen sich so glücklich an, daß Castiletz hier das Wunder verifiziert glaubt. In Wahrheit aber befindet er sich auf diesem Weg in der direkten Verlängerung der kriminalistischen Bemühungen, also in der direkten Verlängerung eines direkten Weges und so auf einem heillosen

Irrweg. Gleichwohl muß er diesen Irrweg bis zum Ende gehen, um die Ergebnislosigkeit ganz und gründlich zu erfahren. Und hier auf dem Nullpunkt aller direkten Nachforschungen ist schließlich alle Befangenheit einer Richtung abgefallen, und grenzenlos wie die Leere ist die Erwartung. Jetzt erst ist Castiletz im Indirekten beheimatet, da er zu ahnen beginnt, daß das Vakuum selbst schicksalhafter Natur ist und das Schicksal unwiderstehlich ansaugt. Und jetzt, da er durch Botulitzky, der denn schicksalsgemäß in diese Leere tritt, mit dem genauen Hergang beim Tode Louison Veiks bekannt gemacht wird und erfährt, daß er selbst der Täter ist, jetzt kristallisiert er augenblicklich zur Person; er tritt „sogleich entschieden auf", wie Doderer in einem Selbstkommentar sagt, „und seine Individuation deckt sich nun bemerkenswert mit seiner Individualität"[95]. Zur Freiheit gelangt, führt er sie unverzüglich zu neuer und höherer Bindung, indem er sein Schicksal signiert. „Die menschliche Freiheit", sagt Doderer, „bringt nun einmal mit sich, daß ihr die materia signata des Schicksals noch einmal zur Signatur vorgelegt werde."[96] Diesen Akt vollzieht Castiletz. Er steht zu seiner Tat, er macht keine – doch so naheliegenden – Ausflüchte etwa auf unglückliche Verkettung von Umständen. Er weiß zuinnerst, daß hier nach einem unbegreiflichen Schluß das Leben durch ihn gewirkt hat, ja, daß er hier das Leben selbst gewesen ist. Indem er aber das Leben bedingungslos annimmt, hat allererst das Leben ihn angenommen. Das Schicksal hat ihm unverhüllt sein eigenes, des Conrad Castiletz, Gesicht gezeigt, es ist außen vor ihm erschienen, und er erkennt sich selbst darin wieder. Jener Passion setzt er die Aktion der inneren Bestätigung entgegen.

18

Castiletz' Weg bedeutet die exemplarische Füllung jener schon öfter zitierten metaphorischen Wendung, deren Sinn hier deutlich werden mag: er hat dem schon fliegenden Pfeil der Sendung seiner Person die Spitze aufgesetzt, indem er seine zweite Geburt, die mit seinem „Mord" gemeint war, einholend realisiert. Diese seine „Personswerdung" wird ihm von Hohenlocher, „ohne den ... diese Geschichte überhaupt nie geschrieben worden wäre"[97], bescheinigt. Hohenlocher, in dem Castiletz schon bei der ersten Begegnung seine Autorität erkennt, „stand da im Hintergrunde aufgerichtet wie das Maß aller Dinge, und mit jedem Wort verpflichtend", „als ein Turm in der Schlacht"[98]. Und Castiletz, so heißt es einmal in Bezug auf jenen, ist „zumute, als blicke er, selbst schwankend und bewegt, auf einen immerzu festen Punkt"[99]. Als er jenem am Ende einen genauen Bericht seines Falles abstattet, gibt Hohenlocher „das Folgende bekannt":

„Herr Castiletz", sagte er scharf, „meine ganze Stellungnahme in dieser Sache hängt zunächst davon ab, was Sie antworten werden, wenn ich jetzt, statt Ihnen meine Anteilnahme und mein tiefstes Mitleid zum Ausdruck zu bringen, Sie ganz eindeutig und mit außerordentlicher Festigkeit der Überzeugung herzlich beglückwünsche."

„Ich antworte", sagte Conrad, „erstens, daß mir dieses selbstverständlich erscheint, zweitens, daß ich Ihnen von ganzem Herzen danke."

„Dann haben Sie den Kranz errungen", sagte Herr von Hohenlocher. (Bei diesen Worten erschrak Conrad ein wenig.) „Dann sind Sie mit ungewöhnlichem Erfolge den längsten Weg gegangen, der alle Übel heilt. Daß dieser Weg bei Ihnen selbst enden mußte, ist ewiges Gesetz, dem ständig auszuweichen übrigens einen bedeutenden Teil der Anstrengungen unseres Lebens bildet. Wer diesen Weg bis zum Ende und Kranze geht, gelangt in den Besitz eines Wissens, das nur einer verschwindend kleinen Zahl zuteil wird: nämlich zu wissen, wer eigentlich man selber sei. Sie trieben durch den toten Gesteinsberg des Daseins einen Stollen hinter der vermeintlichen Schuld eines anderen her. Der Erweis jedoch, daß dieser Stollen genau richtig vorgetrieben war, ist dadurch erbracht, daß Sie drüben und auf der anderen Seite beim Treten aus der Nacht sich selber in der lichten Weite Ihrer Bohrung stehen sahen."[100]

Wenn Hohenlocher dem aber noch hinzufügt: „Das Maß . . . von Freiheit, welches Sie nun gewonnen haben, ist sehr groß. Zu groß fast, muß ich sagen, als daß ich mir schon jetzt vorstellen könnte, wie Sie damit leben werden . . .", so ist der zentrale Punkt des Falles Castiletz berührt. Castiletz nämlich hat seinen Charakter und sein Leben so gänzlich überwunden, daß er nicht mehr lebensfähig ist. Er hat seine Kräfte verbraucht[5]. Doderer vermerkt einmal im Tagebuch: „Man kann in wenigen Sekunden von seiner eigenen Dummheit frei werden. Dies ist eine der ungeheuerlichsten Tatsachen und ein angedrohtes Gericht zugleich."[101] Dieser Satz trifft auf Castiletz zu. Er hat in der Tat sein ganzes Leben bis auf die Stunde seiner Einholung als Dummheit erkannt und ist eben dadurch von ihr frei geworden; denn wer seine eigene Dummheit erkennt, ist schon nicht mehr als dumm zu bezeichnen[102]. Allein, auch das Gericht hat über ihn entschieden: seine Menschwerdung ist von solcher Absolutheit, daß sie einer Überwindung des Menschseins gleichkommt. Er hat mit seiner Tat, indem er sein Schicksal bedingungslos annimmt, alle Bewährung paradigmatisch antizipiert. Ihm bleibt nichts mehr zu tun übrig. Er ist nicht nur frei, er ist erlöst. Einer letztlichen Erlösung kann freilich nur der Tod folgen, der aber, als solche Folge schon aus der Sinnlosigkeit gerissen, eine sinnvolle Fügung bedeutet. Der Tod Conrad Castiletz' am Ende des Romans ist alles andere als tragisch. Mag er gleich sinnlos erscheinen und so sein Wesen als factum brutum bewahren – und das muß er –, so ist er doch wie jede Sinnlosigkeit nur ein gleichsam „atemversetzender Stoß"[103], der alsbald vom Leben aufgefangen und ihm einverleibt wird, da der Mensch das Leben anders als im letzten sinnvoll – mag immer dieser Sinn in seiner undurchdringlichen Wurzel verborgen sein – nicht ertrüge. Wie jede Sinnlosigkeit, die eine solche nur für den initiierenden Augenblick ist, ordnet sich dieser Tod letztlich einem höheren Sinnzusammenhang ein. Einmal ist es jene Erlösung und zum andern die Art und Weise, wie er geschieht, was ihn sowohl strukturell in Bezug auf den Roman als auch lebensmechanisch legitimiert. Wie nämlich Castiletz unvermeint durch selbstbefangene Spielerei den Tod Louison Veiks verursacht hat, so wird er selbst ein Opfer ebensolcher Selbstbefangenheit eines anderen Menschen[104]. Das aber heißt: wie sein Leben schließlich sein und nur sein Leben geworden ist, aus der Anonymität bloßen Daseins gerissen, so findet er am Ende seinen Tod, der nur ihm gehört. Louison Veik ist sein Leben gewesen, und indem er ihren Tod stirbt, scheint es, als habe er dem Schicksal selbst den Tod abgerungen, um seinem Fall über sein irdisches Leben hinaus exemplarische Gültigkeit zu geben. Die Zufälligkeit der Geburt und die Notwendigkeit des Todes – beides zusammen die Sinnlosigkeit anonymen Schicksals – sind im Fall Castiletz als personales Schicksal sinnvoll geworden.

19

Der mensch-gewordene Mensch praktiziert – wie Castiletz, als er mit seinem Fall konfrontiert wird, vorbildlich beweist – eine Haltung, die allein aus der Person erfließt. Haltung ist gleichsam Eigenschaft – die in der Pluralität und also Herabgekommenheit den Charakter konstituiert – auf höchster Ebene. Haltung ist für Doderer der höchste Wert des Menschen. An ihr mißt sich, was ein Mensch ist und daß er ist, also sein Wirklichkeitsgrad. So heißt es in der Erzählung DAS LETZTE ABENTEUER einmal:

> ... in welche Sache immer uns das Leben nun einmal hineingestellt hat: man muß sie führen. Man muß sehen, was sich dabei tun läßt. So gibt man dem nach Gottes Willen schon fliegenden Pfeil erst seine Spitze, in welchem seltsamen Kunststück sich aber, wie mir scheint, Würde und Wert des Menschen eigentlich erweisen. Dazu gehört nichts als ein klarer Blick und eine durch ihn bezwungene ruhige Hand.[105]

„Die Spitze dieses Pfeils", so erläutert eine Tagebuchstelle, „welche im Fliegen muß aufgesteckt werden, besteht aus der Erkenntnis von den Gegenkräften dieses Lebens und seinen in der Jugend am stärksten wütenden Alters-Giften."[106] Solche Haltung, die das äußere Leben ex contrario dem eigenen inneren integriert, begründet das rechte einstimmende und zustimmende Verhalten zur Welt und gibt dadurch dem Menschen die mit jedem Leben gemeinte Komplexität. Angesichts des eigenen Falls sich zu halten, ist nach Doderer die einzig mögliche und eigentliche Leistung des Menschen.

> Daß wir fallen und in welcher Kurve wir dabei fliegen, darauf haben wir allerdings keine Wirkung, und wir hätten sie auch nicht mit der allerreinsten

Ratio und daraus erfließender Selbstbeherrschung. Für uns ist ein Sublimeres erlesen, als in dieser direkten Weise uns zu ändern und geradezu modifizieren zu können ... uns ist gegeben, bei hingenommenem Fall und bei dessen festen Bahnelementen, dies beides überhaupt erst erheblich zu machen, durch die Art, wie wir uns dabei verhalten und wie wir uns in die Kurve legen: das aber ist durchaus bei uns allein. Anders: die wichtigsten Grundentscheidungen des Lebens können niemals nur ein Direktes betreffen, einen Inhalt, ein bloßes Was – sondern immer muß damit auch eine formale Erheblichkeit gesetzt werden, ein Indirektes, ein Wie, ein jeder wirklichen Kunstleistung analoger Akt.[107]

Bedingung solcher Haltung ist einerseits die Kenntnis des Falls und seiner festen Bahnelemente – also die Selbsterkenntnis des Charakters – und zum andern schon eine Beheimatung im Indirekten. Dieses beides zu ermöglichen dient die Menschwerdung; und hierin besteht ihr tiefster Sinn: die „fallende Tendenz des Lebens" zwar zu beschreiben, zugleich aber sie zu wissen und eben dadurch schon zu überwinden. So ging es schon Gütersloh darum, „dem natürlich bestimmten Lebensablaufe und seiner in Gestalt des Todes mitgeführten pessimistischen Ansicht durch den theoretischen und tatsächlichen Widerspruch eine zweite Dimension" abzuringen, eine „neue Dinglichkeitsreihe" zu „inaugurieren", eben „jenes Superplus, das nicht in unserem Horoskope stand, jenes zweite Leben, das aus dem Genius jungfräulich entsteht und so nicht unter die Sterne fällt und gerät und den Tod nicht zu schmecken braucht, es wollte ihn denn schmecken"[108]. Die mit der Menschwerdung gegebene „Personsverwandlung" aber erlaubt es am Ende, den Fall, der dem Skelett aufgetragen ist, unwidersprochen zu beschreiben, ohne noch in ihm aufzugehen; denn: „Sich verwandeln heißt nicht: in die neue Gestalt auch das Bewußtsein und die Fähigkeiten der alten zu tragen – es heißt, bei gleichem Skelette, durchaus unvermögend zu sein, die eben verlassene Gestalt und ihre besonderen Kräfte zu beschwören", wie Gütersloh in einem Brief schreibt, aus dem Doderer zitiert[109]. Alles dieses zusammenfassend, formuliert Heimito von Doderer sein Menschenbild auf metaphorische Weise:

Keineswegs sich in irgendeiner Weise über dem Boden der Faktizität und des Natürlichen schwebend halten wollen, Auftrieb suchend voll Prätention: sondern fallen, und auf diesen Boden sich glatt hinlegen, fallen wie ein Herbstblatt, schaukelnd, ohne Widerstreben, der fallenden Tendenz des Lebens – wie Franz Blei es in einem Briefe an Gütersloh einmal genannt hat – gehorsam. Wir fallen, wir fallen alle, unausgesetzt. Nicht dies eigene Fallen zu negieren gilt es, sondern den Fall geschehen zu lassen, sich ablösend, ihn übersteigend.[110]

20

Überblickt man die drei monographischen Romane, DIE BRESCHE, EIN MORD DEN JEDER BEGEHT und DIE ERLEUCHTETEN FENSTER, im Zusammenhang und in ihrer chronologischen Folge, so zeichnet sich deutlich ein dichterischer Entwicklungsprozeß Heimito von Doderers ab. Unter dem Aspekt der stufenweise fortschreitenden Entfaltung des Problems der Menschwerdung bedeutet dieser Prozeß zunächst den Weg vom Problem zur Form.

In der BRESCHE noch behauptet trotz aller Komposition das Problematische den Vorrang vor der formalen Gestaltung. Dieses frühe Werk, im wesentlichen zweifellos ein Stück Selbstdarstellung, lebt ganz aus dem Problem. Die Menschwerdung erscheint hier als das Lebensproblem Heimito von Doderers selbst. Im Ringen um seine eigene Ortsbestimmung noch befangen, gibt er seinen inneren Kämpfen Ausdruck. Freilich werden solche Probleme nicht in einem freien Akt theoretischer Wahl gestellt, sondern treten als existentielle Frage und Forderung an den Menschen heran. Der existentielle Ansatz ist unverkennbar. Und da zu diesem Zeitpunkt die eigene Existenz des Dichters noch nicht voll realisiert ist, kann das Problem noch nicht endgültig gelöst werden. Indessen bedeutet schon der Versuch, das eigene Lebensproblem, da es einmal erkannt ist, – solche Erkenntnis produktiv einlösend – sprachlich zu formulieren und künstlerisch zu gestalten, einen Schritt zu seiner Lösung. Denn die Bändigung durch die Form bewirkt zugleich die Befreiung vom problematischen Gewicht. In das Material der Sprache und darüber hinaus auf die Ebene der Kunst übertragen, ist das Problem aus dem Bereich des Privaten ins Allgemeine gehoben. So ist in der BRESCHE schon die stoffliche Füllung letztlich ohne Belang; wichtig sind allein die Problemgelenke, welche zugleich die formalen Knotenpunkte des Werkes bilden.

Mit der Lösung des Problems im MORD ist ein weiterer Schritt zur Befreiung der Form getan. Hier ist die für Doderers Hauptwerke charakteristische „Gleichgültigkeit" alles rein Inhaltlichen schon weitgehend erreicht. Die existentielle Befangenheit ist gesprengt, es gibt kein persönliches „Anliegen" mehr. Der Erzähler spricht gleichsam oberhalb des Stoffes, den er als gleichgültig betrachtet und geradezu als bekannt unterstellt; er analysiert nur deutend einen Fall. Dabei ist es kaum auszumachen, ob die Struktur des Romans noch ausschließlich der Problemstruktur der Menschwerdung folgt, diese also das thematische Substrat bildet, oder ob sich der Roman nicht wesentlich schon aus einem genuin erzählerischen Grundeinfall – wie später DIE STRUDLHOFSTIEGE – entfaltet: Einholung eines Ereignisses, das in ständiger Parusie des Ganzen gehalten wird.

Vollends für die Befreiung vom problematischen Gewicht zeugt der humoristische Roman DIE ERLEUCHTETEN FENSTER. Die Härte und Absolutheit, die noch den MORD beherrschten – dies verlangte die Anstrengung, das Problem fundamental zu lösen und zu erschöpfen –, sind nunmehr aufgegeben. Der ZIHAL ist gegenüber dem MORD gleichsam ein Satyrspiel nach der Tragödie, eine „misère oblomowesque"[111], eine „literarische Lausbüberei“[112], die schon im Untertitel beginnt. Bezeichnenderweise fällt hier zum ersten Mal der Begriff „Menschwerdung“, da die Menschwerdung als existentielles Problem längst überwunden ist. Mit der heiteren Relativierung aber ergibt sich eine Erweiterung des Problems, die auf DIE DÄMONEN weist. Es ist die Problematik der „zweiten Wirklichkeit“.

Auch in anderer Hinsicht bezeichnet der ZIHAL die Wende zum Spätwerk. Weder in der BRESCHE noch im MORD war das Geschehen chronikartig lokalisiert und zeitlich datiert worden, und die Menschwerdung mußte für ein überzeitliches Problem ohne historische Basis gelten. Mit der genauen Orts- und Zeitbestimmung im ZIHAL erscheint erst das Menschenbild Heimito von Doderers auf dem Grunde seines Zeitbildes, mit dem es ganz ursprünglich schon verknüpft ist[113].

Alle diese Romane aber, einschließlich des ZIHAL, sind von monographischer Struktur, sie haben den Schicksalsablauf einer einzigen Figur mit Ausschließlichkeit zum Gegenstand, alle anderen Figuren – im MORD eine stattliche Anzahl – verbleiben am Rande. Auch der UMWEG gehört in diese Reihe, er gestaltet zwei Schicksale und ist insofern nur „duographisch“[5]. Erst mit dem Spätwerk der STRUDLHOFSTIEGE und der DÄMONEN kehrt Doderer zum vielschichtigen Gefüge des Romans einer Gruppe zurück, also gleichsam zur polygraphischen Darstellung, wie sie bereits das frühe Werk DAS GEHEIMNIS DES REICHS kennzeichnet. Von hier aus erscheint noch das Geschehen im ZIHAL, wenngleich lokalisiert und datiert, im Bereiche des gleichsam Vor-Wirklichen angesiedelt. Denn Wirklichkeit ist immer das Ganze, die Totalität des Lebens; sie voll zu erfassen ist nur dem „totalen Roman“ möglich, und dieser wiederum läuft Gefahr, nicht mehr Roman zu sein. Der monographische Roman dagegen kann prinzipiell immer nur einen Ausschnitt des Lebens geben: er rückt eine einzelne Figur in den Mittelpunkt der Betrachtung, welcher Mittelpunkt ihr im Lebensganzen niemals eignet. So ergibt sich im monographischen Roman notwendig, wenn nicht eine Verabsolutierung, so doch eine Überbetonung des Teils, der nur im Ganzen und vom Ganzen her seinen Sinn und seine Wirklichkeit hat. Anders: im Leben gibt es immer nur Begleitstimmen, der monographische Roman aber setzt eine Hauptstimme. Die Liquidation der Hauptstimme zu Gunsten vieler Begleitstimmen ist in Doderers Spätwerk erreicht. Die polygraphische Darstellung ist ein Weg, den er auch in seinen künftigen Werken nicht verlassen wird.

Insofern ist die dichterische Entwicklung Heimito von Doderers als der Weg vom Monographischen zum Polygraphischen, vom Vor-Wirklichen zur Wirklichkeit, vom Problem zur Form faßbar.

4. KAPITEL

DAS SIEBENTE DIVERTIMENTO – EIN FORMALES EXPERIMENT

1

Neben den monographischen Romanen gibt es drei Dichtungen Heimito von Doderers, von denen die beiden ersten nicht minder als jene sein Frühwerk charakterisieren, und die im ganzen nicht minder die Voraussetzung seines Spätwerks bilden. Es sind die drei Versuche zu einem siebenten Divertimento: DAS GEHEIMNIS DES REICHS, DAS LETZTE ABENTEUER und DIE POSAUNEN VON JERICHO, mit denen sich Doderer in einer Art formalen Experiments um eine besondere Gattung der Erzählkunst bemüht.

Ein Seitenblick auf die Kategorie des Schriftstellers zeigt freilich, daß dieser Aspekt in der Entwicklung eines Dichters nicht fehlen darf; denn wie der Roman erst durch die Priorität der Form zum Kunstwerk wird, so erfüllt der Schriftsteller erst mit der formalen Gestaltung seinen Begriff. Doderer definiert einmal: „Ein Schriftsteller ist ein Mensch, dessen Sprache der Welt entsagt hat, dessen Person in ihren Netzen verstrickt bleibt“[1]; das bedeutet in Bezug auf die substantielle Problematik von Form und Problem wie von Form und Inhalt überhaupt: der Schriftsteller hat sich der Form verschrieben, als Person jedoch bleibt er in den Inhalten befangen; zutiefst wissend, daß so Form wie Inhalt nur Glieder eines einzigen dialektischen Continuums sind und sich in ihrer wechselseitigen Bezogenheit allererst realisieren, hält der Schriftsteller gleichwohl an der Priorität der Form fest, da er andernfalls sich – und damit seine Kunst – im rein Inhaltlichen verlöre. Diese Überzeugung stand für Doderer in frühester Zeit fest, wenn er sie auch später erst zu formulieren vermochte. Die aufgezeigte Entwicklungslinie vom Problem zur Form ist also nicht ohne Vorbehalt zu fixieren, sie bedarf – da denn aus einem Problematiker nicht wohl ein Romancier entsteht – der Ergänzung durch eine andere, die ursprünglich schon im Formalen wurzelt. Diese Linie ist mit den Divertimenti gegeben.

Ein Divertimento nennt Doderer eine streng komponierte, zum Vortrag bestimmte Erzählung heiteren Charakters, die nach Möglichkeit die Lesedauer von vierzig Minuten nicht überschreiten soll[2]. Diese Umschreibung mag vorerst genügen, eine genauere Definition wird im Laufe der Analyse beizubringen sein.

In den zwanziger Jahren schrieb Doderer sechs Divertimenti, die er alle lediglich als „Übungsmaterial" zu einem siebenten wertet[2]. Jedoch ist er auch in dem Bestreben, mit dem siebenten Stück ein Divertimento zu schaffen, das die von ihm selbst gesetzte Norm restlos erfüllt, nach dreimaligem Anlauf gescheitert. DAS LETZTE ABENTEUER, das in erster Fassung 1917 in Ostasien, in zweiter Fassung 1923 entstand und heute in dritter und letzter Fassung von 1936 vorliegt, wurde eine große Erzählung; die beiden früheren Fassungen, die nicht mehr existieren, waren wesentlich kürzer. DAS GEHEIMNIS DES REICHS, ebenfalls als Divertimento konzipiert, geschrieben 1928/29, „entartete"[3] sogar zum Roman. DIE POSAUNEN VON JERICHO, im Jahre 1951 verfaßt, stellen allerdings ein Divertimento vor, wie Doderer es intendierte; leider jedoch, so sagt er, ist es zu lang. Allein, obwohl zu lang, und obwohl Doderer demgemäß feststellen muß: „eigentlich ist mir überhaupt noch kein Divertimento gelungen"[2], sind DIE POSAUNEN VON JERICHO – im Druck auch als NEUES DIVERTIMENTO bezeichnet – ein „wahres, exemplarisches Divertimento"[2]; und deshalb soll es der vergleichenden Betrachtung als Bezugspunkt dienen.

2

Die völlig verschiedenen Inhalte der drei Versuche sind in diesem Zusammenhang unwesentlich; sie seien jeweils nur kurz charakterisiert. DAS GEHEIMNIS DES REICHS. ROMAN AUS DEM RUSSISCHEN BÜRGERKRIEG – so lautet der von Doderer autorisierte Titel, er findet sich vollständig nur auf dem Schutzumschlag des Buches – spielt auf drei verschiedenen Ebenen, die sich in den entscheidenden Punkten der Handlung überschneiden. Die Basis und Folie bildet der russische Bürgerkrieg in den Jahren 1917/20, den Doderer aus nächster Nähe miterlebt hat, als er sich in sibirischer Kriegsgefangenschaft befand. Damit ist schon die zweite Schicht der Romanhandlung genannt: es ist das persönliche Leben einer Gruppe von Gestalten in der Gefangenschaft und später auch außerhalb des Lagers. Aus diesem vielfältigen Personenkreis hebt sich schließlich – als das dritte konstitutive Element des Romans – eine Dreiecks-Geschichte heraus, welche die wechselseitige Beziehung zwischen Dorian, Alwersik und Katjä Poccal, der früheren Katharina Stökl, zum Gegenstand hat. (Katjä, vor dem Krieg – als Katharina – die Jugendgeliebte Dorians, ist jetzt die Geliebte Alwersiks. Während Dorian von ihrer unmittelbaren Nähe nichts weiß, erahnt Alwersik aus Dorians sehnsuchtsvollen Phantasien, in die auch einzelne Daten einströmen, die Identität Katjäs mit Katharina, und seine Ahnung bestätigt sich am Ende, als Dorian ihm eine Fotografie von Katharina zeigt.) In den Prozeß der Enthüllung und restlosen Klärung dieses Bezuges wird auch René Stangeler, der zuerst nur ein unbeteiligter Beobachter ist, hineingezogen.

Der Handlungsraum alles dessen ist eindeutig das Sibirien zur Zeit des Bürgerkrieges zwischen „Weißen" und „Roten"; doch wird in den historiographischen Passagen weiter ausgegriffen, und zwar zur Klärung der Zusammenhänge, die indessen am Ende ein „Geheimnis" bleiben. („Begreift jemand das Geheimnis dieses Reichs?" heißt es angesichts des unbegreiflichen Sieges der „Roten" über die „Weißen", der nämlich ein „Sieg der bittersten Armut und Not über die reichsten Machtmittel" war[4].) Solcher Ausweitung im Geschichtlichen entspricht es, daß die Vorgeschichte der Figuren, ihr Leben in der Zeit vor dem Kriege, verborgen gegenwärtig ist. Dies ist geradezu der Effekt jener Dreiecks-Geschichte, nämlich zu erweisen, daß es, wie Dorian sagt, „trotz der ungeheuren Entfernung vom Früheren – diese Einheit allen Lebens, dort und hier – und daß es – im Grunde nichts A b e n t e u e r l i c h e s und Außergewöhnliches geben könne – und keine Zufälle ..."[5], „daß wir uns sozusagen gar nicht so – unendlich weit fort von all dem früheren Leben, dem Leben in der Heimat, meine ich, befinden"[6].

Der Roman ist – wie fast alle Werke Heimito von Doderers – in vier Hauptteile gegliedert. Der erste Teil ist eine umfassende Exposition, die alle Voraussetzungen und Bestandstücke des ganzen Werkes sichtet und so im Grunde schon den ganzen Roman keimhaft enthält. Was folgt, ist in der Tat nur Entfaltung, die sich mit Notwendigkeit vollzieht. Die Dynamik der folgenden Teile ist einmal durch das Näherrücken der roten Front bestimmt – dies wirkt sich dann unmittelbar auf die Kriegsgefangenen aus – und zum andern durch den Prozeß, in dem die Dreiecks-Geschichte zur Katastrophe reift. Im Kulminationspunkt schneiden sich die beiden Handlungslinien.

Das Geheimnis ist der erste polygraphische Roman, den Doderer verfaßt hat, und insofern eine Antizipation des Spätwerks. Indem hier im Laufe der Handlung zwischen den verschiedensten Geschehnissen und Figuren, die zunächst völlig unabhängig und getrennt voneinander zu bestehen scheinen, eine enge und wesentliche Beziehung hergestellt oder entdeckt wird, ist das Geheimnis – nach Doderers Romanbild, das sich an seinem Spätwerk orientiert – „mehr Roman" als etwa der Mord oder der Zihal[7], die ihrerseits „mehr Biographie als Roman"[8] sind. Wie die späten Wiener Romane besteht das Geheimnis aus kurzen Abschnitten, die oftmals „exzentrisch", das heißt: von einem neuen, vorher nicht bekannten Zentrum her, einsetzen, die aber dabei „epizentrisch" zu einem Gesamtbild tendieren[9]. Hier ist schon die Mosaik-Technik des Spätwerks vorgebildet. Wie dort sind die einzelnen Mosaiksteine von eigenem Wert und zugleich auf das Ganze bezogen, eigengesetzlich und doch dem Gesetz des Ganzen untergeordnet. Solche Mosaik-Technik ist hier gerechtfertigt durch das „sprunghafte Zeitgeschehen"[10], das die Folie des Romans abgibt: es läßt sich nicht als ganzes überschauen, geschweige denn kontinuierlich erzählen, es offenbart sich nur in „Brüchen und Trümmern" und wird deshalb in „Brüchen und Trümmern" dargestellt. Mit diesen Worten charakterisiert Doderer einmal die Landschaft um Krasnojarsk und formuliert damit, obwohl die Landschaftsbeschreibung in sich selbst sinnvoll und durchaus realistisch ist, zugleich das allgemeinste Strukturprinzip des Romans. Solche doppelte, real-symbolische Ausrichtung gibt es bei Doderer oft, und sie ist legitimiert durch die formale Integration jeglichen Wirklichkeitsstoffes, letzten Endes aber durch die Grundüberzeugung, daß die Welt nicht nur ist, sondern in ihrem Sein zugleich auch bedeutet. Wenn es also heißt, die Landschaft, „in ihrer ganzen Größe meist hinter schneetreibendem Winde versunken", werde nur „an vereinzelten klaren Wintertagen überraschend und weithin glitzernd sichtbar", und dann: „man erfaßte nur in Brüchen und Trümmern dies Gesamtbild"[11], so ist damit auf symbolische Weise die Struktur des Romans bezeichnet: in „Brüchen und Trümmern" nur offenbart sich die Beziehung zwischen den einzelnen Figuren wie zwischen Vergangenheit und Gegenwart, und solche Kontaktschlüsse der Evidenz stiften letztlich die Einheit des Werkes. Dies ist präzis gefaßt, wenn es einmal heißt: „Jetzt und in der hellen Gegenwart geschah auch im Einzelnen, und widerfuhr auch dem einzelnen Menschen das Unwahrscheinlichste und weit auseinander Liegendes trat oft zu hirnrissigstem Gegensatze zusammen."[12]

Im ganzen gesehen, ist das GEHEIMNIS weder ein „Stangeler-Roman" noch ein Kriegsroman. Obwohl dem René von Stangeler – Doderers autobiographischer Figur – eine wichtige Rolle zukommt, schon weil er als Quelle für die erzählte Welt bürgt, ist er doch nicht die Zentralgestalt des Buches; denn der Roman ist keineswegs von monographischer Struktur: mit sichtbarer Tendenz ist Stangeler dem übergeordneten Ganzen integriert und erscheint als eine Figur neben und unter anderen. Ebensowenig ist das GEHEIMNIS ein Erlebnis- oder Kriegsbuch, das ausschließlich als persönlicher Bericht oder als Geschichtsschreibung auf das Thema des russischen Bürgerkrieges konzentriert wäre. Es ist vielmehr genuin ein Form-Kunstwerk ohne eigentliches Thema, und dies rührt daher, daß es ursprünglich als Divertimento konzipiert wurde.

Die Vergrößerung oder „Entartung" des Divertimentos zum Roman ergab sich für Doderer während der Ausführung – allerdings, wie er versichert, nicht dadurch, daß nunmehr neue Inhalte hinzugetreten wären; vielmehr: „von vorneherein hatten sich die vier Sätze dieses ursprünglichen siebenten Divertimento mit allen den heute vorhandenen Inhalten gefüllt"[3]. Bei der „Füllung" jedoch sah Doderer seinen anfänglichen Vorsatz, „mit fünfzig Seiten auskommen zu können, also mit einer für den mündlichen Vortrag noch möglichen Quantität", scheitern; „es erwies sich als unmöglich, alle diese komplexen Inhalte als Divertimento zu bewältigen"[3]. Das ist der entscheidende Punkt: der Inhalt war für ein

Divertimento zu stark, aber es ging Doderer weiterhin um die Bewältigung dieses Inhaltes. Denn wenngleich es die Regel sein mag, daß der geplante Umfang einer Dichtung kaum jemals mit dem der Endfassung übereinstimmt (diese Regel bestätigt sich beim LETZTEN ABENTEUER und, in allerdings nur minimalem Ausmaß, auch bei den POSAUNEN), so kann doch eine so wesentliche Vergrößerung wie jene, durch die aus einem Divertimento ein Roman wurde, nur von einem überstarken Interesse am Inhalt herrühren. Trotzdem ist Doderer dem Inhalt keineswegs verfallen; denn die strenge Komposition, die dem Divertimento galt, blieb für den Roman verbindlich, und das Werk ist in der Tat alles andere als formlos. Allein, die Absolutheit strenger Form, die dem Divertimento angemessen ist, bringt den Roman, der um der Lebendigkeit willen stets einige Lockerheit der Improvisation verträgt, ja sogar zu verlangen scheint, an die Grenze der Starrheit. Es ist derselbe Vorwurf, den man gegen Doderers Roman EIN UMWEG erheben kann. Das GEHEIMNIS steht in der gefährlichen Mitte zwischen Divertimento und Roman, und angesichts dieser beiden Pole, die sich in dem „wahren, exemplarischen Divertimento" der POSAUNEN und in den großen Wiener Romanen als Doderers exemplarischen Romanen konkretisieren, läßt sich zusammenfassend sagen: das GEHEIMNIS ist für ein Divertimento zu lang (solche Länge verträgt die strenge Komposition nicht), und es ist für einen Roman zu kurz (solche Kürze bei so komplexen Inhalten gewährleistet nur das Gerüst eines Romans, der wesentlich erst Roman wird durch die Verkleidung des Gerüsts, durch die improvisatorische Umlagerung). Dasselbe meint Doderer, wenn er heute diesen seinen frühen Roman selbstkritisch als „überkomponiert" bezeichnet[13].

Was sich jenseits aller Kritik festhalten läßt, ist die gewichtige Tatsache, daß Doderer von einem Formbild ausging, den Roman ohne thematisch-problematisches Substrat konzipierte und ihn mit rein erzählerischen Mitteln entfaltete. Der Titel bezeichnet keineswegs das Thema des Werkes, er stellte sich erst ein, als Doderer „die Hoffnung, hier ein siebentes Divertimento zu gewinnen, aufgegeben hatte"[3]. Übrigens stammt der Titel DAS GEHEIMNIS DES REICHS von Gerhart Hauptmann; es sind die letzten Worte seines Romans DER NARR IN CHRISTO EMANUEL QUINT (1910)[3]. Doderer überträgt den Begriff, wie bereits vermerkt, auf das Sowjet-Reich, läßt ihm aber auch die Qualität, die er bei Hauptmann hat; am Schluß des Romans nämlich erhebt sich der Blick zum Reich des Jenseits, auf dessen Hintergrund nunmehr das dargestellte Diesseits mit allen den großen und kleinen Nöten des Krieges und der Person erscheint[14].

3

Mit der Erzählung DAS LETZTE ABENTEUER und mit dem Roman EIN UMWEG weicht Doderer von der Linie seiner „naturalistischen" Werke ab.

Beide Dichtungen sind „aus anderem Materiale gebaut als jenem, das für uns täglich auf der Straße liegt". So bezeichnet Doderer das ABENTEUER als eine Geschichte, „welche ganz offenkundig zum Ritt ins romantische Land einlädt", und also als einen „Fall ... von unleugbarem ‚escapism'". Jedoch, so fährt er fort, „warum sollte dies nicht auch einmal sein dürfen ...? Sie will ja nichts lehren, weder Geschichte noch Gesinnung, die heitere Kunst der Erzählung; und, wer weiß, vielleicht kommen wir auch hier in irgendeiner Weise bei wirklichen Ärmeln heraus."[15]

Der Inhalt der Erzählung ist kurz dieser: der spanische Ritter Ruy de Fanez ist entschlossen, um die verwitwete Herzogin Lidoine von Montefal zu werben, und unternimmt den von ihr als Bedingung vorgeschriebenen Ritt durch einen Wald, in dem ein Drache haust. Die Begegnung mit dem Drachen wird für Ruy zum entscheidenden und wesentlich letzten Abenteuer; in Montefal angelangt, verzichtet er auf die Werbung um Lidoine.

Die Erzählung ist wiederum in vier Teile gegliedert. Dabei aber bildet die novellistische „ungewöhnliche Begebenheit" den Ausgangspunkt. Der erste Teil schildert sogleich die verwickelte Situation, die in den folgenden Teilen dann entwirrt oder, um im Bilde zu bleiben, entwickelt wird. Dies war in ähnlicher Weise bereits im GEHEIMNIS zu beobachten: der erste Teil enthält keimhaft schon den ganzen Roman. Hier aber, im ABENTEUER, ist der erste Teil nahezu in sich geschlossen eine ganze Erzählung, er ist das Abenteuer selbst. Die Vorgeschichte, die beiläufig eingeflochten wird, gibt ein Ziel an (die Erringung Lidoines), auf das sich die Handlung zunächst in direkter Richtung zubewegt. An das Ziel ist eine Bedingung geknüpft, dem Zweck ist ein Mittel vorgelagert (der Ritt durch den Drachenwald). Dieses Mittel aber erhebt sich unvermutet zum Selbstzweck (die Begegnung mit dem Drachen), und das ursprüngliche Ziel erscheint dem Helden nicht mehr erstrebenswert. Damit ist die direkte Bewegung auf das Ziel hin gebrochen, und die Erzählung ist im Prinzip zu Ende (tatsächlich erwägt Ruy den Rückzug).

Es handelt sich also um die bekannte Interzession. Jedoch, das tertium intercedens erscheint hier zunächst und vor allem als ein formales, und zuletzt erst als ein problematisches Element: der Vollzug des erzählerischen Geschehens wird durch einen unvermeinten Zwischenfall unterbrochen. Dies wird ganz realistisch veranschaulicht dadurch, daß der Drache den Weg sperrt, und sodann psychologisch begriffen, indem Ruy, der – in seiner direkten Richtung, im „zweckhaften Kurzfall"[16] befangen – das gesetzte Hindernis als bloßes Mittel leicht seinem Bestreben einordnen zu können glaubt, angehalten wird. So schließlich enthüllt der Zwischenfall seinen tiefsten Sinn als Epoche: Ruy ist zur Menschwerdung geführt – dies ist der Selbstzweck – und ein für allemal aus der subalternen Klammer von Mittel und Zweck, von Weg und Ziel befreit.

Nach alledem ist festzuhalten: das tertium intercedens ist bei Doderer nicht nur ein „dritter Pfeiler", der die Brücke zwischen Geburt und Tod stützt, sondern ebensowohl ein konstituierendes Strukturprinzip seiner Erzählkunst – und dies beides, weil es das constituens des indirekten Weges ist, der bei Doderer den Begriff des Lebens wie des lebensgemäßen Erzählens gleichermaßen bestimmt.

Lebensgemäß ist es auch, daß die Erzählung, obwohl im ersten Teil schon eine ganze, an dieser Stelle nicht endet. Denn es gilt, das epochale Ereignis ins Leben einzuschmelzen und zu zeigen, wie die neu gewonnene Haltung Ruys in seinem Leben – und ganz konkret in seiner Beziehung zu Lidoine – wirksam wird. Schildert also der erste Teil den Ausbruch aus dem Gewöhnlichen, Alltäglichen, so lösen die folgenden Teile in einem allmählichen Prozeß das Extraordinäre im Fluß des gewöhnlichen Lebens wieder auf. In der Bresche schon wird mindestens der Versuch zu solcher Einschmelzung des Neuen, Unbekannten, Ungeheuren ins Alltägliche unternommen. Der Umweg folgt dann entschieden jener Struktur der Einholung, die auch im Mord zu beobachten war. All das geschieht nach einer gewichtigen Erkenntnis, die Doderer in seiner Erzählung Ein anderer Kratki-Baschik am Beispiel eines Zauberkunststücks erläutert: dies wurde „zerredet", heißt es da, und: „Es geht mit den großen Künsten nun einmal nicht anders; man muß mit den kleinen Kiefern so lange an ihnen herumsägen, bis sie wieder zerfallen und hinweg erklärt sind; es ist hier, wenn auch in miniaturem Maßstab, wie bei einem Wunder. Die Künste und Wunder können im Leben nicht bleiben, sie würden ganz unerträglich, und am Ende zum hartgeronnenen Patzen eines Jenseits im Diesseits, der alles erdrückte."[17] Allein, nicht „zerreden" will Doderer das epochale Erlebnis des Ruy de Fanez, wenn er die Geschichte gleichsam verlängert, sondern – im Gegenteil – das Jenseits, das sich für Ruy aufgetan hat, auf der Basis des Diesseits veranschaulichen, um auf solche Weise den Begriff des „Jenseits im Diesseits" zu wahren[18].

4

Nach dem genuin formalen Ansatz im Geheimnis und nach der deutlichen Akzentverlagerung vom Problem auf die Form im Abenteuer praktiziert Doderer in seinem Divertimento Die Posaunen von Jericho vollends und ausschließlich seinen Grundsatz der Priorität der Form. Die Entstehungsgeschichte dieses Werkes, die exemplarisch für seine Schaffensweise in späterer Zeit dasteht, gibt Doderer selbst an. Er besaß bei der Konzeption, wie er sagt, „nur ein sehr klares und in's einzelne gehendes dynamisches Gesamtbild . . ., gerade genug, um eine Konstruktions-Zeichnung davon auf ein Reißbrett zu bringen. Diese verhielt sich dann praktisch dem Leben gegenüber wie ein leeres Gefäß, das man unter die Wasseroberfläche drückt: unverzüglich schossen die Inhalte ein und erfüllten integral die Form.“[19] Mit näheren Angaben versehen, ist dieses „dynamische Gesamtbild“ in einer Skizze vom 25. Januar 1951 niedergelegt, die in Doderers Manuskript dem Text voransteht[20]. Auch sie sei hier wiedergegeben.

Neue Form des Divertimentos:

I	II	III	IV
Thema und Tempo 1 *frisch*	Thema u. Tempo 2 / excentrischer Einsatz gegen- über Einsatz I *gehalten*	Thema u. Tempo 3 / / excentri- scher Einsatz gegenüber Einsatz I, II Grotesk-Satz	Thema u. Tempo 1, 2, 3 Einsatz muß *nicht* excentrisch sein sondern *punkt-* *bezogen* (ex I, II, III) glatt (*alla breve*)

Die Essenz-Seite der Themen
bleibt für IV zurückbehalten!

Thematik IV
nur accessorisch

Wie im ABENTEUER erscheint das erste Kapitel der POSAUNEN zunächst als eine Erzählung für sich. Hier aber – und das ist das Neue – läßt sich dasselbe mit gleichem Recht vom zweiten und auch vom dritten Kapitel sagen. Thematik, Gestimmtheit und Erzähltempo der drei Kapitel sind jeweils verschieden, und jedes von ihnen folgt zunächst seinem eigenen Strukturgesetz. Das deutet Doderer schon in seiner Skizze an, wenn er für jedes Kapitel ein anderes Thema wählt und den Einsatz jeweils als „excentrisch“ gegenüber dem vorigen, das heißt: von einem neuen Zentrum her, bestimmt.

Das erste Kapitel unterbreitet den Fall (die Peinigung Rambauseks) und endet mit der Verstrickung des Ich-Erzählers. Für sich betrachtet, erscheint es als abgeschlossen, in Übersicht des Ganzen jedoch hat es lediglich initiierende Funktion: es gestaltet das anstoß-erregende Ereignis, das Movens des Ganzen. Demgegenüber zeichnet das zweite Kapitel in gänzlich neuer Thematik das Bild eines Wracks im Strom. Dieses Bild ist gleichfalls in sich gerundet; darüber hinaus aber veranschaulicht es symbolisch die innere Verfassung des Ich-Erzählers nach seiner Verstrickung. So ist trotz aller Selbständigkeit der Bezug zum ersten Kapitel gewahrt. Das dritte Kapitel schildert in wiederum neuer Thematik den Posaunen-Streich (die peinigende Aktion, die der Ich-Erzähler an Rambausek verübt hat, widerfährt auf andere Art ihm selbst).

Gemäß den drei verschiedenen Inhalten wählt Doderer drei charakteristische Tempi und bezeichnet, Tempo und Gestimmtheit zusammenziehend, den Grundton der drei Kapitel jeweils als „frisch", „gehalten" und „grotesk". Die Verbindung von Tempo und Gestimmtheit ist aus den Satzbezeichnungen in der Musik bekannt, und so überrascht es nicht, das dritte Kapitel als „Grotesk-Satz" deklariert zu finden. Durchaus ließen sich die drei Kapitel als drei Sätze mit den Bezeichnungen „allegro", „tenuto", „scherzo" begreifen; und das vierte überschreibt Doderer in seiner Skizze denn auch ausdrücklich: „alla breve".

Solcher Komposition des Ganzen nach musikalischen Prinzipien entspricht im einzelnen eine Tendenz zur Lyrisierung und Musikalisierung der Sprache, die auch in den anderen Divertimenti spürbar ist. Allerdings tritt der Einbruch des Lyrischen in die epische Sprache auf verschiedene Weise in Erscheinung. Eine Bilderflut, die alle im weiteren verfolgten Motive anschlägt, nach Art des inneren Monologs (des Erzählers!), eröffnet das Geheimnis. Bei der festeren, gleichsam epischeren Erzählhaltung im Abenteuer ist das Lyrische im wesentlichen auf Gedichteinlagen und auf die Metaphorik beschränkt. Im fünften Divertimento gehen lyrische Prosa und Gedicht geradezu ineinander über[21]. In den Posaunen schließlich sind die lyrisch-musikalischen Passagen entschiedener im Funktionszusammenhang des Ganzen befestigt. So kann die gegensätzliche Spannung, der „excentrische" Einsatz, des zweiten Kapitels gegenüber dem ersten nicht besser zum Ausdruck kommen als durch die Kontrastierung eines gehaltenen, in sich ruhenden Bildes mit dem frischen und handlungsreichen Beginn. Allein, hier noch liegt der Akzent auf dem Lyrischen, am Schluß des Divertimentos erst wechselt er eindeutig auf das Musikalische: in einem rauschenden Finale klingt die Erzählung aus.

Bei alledem besteht hier eine Gefahr für die Kategorie der Erzählkunst. Denn Sprache wird nie Musik werden können, ohne sich selbst aufzugeben. Die Sprache, auf Rhythmus und Klangmalerei reduziert, ist schon keine mehr; denn wie diese Momente ist der Sinn für sie konstitutiv. Doderer, um es gleich zu sagen, ist jener Gefahr der Sprachauflösung nicht verfallen; Lyrisierung und Musikalisierung gibt es bei ihm stets nur innerhalb der kategorialen Grenzen sinnvoller Erzählung. Auch kommt es ihm auf diesen Punkt nicht so sehr an als auf die Analogie zur Musik in der Komposition. Darin, in der Strenge der Form, ist ihm die Musik vorbildlich. Und wenn er eine bestimmte Gattung der Erzählkunst schafft, für welche er den der Musik entlehnten Terminus „Divertimento" gebraucht, so geht es ihm keineswegs um eine Nachahmung der herkömmlichen musikalischen Form des Divertimentos. Mit dieser hat seine Erzählung nur den heiteren Charakter, das Divertissement, und die Strenge der Form gemein. Der Vorwurf, Doderer habe die Gesetze der von ihm selbst gewählten Gattung nicht erfüllt, weil etwa sein Divertimento nicht – wie in der Musik allgemein üblich – drei Sätze oder als Suite eine beliebige Folge von mehr als vier Sätzen habe, kann ihn nicht treffen. Denn sein Divertimento ist und bleibt in erster Linie eine Erzählung, zu deren Abfassung und Komposition er sich allerdings neben sprachlichen auch musikalische Mittel, jedoch nur soweit die Kunst der Erzählung sie verträgt, zu Nutze gemacht hat.

Dennoch lassen sich die drei ersten Kapitel der POSAUNEN mit gewissem Recht als Sätze, auch im musikalischen Sinn, auffassen; denn sie sind – verschieden in Bezug auf Thematik, Gestimmtheit und Tempo – zunächst auch (allerdings nur scheinbar) ohne Sinn. Die Kluft zwischen Sein und Bedeutung, die der Musik im Prinzip fremd ist, die aber die Sprache eindeutig beherrscht, ist hier, wie es scheint, für ein kurzes negiert. Die drei Kapitel sind rein darstellend, ohne profilierte Bedeutung. Das meint Doderer mit seiner Notiz: „Die Essenz-Seite der Themen bleibt für IV zurückbehalten!"

In der Tat erfahren die drei ersten Kapitel ihre Deutung und enthüllen ihren Sinn erst im vierten Kapitel, nun aber nicht als angehängte Analyse des vorher Erzählten (in diese bedenkliche Richtung drohen etwa die dialogischen Partien der BRESCHE abzusinken), sondern als Integration. Damit geht Doderer noch einen Schritt über die Technik im ABENTEUER hinaus. Denn nicht nur eine einzige „ungewöhnliche Begebenheit" gilt es in den Fluß des gewöhnlichen Lebens einzuschmelzen, in ihrem Sinn zu bestätigen und wirksam zu machen wie im ABENTEUER, sondern dreien, für das Ganze gleich wesentlichen Ereignissen ist der Sinn-Ort innerhalb eines Gefüges anzuweisen. Dies geschieht in den POSAUNEN ausschließlich als formale Anstrengung, indem die drei ersten Kapitel im Schlußkapitel integriert werden: hier erfährt der Ich-Erzähler die Hintergründe des Posaunen-Streiches (drittes Kapitel), hier wird Rambausek (erstes Kapitel) aus dem Wrack (zweites Kapitel) gezogen. Die Thematik ist also keine neue, sondern nur „accessorisch" oder „punktbezogen", wie Doderer sagt, also die im Vorherigen exponierten Punkte umfassend. Mit der formalen Aufhebung der drei Kapitel aber ist zugleich der Sinn jedes der drei ihnen dargestellten Ereignisse erhellt, ohne daß sie analysiert worden wären. Dies ist der entscheidende Punkt, wo sich Doderers Grundsatz der Priorität der Form praktisch bewährt. Die Form, die den Inhalt schafft – nach Doderers scholastischer Auffassung –, schafft hier allererst den Sinn der erzählten Begebenheiten, indem diese formal aufeinander bezogen und in einem Gefüge befestigt werden, das nunmehr auch als ein Sinn-Gefüge erscheint.

Die Problematik selbst soll hier nicht ausgeführt werden; es wäre schon falsch, zu sagen, das problematische Substrat des Divertimentos sei das Gesetz von der Freiheit des Tuns und der Notwendigkeit des Leidens an der Tat, eine Schopenhauersche Paraphrase also, oder eine Variation zum Thema Menschwerdung, – das wäre schon falsch, weil es ein inhaltliches Substrat dieser Erzählung gar nicht gibt. Der Titel, der die Assoziation zum Strafgericht von Jericho beschwört und der sich auf den „Tiefpunkt" des Ganzen im dritten Kapitel bezieht, läßt sich zwar als humorvolle Bezeichnung eines Themas auslegen; jedoch könnte eine Interpretation, die von hier ausgeht, das Divertimento nur als eine Novelle nach klassischem Maß begreifen, und gerade eine solche liegt hier nicht vor: es gibt kein „Mittelpunktsereignis", sondern – wollte man die Prinzipien der Novellentechnik hier bestätigt finden – drei gleich wichtige „ungewöhnliche Begebenheiten". Insofern ist der Titel sogar irreführend; er könnte ebensowohl „Die Peinigung Rambauseks" oder „Das Wrack" oder auch „Die Verstrickung" lauten. Im Grunde aber läßt sich das Divertimento nicht thematisch benennen. Der beste Titel, der schon kein Titel mehr ist, sondern eine Gattungsbezeichnung, ist eben DIVERTIMENTO NR. VII.

Ohne problematischen Ansatz, dennoch sinnvoll in der Problematik, und zwar allein durch die formale Gestaltung, erfüllt das Divertimento als Sinnfolge im „plausiblen Jargon der Kausalität"[22] den Begriff der Erzählung. Das heißt aber auch: trotz aller musikalischen Analogie stehen die POSAUNEN am Ende nicht einmal in der Mitte zwischen Dichtung und Musik, sondern gehören auf Grund ihrer rein erzählerischen Qualität voll und ganz auf die Seite der Sprachkunst. Denn einmal kann von einer inhaltlich angebbaren Sinnfolge in der Musik keine Rede sein, und zum andern ist das Schlußkapitel nicht – wie in der Musik – ein Satz neben anderen; vielmehr, da es die vorhergehenden Kapitel in sich integriert, steht es gleichsam oberhalb oder als Basis unterhalb jener.

Diese architektonische Raumvorstellung ist gerechtfertigt durch den Begriff des „dynamischen Gesamtbildes"; auf beiden Momenten liegt nämlich der Akzent, auf der Dynamik – und das allein führt in die Nähe der Musik – und auf der Statik des Formbildes. Die Dynamik der Erzählung ist durch die Bewegung des Ich-Erzählers bestimmt, der alle Kapitel schon insofern miteinander verbindet, als er sie wie einzelne Stadien durchläuft. Von ihm aus erscheint jedes Kapitel als eine Stufe, und zwar dreimal abwärts und einmal aufwärts. Fixiert man dagegen die Bewegung und achtet einzig auf die Organisation der einzelnen Teile und ihr Verhältnis zueinander, so kann man sich die drei ersten Kapitel als drei geschlossene Blöcke vorstellen, die auf dem Sockel des Schlußkapitels ruhen. Bezeichnenderweise nimmt das vierte Kapitel an Umfang die Hälfte der ganzen Erzählung ein.

5

Doderers Divertimenti sind Experimente; sie dienen ihm als Vorarbeit zu Romanen, und er erprobt in ihnen neue technische Mittel. Zwar bezieht er diese vor allem von der Musik, aber in dem Augenblick, wo sie in der Sprache angewandt werden, sind sie schon keine ausgesprochen musikalischen Mittel mehr, sondern epische, die nur, weil selbst noch ohne Namen, metaphorisch mit musikalischen Begriffen umschrieben werden. Es sind jene „neuen technischen Mittel", die er am Schluß seines Traktats GRUNDLAGEN UND FUNKTION DES ROMANS apostrophiert: „Mittel, die einer unter dem Zwang der Not erfindet, weil er mit den alten nicht mehr auskommt."[23] Dieser Vorgang liegt in der Richtung Thomas Manns, der die Technik des „Leitmotivs" von der Musik in die Dichtung übertragen hat, und er ist überall in der Literatur des 20. Jahrhunderts bemerkbar. Doderer selbst hat solche neuen technischen Mittel zum Teil schon in den DÄMONEN realisiert.

Nach Doderer ist „des Künstlers Schicksal ... ganz in seiner Technik enthalten, im technischen Glück und Unglück"; dabei aber meint er mit der Technik nicht nur das „genaue Überlegen und Bewegen der Mittel", sondern ebensowohl deren „geistesmechanische Substruktionen"[24]. Auf die erörterte „musikalische Technik" angewandt, bedeutet das: jene musikalischen Begriffe dürfen nicht überbewertet werden (sonst käme Doderer immer wieder in den Verdacht der bloßen Nachahmung der Musik), sie sind für ihn lediglich metaphorische Arbeitsformeln, ebenso wie die Reißbrettskizze, mit der er die Analogie zur Architektur beschwört, seine arbeitstechnische Kurzschrift darstellt. Worauf es vielmehr entscheidend und in der Tiefe ankommt, ist das Prinzip der „musikalischen Gestaltung", die nicht von Ideen, sondern von Gestalt-Elementen ausgeht, und die nicht in ideeller Sinngebung, sondern in formaler Sinn-Konstitution besteht. Unter diesem Aspekt sind die Divertimenti zu betrachten; und davon wird bei der Analyse der DÄMONEN noch einmal die Rede sein.

Denn in Analogie zur Symphonie für großes Orchester, die ihm gleichermaßen in der Strenge der Form wie in der Monumentalität vorbildlich ist, sucht Doderer eine Romanform auszubilden, die diese bisher formloseste aller Gattungen vollends als Kunst zu sichern vermag. Letzten Endes aber hat beides, die Analogie zur Musik wie die zur Architektur, den Sinn, den Roman als Gesamtkunstwerk zu verwirklichen. Auf diesem Weg sind die Divertimenti der erste Schritt. Ohne die Monumentalität der Symphonie, jedoch formstreng, wie immer nur Musik sein kann, ist das gelungene siebente Divertimento DIE POSAUNEN VON JERICHO eine Manifestation dieses Schrittes. Im ganzen stellen sich die Divertimenti als Vorarbeiten zu Romanen dar, ja, sie sind – und das erklärt vollauf die Tendenz zur Vergrößerung – selbst abgekürzte Romane.

DRITTER TEIL

AUF DEM WEGE ZUM SPÄTWERK

5. KAPITEL

DIE ENTSTEHUNGSGESCHICHTE DES DODERERSCHEN SPÄTWERKES

1

Das Spätwerk Heimito von Doderers beginnt mit der Bekehrung zur äußeren Wirklichkeit, zur „äußeren dialektischen Tiefe des Lebens". Im Jahre 1950 schreibt Doderer in seinem Tagebuch:

> Ich beginne Abschied von mir selbst zu nehmen. Das ist meinem Lebensalter angemessen. Gestern hab' ich das 54. Jahr vollendet. Ich suche die äußere dialektische Tiefe des Lebens, nicht die innere lyrische mehr. Ein völlig neuer Blick eröffnet sich, langsam, ganz langsam, träge, zäh, eine Wolkenverschiebung, eine Veränderung des Lichts.[1]

Ähnliche Äußerungen finden sich schon früher; zum Beispiel: „Ich möchte nur ein Buch schreiben, das ich – selbst gerne lesen würde. Ein Buch, das mich befangen würde. Das mir leuchtende Punkte in der Welt zeigte und nicht nur das problematische Dunkel in der Brust des Autors . . ." Doderer wünscht sich, „äußerlicher zu werden", „objekts-interessierter möchte ich sagen, nicht nur interessiert am Kontradiktorischen in mir selbst. Objekts-offener"[2]. Oder: „Vieles fällt dahin. Vor allem ist zu hoffen, daß man sich selbst besser dahin falle, wo man hingehört nämlich (wovon ich schweigen will) und daß man sich als ein Glied und Gelenk nur im dialektischen Mechanismus des Lebens erkenne."[3]

Die Haltung, die Doderer hier anvisiert, ist in der STRUDLHOFSTIEGE bereits wirksam; mehr noch: sie ist die Voraussetzung dieses Romans, der anders nicht hätte entstehen können. Doderer sagt es selbst: „Jene Dialektik ist's übrigens, was mir mit der STRUDLHOFSTIEGE wirkend und wirklich dargestellt erscheint, und hierin erblicke ich das meritum des Werks."[4]

Die STRUDLHOFSTIEGE steht innerhalb des Dodererschen Gesamtwerkes in der wesentlichen Mitte zwischen dem MORD und den DÄMONEN. Mit ihrer Weltgestaltung, bei welcher der Akzent auf dem Lebensraum und auf der polygraphischen Darstellung liegt, zu den DÄMONEN tendierend, weist sie mit ihrem berechtigten Untertitel MELZER UND DIE TIEFE DER JAHRE auf den MORD zurück, dessen strenge Form sich durch das monographisch geschilderte Schicksal des Helden konstituiert. Diese Ambivalenz hat Doderer indessen zu Gunsten der Strudlhofstiege als einer Welt entschieden, und doch nicht alternativ, vielmehr: die Weltfülle der DÄMONEN und die Form des MORD sind hier zur Kongruenz gebracht. Das heißt: die STRUDLHOFSTIEGE bildet nicht nur den Auftakt zum Spätwerk, sondern gehört diesem bereits in vollem Maße an. Zudem: nicht ihre Entstehungsgeschichte zeigt die Genesis des Dodererschen Spätwerkes, sondern diejenige der DÄMONEN.

2

Die Entstehungsgeschichte der DÄMONEN ist ein überaus komplexer Vorgang. Die verschiedenen Komponenten werden bei der Einzel-Analyse gelegentlich berührt. Hier sei nur eine summarische Zusammenfassung – im Hinblick auf Doderers Weg zum Spätwerk – gegeben.

Zunächst die Fakten: Das Werk wurde in den Jahren 1930/31 begonnen; die Dreiteiligkeit – nach Dostojewskis DÄMONEN – stand von vornherein fest[5]. Der Erste Teil (das waren seinerzeit 17 Kapitel) lag 1936/37 vollendet vor. Eine Fortsetzung im Sinne der anfänglichen Konzeption erwies sich jedoch als unmöglich. Doderer brach die Arbeit ab (der Roman trat in das Stadium der Reflexion), nahm sie erst im Jahre 1950 wieder auf und führte den Roman auf einer neuen Grundlage kontinuierlich zu Ende.

Das Werk war als fingierte Chronik konzipiert. Wenngleich kein reiner Ich-Roman (es ging und geht um die Objektivität einer Welt), stand es diesem doch nahe, weil mit dem Ich des Chronisten die Subjektivität notwendig konstitutiv bleibt. Dieses wie immer subjektive Stadium ist mit dem Scheitern und mit der Aufhebung der Chronik überwunden. In einem großen Essay mit dem Titel EPILOG AUF DEN SEKTIONSRAT GEYRENHOFF hat Doderer diese Problematik in den Jahren 1940–44 diskutiert. Dem gilt in der vorliegenden Abhandlung ein eigenes Kapitel[6].

Ferner war der Roman thematisch konzipiert (worauf noch der Titel hindeutet). Auch das hat subjektive Gründe. Doderer hat die Ideologisierung des Menschen als sein eigenes Grundproblem und zugleich als das Grundproblem seiner Zeit erkannt, und er trachtete es – wie die Menschwerdung – im Roman direkt zu bewältigen. Indessen scheiterte die thematische Konzeption an dem gleichen Punkt wie die fingierte Chronik, nämlich an der Weltfülle, die dem Roman von allem Anfang an eignete. Diese war für ein Chronisten-Ich nicht voll erfaßbar; angesichts dieser erwies sich jegliche Art von Thematik als zu schwach oder zu schmal[7]: das Thema wollte den Roman verengen. Auch das thematische Stadium erscheint in der heute vorliegenden Fassung überwunden. Wie der Chronist, so ist die Thematik objektiviert; sie ist als Teilbereich den einzelnen Figuren zugeordnet.

Der Weg von der Subjektivität zur Objektivität ist sowohl unter biographischem wie unter politischem Aspekt zu begreifen. Doderer hat nämlich die dämonische Ideologisierung innen und außen, am eigenen Leibe, erfahren, und er hat sie überwunden. Exemplarisch für diesen Prozeß steht das Schicksal Schlaggenbergs mit seiner Dicke-Damen-Theorie, die zugleich ein Symbol für die Ideologie des Antisemitismus (wie für jede Art von Ideologie) darstellt. Auch davon wird im folgenden ausführlicher die Rede sein[8].

Die ganze Entstehungsgeschichte der DÄMONEN ist schließlich von literaturgeschichtlicher Bedeutung. DIE DÄMONEN befanden sich gegen Ende der dreißiger Jahre in der Krise. Und es ist entscheidend, daß Doderer in seinem Fall die Krise des Romans überwunden hat. DIE DÄMONEN, wie sie heute vorliegen, stehen als „totaler Roman"[9] prinzipiell jenseits der Krise.

3

Während die DÄMONEN in den Jahren 1940 bis 1944 ins Tagebuch „hineinverschwanden", wie Doderer sagt – sie wurden hier gleichsam beigesetzt; der EPILOG AUF DEN SEKTIONSRAT GEYRENHOFF bezeichnet diesen Punkt –, während dessen ließ sich zu eben dieser Zeit aus eben diesem Tagebuch ein neuer Roman herauslösen, er wurde „abgezweigt". Es handelt sich um die STRUDLHOFSTIEGE. Dieser Roman steht also – wie sich jetzt zeigt – nicht allein in der Mitte zwischen dem MORD und den DÄMONEN, sondern präziser: in der Mitte der DÄMONEN selbst, nämlich zwischen dem Dämonen-Fragment von 1937 und dem Dämonen-Roman von 1956. Und von hier aus erklärt sich Doderers Bezeichnung der STRUDLHOFSTIEGE als einer „Rampe" zu den DÄMONEN[10]. Selbst schon dem Spätwerk angehörend, führt sie zum vollendeten Dämonen-Roman hin.

Einen Entstehungsbericht der STRUDLHOFSTIEGE hat Doderer selbst niedergelegt; am 10. Juli 1948 schreibt er im Tagebuch:

> ... abgezweigt aus einem in Südfrankreich (Mont de Marsan) und in der Ukraine geführten Tagebuch (CARNET ROUGE) vom Dezember 1941 bis Mai 1942. Als selbständiger Text bereits Herbst 1944 zu Wien (pag. 16 des CARNET ROUGE ist schon pag. 1 des Romans): fortgesetzt zu Eger, Waldsassen, Hannover, Karlsbad, insbesondere aber zu Eggemoen am Randself in Norwegen während des Sommers 1945; sodann zu Weißenbach am Attersee im Frühjahr 1946. Am 3. Juli des gleichen Jahres zu Wien wieder aufgenommen und kontinuierlich durchge-

führt. Text-Schluß 9. Juni 1948. Am 29. September 1947 traf der in Norwegen zurückgelassene I. Teil (das CARNET ROUGE) ein, welcher im Jänner und Februar 1948 bearbeitet und durch erhebliche Interpolationen vermehrt wurde. Feile, Kürzung im III. Teil, und Kontrolle der Details (für Buenos Aires mit Hilfe Hans Eggenbergers): 10. Juni bis 10. Juli 1948. Manuskriptbestand: 1) CARNET ROUGE Mss. pag. 1–118 (mit Einlagen); 2) Das in Oslo gekaufte grüne Schreibbuch (enthält vorne Commentarii 1945 und 46, rückwärts die Manuskript-Seiten des Romans 119–150, d. h. den Schluß des ersten Teiles); 3) großes Schreibbuch ROMAN STUDIEN IV enthält die Manusskriptseiten 151–438; 4) BLAUER CODEX LUCKMANN enthält den Schluß, d. h. die Manuskript-Seiten 439–600. – Abschrift in Maschinenschrift in 2 Exemplaren, Umfang 1072 Seiten (wovon im III. Teil ca. 20 durch Kürzung entfallen). Heute Übertragung der letzten Verbesserungen aus meinem Exemplar in dasjenige des Verlages.[11]

Der Entstehungsprozeß selbst läßt sich nach seinen einzelnen Phasen in Doderers Tagebuch verfolgen. Die ersten Keime des Romans sind eine Reihe von Tagebuchnotizen aus den Jahren 1941/42, die Doderer später bei der Redaktion der TANGENTEN in dem Kapitel AM WEG ZUR STRUDLHOFSTIEGE eigens zusammengestellt hat. Hier werden bereits die wesentlichen Motive des Romans angeschlagen; hier schon ist die Aura der Strudlhofstiege spürbar, die Atmosphäre des Alsergrunds, jenes Wiener Stadtteils, der den Nährboden des Romans bilden wird. Hier aber ist auch schon gegenwärtig, was später zu einem wichtigen Strukturprinzip werden wird: die doppelte Zeitschicht vor und nach dem Ersten Weltkrieg.

Indessen denkt Doderer bei der Niederschrift dieser Notizen noch gar nicht an einen Roman, der sich daraus entfalten könnte. Noch am 12. März 1945 (in Hannover) wird das CARNET ROUGE, obwohl es – wie Doderer sagt – inzwischen einen „selbständigen Text“ enthält, ein „Manuskript ohne Titel“ genannt. Der Titel aber sollte sich bald ergeben. Am 17. April 1945 (in Aalborg) formuliert Doderer in einer allgemeinen Wendung, was schon aus den ersten Aufzeichnungen von 1941 hervorgeht: „Die Quintessenz des Grammatisch-Werdens von irgendwelchen Substraten liegt bei mir fast immer darin, daß auf einen Teil des Milieu's der zeigende, erregende, sichtbarmachende Strahl fällt ...“[12] Und am 6. Juni des gleichen Jahres bezeichnet er ausdrücklich die Welt der Strudlhofstiege – der Name fällt in den Tagebüchern an dieser Stelle zum ersten Mal – als „das wesentlichste Substrat des ganzen CARNET ROUGE“. Am 14. Februar 1946 (in Weißenbach) heißt es endlich: „Ich schreibe dieses Buch – ursprünglich ein Journal aus Mont de Marsan und Biarritz! – nunmehr einfach als Roman weiter.“

Allein, ehe Doderer zur kontinuierlichen Durchführung schreiten konnte, waren manche Schwierigkeiten zu überwinden. Denn einmal als Roman deklariert, mußte das Manuskript auf DIE DÄMONEN abgestimmt werden. Seiner Vermutung nach würde das kleinere Manuskript (STRUDLHOFSTIEGE) irgendwie in das größere (DÄMONEN) übergehen; und so betraf die Abstimmung vor allem die Chronologie der erzählten Begebenheiten, denn die Figuren sind ja zum Teil in beiden Romanen dieselben. Als den Fixpunkt der DÄMONEN, mit dem sich die STRUDLHOFSTIEGE nicht überschneiden dürfe, stellt Doderer deshalb den 15. Juli 1927 fest[13].

Eine andere – wichtigere – Frage war die der Komposition. Aus dem Tagebuch hervorgegangen, war der neue Roman zunächst kompositionslos. „Die Komposition –", so schreibt Doderer am 29. Juni 1946 (in Wien), „welche ursprünglich garkeine war, sondern sich erst in Weißenbach ergeben hat – scheint mir riskiert, durch das weite Ausholen in eine Vorvergangenheit, in die immer wieder zurückgegriffen wird und welche größere Flächen der Komposition bedeckt: das ist für den Fluß der Erzählung von bedenklichem Nachteil. Andererseits ist die Komposition lebensmäßig gut gewachsen. Noch immer befindet sich die ganze Arbeit an der Schneide zwischen zwei Büchern." Die Schwierigkeiten der Abgrenzung gegen die DÄMONEN sind im Herbst 1946 behoben. Mit dem Datum vom 3. Oktober 1946 liegt eine Kompositionszeichnung zur STRUDLHOFSTIEGE vor, ein „dynamisches Gesamtbild", das den ganzen Roman in seinem detaillierten Ablauf und als ein selbständiges, geschlossenes Gebilde skizziert. Das Wort von der „Rampe" zu den DÄMONEN widerspricht dem nicht; es meint keinerlei kompositorischen Zusammenhang zwischen den beiden Romanen, deren Kontinuität vielmehr einzig darin besteht, daß sie, beide Wiener Romane, gleichsam die Dodererschc Comédie humaine ausmachen.

Die Entstehungsgeschichte der STRUDLHOFSTIEGE aufs Begriffliche reduziert, ist bereits in dem Abschnitt über die Erinnerung im 2. Kapitel dargelegt worden. Tatsächlich hat Doderer die dort erörterte Problematik in seinem Nachwort zum ABENTEUER so verstanden[14]. Die „spontan freisteigende Wiederkehr des Vergangenen", das „vollends abgestorben", „gleichgültig", „aller Sinngebungen und Wünschbarkeiten enthoben" ist, bildet das Movens dieses Romans. Die Voraussetzungen dafür waren in hohem Maße gegeben, da Doderer bei seinem ersten Ansatz und später noch bei einem beträchtlichen Teil der Ausführung seinem Gegenstande mit Notwendigkeit zeitlich entrückt, zugleich aber auch durch äußere Umstände räumlich von ihm entfernt war. „Auf dem Mont de Marsan entdeckte ich den Alsergrund", sagt er später[15]. Auf dem archimedischen Punkt, in der fruchtbaren Gedächtnis-Distanz zwischen Nähe und Ferne, trat ihm sein Substrat als Ganzes in den Blick.

Der Ursprung ist es, in dem sich die STRUDLHOFSTIEGE und die DÄMONEN fundamental unterscheiden. Der „vitiösen" Herkunft von einer Thematik, von „Sachkreisen"[16] im Falle der DÄMONEN steht der reine Ursprung der STRUDLHOFSTIEGE, die aus der Erinnerung hervorgegangen ist, gegenüber. Dennoch ist die Entstehungsgeschichte des einen wie des anderen Romans nach Doderers strenger Auffassung nicht „rein". Bedeutete dort die thematisch fixierte Komposition (die allerdings apriorisch gegeben war) ein schweres Hindernis für die lebendige Füllung, so konnte hier das ursprünglich kompositionslose Substrat zwar lebendig wachsen, doch galt es, das Wachstum zu pflegen und die Wucherung zu vermeiden. Beides zusammen erst, die Priorität des Formbildes und die lebendige inhaltliche Füllung durch den Erinnerungsstoff und mittels der Erinnerung, ermöglichen – nach Doderer – die reine Entstehung eines genuinen Romans. Vorbildlich dafür ist das Experiment der POSAUNEN VON JERICHO.

6. KAPITEL

DIE FORM DER ‚STRUDLHOFSTIEGE'

1

Unter den bisher vollendeten Werken Heimito von Doderers ist es die STRUDLHOFSTIEGE, die seinen Begriff des Romans am reinsten erfüllt. Das heißt: sie ist ein reines Formgebilde. Und das wiederum heißt: sie ist einzig von ihrer Form her voll erfaßbar. Weder als Zeitgemälde der Jahre vor und nach dem Ersten Weltkrieg in Wien (also unter der Kategorie der Geschichtsschreibung, deren Anspruch sie übrigens standhalten mag) noch als erweiterter Entwicklungs- oder Menschwerdungsroman (also unter dem Aspekt eines Problems) ist sie hinreichend bestimmt. So ist selbst Doderers eigene Charakteristik seines Romans, die von hier ausgeht, nicht erschöpfend. Dennoch sei sie hier zitiert; denn aus ihr geht die Komplexität des Werkes bereits deutlich genug hervor. Es handelt sich um einen „Entwurf für den Verlag", den Doderer noch vor Abschluß des Romans im Tagebuch niedergelegt hat:

Das Buch zeigt, was alles zum Dasein eines verhältnismäßig einfachen Menschen gehört. Und welcher langen Hebel – von Konstantinopel bis Wien, von Budapest bis Buenos Aires – das Leben bedarf und sich bedient und wievielerlei Kräfte es daran wendet, um auch nur einen einzigen solchen einfachen Mann durch die Etappen seines Schicksals zu bewegen; welches so sehr zum Kreuzungspunkte vieler Schicksale wird, daß es mitunter fast nur als deren Verbindendes erscheint: an sich, beinahe möchte man's schon glauben, so etwas wie ein Mach'sches „unrettbares Ich". Jedoch es findet hindurch, es gräbt sich seinen Weg: der bescheidentlich begann zu Trnowo in Bosnien und als k. u. k. Leutnant des Infanterie-Regimentes Nummer 92. Mehr als das: es erkennt sich selbst. Der genius loci aber, gleichsam die lokale Gottheit einer Wiener Örtlichkeit, der „Strudlhofstiege" zwischen Boltzmanngasse und Liechtensteinstraße, ist der eigentliche Hauptacteur in diesem Buche; denn, seltsam genug, von Südamerika bis Konstantinopel: viele einzelne Personen, sobald sie nur ganz hervortreten, erweisen sich da als durch sehr konkrete Bezüge mit jenen alten Stiegen verknüpft, die zu einer terrassenförmigen Bühne dramatischen Lebens werden, selbst aber träumen, unter Herbst- und Sommerhimmeln und zwischen den Gärten einer südlichen Stadt durch Jahre des Friedens, durch Jahre der Kriege ruhend.[1]

Die folgende Analyse der STRUDLHOFSTIEGE beschränkt sich zunächst auf eine Untersuchung der Form. Sie schreitet – da sich das Werk nicht von einem einzigen Strukturprinzip her erschließt – stufenweise von den einfachsten zu immer komplizierteren formalen Aspekten fort; erst alle diese Aspekte zusammengenommen vermögen die Form-Ganzheit der STRUDLHOFSTIEGE zu erfassen.

Die einzelnen Stadien seien zur besseren Orientierung vorweggenommen. Nach einer ästhetischen Ortsbestimmung von Anfang und Ende als der Klammer des Romans wendet sich die Untersuchung der linearen Bewegung zwischen Anfang und Ende zu und führt über eine Betrachtung der Tiefendimension (die durch die doppelte Zeitschicht gegeben ist) und der Breitendimension (die sich durch die verschiedenen Handlungskreise konstituiert) schließlich zum Blick auf die geheime Mitte des Romans: auf die Strudlhofstiege selbst. Hier wandert der Akzent zwanglos von der Form-Analyse zur inhaltlichen Charakteristik und Wesensdeutung. Dennoch – das sei ausdrücklich vermerkt – erhebt das vorliegende Kapitel keinen Anspruch darauf, eine Gesamt-Interpretation der STRUDLHOFSTIEGE zu geben; die Betrachtung bleibt im wesentlichen auf die Form dieses Romans konzentriert.

2

Der erste und im Vergleich einfachste jener formalen Aspekte ist die Geschichte der Mary K. Sie bildet die Klammer des Ganzen, ihr gehören Anfang und Ende des Romans, zusammengenommen etwa ein Zehntel des Gesamtumfangs[2]. Sie gipfelt in einem Straßenbahn-Unfall, der zugleich das Hauptereignis des ganzen Romans bildet. Dies vorzubereiten, ist – auf den ersten Blick – die Funktion aller Szenen, die von Marx handeln. So stehen die sie betreffenden Passagen im Ersten und im Vierten Teil deutlich im Verhältnis von Exposition und Ausführung. Schon im ersten Satz des Romans wird auf den Unfall angespielt, der am Ende auf breitester Basis seine Ausgestaltung erfährt. Im einzelnen ist die Parallelität der Szenen augenfällig. Der 23. Abschnitt des Vierten Teils beginnt genau wie der 3. des Ersten Teils; Szenerie und Stimmung sind dieselben, ja sie werden sogar mit denselben Sätzen – mit nahezu wörtlicher Übereinstimmung – geschildert.

I 3: Die Kinder waren zur Schule gegangen, der Mann ins Geschäft, Mary ins Badezimmer. Während sie unter dem heißen Wasserspiegel in der Wanne lag und gleichgültig ihren Körper betrachtete, dessen Wirkung hier ausblieb, zwischen gekachelten Wänden und vernickelten Hähnen unter dem bläulichen Wasser, wie ein Schuß, den man wohl abfeuern sieht, aber dessen Knall man nicht hört, klopfte es. Mary nahm sich zurück aus dem Gerinnsel ihrer Vorstellungen und viertel oder halben Gedanken und sagte ihrer treuen, stets um sie sorgenden Marie, daß sie nicht hier frühstücken wolle, sondern drinnen am Teetisch.[3]

IV 23: Die Kinder waren schon um halb acht gegangen, der Bub in's Gymnasium, das Mädel in einen Kurs; Mary aber in's Badezimmer. Während sie unter dem heißen Wasserspiegel in der Wanne lag und gleichgültig ihren Körper betrachtete (immer noch ohne Tadel, aber seine Wirkung blieb hier freilich aus, zwischen gekachelten Wänden und vernickelten Hähnen), bewegte sie sich mit Befriedigung entlang einem Gerinnsel von Vorstellungen, ...

... Es klopfte. Mary rief ihrer Marie durch die Türe zu, daß sie nicht im Badezimmer frühstücken wolle, sondern drinnen am Tee-Tisch.[4]

I 3: Marie hatte das Fenster gegen die lange Gasse zum Kanal hinunter zwar zugemacht, damit kein Staub hereinfliege und sich auf die Polituren der Möbel lege; aber draußen lehnte ein warmer Spätsommermorgen an den Scheiben, ein freundliches und gelindes Geöffnetsein allen Umkreises, leicht wasserdunstig und milchig neblig noch von der Morgenfrühe am Kanal her, ein Wetter mit viel Raum, offenem Hohlraum der Erwartung; und in der Mitte solchen Umkreises, der gedämpft die Geräusche städtischen Lebens ausbreitete, saß nun Frau Mary hinter ihrer Teetasse ...[5]

IV 23: Die Marie hatte zwar das Fenster gegen die lange Gasse zum Kanal hinunter eben zugemacht, damit kein Staub hereinfliege und sich auf die Polituren der Möbel lege; von draußen jedoch lehnte ein erster, ein noch fast sommerlich warmer Herbstmorgen an den Scheiben, ein freundliches und gelindes Geöffnetsein allen Umkreises, wasserdunstig und milchig-neblig noch von der Frühe am Kanal her, ein Wetter mit viel Raum, offenem Hohlraum der Erwartung; und in der Mitte solchen Umkreises, der gedämpft die Geräusche städtischen Lebens ausbreitete, saß nun Frau Mary hinter ihrer Tee-Tasse.[6]

Diese Parallelität, die schon Wiederholung ist, hat eine wichtige Funktion: sie veranschaulicht die absolute Gleichmäßigkeit von Mary K.s Existenz. Auch ihr spezifisches Begleitmotiv bezeichnet diesen Sachverhalt: vom Fenster aus beobachtet sie immer wieder die immer gleiche Erscheinung: das „gleichmäßige Abfädeln“ von Autotaxis am Ende der Gasse. „Die Erscheinung war lautlos und das machte ihr Wesen aus; sie war lautlos, völlig gleichmäßig, ruhig; sie war von monumentaler Langweiligkeit und Monotonie.“[7] Von den Taxis heißt es noch in diesem Zusammenhang, daß sie „gleichmäßig den Fahrdamm überrollend durch die Jahre fädelten“[8]. Allerdings: „durch die Jahre“, denn als die Geschichte der Mary K. später wieder aufgenommen wird, heißt es ausdrücklich: nichts habe sich geändert in ihrem Leben[9]. Ewig gleich ist ihre Verfassung, ewig gleich sind die Umstände, in denen sie lebt. Solchermaßen inhaltlich bezeichnet, wird die Gleichheit durch den formalen Griff der Wiederholung voll anschaulich; und durch beide Momente ist nunmehr das Einschneidende und Gewaltsame der folgenden Veränderung, die der Unfall bewirkt, um so eindringlicher vorbereitet.

Indessen ist auch die Katastrophe zu Beginn im kleinen schon vorweggenommen: Mary verursacht einen kleinen „Tumult“, als sie durch ihr plötzliches Aufstehen vom Teetisch – „das nicht vom Kopfe beschlossen worden war, sondern als eine unvermutete Eigenmächtigkeit ihrer Knie und Beine wie eine Welle von unten her durch ihren Körper lief“ – die Teekanne mitreißt und zu Fall bringt[10]. Ihren paradigmatischen Wert gewinnt diese Szene von dem deutlichen Bezug auf den späteren Unfall, der auf die nämliche Weise zustande kommt: „Es drängte sie nur ein wenig noch auf den Gehsteig zurück, während gleich danach, als eine unvermutete Eigenmächtigkeit ihrer Glieder, als Welle von unten her durch den Körper laufend, schon der Start erfolgte", so heißt es, und schließlich: „Sie rannte eigentlich in den Zug hinein."[11] Stand am Ende der Szene mit der Teekanne „ein immerhin merkwürdiges Ergebnis: nichts war zerbrochen, nichts war befleckt, nichts war beschädigt", so ist hier allerdings das Ergebnis katastrophal.

Abstrakt gefaßt, sind beide Szenen die realisierende Einlösung einer formelhaften Wendung, die Doderer als erste Notiz zum Roman im Tagebuch festhält; im Roman ist sie als ein Satz aus einem Buch fingiert, das Melzer von Mary geschenkt bekommen hat; sie lautet: „Jede meiner Umgebungen enthielt Gefahren, und was diesen Punkt betrifft, ist auch heute, im zwanzigsten Jahrhundert, überall Wald."[12] Vor der Szene mit der Teekanne wird die „Gefahr" für Mary, in Verbindung mit dem Taxi-Motiv, als „glaszart und gespannt wartende Dämonie der ruhenden Umgebung" benannt; vor dem Unfall denkt Mary ausdrücklich an Melzer im Zusammenhang mit jenem Satz[13], und auch das Taxi-Motiv wird wieder angeschlagen: vom Fenster her empfängt sie den Anruf, empfindet „den konzentrischen Angriff der Stille"[14].

Schließlich korrespondieren aufs genaueste die beiden Szenen miteinander, die den Schauplatz des Unfalls schildern. Nicht nur die Szenerie, auch Marys Situation vor der Szenerie ist in der Exposition und in der Ausführung dieselbe. Wie aber der Unfall im Verhältnis zu jenem Malheur mit der Teekanne eine Steigerung darstellt, so ist auch die Situation am Ende aufs höchste gesteigert. War die Gefahr zu Beginn nur drohend, heranstehend, wartend, so wird sie jetzt akut.

I 8: Der Platz vor dem böhmischen Bahnhof, dem Franz-Josefs-Bahnhof in Wien, war damals mit der Zeit schon eine Art Rangiergeleise der Straßenbahn geworden ..., die da von allen Seiten mit den verschiedensten Linien eintraf: das jaulte und rollte durcheinander, klingelte, drehte überraschend in eine Seitenstraße ab oder sauste gradaus über die Brücke davon. Mary stand am Ufer dieses Sees von Verkehr, darin die rotweiße Straßenbahn noch das Bescheidenste, die Fülle der Lastautos aber das Anspruchsvollste war ... Sie stand am Rande des hier boulevardartig breiten Trottoirs, sie stand hier wie jemand am Rand eines Schwimmbassins steht, der heute eigentlich zum sonst gewohnten Kopfsprung keine Lust verspürt. ...
Mary trat auf den Gehsteig zurück, von welchem sie eben gestartet war. Man könnte sagen: sie bockte innerlich. Sie sah auf das verwirrende Gefahre der Wagen und das Gelaufe der Menschen, welches den weiten Platz allenthalben erfüllte, wie auf eine doch etwas starke Zumutung; niemand konnte sie zwingen, sich da einzulassen. Ohne irgend eine Raison – welche bei einer Person wie Mary sogleich eine Gegenraison und also ein Raisonnieren zur Folge gehabt hätte – wandte sie sich langsam um, schlenderte auf dem Gehsteig zurück ... Ihr Körper hatte für diese

ganze Aktion gar nicht nötig gehabt, sich einen Kopf aufzusetzen: er blieb anonym, und so lenkte er Frau Mary mit dem besten Erfolg.[15]

IV 29: Der Straßenverkehr war nicht nur auf den Trottoirs zur größten Lebhaftigkeit gesteigert; und hier tat auch die Nähe des Bahnhofs das ihre. Mary stand am Ufer dieses Sees von Verkehr, darin die rot-weiße Straßenbahn noch das bescheidenste war, die Fülle der Kraftfahrzeuge aber am meisten Aufmerksamkeit erforderte. Sie fühlte freilich die Nötigung, hier gesammelt und planvoll vorzugehen, vor allem aber unter dem Schutze der allgemeinen Regelung. Jedoch, sie erfaßte das gewissermaßen nicht klar genug, sie umfaßte es nicht. Es drängte sie nur ein wenig noch auf den Gehsteig zurück, während gleich danach, als eine unvermutete Eigenmächtigkeit ihrer Glieder, als Welle von unten her durch den Körper laufend, schon der Start erfolgte: die Füße eilten weiter ..., ein Schritt gab den anderen. Nun war sie mitten darin, sozusagen bereits im Gefechte. Hier zurück, dort vor, jetzt Halt. Jemand rief ihr von einem Lastwagen was zu. Nun wieder vorwärts ...[16]

Der Unfall ereignet sich mit Notwendigkeit. Und zwar handelt es sich dabei weder um eine bloß psychologische noch um eine bloß (im materiellen Sinne) naturgesetzliche Notwendigkeit, sondern beides ist unlösbar verknüpft zu eben dem, was Doderer „fatologisch" nennt. Diesen Ausdruck hat Herbert Eisenreich überliefert. In einem Gespräch über das Psychologische im Roman, so schreibt er, habe Doderer gesagt: „der Romancier benütze die Psychologie nur als Hilfsmittel, dem Wesen nach aber sei er nicht Psychologe, sondern Fatologe"[17]. Solche Fatologie ist Psychologie und Materiologie in einem; sie umgreift die innere und die äußere, die psychische und die physische Komponente des Lebens.

Das heißt: Mary K.s Unfall ist gleichermaßen ein äußeres factum brutum wie der Ausdruck einer inneren Katastrophe. Dem äußeren Faktum und seiner Brutalität wird dadurch nichts genommen. Das Körperhafte des Vorgangs bleibt erhalten; ja gerade weil der Unfall ein körperhafter Vorgang ist, wird das Schicksal der Mary K. so häufig unter körperhaftem Blickwinkel anvisiert. Damit erklärt sich die mehrmals wiederkehrende Rede von der Eigenmächtigkeit der Glieder; von hier aus erhalten die Szenen im Bad mit ihrer besonderen Erwähnung des Körpers ihre Funktion; in diesem Sinne setzt bereits der Roman ein: „Als Mary K.s Gatte noch lebte ... und sie selbst noch auf zwei sehr schönen Beinen ging (das rechte hat ihr, unweit ihrer Wohnung, am 21. September 1925 die Straßenbahn über dem Knie abgefahren) ..." Dennoch reicht der nur körperhaft-mechanische Aspekt nicht zur schlüssigen Motivation des Unfalles aus. Denn, obgleich Umstände und Verfassung der Mary K. zu Beginn und am Ende die nämlichen sind, – es muß doch als konstitutives Element noch ein Weiteres hinzutreten, das erst die Katastrophe auszulösen vermag, nämlich die volle Aktivität ihres Charakters. Dieses Moment fehlt in der Exposition, und das Fehlen wird dort vermerkt: „Sie wollte heute nichts anrühren", heißt es da,

„ein ihr ganz fremdes Verhalten, sie rührte sonst immer was an oder rückte irgend etwas zurecht.“[18] Das ihr eigentümliche Verhalten ist am Ende in vollem Maße gegeben. Mit ihrer Geschäftigkeit (sie ergreift Partei in der Ehe-Angelegenheit einer Freundin und wird hier aktiv) ist Mary in ihrem Element. Die gesteigerte Eile (zugleich auch sinnbildlich für die Steigerung der Romanhandlung) kommt hinzu und führt sie geradewegs auf die Katastrophe.

Diesen Aspekt der inneren Motivation meint Doderer, wenn er im Tagebuch epigrammatisch zusammenfaßt: „Was Mary K. betrifft, so ist ihre Katastrophe tief begründet im Herausfallen aus einer beiläufigen und produktiv-befangenen Art zu leben – also beinahe schon etwas Indirektes! – in das Geradezu ohne Metaphorie, in das Gezappel ihrer bewußten Absichtlichkeiten.“[19]

Damit ist die Geschichte der Mary K. wesentlich beschlossen. Und doch hat es einen tiefen Sinn, daß sie in den DÄMONEN wieder aufgenommen wird. Denn hier wird erst die „fatologische“ Darstellung vollendet: es wird gezeigt, welche geistige Haltung ihr der Unfall abringt. Zur Bezeichnung dieses Sachverhalts hat K. A. Horst den Ausdruck „Ereignispsychologie“ geprägt; er nennt es eine „glorreiche Revolution“, daß Doderer „von der Denkpsychologie auf die Ereignispsychologie umgeschwenkt“ sei, und er meint damit den „spannungsgeladenen Kontrast“ „zwischen dem Ereignis als solchem und dem, den es betrifft“; dabei nämlich gehe es um die „moralische Frage“, „welche Haltung das Ereignis als ‚factum brutum‘ dem Betroffenen abnötigt“. Ganz dasselbe meint Eisenreich, wenn er den Begriff des Fatologischen erklärt; er sagt geradezu, es sei Doderers „einziges Thema“: zu zeigen, „wie der Mensch das über ihn Verhängte trägt; wie er zum Meister, oder wie er zum Sklaven seines Schicksals wird ...“[20]. Alles das sei hier nur am Rande vermerkt; wie weit und wie wenig es sich dabei um einen „Fatalismus“ handelt, wurde im Kapitel über die Menschwerdung ausgeführt.

In Bezug auf die Form der STRUDLHOFSTIEGE läßt sich festhalten: die Geschichte der Mary K. beherrscht Anfang und Ende des Romans, und doch ist sie nicht lediglich auf diese Passagen abgedrängt; sie bleibt vielmehr durch das ganze Werk hindurch gegenwärtig, wenn auch zuweilen nur als Motiv. So spielt Mary eine entscheidende Rolle in der Geschichte Melzers, die schon tiefer in die Gesamtkomposition hineinführt.

3

Melzer wird im Untertitel exponiert und scheint demnach die Hauptgestalt des Buches zu sein. In der Tat bildet er so etwas wie einen Bezugspunkt für das ganze Romangeschehen. Stets achtet Doderer darauf, durch

Anspielung und Verweis in noch so exzentrischen Passagen den Bezug zu Melzer zu wahren. So etwa wird im Zusammenhang mit Etelka Stangeler beiläufig bemerkt, sie besitze ein ebensolches türkisches Kaffee-Service wie Melzer[21]. Oder: René Stangeler wird als das genaue Gegenteil eines Menschen wie Laska bezeichnet, der Melzer auf die Bärenjagd mitgenommen hat[22]. So auch heißt es in einer Folge, die von den Zihals handelt: „Mit des Leutnants Melzer Geschichte hängt nun zwar vieles zusammen. Und so auch in entfernter Weise die Frau Zihal. Nicht aber die Vorgeschichte ihrer Ehe ..."; diese bilde vielmehr „ein Buch für sich"[23]! Ähnliches gilt für Negria; sein weiterer Lebensweg wird mit den Worten abgetan: „Nun, das sind schließlich schon perspektivische Verlängerungen, Fluchtlinien, die den weiteren Verlauf dieser Nebensachen andeuten, aber mit dem Leben des Majors Melzer so wenig zu tun haben, wie etwa die besonderen Umstände von Julius Zihals Verlobung im Jahre 1913."[24] Das gröbste Argument wird im Zusammenhang mit Stangeler ausgespielt: er wird am Ende verabschiedet als „ein Melzerischer Mohr, der seine Schuldigkeit zum Teil getan hatte, zum Teil noch im Begriffe stand, sie zu tun ...", denn ihm eigne hier „keineswegs ein Zentral-Charakter, sondern nur ein diesfälliger Instrumental-Charakter"[25]. In diesem Sinne wird der Leser einmal in einer – hinsichtlich Melzers – exzentrischen Passage vertröstet: „Geduld! Wir werden bald bei dem Leutnant oder Majoren Melzer herauskommen."[26]

Diese einseitige Konstellation ist indessen nicht zu fixieren. Das Buch zeigt keineswegs nur das, „was zum Dasein eines verhältnismäßig einfachen Menschen gehört", sondern es zeigt eine Welt, in der dieser noch aufgehoben, der er noch untergeordnet ist. Die Konstellation ist im Prinzip eine wechselseitige. Wird Melzer als Zentrum des Romans angenommen (wie es die gegebenen Beispiele tun), so erscheinen freilich alle anderen Bereiche des Romans als exzentrisch. Umgekehrt aber ist Melzers Geschichte selbst gegenüber den anderen eine exzentrische. So sagt es im kleinen eine Stelle im Zusammenhang mit Paula Schachl und Stangeler: ihrer beider späteres Wiedersehen stehe „in einem anderen Zusammenhange, der in die Geschichte des Leutnants Melzer gehört"[27]. Damit wird einerseits die Geschichte Paula Schachls und Stangelers schon fast selbständig; sie überschneidet sich nur in einzelnen Punkten oder Phasen mit derjenigen Melzers; damit wird andererseits die Geschichte Melzers aus dem Zentrum verdrängt: sie wird zu einer unter anderen. Allein, auf die Überschneidung kommt es an. Das nämlich meint Doderer schon in seinem „Entwurf für den Verlag": er relativiert hier die Selbständigkeit von Melzers Geschichte, indem er sagt, sie diene mitunter nur als ein Bindeglied zwischen den verschiedensten Schicksalen. Und dasselbe formuliert er im Tagebuch grundsätzlich: er nennt Melzer den „Spagat, der meine Erzählung locker bindet"[28]. In der Tat: dies ist Melzers Funktion; keineswegs ist er die Hauptfigur des Romans, wie sie Castiletz im MORD darstellt. Gegen den MORD setzt Doderer denn auch die STRUDLHOFSTIEGE ab, und gerade im Vergleich Melzers mit Castiletz. Der MORD, so schreibt er, sei im Unterschied zur STRUDLHOFSTIEGE „nicht so sehr novellistisch als biographisch, ja beinahe mehr Biographie als Roman. Denn hier ist eine Hauptperson, aus welcher alles entwickelt und die Umwelt begriffen wird." „Eine Castiletz'sche Welt, eine bestimmte Welthöhle tritt in Erscheinung." Demgegenüber sind in der STRUDLHOFSTIEGE schon früh „sehr ‚exzentrische' Einsätze vorgesehen, nämlich weit weg von Melzern". „Nur lose hängt alles mit ihm zusammen, führt gelegentlich über die Kreuzung, welche seine Person, die noch keine ist, eben darstellt: und nicht mehr. Wollte man den Major als Hauptperson oder Helden bezeichnen, dann käme mir das so vor, wie wenn man an einem Pakete den Spagat, womit es zusammengebunden ist, für das Wesentlichste hielte . . ."[29]

An diesem Bild ist vorläufig festzuhalten, und man kann sagen: zwischen Anfang und Ende des Romans, die durch Mary K. als Klammer markiert sind, läuft der Faden von Melzers Geschichte. Dies gilt nicht nur der äußeren Verteilung nach: Melzer wird zum ersten Mal im Roman in einer Erinnerung Marys erwähnt (er entspringt gleichsam aus ihrer Erinnerung), und ihre Wiederbegegnung gehört zur Finalisierung des Romans; es gilt auch der inneren Organisation nach: Melzers Schicksalsfaden ist mit Mary K. verknüpft, und am Ende wird der Knoten gelöst.

Dabei handelt es sich – wie in den monographischen Romanen – um eine Menschwerdung. Die besondere Formel dieses Vorgangs ist im Falle Melzers einmal die Aneignung der Vergangenheit und zum andern die Ausbildung des „Zivilverstandes", d. h. die „Entwicklung" vom Soldaten zum Zivilisten. Der komplexe Prozeß soll hier im einzelnen nicht nachgezeichnet werden. Es sei nur das Motiv: „Ausbildung des Zivilverstandes" herausgegriffen; denn es ist besonders geeignet, jenen „Spagat", den Melzer bildet, zunächst als den Faden der Handlung zu vergegenwärtigen.

Das Motiv erscheint vor allem als kommentierende Randbemerkung des Erzählers, häufig zwischen Klammern. Die Ausgangsbasis bietet eine Stelle der Exposition im Ersten Teil; es heißt da: „Im ersten Kriege vielfach selbständig handelnd – was blieb auch anderes übrig – hat Melzer eine selbständige Art zu existieren überhaupt noch nicht besessen, wie er versicherte." „Zwei Grundstoffe seiner Biographie" gibt es, die hart und unvereinbar gegeneinander stehen: das zivile Leben, das einzig eine personale Existenz erlaubt, und das militärische Dasein; denn – so wird der Grund für jene Unvereinbarkeit formuliert – „der Mensch kommt, im Kriege erlebend, nicht zu sich selbst, sondern immer wieder zu den Anderen . . ."[30]

Hier wird übrigens – neben der schon genannten literaturgeschichtlichen

Verwurzelung des Problems der Menschwerdung im Expressionismus – der zeitgeschichtliche Hintergrund sichtbar, zu dem das Problem gehört. Im Krieg von 1914/18 hat Doderer zuerst die Diskrepanz zwischen individuell-personaler Existenz und anonymem Massen-Dasein erfahren. Diese Problematik ergriff er in den monographischen Romanen gleichsam abstrahierend unter existentiellem Aspekt, und so mußte die Menschwerdung als ein ahistorischer Vorgang ohne zeitgeschichtliche Grundlage erscheinen (das Ahistorische ist freilich nur die andere Seite des Existentiellen). Jetzt aber, nach dem Zweiten Weltkrieg, führt Doderer in der Geschichte des Leutnants Melzer das Problem auf die zeitgeschichtliche Situation, der es auch für ihn, Doderer, entsprang, zurück.

Das Motiv selbst findet sich zuerst in einem Abschnitt, der noch im Jahre 1911 spielt. Angesichts einer konkreten Situation heißt es in Bezug auf Melzer allgemein:

Er stellte nichts fest, niemals. Auch viel später noch immer nicht. Bei ihm begann ein Zivil-Verstand erst rudimentär aufzutreten, als der Militärdienst schon sieben Jahre hinter ihm lag. So nimmt das den Menschen mit.[31]

In einer Szene, die einen Abend bei Eulenfeld im Jahre 1925 darstellt, kehrt das Motiv wieder (jetzt schon den inneren Zwiespalt Melzers andeutend), und zwar als Stangeler aufgefordert wird, vom Krieg zu erzählen:

In Melzer erhob sich etwas wie ein obligatorisches Interesse. Er hatte sozusagen eine Gebühr darauf, sich hier zu interessieren. Er war ja Berufs-Offizier gewesen. Es war eine ähnliche Reaktion wie sie jeder hat, wenn sein Name ausgerufen wird. Beinahe ließ er sich ein, beinahe wurde er warm. Aber es war doch ein Widerstand in ihm.[32]

Ebenso verhält er sich in dem großen Gespräch mit E. P. am 22. August 1925; hier wird das Motiv mehrmals angeschlagen.

Melzer hätte jetzt zu fragen gehabt: Bei welchem Ulanen-Regiment haben Sie gedient? Er fragte nicht. Als militärischer Fachmann war er kaum mehr in Bewegung zu bringen. Es lag wie hinter Glas.[33]

... (wieder reagierte unser Melzer gewissermaßen nicht auf diesen Namensaufruf, es gab in diesen Sachen schon so was wie ein gesteigertes und unüberwindlich gewordenes Trägheits-Moment bei ihm) ...[34]

Eine Bemerkung des Erzählers wie diese – gleichfalls in Klammern – konfrontiert dann Melzer und E. P. miteinander:

... (Nun, wer von den beiden war da eigentlich ein Militärs-Mann, der, welcher als Soldat noch keinen Zivilverstand mitgebracht hatte, oder jener, dem als Zivilisten der Soldaten-Verstand abhanden kommen wollte und leider ohne Ersatz?!) ...[35]

Indessen heißt es noch in diesem Zusammenhang:

Beinahe hätt' er was festgestellt ... aber soweit sind wir denn noch keineswegs, Melzerich. Kein Zivil-Verstand.[36]

Dann aber – und schon gesteigert – wieder fragend:

Wie?! Melzer! Zivil-Verstand?! Nein. Er redet sozusagen pro domo.[37]

Schließlich jedoch, am Ende des Gesprächs, sagt Melzer etwas für seine Verhältnisse höchst Ungewöhnliches, worauf der Erzähler in Erstaunen ausbricht:

„Ehrlich gestanden, ich verstehe das alles nicht ganz", sagte Melzer, „aber was versteh' ich überhaupt schon?!" (Eingebung? Inspiration?! Beginnender Zivil-Verstand?! Zivil-Geist?!!)[38]

In der Folge erscheint das Motiv zweimal nur als erinnernder Einwink in anderem Zusammenhang: einmal wird Melzer gegenüber Paula Schachl abgesetzt: „Nun, Paula war eine Frau von zweiunddreißig Jahren und Melzer ein Leutnant, Oberleutnant, Hauptmann, Major, Amtsrat Melzer mit ersten Keimen von Zivilverstand"; und zum andern wird Fraunholzer, dessen „Gescheitheit" außer Frage steht, mit Melzer verglichen, bei dem „von Gescheitheit nicht wohl zu reden ist (mangels Zivil-Verstand)"[39]. Das Kapitel aber, das zeitlich unmittelbar auf das Gespräch mit E. P. folgt (es spielt am Tage danach), zeigt die neu gewonnene Haltung Melzers in voller Wirksamkeit:

Ein Neues trat ein. Damit zugleich aber bei Melzern eine ganz außerordentliche Vorsicht, der eines Kindes vergleichbar, das aus seinen Bausteinen was Kühnes zu errichten im Begriffe ist und sehr darauf achtet, ja nicht an den Tisch zu stoßen. (Die ersten Gebilde des Zivilverstands?)[40]

Eine Zwischenbemerkung in einem späteren Abschnitt, der von René Stangeler handelt, schlägt wiederum die Brücke zu Melzer. Stangelers Zustand wird mit einer militärischen Metapher bezeichnet, die er, wie es heißt, wörtlich denkt; dann folgt der Kommentar:

(so tief und jahrelang nachwirkend waren, nebenbei bemerkt, militärische oder kriegerische Bilder und Vergleiche in's Vorstellungsleben der Menschen eingedrungen, wahrhaft in's Kernholz der Erinnerung gefahren mit manchem Hieb, auch bei notorischen Zivilisten – müssen wir's da nicht beachtlich finden, daß sich bei einem Majoren Melzerich dies alles schon bemerklich lockerte?!)[41]

Eine Probe solcher Lockerung bietet Melzer, als er die Situation Etelka Stangelers, die ihm von ihrer Schwester geschildert wird, sogleich und in aller Schärfe erfaßt; in der Tat: „der Zivil-Verstand gedieh ... in frischer Vorwärts-Entwicklung!"[42] Die volle Bestätigung alles dessen leistet Melzer in dem großen und wichtigen Gespräch mit René Stangeler am 2. September 1925, das für ihn einfach die Fortsetzung jener Unterredung mit E. P. ist, jetzt aber mit dem eigentlichen Partner geführt wird[43]. Hier stellt Melzer nicht nur etwas fest, er urteilt sogar – und:

Er wunderte sich (genau über das gleiche wie wir: denn zweifellos attrappieren wir ihn hier zum ersten Male dabei, daß er eigentlich etwas sagt, einer Meinung allgemeiner Art Ausdruck verleiht, sozusagen theoretisch redend – hatte hier der neue Zivilverstand bereits die Wortgrenze überschritten?).[44]

Von hier aus weiterschreitend, verläßt Melzer die Ebene des Verstandes, des militärischen wie des zivilen, und transzendiert sie in Richtung auf den Geist hin („denn auch ein Major hat einen solchen“, wie es später zwischen Klammern heißt, „da gibt’s nichts zu fackeln“[45]):

Mit ungeheurer Deutlichkeit fühlt’ es jetzt Melzer, wie sie gleichsam unterhalb dieser Unterredung lagen, wie sie über ihnen im Hellen trieb. Er, Melzer, befand sich da über seinem militärischen oder zivilen Verstand oder er lag, wenn man will, unterhalb seines eigentlichen Verstandes auf dem Bärenfelle von der Treskavica. Da ihm eine solche Zuständlichkeit bisher im Leben nicht zu Teil geworden war, empfand er Scheu vor ihr, fast Ehrfurcht; und er hielt sie für glaszart und flüchtig. Er hätte es nicht gewagt, die Lage seines Leibes jetzt auch nur um ein geringstes zu verändern; und damit beweist uns dieser einfache Mann, daß jedem wirklichen Erwachen des Geistes gleich auch eine zutreffende Vorstellung von der grundbedingenden Mechanik eben dieses Geistes mitgegeben wird. Melzer rührte sich nicht, er verhielt sich buchstäblich konservativ ...; und er wendete so ein bereits – ohne Handumdrehen – neu erworbenes Wissen an: daß nämlich der Mensch nicht nur mittels des Kopfes und oberhalb des Kragenknopfes denkt (wie die Fachgelehrten), sondern mit dem ganzen Körper.[46]

Alles dies deutet darauf hin, daß es hier um einen durch und durch existentiellen Vorgang (den der Menschwerdung) geht. So auch kommt es Melzer gar nicht in den Sinn, an Stangelers Ausführungen Kritik zu üben, die ja berechtigt wäre, und zwar, „das behaupten wir jetzt, nicht mehr mangels Zivil-Verstand“[47]; denn:

Dem erwachenden (Zivil-)Geist gesellte sich nicht nur alsbald Einblick in dessen Mechanik sowie sanftmütiges Unterlassen unzweckmäßigen Widerspruches, sondern auch Klugheit ward da hinzugegeben, ja sogar Pfiffigkeit, welche, wie wir den Melzerich kennen, doch seine Sache sonst wahrlich nie gewesen ist.[48]

Später, als Melzer seine neu gewonnene Haltung praktisch bewährt, kann es mit Recht in einer rhetorischen Frage heißen: „Wer zweifelt noch an seinem seit dem 22. August entstandenen Zivilverstand?“[49] Und als er Paula Schachl gegenüber eine ebenso sachlich wie sprachlich treffende Diagnose der Editha Schlinger-Pastré gibt, heißt es endgültig:

(Also: unser Melzer ist Zivilist geworden; derlei gibt’s überhaupt nur im Zivil-Verstand; aber – er wunderte sich doch über seine eigenen Ausdrücke, die jetzt auch schon außerhalb des Melzerischen ‚Denkschlafes‘ Macht gewannen; ja, es war, als zöge ihn die Sprache, die er fand, hinter sich her und in ein neues Leben hinüber: die Sprache stand vor seinem Munde, schwebte voran, und er folgte nach.)[50]

Noch einmal, gegen Ende des Romans, klingt das Motiv an; es lautet abschließend:

Der Major, nunmehr im Besitze eines rasch gereiften Verstands und Verstehens befindlich, stand seinen Zivilisten auf den Beinen eines Infanteristen ohne Tadel.[51]

Um der Übersichtlichkeit willen wurden die einzelnen Glieder der ohnehin schon aus dem Fadenknäuel des Romans herausgelösten Motiv-Kette „Ausbildung des Zivilverstandes“ auch noch von den jeweiligen konkreten Situationen, in denen das Motiv angeschlagen wird, weitgehend isoliert. Schon ein oberflächlicher Blick indes auf diese Situationen zeigt die Gesetzmäßigkeit der Reihe. Zunächst bleibt festzuhalten: die Motiv-Kette ist keine horizontale Linie; ihre einzelnen Glieder stehen zueinander nicht im Verhältnis der Iteration (wie es bei Mary K. der Fall ist), sondern sie bedeuten – jedes gegenüber dem vorhergehenden – eine Stufe, einen Schritt hinauf, bis zum „gradus ad parnassum", der Melzer am Ende offenbar zugebilligt wird[52]. So folgt die Motiv-Reihe der „Vorwärts-Entwicklung" Melzers selbst und, im ganzen gesehen, der Steigerung der Romanhandlung gegen das Ende zu. Eben die Steigerung aber – nicht nur als Akzeleration, sondern als Vertiefung – ist es, die angesichts der einzelnen Situationen, in denen das Motiv erscheint, bemerkbar wird. Bei gleicher Situation – Melzer mit Asta Stangeler auf dem Lande, einem „Fall" gegenüber, der unaufhaltsam zum Skandal tendiert – stellt Melzer das erstemal nichts fest, trifft jedoch das zweitemal eine entschiedene Diagnose[53]. Ebenso korrespondieren die beiden großen Gespräche miteinander, das mit E. P. und das mit Stangeler. Auch die Szenen, deren Einheit durch Mimi (für Melzer: Editha) bzw. durch die Zwillinge bezeichnet ist, sind deutlich aufeinander bezogen: stellt Melzer sich dort „auf zwei braune, schlanke und muskulöse Beine eines Infanteristen"[40], so steht er am Ende „seinen Zivilisten auf den Beinen eines Infanteristen ohne Tadel"[51]. Überdies bezieht sich die erste Szene ausdrücklich (mit einem „diesmal") auf das Gespräch mit E. P. zurück. Hier antwortet Melzer auf E. P.s Frage („Sie müssen ja Bruck wohl kennen, Herr Major, als ehemaliger aktiver Offizier?") nur mit einem Nicken:

> Aber Melzer nickte nur. Mehr war ihm nicht abzugewinnen. ... Melzer fühlte, daß er mit einem einzigen Wörtchen bereits die Masse gehabter äußerer Bezüge seines Lebens – eine Menge von Dingen, Vorstellungen, Kenntnissen, die ihm sozusagen gebührten, zustanden, die er beanspruchen durfte – in's Rutschen und in's Übergewicht bringen würde. Um dann davon erdrückt zu werden.[34]

Ebenso antwortet er dort auf Edithas (Mimis) Frage („Kennen Sie eine Frau von Budau?") nur mit einem „Ja":

> Mehr war ihm nicht abzugewinnen. ... Er fühlte ganz klar, soweit ein Gefühl klar sein kann, daß er mit einem einzigen weiteren Wörtchen bereits die Masse gehabter äußerer Bezüge seines Lebens – Kenntnisse (und diesmal nicht nur militärische), die ihm sozusagen gebührten, zustanden, die er beanspruchen durfte – in's Rutschen und in's Übergewicht bringen würde: um damit dann den zarten, zwischen so viel Geröll endlich hervorgegrünten Ansatz des (wie ihm nun dünkte) Wesentlichen zu verschütten, zu vermuren, den Ausweg zu überwerfen, den schimmernden Spalt zu verdunkeln.[40]

Allein, es muß mit diesen Andeutungen sein Bewenden haben; denn im Bewußtsein, daß hier ein willkürlich isoliertes Motiv in Rede steht, das nur im Gesamtzusammenhang des Romans seinen Sinn hat, darf solche – zweifellos vorhandene – Gesetzmäßigkeit nicht überbetont werden und sei deshalb auch nicht weitergehend gesucht.

Das Motiv durchzieht den ganzen Roman. Dennoch bedeutet die Aufführung der Motiv-Kette keineswegs einen wesentlichen und aufschließenden Querschnitt durch das ganze Werk. Denn nicht weil es ein zentrales Motiv des Romans wäre, läßt es sich über die ganze Länge hin verfolgen, sondern allein deshalb, weil es ein Begleitmotiv Melzers ist, dessen Geschichte einen erheblichen Bestandteil des Romans ausmacht. Dabei gewährt es nicht einmal einen hinreichenden Einblick in den so komplexen Vorgang von Melzers Menschwerdung. Zu deren Erörterung müßten außerdem die anderen – nicht minder wichtigen – Begleitmotive Melzers herangezogen werden, etwa: „Laska als Vorbild“, „das Mitgenommenwerden“, „Ernstfarbe Rot“, „die Sauserei durch die Trópoi“, „der Denkschlaf auf dem Bärenfell“, „der Wandarm“, das Bild des „Verriegeltseins“, das des „Krebses“, nicht zuletzt die „Strudlhofstiege“ als Motiv. Im übrigen würde sich Melzers Menschwerdung erst durch die Betrachtung der „Tiefe der Jahre“ erschließen, sowie durch die Sichtung der verschiedenen Handlungskomplexe des Romans, die er wie Stationen durchläuft. Das alles soll hier, wo es um eine summarische Form-Analyse der STRUDLHOFSTIEGE geht, nicht eigens erörtert werden. Ein Problemkreis indessen wird später noch aufgegriffen: nämlich die Erinnerung. Diese spielt nicht nur bei Melzer eine entscheidende Rolle, sie konstituiert den ganzen Roman.

4

Neben Melzer erscheint im Untertitel die „Tiefe der Jahre“. MELZER UND DIE TIEFE DER JAHRE – das ist unter problematischem Aspekt ein und dasselbe, und auch im Hinblick auf die Struktur scheint es zunächst dasselbe zu bedeuten. Denn die Vergangenheit im Widerstreit mit der Gegenwart ist für Melzer das polemische Objekt seiner Menschwerdung, welche hier die Struktur zwar nicht wie in den monographischen Romanen diktiert, wohl aber mitbestimmt. Als Problem ist die „Tiefe der Jahre“ bereits im MORD anzutreffen, wenn man den Roman von seinem Ende und Telos her aufrollt: Castiletz steigt in die Tiefe der Zeiten hinab und ergräbt den dunklen Punkt seines Lebens[54]; dabei aber ist hier die kontinuierliche Linie der Chronologie äußerlich gewahrt. Mit der STRUDLHOFSTIEGE geht Doderer in dieser Richtung einen Schritt weiter, indem er die Zeitebene, auf der das Telos liegt (1925), und diejenige des Ausgangs (1911) als gleichwertige Handlungsebenen immer wieder miteinander konfrontiert, um schließlich den Bruch zwischen Vergangenheit und Gegenwart zu heilen. Wenn Doderer sagt: Entwicklung „setzt Verwicklung voraus, ist also besten Falls Abstellung eines Übels, Einholung und verspätete Herstellung des Normal-Zustandes; als selbständiger Wert angesehen nichts als Unfug“[55], so gewinnt diese eigenwillige Interpretation des Entwicklungsbegriffes, die schon in Bezug auf Castiletz zitiert wurde, ihren rechten Sinn erst im Hinblick auf Melzer. Die Einholung seiner zivilen Vergangenheit, ihre Heraufbeschwörung und Aktivierung, ist Melzers Lebensproblem. Und so erhält die lineare Entwicklung Melzers auf Grund ihres Charakters als Einholung mit dem zweiten Glied des Untertitels ihre Tiefendimension.

Jedoch, obwohl sich die „Tiefe der Jahre", wie es scheint, zwanglos aus der Problematik von Melzers Menschwerdung ableiten läßt und demnach als ihm, Melzer, mitgegeben oder sogar mit ihm gegeben erscheint, gehört diesem zweiten Glied des Untertitels, strukturell gesehen, die Priorität. Das geht aus Doderers ersten Notizen zur STRUDLHOFSTIEGE klar hervor, wo es heißt: „Ich weiß nun öfter nicht, ob etwas vor dem Krieg von neunzehnhundertvierzehn oder nachher war oder in der Knabenzeit oder in der des jungen Mannes, beide sind sich ja auch sehr ähnlich und meine Nicht-Erwachsenheit streifte nicht selten den Rand des Bedenklichen."[56] Die biographische Herkunft, die also außer Zweifel steht, erlaubt es indessen nicht, an Stelle Melzers nunmehr die autobiographische Figur René Stangeler für das Strukturprinzip der doppelten Zeitschicht verantwortlich zu machen. Denn obwohl vornehmlich um dieser beiden, Melzers und Stangelers, willen immer wieder die Zeitebenen von 1911 und 1925 miteinander wechseln, ergreift dieses Strukturprinzip doch den ganzen Roman, also auch die jenen beiden gegenüber exzentrischen Passagen. Mit einem Wort: die „Tiefe der Jahre" ist ein übergreifendes Strukturprinzip, das – in den ersten Aufzeichnungen, bei deren Niederschrift Doderer noch gar nicht an einen Roman dachte, keimhaft angelegt – von der Erinnerung aufgerufen wurde und sich dann im Laufe der Arbeit als das wichtigste Element der „gut gewachsenen" Komposition enthüllte. So wird von hier aus ein erster Blick auf die Gesamtgliederung des Romans möglich.

Die Handlungszeit gehört in Doderers Kompositions-Skizzen als nähere Bestimmung in die Rubrik der Kapitel-Einheiten. „Da ich's denn nicht liebe", sagt der Chronist Geyrenhoff zu Beginn der DÄMONEN, „daß Dinge und Menschen eines Berichts gleichsam in der Luft hängen, setze ich die Jahreszahl hierher."[57] Das gilt nicht minder für die STRUDLHOFSTIEGE, bei der eine genaue Datierung der einzelnen Handlungszeiten um so wichtiger ist, als die Zeit hier ein Strukturelement darstellt. Der Übersichtlichkeit halber sei eine schematische Gliederung des Romans nach Handlungszeiten gegeben, die freilich vorläufig sein muß, solange nicht Situation, Szenerie und Handlungskreise („Dinge und Menschen") näher ins Auge gefaßt sind.

Während der Dritte und Vierte Teil – beide mit allen ihren Kapiteln – vom Sommer bis zum Herbst des Jahres 1925 kontinuierlich vorschreiten, ist die Datierung der beiden Anfangsteile komplizierter. Der Zweite Teil spielt zu zwei Dritteln (II 1–13; S. 165–295) im Sommer 1911; die Ausgangssituation des letzten Drittels (II 14–16; S. 295–355) fällt auf den 22. August 1925, jedoch gibt es hier Einblendungen, die auf die Jahre von 1918 bis 1925 zurückführen. Voller Einstreuungen ist auch der Erste Teil. Für I 1–10 (S. 9–63) ist die Ausgangsbasis der Nachsommer 1923; von hier aus gibt es Rückbezüge auf 1910 sowie auf 1918/21, aber auch schon Vorgriffe auf das Jahr 1925. I 11–19 (S. 63–105) spielt zur Hälfte 1911 und 1923, letztere Hälfte mit Einschüben, die auf das Jahr 1920 zurück- und sogar auf 1942 und 1945 vorweisen (dies freilich nur als Andeutung). I 20–31 (S. 105–164) schließlich gerät von 1911 fortschreitend bis in das Jahr 1925. Entscheidend ist bei alledem einzig die Spannung zwischen 1911 und 1925; vor allem diese ist mit der „Tiefe der Jahre" gemeint.

Nur mit Vorbehalt läßt sich die teletische Zeitebene von 1925 als die eigentliche Handlungsebene des Romans bezeichnen. Zwar spielt der an Umfang weitaus größte Teil des Werkes im Jahre 1925 (die beiden Schlußteile sind zusammen 553 Seiten stark, gegenüber den nur 346 Seiten der beiden Anfangsteile, von denen überdies einige Kapitel gleichfalls in das Jahr 1925 fallen). Auch nennt Doderer im Tagebuch die Komposition riskiert „durch das weite Ausholen in eine Vorvergangenheit, in die immer wieder zurückgegriffen wird" (womit insbesondere das Jahr 1911 gemeint ist), so daß sich zwangsläufig das Jahr 1925 als die eigentliche Handlungszeit anbietet.

Doch diese Konstellation – Vergangenheit und Vorvergangenheit oder gesetzte Gegenwart und deren Vergangenheit – gilt nur unter chronistischem Aspekt. Die Fiktion aber, deren Kategorie allein für den Roman gilt, folgt einem anderen Gesetz. Sie macht die Zeitebene von 1925 nicht zur fiktiven Gegenwart des Romans und diejenige von 1911 zur fiktiven Vergangenheit, sondern: beide Zeitebenen sind fiktive Gegenwart, auf beiden wird im gleichen epischen Präteritum erzählt. Die Zeit von 1911 wird keineswegs durch die Erinnerung der Figuren gebrochen, sondern erscheint in absoluter Darstellung. Und damit werden die verschiedenen Zeitebenen zu gleich-ursprünglichen Dimensionen des Romans.

Diese Tendenz zur (fiktiven) Gegenwart ist auch im einzelnen, bei den Einstreuungen, zu beobachten, nicht nur bei den großen Blöcken, die von vornherein außerhalb des Jahres 1925 datiert sind. Das zeigt sich besonders deutlich bei den Schnittpunkten oder Übergängen zweier Zeiten. Ein unscheinbares, aber charakteristisches Beispiel gibt es im Zusammenhang mit Grete Siebenschein. Sie befindet sich in Deauville – das ist die fiktive Gegenwart; und sie erinnert sich: „Wie aus der braunen Täfelung der Halle hervorgekommen, schwebte jetzt vor Grete Siebenschein ein Bild mit allen Einzelheiten ...: es war René auf dem Perron des Westbahnhofes ..." Zuerst heißt es – durchaus der Chronik gemäß – im

Plusquamperfekt: „Lasch war neben ihr am herabgelassenen Gangfenster gestanden"; dann, unmittelbar anschließend, erscheint das Imperfekt: „und beim nächsten Fenster blickte mit unbewegter Miene Scheichsbeutel heraus". Und die folgende Passage ist ausschließlich im epischen Präteritum erzählt – wie die Ausgangssituation in Deauville; sie spielt aber, chronistisch betrachtet, vorher: „René schwenkte den Hut . . ." Am Ende gleitet die Erzählung ebenso behutsam zur Ausgangssituation zurück[58].

Doderer überläßt also den Gegenstand der Erinnerung nicht der sich erinnernden Figur. Er gestaltet ihn, nicht der Erinnerung, sondern nur der Perspektive der betreffenden Figur folgend, als unmittelbar gegenwärtig. Indem er mit der Erinnerung einer Figur die unmittelbare Gegenwart zu Gunsten der Vergangenheit verläßt, hebt er sogleich den Vergangenheitscharakter zu Gunsten einer neuen Unmittelbarkeit wieder auf. Anders: eine konkrete Situation wird episch geschildert, die Figur erinnert sich, und die epische Erzählung setzt sich an diesem von der Figur erinnerten Punkt auf einer tieferen Zeitstufe fort.

Allerdings ist diese Praxis „für den Fluß der Erzählung von Nachteil"; andererseits aber wird dadurch die Welt des Romans in der Breite bereichert. Und von hier aus legitimiert sich, im ganzen gesehen, die Gleichwertigkeit der beiden Zeitschichten 1911 und 1925.

5

Eine genauere und ins einzelne gehende Differenzierung der Handlungszeiten führt unmittelbar auf die Hauptereignisse des Romans. Denn diese sind auf Tag, Stunde und Minuten genau datiert und bilden jeweils die Kulminationspunkte der einzelnen Teile. Nach dem Ersten Teil, der kein Zentralereignis enthält, drängt der Zweite Teil mit weit verzweigter Vorbereitung zur minutiösen Gestaltung des Skandals auf der Strudlhofstiege am 23. August 1911. Ebenso sind fast alle Einzelabschnitte des Dritten Teils auf dessen Höhepunkt, den von Etelka Stangeler-Grauermann entfesselten Skandal am 29. August 1925 auf dem Lande, zentriert. Die einzelnen Kapitel des Vierten Teils schließlich zielen – wie der Roman selbst – auf den 21. September 1925. Dieser Tag ist der Finalisierungspunkt des ganzen Werkes, in den die wichtigsten Handlungslinien auslaufen. Hier ereignet sich Mary K.s Unfall, hier findet die Schilderung von Etelkas Untergang ihren Platz, hier zerschlägt sich Edithas Tabak-Affäre, hier – nicht zuletzt – gelangt Melzer zu seiner endgültigen Personswerdung und gewinnt überdies seine Thea Rokitzer.

Die Ereignisse dieser drei aus dem Ganzen herausragenden Tage sind mittelbar durch Analogie und Beteiligung derselben Figuren oder sogar unmittelbar im kausalen Sinne miteinander verknüpft. Etelkas Skandal im Dritten Teil läßt sich – rückweisend – als das Gegenstück des früheren Skandals auf der Strudlhofstiege auffassen, ist aber zugleich die Vorstufe ihres Untergangs und – wiederum vorweisend – auf indirekte Art der Anlaß zu Marys Unfall. Die Tabak-Affäre ist mit dem Stiegen-Skandal durch Editha als Initiator in beiden Fällen verknüpft. Doch das eigentliche Bindeglied aller dieser Begebenheiten insgesamt ist Melzer. Er ist die einzige Figur des Romans, die an allen wesentlichen Ereignissen beteiligt ist; dennoch kann man nicht sagen, dies alles begebe sich um seinetwillen. Nicht auf ihn selbst und seine Geschichte kommt es an, sondern auf seine und ihre bindende Funktion.

Das wird hier in aller Schärfe sichtbar; und darüber hinaus zeigt sich, was eigentlich jener „Spagat“ Melzer bindet: nämlich die einzelnen Handlungskreise des Romans. Denn die Hauptereignisse sind die Zielpunkte der verschiedensten Handlungsstränge, die sich jeweils aus einem ganzen Handlungskreis herauslösen. Die Träger der Handlungskreise nennt Doderer auch „Epizentren“, also Neben-Zentren, die jedoch nicht „epi tinos“, auf etwas, nämlich auf ein Zentrum, bezogen sind[59]; sie sind nicht um Melzer gelagert, sondern konstituieren mit ihm zusammen, der ein ebensolches Epizentrum darstellt, die Breitendimension des Romans als eine Welt zunächst ohne Mittelpunkt (daß es trotzdem ein echtes Zentrum des Werkes gibt, wird sich noch herausstellen).

Die vielfach einander überschneidenden epizentrischen Handlungskreise stecken in ihrer Gesamtheit das Feld des Romans ab. Sie zeichnen das Bild einer Welt, das zu geben jeder Roman bestrebt ist. Doch ist die so erstellte Breitendimension – ebenso wie Doderer es von der Tiefendimension behauptet – für den Fluß der Erzählung von Nachteil. Den Fluß der Erzählung zu gewährleisten, steht deshalb neben dem statischen Prinzip des Weltbildes – gleich-ursprünglich und ebenso konstitutiv – das dynamische Prinzip der Handlung. Die Handlung, wesensgemäß nur mit dem zeitlichen Fortschreiten zugleich denkbar, ist die treibende Kraft des Romans; sie führt zum Finalisierungspunkt hin. Sonst nur eine lineare Bewegung, erweist sie sich angesichts der hier vorliegenden Komplexität als ein Netz, das die einzelnen Epizentren auf ihre handlungswertliche Funktion reduziert und die auf solche Weise exponierten Punkte aufeinander bezieht und miteinander verbindet. Dem der Handlung innewohnenden dynamischen Prinzip gemäß läßt sich sodann dieses Netz fortschreitend enger zusammengezogen denken, womit am Ende sämtliche Handlungskreise in die Bewegung des Romans, die jetzt erst eine Gesamtbewegung ist, hineingerissen werden.

Die beiden Aspekte: Dynamik der Handlung und Statik des Bildes, von denen der erste mehr das Musikalische, der zweite mehr das Architektonische betrifft, sind freilich in der epischen Erzählung miteinander vereinigt (so auch bezeichnet Doderer die Form des Romans mit dem beide Tendenzen umfassenden dialektischen Ausdruck: „dynamisches Gesamtbild“). Gleichwohl ist eine vorläufige Unterscheidung fruchtbar. Denn in Betracht der Dynamik erscheint der ganze Roman als ein eindeutiges Funktionsgefüge, das sich konstruktiv auf die Finalisierung zentriert; in Ansehung der Statik jedoch ist er ein Bezugssystem korrelativer Momente – ohne Rücksicht auf Exposition und Ausführung. Was hier ein Element des Romans, ist dort ein Motiv; und nicht immer, wie sich zeigen wird, haben beide das gleiche sachliche Substrat. So könnte man motivierende und elementare Epizentren unterscheiden. All das zusammen und anschaulicher gefaßt, bedeutet die Dialektik des Weges, der nach Doderers tiefster Überzeugung eben nicht nur direkte Richtung ist, dynamischer Vollzug, kürzeste Verbindung zweier Punkte, sondern ebensowohl selbständig, in sich ruhend, ein Stück Weges, abstrahiert von jeder Zielrichtung, indirekt, und so stets ein Umweg.

6

Das dynamische Prinzip des Romans ist mit der Spannung zwischen Exposition und Finalisierung gegeben. Die wichtigsten motivierenden Epizentren sind Mary K., Melzer, Etelka Grauermann-Stangeler und Editha Schlinger-Pastré bzw. deren Zwillingsschwester Mimi Scarlez-Pastré; sie alle werden ausführlich auf breitester Basis exponiert: Mary, Melzer und Etelka gleich im Ersten Teil, der sich in drei große Abschnitte gliedert, und der im ganzen als Exposition zu verstehen ist (bezeichnend dafür ist es auch, daß in diesem Teil, wie schon vermerkt, ein Zentralereignis fehlt); die Exposition der Editha dagegen wird in solcher Ausführlichkeit erst im Vierten Teil nachgeholt[60].

Zwischen die durch Mary K. bezeichnete Klammer schiebt sich außer der Geschichte Melzers auch diejenige Etelkas. Sie wird im Ersten Teil nach Mary und Melzer exponiert und im Vierten Teil unmittelbar vor Marys Unfall beschlossen[61]. Das Schicksal der Etelka ist in gewisser Weise demjenigen der Mary K. ähnlich, nicht nur in Bezug auf den katastrophalen Ausgang, sondern auch der inneren Mechanik nach. Beiden eignet eine Individualität von hohen Graden; beide kommen um ihres Charakters willen zu Fall. Zwar sind ihre Charaktere durchaus voneinander verschieden; kontrapunktisch gegeneinander stehen Etelkas „fundamental mangelhafte“ Konstitution[62] und Marys absolut harmonischer Charakter; aber – formal gesehen – sind sie gerade auf Grund solcher Größe, die ihrem Sturz oder Fall fast etwas Tragisches gibt, miteinander vergleichbar. Wird indessen Marys Fall erst durch äußere Umstände, die sie zum Handeln verführen und so ihren Charakter bloßlegen, ausgelöst, so ist die Sturzkurve Etelkas bereits von allem Anfang an („ab ovo“) in ihr

Charakterbild eingetragen, und ihr Schicksal vollendet sich nach dem Gesetz, wonach sie angetreten. Mary fällt, aber sie wird sich erheben; Etelka zerbricht. Der Struktur nach werden beide Schicksale parallel geführt. Mary und Etelka lernen einander nicht kennen; dennoch berühren sich ihre Lebenskreise in den entscheidenden Punkten der Handlung aufs engste, sie sind „indirekt verbunden“[63].

Neben Mary und Etelka, deren Geschichten sich linear durch den Roman hindurch erstrecken: Etelka der Zeit nach – mit ihr wird der am weitesten ausholende Bogen über die Handlungszeiten gespannt –, Mary der Organisation nach, indem Anfang und Ende des Buches (nicht der Handlungszeiten) durch sie markiert sind, neben diese beiden tritt Melzer als ein bei aller Komplexität doch gleichfalls lineares Prinzip. Der Sturzkurve jener entspricht seine aufsteigende Bahn. Mary fällt, Etelka zerbricht, Melzer wird gehoben. Jenen beiden gegenüber verläuft wiederum sein Lebensweg, soweit er im Roman zur Darstellung gelangt, zunächst streng parallel. Mary hat er zuletzt im Jahre 1910 gesehen, welches Datum und Faktum nicht direkt gestaltet wird; und zu Etelka tritt er erst kurz vor ihrem Tod, als er sie zum letzten Male sieht, in eine nähere Beziehung. Und doch ist es letzten Endes Melzer, der wie alle Handlungskreise des Romans, so auch Mary und Etelka miteinander verbindet. Davon wird noch zu sprechen sein; vorerst läßt sich unter strukturellem Aspekt ein weiteres den dreien gemeinsames Merkmal festhalten.

Es handelt sich um den Verzicht auf Spannungseffekte. Wie bereits im ersten Satz des Romans auf Marys Unfall angespielt wird, so wird gleich in der Exposition von Etelkas Geschichte deren Selbstmord in einer Andeutung preisgegeben[64]. Solcher Verzicht auf Spannung hat einen tiefen Sinn. Doderer nimmt das Ziel eines erzählten Lebens beiläufig vorweg, weil es ihm unerheblich erscheint gegenüber der Bewegung dieses Lebens, die einzig und eigentlich Leben ist, und auf die er so den Blick des Lesers konzentriert. Damit zugleich aber ist der Blick, ebenso wie inhaltlich auf das erzählte Leben, auch formal auf die künstlerische Darstellung eröffnet. In Kunst und Leben gleichermaßen geht es Doderer um das Wie; das Was ist so gleichgültig wie das Woraufhin, beide nur schlechte Voraussetzung und schlechtes Ziel, beide unabänderlich und unerheblich für die Leistung eigentlichen Menschseins.

Seine ganze Fruchtbarkeit beweist der Verzicht auf die im Handlungsroman übliche äußere Spannung bei Melzer. Im Gegensatz zum Mord, wo der Leser jeden einzelnen Schritt mit dem Helden Castiletz gemeinsam vollzieht, ist er der Bewegung Melzers stets um einen Schritt voraus[65]. Die Spannung scheint aufgegeben. Der Leser fragt nicht: „Was kommt dann?“ (weil es eben schon gekommen ist), sondern: „Wie wird Melzer sich demgegenüber verhalten?“ Die Spannung ist also keineswegs aufgegeben, sondern nur von der Handlung auf das Verhalten verlagert.

Wenn man bedenkt, wie wenig Doderer vom Handeln hält, und daß er volle Repräsentationskraft nur der Haltung zuspricht, so ist das Entscheidende dieser Verlagerung augenfällig. Alles in allem bedeutet der Verzicht auf Spannungseffekte die Aufhebung der äußeren Spannung, deren Lösung nur die Neugierde befriedigt, zu Gunsten der inneren Spannung, die, ungleich wesentlicher, in den Kern einer Person führt.

Indessen würde ein völliger Verzicht auf Spannung – und auch die absolute Reduktion des Ganzen auf innere Vorgänge – den Roman, der (wenigstens bei Doderer) ein Handlungs- und Spannungsgefüge ist und bleibt, erlahmen lassen. So fehlt denn auch in der STRUDLHOFSTIEGE keineswegs der Aspekt des banalen Geschehens, des äußerlich „Tathandelnden". Diese Funktion besorgt – sogar in recht kräftiger Weise – das vierte motivierende Epizentrum: Editha Schlinger-Pastré und ihre Zwillingsschwester Mimi Scarlez. Doderer notiert im Tagebuch: „Die Scarlez ist mein Ausfalls-Tor in's Objektive, in das Umstände-Mäßige und Tathandelnde des Buchs, in das Ordinaire des Planens und Gelingens und Vorbeihauens und das wieder zutiefst Rätselhafte der gehenden Ereignisse und der immer neu sich erzeugenden Chronik, die da ihre Plus und Minus einträgt, und wenn man nur letzten Endes wüßte warum, wüßte man auch, warum sich dies niemals berechnen läßt!"[59] Während Mary und Etelka, in gewisser Hinsicht auch Melzer, von allem Anfang an, als mehr oder weniger monographisch faßbare Schicksale, lineare Strukturprinzipien des Romans darstellen und erst zusammengenommen dessen Breitendimension füllen, ist das vierte Epizentrum von vornherein komplexer angelegt; es ist strukturbestimmend nicht so sehr durch Editha als Figur, sondern durch ihre Machenschaften und Manipulationen, die mehrere Handlungskreise übergreifen. So handlungsreich dieser Komplex ist, so sehr ist Doderer darauf bedacht, hier die Spannung im ganz äußerlichen Sinne zu wahren. Auch in dieser Hinsicht steht also das vierte Epizentrum im Gegensatz zu den drei ersten. Und ferner: als ein groteskes Seitenstück tritt es neben die ernsten Themen Mary, Melzer, Etelka, die freilich für das Ganze des Romans auch nur Seitenthemen sind. Es ist übrigens tatsächlich das vierte und letzte (bei jenen ersten ist eine Reihenfolge nicht auszumachen, sie laufen parallel und simultan nebeneinander), indem es seine motivierende Funktion erst gegen Ende des Buches erweist. Auf die Funktion für die Gesamthandlung reduziert, geht es bei diesem an sich weit umfassenderen Epizentrum im wesentlichen um Edithas Tabak-Affäre. Deren Beweggründe werden gegen Schluß des Romans erst enthüllt und nicht eigentlich, wie weiter oben gesagt wurde, exponiert; denn von einer Exposition am Ende eines Buches kann nicht wohl die Rede sein, und außerdem ist dieses Motiv längst wirksam. Was also für die drei ersten Epizentren am Anfang als Exposition gegeben wird, das steht für das vierte am Ende als Enthüllung.

Indessen ist Editha – ebenso wie Mary, Melzer und Etelka auch in den nicht direkt von ihnen handelnden Passagen stets in Evidenz gehalten werden – von Beginn an gegenwärtig, und des öfteren sogar in voller Aktion.

Die Geschichte selbst ist, obwohl die Zwillings-Intrigue, deren Editha sich dabei bedient, einen eigenen Reiz hat und eine existentielle Problematik birgt, von äußerster Trivialität. Editha, die „Dilettantin in Schlechtigkeiten" schon im Jahre 1911, dilettiert auch hier; und Doderer bequemt sich ironisch ihrem Charakter, indem er gleichsam parodistisch eine dilettantische Kolportage-Handlung von ihr ausgehen läßt. Es ist ein Nichts, und es führt auch zu nichts, was Editha treibt. Jedoch verleiht die Darstellung dieses „Planens und Gelingens und Vorbeihauens" dem Roman eine erstaunliche Dichtigkeit: weit voneinander entfernte Figuren werden aufeinander bezogen; und allein um solcher Beziehungen willen, so scheint es, hat Doderer diesen Handlungskreis eingeführt. So wenig sich jenes „Planen und Vorbeihauen" selbst berechnen läßt, so wenig ist der ganze Komplex auf dem Wege berechnender Analyse zu entwirren[66].

Die Handlungs-Komplexe Mary, Etelka, Editha haben unmittelbar nichts miteinander zu tun, jeder einzelne jedoch etwas mit Melzer, und so sind sie mittelbar über Melzer als „Kreuzungspunkt" miteinander verknüpft. Mit Mary Allern, der späteren Frau K., ist Melzer im Jahre 1910 verlobt gewesen, und nach fünfzehn Jahren, bei ihrem Unfall, sieht er sie zum ersten Male wieder. Seitdem er die Verlobung gelöst hat (er ist es, von dem die Trennung ausgeht, und doch hat er stets die Empfindung, als habe er damals von Mary „einen Korb bekommen"[67]), trägt er Mary gleichsam in sich als den Stachel seiner Unselbständigkeit: „Zum ersten Mal im Leben geschah es dem Leutnant Melzer, daß er, von irgendeiner Sache abscheidend, diese doch mit sich trug wie einen Stein."[68] Mary ist das verkörperte intercedens seines Lebens. An sie denkt er bei seiner Trennung von Asta Stangeler im Jahr darauf (1911, nach dem Stiegen-Skandal), welche Trennung sich anders und doch ähnlich vollzieht[67]. Und noch am 22. August 1925 findet er, die beiden vergleichend: „Mary war unausrottbar."[69] In der Stunde ihres Unfalls aber wird jener Stachel gewaltsam aus Melzer herausgetrieben; hier erwacht er schlagartig zur Selbständigkeit, und seiner entschlossenen Hilfe verdankt Mary ihr Leben. „Mit Marys Erscheinen und Katastrophe, ja mit ihrem Eingriffe in sein Leben", so heißt es am Ende, ist „ein neuer, gewaltiger Pfeiler gesetzt ..., nach rückwärts, ein Pylon in die eigene Vergangenheit, um deren Aneignung er rang."[70] Mary greift in Melzers Leben ein, jedoch mit seiner entschlossenen Reaktion ist er es, der den Sieg davonträgt; das wird zum Schluß des Buches bestätigt, als Mary im Fieber „einige befremdliche Worte" denkt, nämlich: „Nun hat mich der Melzer doch noch im Single geschlagen."[71]

Die Verknüpfung Etelkas mit Melzer ist demgegenüber lockerer. Während Mary und Melzer, ohne voneinander zu wissen, in unmittelbar räumlicher Nähe leben, treffen Etelka und Melzer des öfteren, 1911 wie 1925, innerhalb einer größeren Gesellschaft auf der Villa Stangeler zusammen, ohne einander nahezustehen. Melzer nimmt Anteil an ihrem Schicksal, für Etelka jedoch ist er nur einer der zahlreichen Besucher auf der Villa, einer unter anderen. Spät erst gibt es eine Begegnung, im August 1925: „Zum ersten Mal war er mit beiden [mit Asta und Etelka], zum ersten Male mit ihnen zu dritt, ein neues Band schlang sich in diesen wenigen Minuten, während denen, was Melzer freilich nicht wissen konnte, er Etelka zum letzten Male in diesem Leben sah.“[72] Melzer ist in Etelkas Schicksal nicht verwickelt, er ist ihr gegenüber nur ein außenstehender Betrachter; und doch geht, was er da sieht und hört, tief in ihn ein und wird ein Vehikel zu seiner Personswerdung. Durch Asta von der letzten Vorgeschichte Etelkas in Kenntnis gesetzt und durch den eigenen Augenschein bei ihrem Skandal zu einem Urteil ermächtigt, hört er am 21. September René Stangelers Bericht von ihrem Untergang.

In Bezug auf Mary der Betroffene und Eingreifende zugleich, Etelka gegenüber der Betrachter, ist Melzer in die Affären Edithas, ohne es zu wissen, verwickelt. Bindungsscheu, wie er ist, zieht er sich schon 1911, als Editha sich ihm geradezu anbietet, zurück. Ebenso ein „Sich-Zurück-Nehmer“[73] ist er im Jahre 1923, als er ihr wieder begegnet; und auch auf die Editha des Sommers 1925, die in Wahrheit Mimi ist, welche ihn wirklich liebt, geht er letztlich nicht ein. Die gegen Ende August 1925 zurückgekehrte Editha bewirbt sich dann in massiver Weise um ihn – seinem Vermeinen nach, weil sie ihn liebt, in Wirklichkeit aber, weil sie ihn als Mittel für ihre Tabak-Machenschaften mißbrauchen will. Diese Hintergründe und die Gefahr, die da für ihn bestanden hat, erfährt Melzer bald nach dem 21. September.

Auf diesen Tag führen, wie schon gesagt, alle jene Handlungsstränge, und hier werden sie durch Melzer verknotet. Mit der Verknotung ist endlich das Bild des „Spagats“, den Melzer für den ganzen Roman darstellen soll, geschlossen; dieser Aspekt war noch übrig nach der Betrachtung zuerst des Fadens und dann dessen, was da gebunden wird: der Handlungskreise. Melzer ist nicht nur ein horizontales Strukturprinzip neben anderen – also, wie diese parallel zueinander, auch parallel zu ihnen –, sondern zugleich immer wieder die vertikale Schnittlinie aller dieser Parallelen. Das meint Doderer, wenn er von Melzer als dem „Kreuzungspunkt“ der verschiedenen Schicksale spricht. Eine kurze Betrachtung des 21. September 1925 kann die Konstellation am besten verdeutlichen.

Die Gestaltung dieses Datums mit seinen verschiedenen Ereignissen nimmt achtzehn Kapitel des Vierten Teils ein (IV 23–40; S. 769–856).

Auf dem Wege zu Thea Rokitzer und Editha Schlinger, den beiden Fixpunkten seines gegenwärtigen Lebens, wird Melzer von Etelka und Mary, die sich unvermutet aus der Vergangenheit erheben, aufgehalten. Genauer: er versäumt die Verabredung mit Thea, die er auf die Stunde zwischen vier und fünf Uhr nachmittags vereinbart hat, als er, auf seinem Umweg über die Strudlhofstiege, René Stangeler trifft, der ihn mit den näheren Umständen bei Etelkas Tod bekannt macht. Und da Renés Bericht bis etwa siebzehn Uhr dreißig dauert, hat er auch seine andere Verabredung, nämlich Editha pünktlich um fünf Uhr zu besuchen, versäumt. Obwohl verspätet, dennoch auf dem Wege direkt zu Editha, wird er auf dem Althanplatz durch Marys Unfall festgehalten. Damit fällt die wichtigste Entscheidung seines Lebens, nicht nur nach rückwärts, im Hinblick auf die schon erwähnte Aneignung seiner Vergangenheit, sondern ebensowohl nach vorwärts, indem neben ihm, bei Marys Unfall, Thea Rokitzer erscheint, und nicht Editha Schlinger. Sein „Wegweiser" hat ihn richtig geführt.

Indessen ist mit diesem knappen Referat, das der Perspektive Melzers folgt und den Akzent auf die durch ihn bewirkte Verknotung legt, das „Gravitations-Feld von Ereignissen"[74] dieses Tages keineswegs erschöpft. Es wird nämlich gar nicht ausschließlich aus Melzers Perspektive gestaltet. Melzer ist nur zu Beginn (und das auch nicht unmittelbar) und am Ende der ganzen Kapitelgruppe gegenwärtig (IV 24–26 und 36–40; S. 785–812 und S. 842–856). Die Spanne dazwischen wird von – ihm gegenüber – exzentrischen Passagen gefüllt, die mit ihm zusammen im statisch-elementaren Sinn die Breitendimension und, durch ihn verbunden, im dynamischen Sinn die funktionale Einheit des Romans bewahren. In der Weise des exzentrischen Einsatzes beginnt die ganze Folge IV 23–40 – wie der Vierte Teil selbst und wie überhaupt der Roman – mit Mary K. (IV 23; S. 769–785). Diese Episode spielt noch am Vormittag des 21. September und ist lediglich ein „Vorhalt". Mit dem Kapitel IV 29 (S. 820–832) wird die Sequenz Mary wieder aufgenommen; sie führt bis unmittelbar vor den Unfall, der dann in IV 36 (S. 842–844) aus Melzers Perspektive erzählt wird. René Stangeler wird auch nach seinem Gespräch mit Melzer (IV 25; S. 790–810) verfolgt: auf seinem Umweg zu Grete Siebenschein (IV 27; S. 812–816) und bei seinem Zusammensein mit ihr (IV 30; S. 832 f.), die schon das Kapitel IV 29 mit Mary teilt. Allen diesen gegenüber exzentrisch, gehört inzwischen ein Abschnitt der Thea Rokitzer (IV 28; S. 816–819), die dann in IV 33–35 (S. 840–842) mit Eulenfeld und den Zwillingen zusammentrifft, von welchen bereits – wiederum exzentrisch einsetzend – das Kapitel IV 32 (S. 834–839) handelt. Thea stellt sich schließlich in IV 37 (S. 844–848), bei Marys Unfall, neben Melzer ein, und die folgenden Abschnitte gelten ausschließlich ihnen beiden.

Vom 21. September 1925 als dem Finalisierungspunkt des Werkes aus läßt sich der ganze Roman in seiner Spannung zwischen Exposition und Finalisierung überblicken; denn von Exposition kann freilich nur im Hinblick auf die Finalisierung die Rede sein. In dieser Hinsicht wäre tatsächlich der Sommer und Herbst des Jahres 1925 die eigentliche Handlungszeit des Buches – was folgt, ist Nachspiel; was vorhergeht, wäre Vorspiel –, und die eigentliche Handlungsebene erstreckte sich vom Ende des Zweiten über den Dritten bis in den Vierten Teil. Solche Gliederung hat als einzigen Stützpunkt das Kriterium der Gesamthandlung. Allerdings kommt in jenem Herbst 1925 zum Austrag, was unmittelbar vorher motiviert und angebahnt, letztlich aber in der „Tiefe der Jahre" schon angelegt ist. Doch läßt sich nicht sagen, Doderer gebrauche beides, mechanische und wesentliche Exposition, lediglich als Mittel zum Zweck der Darstellung des 21. September. Keinesfalls begibt sich das ganze Romangeschehen um des 21. September willen. Zwar ist dieser Tag der Zielpunkt des Buches, aber Doderer mißt dem Ziel keinen Wert bei; es dient ihm nur als Schlußpunkt und ist so belanglos wie die übliche Finalisierung eines Romans durch den Tod des Helden oder die glückliche Verheiratung des Pärchens. Wesentlich ist allein der Weg dorthin; das Ziel grenzt ihn nur ab. Das Netz der Gesamthandlung, das am 21. September zusammengezogen wird, hat – wie Melzer als „Spagat" – nur die Funktion, den Roman zusammenzuhalten. So aus der geradlinig ausrichtenden Klammer von Anfang und Ende, Mittel und Zweck, Exposition und Finalisierung befreit, ist der Weg selbständig: ein Umweg. Darauf kommt es Doderer an; und mit einer paradoxen Wendung könnte man formulieren: nicht der Weg ist Mittel zum Ziel, sondern das Ziel ist Mittel zum Weg.

7

Die Bestätigung dessen ist nicht nur bei den elementaren Epizentren zu finden, sondern auch schon bei den bereits betrachteten motivierenden. Denn diese gehen nicht restlos in der Motivation auf, erschöpfen sich nicht im Funktionalismus. Nur mit Vorbehalt läßt sich sagen, die Geschichte der Mary K. werde nur um ihres Unfalles willen erzählt, und dieser sei lediglich eine Station auf dem Wege von Melzers Menschwerdung; denn überdies ist Marys Geschichte wahrhaftig eine solche, in sich und für sich selbständig, von eigener Problematik. Ebenso hätte es einer so ausführlichen Darstellung des Falles Etelka nicht bedurft, sollte dieser nur auf seinen funktionalen Wert beschränkt bleiben und nicht vielmehr, wie es in der Tat ist, von eigener Bedeutung sein. Auch das Phänomen der Zwillinge Pastré ist keineswegs ausschließlich von der Tabak-Affäre her greifbar. Mit alledem ist ein genereller Sachverhalt berührt: jedes Motiv setzt einen Grund und Nährboden voraus, in den es versenkt ist und aus dem es sich, sobald es wirksam wird, entfaltet. Die Verknüpfung der Motive, welche die Handlung vorwärts treiben, erzeugt nur ein grobes Netz, das den Roman zusammenhält. Die feinmaschige Bespannung des Netzes – um im Bilde zu bleiben – wird gewirkt durch die hin und wider laufenden Bezüge dessen, was da zusammengehalten wird, also der Handlungsfelder oder -kreise. So erscheint der ganze Roman als ein dichtes und, indem sich Motiv-Verknüpfung dort und Bezüglichkeit hier dem Grad ihrer Bindungskraft nach nicht unterscheiden, als ein einheitlich strukturiertes Gewebe. „Gälte es nur, den Faden an einer beliebigen Stelle aus dem Geweb' des Lebens zu ziehen, und er liefe durchs Ganze“, so heißt es mehrmals in den DÄMONEN, und das gilt gleichermaßen für die STRUDLHOFSTIEGE. Mit einem anderen Bild: das Gesamtgefüge des Romans konstituiert sich nicht nur durch das oben herausgestellte nackte Gerüst der Gesamthandlung, sondern letztlich durch die einzelnen Bausteine, die, zu einander durchdringenden Blöcken zusammengefaßt, jenes Gerüst füllen. Dies führt auf die Handlungskreise als die Elemente des Romans. Auch die schon bekannten Epizentren haben neben der motivierenden solch elementare Funktion, welche indessen am reinsten von jenen Epizentren erfüllt wird, die an der Bewegung des Romans keinen oder nur geringen Anteil nehmen.

Die wichtigsten elementaren Epizentren sind (nach der Reihenfolge ihrer Exposition): Grete Siebenschein und René Stangeler, die Gesellschaft auf der Villa Stangeler, der Kreis um Eulenfeld und der „Zihal'sche Menschenkreis“[75].

Die Liebesgeschichte zwischen Grete Siebenschein und René Stangeler bildet einen eigenen Komplex und erstreckt sich durch den ganzen Roman[76]. Sie stellt jedoch nicht eigentlich eine „Geschichte“ vor; denn ihr eignet keine spezifische Dynamik, sie wird auch nicht endgültig finalisiert. Solch „tangentialer Ausgang“[77] ist übrigens auch dadurch bestimmt, daß die Sequenz in den DÄMONEN wieder aufgenommen wird: sie wird im Hinblick auf die DÄMONEN offen gehalten. Funktional gesehen, dient sie in der STRUDLHOFSTIEGE zur Bindung der Romanwelt (Grete Siebenschein ist z. B. ein wichtiges Bindeglied zwischen Mary K. und Etelka) und außerdem zu deren Bereicherung und Füllung. Damit aber ist die Funktionalität schon aufgehoben: hier erscheint der Komplex bereits als reiner Bestandteil, als Element des Romans.

Bei alledem wird diesem Epizentrum nicht so sehr um der Grete Siebenschein willen so viel Raum gegeben (sie bleibt wie Mary K. am Rande), sondern vor allem deshalb, weil René Stangeler über seine Beziehung zu ihr hinaus eine wichtige Rolle im Roman spielt. Zunächst, in noch vorliterarischer Hinsicht, ist er als Doderers autobiographische Figur die Quelle aller erzählten Begebenheiten. Doch trifft das nicht ganz zu: er ist nämlich, wenn man so sagen darf, nur eine Quellen-Figur, und nicht die

Quelle selbst. Keineswegs an allen Ereignissen des Romans beteiligt und in alle seine Kammern reichend, ist er nicht identisch mit dem Autor. Seine Rolle ist insofern von Bedeutung, als er wie Melzer mit fast allen anderen Figuren verknüpft ist. Mit Etelka, seiner Schwester, und ihren Affären ist er von vornherein verbunden und vertraut. Er tritt in Beziehung zu Eulenfeld und den Zwillingen, indirekt über Grete Siebenschein auch zu Mary K. (die er allerdings nicht persönlich kennen lernt). Von ferne, über Paula Schachl, nimmt er Anteil am Zihal-Kreis. Die wichtigste Beziehung aber ist die zu Melzer. René Stangeler ist Melzer gleichsam beigegeben, um mit der Formulierung seiner eigenen existentiellen Problematik Entscheidendes auch für Melzer auszusprechen, der dazu noch nicht in der Lage ist. Unter diesem Zeichen steht schon ihre erste Begegnung im August 1911, als René von seinem Erlebnis mit der Schlange erzählt; Melzer kennt dieses Erlebnis, kann es aber bisher nicht benennen, so daß es ihm jetzt erst eigentlich ins Bewußtsein tritt[78]. Im Jahre 1925 ist es die Strudlhofstiege und der damit verbundene Problem-Komplex der Erinnerung, was beide zu „Verbündeten" macht. So heißt es, als sie sich nach vierzehn Jahren wiedersehen, in Bezug auf die Strudlhofstiege: Melzer „empfand René hier wie einen Verbündeten, mit welchem er ein Geheimnis gemeinsam besaß"[79].

Während Stangelers Geschichte, in der „Tiefe der Jahre" verwurzelt, auf beiden Zeitebenen zur Darstellung kommt, trennen sich die beiden folgenden, im Zusammenhang Melzers zuerst berührten Epizentren „Villa Stangeler" und „Eulenfeld" gemäß den Zeiten. Im Jahre 1911 findet sich eine große Gesellschaft auf der Villa der Familie Stangeler zusammen: „eine allwöchentliche Musterkarte aus allen Ministerien, Akademien, Hochschulen, ein Menschenkreis ohne jede Einheitlichkeit und in diesem Sinne dem Wesen der Familie doch tief entsprechend"[80].

Ein „Menschenkreis" in derselben vagen Bedeutung ist die Gesellschaft, die sich in den Jahren nach dem Krieg (und besonders 1925) um den Rittmeister von Eulenfeld versammelt. Es ist ein Kreis, der alle Beteiligten nur locker miteinander verbindet, und doch wieder kein Kreis, weil sein Mittelpunkt unbestimmbar bleibt. Zumindest in der Nähe dieses „unbestimmbaren Mittelpunktes"[81] befinden sich die Zwillinge Pastré. Bei ihren Machenschaften wirkt Eulenfeld mit. Hier ist am besten zu beobachten, wie ein elementares Epizentrum (Eulenfeld) und ein motivierendes (die Zwillinge und ihre Tabak-Affäre) einander überlagern und doch keineswegs identisch sind.

Neben Melzer ist es vor allem Thea Rokitzer, die zwischen dem Eulenfeldschen und dem Zihalschen Menschenkreis vermittelt. Dieser Komplex steht ganz im Hintergrund, und er tritt am Ende nicht (wie Mary K., die den Rand des Romans markiert und die in Wahrheit eine Existenz am Rande führt) aus dem Hintergrund hervor, um in den Strudel der

Ereignisse abzustürzen, sondern er bleibt Grund und Hintergrund, in den Melzer entrückt wird. Das besorgt Thea Rokitzer, Melzers „Schutzengel“[82], für die Eulenfeld in der Tat nur ein „Passier-Sieb“[83] ist. Eingeführt wird dieses Epizentrum durch Paula Schachl, die René Stangeler im Jahre 1911 kennen lernt. Später erst tritt der Amtsrat Zihal ins Blickfeld. Das konträre Prinzip innerhalb dieses Kreises ist Hedi Loiskandl, Thea Rokitzers Gegenspielerin, die gegen den Rittmeister zu Felde zieht und so, in Bezug auf die Gesamthandlung, Edithas Gegenspielerin in der Tabak-Geschichte darstellt. Aber diese Handlungsbezüge sind, wenngleich entscheidend für den Ablauf des Romans, nur locker, und auf sie kommt es letztlich nicht an. Was hier in Erscheinung tritt, ist ein vollends statisches Epizentrum, eine in ihrem Lebensgrund unverrückbar befestigte Welt: es ist die Welt der Strudlhofstiege.

8

Die Strudlhofstiege ist die Ursprungsstelle des ganzen Werkes. Auf sie (genauer: auf den Stadtteil, den sie pars pro toto repräsentiert) fiel für Doderer der erste „zeigende, erregende, sichtbarmachende Strahl“ der Erinnerung[84]; von ihr aus erwuchs ihm die Komposition; sie ist die geheime Mitte des Romans, und zwar gleichermaßen hinsichtlich seiner Form wie in Betracht der Wirklichkeit seiner Welt.

In dem Kapitel Am Weg zur Strudlhofstiege, das Doderer bei der Redaktion seiner Tagebücher 1940–1950 zusammengestellt hat, findet sich als eine der ersten Aufzeichnungen folgende, unvermittelt einsetzende, Passage:

> Hier ist Sattheit und Reichtum. – Heute erst wurde es auch unter dem grauhellen Tage lebendig, in dem Stadtteil unterhalb der Währingerstraße, rechts, wenn man die Stadt verläßt (und diese Straße verläßt sichtlich die Stadt, in einem einzigen langen graden Schwung, sozusagen, der noch zunimmt, weil sie sich verengt, der hinausträgt in Vororte und auch Hügel-Grün und ganz andersartige Befangenheit). Dort rechts unten heißt es „Alsergrund“.[85]

Nach solcher Anvisierung von außen heißt es wenig später in Bezug auf den Alsergrund selbst:

> . . . wo doch fast alles seinen Anfang zu nehmen mir heute scheint, und wo auch vieles geendet hat. Jede vom Aufruf, vom unbegreiflichen, getroffene Stelle unserer Vergangenheit präsentiert sich freilich gleich wie eine Wurzel unseres ganzen Lebens . . .[86]

Die Strudlhofstiege, die hier noch nicht beim Namen genannt wird, ist zwar selbst im IX. Wiener Gemeindebezirk gelegen, leitet indessen erst von der Ebene der Währingerstraße in die Tiefe des Alsergrunds hinab, befindet sich also an der Grenzscheide zweier Stadtteile von unterschiedlichem Niveau. Ihre erste Erwähnung im Roman ist eine genauere topographische Bestimmung:

> Jene ‚Strudlhofstiege' zu Wien ist eine Treppen-Anlage, welche die Boltzmanngasse – erst in der Republik von 1918 wurde sie nach dem großen Mathematiker benannt [vordem hatte sie Waisenhausgasse geheißen] – mit der Liechtensteinstraße verbindet und die Mitte dieses Teiles der ‚Strudlhofgasse' darstellt.[87]

Sie wurde im Jahre 1910 erbaut nach den Entwürfen Johann Theodor Jägers, welchem „Meister der Stiegen", wie Doderer ihn nennt, übrigens der Roman gewidmet ist. Sie heißt nach dem Maler Peter Strudl oder Strudel, dem Begründer der Akademie der bildenden Künste in Wien (1705), der oberhalb der Stiege, an deren Stelle sich früher eine „G'stetten" befand, ein Haus – „Villa, Atelier, samt Landwirtschaft" – besaß: den Strudlhof. Alle diese Daten gibt der Roman selbst an[88].

Die Topographie des Bauwerks im allgemeinen darf so wenig wie seine Architektur im besonderen in einem mehr als entfernt analogischen Bezug zur Deutung der Struktur von Doderers Roman herangezogen werden. Es wäre abwegig, etwa die einzelnen Handlungsteile oder -komplexe gemäß den ansteigenden Treppenaufgängen und Rampen der Stiege ordnen zu wollen. Worauf es Doderer vor allem ankommt, ist der genius loci. Als eine Geburt des genius loci wird die Strudlhofstiege bezeichnet, und der genius loci hat letzten Endes strukturbildende Kraft auch für Doderers Roman.

9

Der vollständige Romantitel läßt sich jetzt als eine Schichtung von Strukturprinzipien erklären. Melzer ist das lineare Prinzip, das als „Spagat" zugleich die Breitendimension des Werkes eröffnet. Die „Tiefe der Jahre" übergreift ihn noch, indem sie nicht nur die Tiefendimension seiner Existenz, sondern die des ganzen Romans erschließt. Die Strudlhofstiege übergreift beide Prinzipien und hebt sie in sich auf. Nicht nur ist sie Ort und Vehikel, an dem oder durch das sich Melzers Schicksal entscheidet; nicht nur ist sie der Bezugspunkt einer fernen Vergangenheit, der erneut zum Bezugspunkt einer Gegenwart wird, sondern sie ist der Punkt, der alle Fäden des Romans versammelt und an dem sich in der Tat das ganze Romangeschehen orientiert. So gesehen ist die Strudlhofstiege der „Nabel einer Welt"[89], und zwar nicht nur der Welt Melzers, sondern der Welt dieses Romans überhaupt.

Um das Verhältnis der einzelnen Figuren zur Strudlhofstiege zu veranschaulichen, könnte man (ausgehend von einem Zitat, das im nächsten Absatz geboten wird) konzentrische Kreise von verschiedenem Radius mit der Stiege als gemeinsamem Mittelpunkt annehmen, auf denen sich die einzelnen Figuren bewegen. Zugleich ließe sich demgemäß eine Hierarchie errichten, in der die Figuren nach dem Grad ihrer Nähe oder Ferne zur Strudlhofstiege einzustufen wären. Selbstverständlich ist das Bild nicht zu forcieren.

Während Mary K. vom äußersten Rande her mit der Stiege noch durch eine beiläufig gegebene Erinnerung verbunden ist[90], steht Grete Siebenschein außerhalb jeglichen Bezuges. Ihre innere Ferne von René Stangeler und ihre äußere Ferne von ihrem früheren Geliebten E. P. decken sich mit ihrer wesentlichen Entfernung von der Strudlhofstiege. Vollends geschieden von der Welt der Stiege ist Etelka; jedoch, obwohl sie niemals mit jener in Berührung kommt, besteht gerade in der ausdrücklichen Entgegensetzung die Beziehung. Ohne es zu wissen, wird Etelka – wie jede Figur im Roman – an der Strudlhofstiege gemessen. Eine Übergangsstufe gleichsam zwischen Mary K. und Melzer bildet in dieser Hinsicht E. P.[91]. Melzer selbst ist allerdings „einer von denen, die nah an der Strudlhofstiege leben"[92]. Die Doppeldeutigkeit dieses Satzes wird voll anschaulich in jenem späteren, auf den oben verwiesen wurde; von hier aus nämsich wurde das Bild verallgemeinert; es heißt: „Er lebte sozusagen um die Strudlhofstiege herum, nicht nur örtlich, auch innerlich, ja in immer engeren Kreisen, schon fast Wirbeln."[93] In dieselbe Nähe zur Strudlhofstiege gehört René Stangeler. Diesen beiden, Melzer und Stangeler, stehen die Zwillinge Pastré polar gegenüber. Von Eulenfeld ist hier kaum zu reden; für ihn ist die Strudlhofstiege nur ein Umweg im negativen Wortsinn[94] (daß die Strudlhofstiege tatsächlich und im positiven Sinn geradezu die Inkarnation des Umweges darstellt, wird noch gezeigt werden). Für den alten Schmeller, seine Tochter Ingrid, Semski und Grauermann, auch für Asta Stangeler, die alle an dem Skandal teilnehmen, ist die Strudlhofstiege kaum mehr als eine Szenerie. Von ihnen heben sich die anderen Beteiligten ab: René Stangeler, Melzer und Paula Schachl.

10

Die Strudlhofstiege tritt zum ersten Mal ins Blickfeld, als René Stangeler sie für sich entdeckt. Sie wird beschworen von den „romantischen Vorstellungen" des Gymnasiasten, oder besser: seine „Verfassung subjektiver Trunkenheit" wird von ihrer Atmosphäre genährt; es ist ein Wechselbezug.

Die kleine Überraschung, welche Stangeler jetzt am oberen Ende der ‚Strudlhofstiege' empfand, paßte in seinen romantischen Kram, setzte gleichsam das i-Pünktchen noch auf seine ganze Stimmung, welche durch den geringen Anlaß eine unverhältnismäßige Steigerung erfuhr. Hier schien ihm eine der Bühnen des Lebens aufgeschlagen, auf welchen er eine Rolle nach seinem Geschmacke zu spielen sich sehnte, und während er die Treppen und Rampen hinabsah, erlebte er schnell und zuinnerst schon einen Auftritt, der sich hier vollziehen könnte, einen entscheidenden natürlich, ein Herab- und Heraufsteigen und Begegnen in der Mitte, durchaus opernhaft.

Kurz: eine jener Szenen, die man nur von der Bühne in Erinnerung hat, die es aber im Leben – wirklich gibt, wenn auch selten; und dann kommen sie völlig unvermutet zustande. Und erst hintennach erkennt man sie als solche.

René stieg langsam hinunter, mehr genießerisch als nachdenklich.

Am Abhang drängten sich die Kronen einiger Bäume. Die Stiegen leiteten sanft, aber überraschend tief hinab. Es roch hier erdig.[95]

In allen Einzelheiten so, wie Stangeler es sich hier im Mai 1911 in seiner „romantischen“ Phantasie ausmalt, ereignet sich am 23. August desselben Jahres der Skandal[96]. Es ist nichts als die Einholung einer Vision durch die Wirklichkeit: in der Mitte die Abschieds-Szene zwischen Semski und Ingrid Schmeller; oben deren Vater, der sie zurückholt; dahinter Melzer und Asta; von unten hinzutretend Stangeler, Paula Schachl und Grauermann. Es ist eine Tragikomödie: hier die endgültige Trennung eines Paares, dort Stangeler, der „wie in Begeisterung die Arme ausgebreitet“ hält. Objektiv belanglos, wird das Ereignis subjektiv hier als „Trauerfall“[97], dort als „großartig“ bezeichnet. Stangeler repliziert auf den ganzen „Spuk“ (auch dieses Wort fällt) mit den, wie es heißt, „unverständlichen“ Worten: „Ich habe hier etwas schon lange Geahntes gefunden, es ist großartig.“ Dabei weiß er gar nichts von den Hintergründen des Skandals und kümmert sich auch nicht darum. Ihn interessiert nur die Szene. Die „opernhafte“ Szene, die er erträumt hat, wird Wirklichkeit.

Dieser Aspekt gilt grundsätzlich. Nicht so sehr auf das Was, Woher und Warum des Ereignisses kommt es an, sondern vor allem auf das Wie des Geschehens, den Auftritt von oben und unten, das Sich-Begegnen und Sich-Kreuzen. Dabei aber handelt es sich um ein durchaus lebensgemäßes Ereignis. Denn der Weg jeder einzelnen Figur dorthin ist schlüssig motiviert, und doch bleibt die Begegnung aller ein Zufall: sie ist „unvermutet“ zustande gekommen. Das Leben selbst scheint die Regie geführt zu haben.

11

Die Strudlhofstiege ist in den Jahren 1911 und 1925 dieselbe, und als solcher Fixpunkt des Romans ist sie eine Brücke zwischen den Zeiten. Sie und „was vor Zeiten über sie gegangen“ – so sagt es das Eingangsgedicht – „überdauert Jahre zwischen Kriegen“. Sie ist in Doderers Roman das sichtbare Zeichen dafür, daß die Vergangenheit gänzlich und gültig in der Gegenwart enthalten ist.

Zwischen den Zeiten, welche die Strudlhofstiege überbrückt, besteht in Melzers Leben ein Bruch. Sein Leben ist durch den Krieg in zwei Hälften gebrochen; und seine innerste Anstrengung richtet sich darauf, den

Bruch zu „heilen“. Dieses Wort fällt mehrmals[98]. Der Heilungsprozeß ist seine Menschwerdung. Er besteht in der integralen Aneignung seiner Vergangenheit und führt über die Brücke der Strudlhofstiege, die als äußerer Halt für seine Erinnerung dient. Die Erinnerung selbst ist für Melzer das eigentliche Instrument oder Vehikel seiner Personswerdung. Dabei spielt der Skandal auf der Strudlhofstiege eine besondere Rolle; er bildet einen Fixpunkt in Melzers zivilem Leben vor dem Krieg (das hier noch gar kein Leben ist) und zugleich einen Stützpunkt für seine Erinnerung (mittels derer er zum Leben gelangt): sieben Jahre nach dem Krieg sucht er hier den Anschluß.

Dieser Sachverhalt wird bereits durch die strukturelle Anordnung augenfällig. Unmittelbar an die Darstellung des Stiegen-Skandals von 1911 schließt sich eine große Szene an, die Melzer in seinen Erinnerungen zeigt; sie spielt am Nachmittag des 22. August 1925. „Melzer fuhr aus seinen Erinnerungen und warf dabei das Kaffeegeschirr um“ – so beginnt der Abschnitt[99], und er endet – nach vielen Erinnerungsbildern – mit Melzers Weg zur Strudlhofstiege[100]. Zwischen zwei objektive Szenen, in welchen die Strudlhofstiege im Mittelpunkt steht, schiebt sich also eine Erinnerungs-Szene, die – unter strukturellem wie unter inhaltlichem Aspekt – den genauen (übrigens letzten und endgültigen) Übergang von 1911 zu 1925 bildet.

Bei seinen „um das Vergangene werbenden Bestrebungen“[101] wird die Strudlhofstiege für Melzer zum Symbol des zivilen Lebens. So heißt es in Bezug auf sein Desinteresse gegenüber militärischen Dingen im Jahre 1925: er stütze sich dabei nicht mehr wie sonst innerlich auf den Majoren Laska, sein Vorbild, „sondern gewissermaßen auf die Strudlhofstiege (?!)“[102]. So auch erkennt er, als Stangeler innerlich widerstrebend den gewünschten Bericht von einem Kriegserlebnis in Kürze abtut, „daß in ihm [in Stangeler] – die Strudlhofstiege gesiegt hatte“[103]. Und um den Sieg der Strudlhofstiege auch in seinem Leben bemüht sich Melzer, indem er durch die Erinnerung seine Vergangenheit beschwört.

Dem gehen „Kontakt-Schlüsse zwischen Gegenwart und Vergangenheit“ in den verschiedensten Bereichen voraus, zuerst als Selbsterkenntnis. In einzelnen Augenblicken erweisen sich für Melzer Vergangenheit und Gegenwart in schmerzlicher Weise als identisch: beide sind durch seine Unselbständigkeit bezeichnet[104]. Diese Erkenntnis einer Negativität aber bedeutet den ersten positiven Schritt. Und es ist ein „bedeutender Schritt“ vor allem deshalb, weil er mit der Erinnerung getan wird. Denn die Erinnerung führt dem Menschen einmal seine Individualität als Vergangenheitsbild vor Augen („Dort rückwärts das Gewesene, er selbst“[105]); zum andern ist sie eine seiner höchst individuellen Aktionen. Die Tatsache, daß einer sich erinnert, daß er sich erinnern kann und will, hebt ihn schon über den erinnerten Stoff hinaus und hinauf.

Damit wird die Erinnerung erst zum Vehikel der Personswerdung, nämlich zur eigentlichen Besitzergreifung eines ganzen Lebens. Und solche Besitzergreifung bleibt nicht rückwärts gewandt, sondern bewirkt einen kräftigen Stoß nach vorwärts[106]. Dies ist indessen schon das Ergebnis. Vorher geht es allererst um die Selbsterkenntnis und deren Aktivierung. Indem Melzer sein ständiges „Mitgenommenwerden" in der Erinnerung erkennt, rekapituliert er es schon und lebt so im Grunde sein Leben noch einmal – jetzt aber mit vollem Bewußtsein. Deshalb perfektioniert er die Erinnerung; deshalb stürzt er sich auf Einzelheiten des Vergangenen, um sich nämlich darauf zu stützen[107].

Indessen beschränkt sich seine „habituell gewordene Bemühung um die eigene Vergangenheit"[108] nicht auf bewußte, kombinierende Aktionen. Diese bilden nur die Oberflächen-Schicht eines zuinnerst existentiellen Vorgangs. Auf der tieferen Stufe heißt der Prozeß „Sauserei durch die Trópoi". Doderer nimmt diesen griechischen Begriff für Charakter wörtlich und begreift die „Trópoi" bildlich als die Wendepunkte auf der durchfahrenen Lebensbahn eines Menschen. (Er spricht auch gelegentlich von den „fahrplanmäßigen Zügen des Charakters".) Hier endlich wird der Erinnerungsprozeß zu dem, was er eigentlich ist: zum selbsttätigen Vorgang; die Bilder der Vergangenheit erscheinen ungerufen.

Der Sachverhalt ist aufs eindringlichste in Melzers Erinnerungs-Szene gestaltet. Es ist eine „sekundenlange revue passée oder revue du passé". „Melzer befuhr blitzschnell seine Trópoi", so heißt es. Und Doderer erläutert:

> ... solcher Vorbeisturz an uns selbst, revue passée im Schnellzugstempo, er läßt dasjenige, worauf es ankommt, intensiver aufleuchten als jede mühsam wurmisierende Denkerei, aufleuchten an den Weichen oder Wechseln die jener Schnellzug befährt, in sein angemessenes Gleis gleitend (das sind eben die Wendepunkte oder Trópoi, wie's die Alten nannten). An den Wechseln leuchten die Lichtlein. Man sieht das gradaus weiterlaufende Gleis als eine Möglichkeit, die damals bestanden hat, oder ebenso die Weiche, die für uns nicht auf ‚Offen' gestellt war, und so fuhren wir geräuschvoll vorbei und weiter. Man sieht's. Aber jetzt erst.[109]

So sieht Melzer sie alle, die in sein Leben gehören: Mary und Asta, Editha, Eulenfeld usf., an den verschiedenen Wendepunkten blitzartig erscheinen.

Ein Phänomen vor allen anderen, das den selbsttätigen Vorgang der Erinnerung schlagartig auslöst, ist der Geruch. Der Geruch spielt bei Doderer in allen seinen Büchern eine entscheidende Rolle. Im Tagebuch sagt er einmal: „Der Geruchs-Sinn ... gehört nicht mehr zur Physik des Lebens, sondern schon zu dessen Chemie ... er ist ein chymischer Sinn aus tieferen Gründen. Keiner der fünf Sinne hängt so sehr mit dem Erinnern zusammen wie er, mit dem Gedächtnis, das Einer hat und sich mit dem Organ auch selbst setzt, denn es ist Urgrund der Person, Bewahrer apriorischen Wissens und Mehrer a-posteriorischer Erfahrung."[110] In diesem Sinn wird der Geruch in den DÄMONEN als ein „Jenseits im Diesseits" bezeichnet[111]; und in der STRUDLHOFSTIEGE heißt es einmal: „Gerüche sind oft wie platzende Blasen der Erinnerung aus der Tiefe der Zeiten, wenn sie uns unvermutet anfliegen und man kaum recht weiß, ob von innen oder von außen."[112] Dieser Satz paßt auf ein Erlebnis Melzers. Eine Geruchsempfindung ist es, die den Kosmos seiner Vergangenheit, um deren Aneignung er ringt, an einem weit zurückliegenden Punkt in der „Tiefe der Jahre" befestigt[113].

Alle Erinnerungsbilder – von Menschen, Dingen und Erlebnissen – sind Melzer zuletzt in jedem Augenblick präsent. Er überblickt sie und erkennt in ihnen sein und nur sein Leben. „Melzer", so heißt es am Ende, „sah in diesen Tagen mitunter durch Augenblicke in sein eigenes Leben ein wie in eine hohle Hand."[106] Er ist zu seinem Leben über die Erinnerung gelangt; und doch bleibt dies kein nur innerer Vorgang. Die Verwirklichung tritt erst ein, indem die Erinnerung von außen bestätigt wird, indem nämlich die Vergangenheit in der Gegenwart neu erscheint. Dies ist der tiefste Grund für das Wiederauftauchen von Mary und Etelka in Melzers Leben. Und so wundert er sich nicht, bei Etelkas Beerdigung den Baurat Haupt, den er vor vielen Jahren in der Uniform eines Oberleutnants flüchtig kennen gelernt hat, hier wiederzusehen.

> Konnte es da noch – so fühlte Melzer – angesichts solchen Wechselns von Bühne und Kostüm etwa erstaunlich scheinen, daß Mary im entscheidenden Augenblicke prompt aufgetreten war? Ihm zerriß der sänftigende Schleier, der uns im Halbschatten immer wieder vermeinen macht, daß ein Vergangenes wirklich nach rückwärts fallen, abgestrichen, ja unter Umständen verneint und verleugnet werden könne. Dem war nicht so. Durch Sekunden wenigstens fühlt' er's bis zur absoluten Evidenz und Präsenz: wie das Volk des Gewesenen in dichtem und buntem Gedränge sich staut hinter den Kulissen der jetzt eben gespielten Szene und in den Gängen zwischen jenen, bereit, hervorzubrechen und die Bühne zu überschwemmen, alle Handlung an sich zu reißen.[114]

Mit solchem Bewußtsein, daß „alles, was man je hatte, zur gleichen Zeit stets anwesend ist"[115], daß die Vergangenheit, in der Gegenwart eingeschlossen, weiterlebt, gewinnt Melzer die „Einheit der Person", die Menschwerdung. „Sein bisheriges Leben" erscheint „wie ein abgerundeter Körper, eirund und geschlossen"[116].

Um die „Einheit der Person" und – ausdrücklich deshalb – um das Gedächtnis geht es dem René Stangeler schon im Jahre 1911[117]. Insofern sind Stangeler und Melzer „Verbündete"; und ihre Verbundenheit wird besonders deutlich in der Abgrenzung gegen die Zwillinge Pastré, deren Wesen durch Gedächtnislosigkeit und Leugnung des Gewesenen bezeichnet ist. Gerade deshalb ist die Auswechselbarkeit für die Zwillinge konstitutiv. Die Individualität ist hier nur noch ein Schein. Es bleibt nur mehr die formale Einmaligkeit des Menschen zurück, ohne inhaltliche

Repräsentanz: die „Sphinx ohne Rätsel", wie Doderer mit Oscar Wilde sagt[118].

Bei alledem geht es immer wieder um die Strudlhofstiege; denn sie ist das Sinnbild der in der Gegenwart bewahrend aufgehobenen Vergangenheit. Indem Stangeler – trotz allem – die Zwillinge zu unterscheiden vermag, und zwar durch das Gedächtnis, durch die Vergleichbarkeit damaliger und jetziger Erlebnisse, heißt es: „Er vermeinte zu fühlen, daß hier gewissermaßen das Leben Wort gehalten habe"; und unmittelbar anschließend: „Und auch die Strudlhofstiege hatte niemals gelogen."[119] Eben dasselbe denkt Melzer, als er und Paula einander über die Strudlhofstiege wieder erkennen: „Er dachte jetzt an die Stiegen ganz in der Art, wie man an einen Menschen denkt. Sie behielten recht. Sie enttäuschten nie."[120]

12

Von der Bedeutung, welche die Erinnerung für die Entstehungsgeschichte der STRUDLHOFSTIEGE hat, war schon die Rede. Ein Punkt ist in diesem Zusammenhang noch zu berühren, nämlich die zeitgeschichtliche Situation, für die Melzers Schicksal exemplarisch dasteht. Es handelt sich um Doderers Überzeugung, daß der „Einhieb" von 1918 mit dem Zusammenbruch der Donaumonarchie „gewaltig überschätzt" worden sei. Heute, so sagt er, erkenne man diesen Einhieb „als eine Kerbe, die, sei sie auch tief, doch nur den Splint durchschlagen, das Kernholz aber nicht erheblich verletzt oder gar durchtrennt hat". Heute – das heißt: nach 1945, als mit der Zweiten Republik Österreich die Legalität der Ersten Republik wiederhergestellt wurde. Dieser „Anschluß" ist für Doderer in weit höherem Grad epochal als die Abgrenzung der Ersten Republik gegenüber der Donaumonarchie. Denn die „Bewegung des Wiederherstellens, welche man 1945 vollzog, blieb nicht auf das eigentlich ins Auge gefaßte Objekt beschränkt – nämlich auf die demokratische Republik, deren Recht vom Volke ausgeht – sondern es schoß dabei gleichsam die ganze Vergangenheit neu zu Kristall; und ein unter dem Druck von sieben Jahren unösterreichischer Herrschaft verdichtetes österreichisches Bewußtsein bemächtigte sich unverzüglich der gesamten und gewaltigen Tradition des Landes überhaupt, bis zu den alten Römern hinunter ..." Dieses österreichische Bewußtsein ist – nach Doderer – von „übernationaler Struktur". Herrührend von der übernationalen Großmacht, die Österreich in neuerer Zeit geworden war, haftet es doch „nicht so sehr an einem flächenhaften Begriff von Land und Leuten". Vielmehr: „Diese Nationalität ist wirklich die von allen am wenigsten materielle."

Doderer schreibt das in einem Aufsatz mit dem bezeichnenden Titel: DER ANSCHLUSS IST VOLLZOGEN im Jahre 1954[121]. In aller Bewußtheit setzt er damit dem machtpolitischen räumlichen „Anschluß“, wie er 1938 vollzogen wurde, den kulturellen zeitlichen Anschluß entgegen. Er sagt: „So also hatte die Wiederherstellung von 1945 über ihr gemeintes Objekt hinausgeschossen – wir bewirken nie das präzise von uns Gemeinte! – und gleich bis in die Tiefe der Zeiten. Während man 1918 glaubte, mit nur selbstgeschaffener Ausrüstung in die Zukunft marschieren zu können, scheint sich neuestens die Meinung auszubreiten, die Vergangenheit müsse derart Macht über uns gewinnen, daß ihr Überdruck uns in die Zukunft schießt wie durch ein langes Kanonenrohr; ein immerhin annehmbares Übereinkommen zwischen Traditionalismus und Futurismus, das uns auf jener Ebene befestigen könnte, wo allein der historisch handelnde Mensch – und erst recht der Österreicher – seinen Platz hat und von wo es nur Abstiege gibt, nach links oder nach rechts.“

Alles dies demonstriert Doderer gestalthaft in der STRUDLHOFSTIEGE und exemplarisch in Melzers Lebensgeschichte. Er überspringt den ersten Weltkrieg und zeigt mit einem gewaltigen Aufgebot konkreten Alltags die Identität zwischen Vorkriegs- und Nachkriegszeit. Es handelt sich um alles andere als um die Konfrontierung einer „guten alten Zeit“ mit einer brüchigen neuen. Vielmehr: der Strom der Geschichte läuft kontinuierlich weiter, wenngleich oft untergründig und verborgen. Und für den Einzelnen, der wie Melzer sein Leben durch den Krieg gespalten weiß, gilt es den „Anschluß“ zu finden. Was Melzer auf seine persönliche Art erreicht: den Anschluß an die „Tiefe der Jahre“, – eben dadurch ist nach Doderer die Zweite Republik Österreich gekennzeichnet. Die „Tiefe der Zeiten“ ist das tertium comparationis. Das wird besonders deutlich durch eine Geschichtsauffassung, wie sie in den DÄMONEN einmal geäußert wird; man müsse, so heißt es da, die Geschichte so sehen und begreifen wie die eigene Vergangenheit[122].

13

„Es hat jede Affär’ ihren Hintergrund, ihr Milieu, wie man sagt, das Leben ist immer der beste Regisseur: die Kulissen stimmen unsagbar gut zu dem, was gespielt wird“ – so heißt es einmal in Bezug auf Etelka[123]. Der Hintergrund, vor den eine Figur gehört und von dem sie sich abhebt, macht sie erst sichtbar. Die reale und anschauliche Füllung dieses allgemeinen Satzes bietet die Szene in der Konditorei kurz vor dem Stiegen-Skandal. Grauermann tritt zu René Stangeler und Paula Schachl, die sich hier verabredet haben; er setzt sich an ihren Tisch, und zwar mit dem Rücken zum Fenster. Darauf kommt es an; denn alsbald schiebt sich, nur für René sichtbar, „eine Erscheinung in’s Viereck“, die gerade für Grauermann von der „allerwichtigsten“ Bedeutung ist: seine Verlobte

Etelka Stangeler fährt mit dem Regierungsrat Guys im offenen Fiaker vorbei; es ist eine ihrer „Eskapaden“. Dies hinter Grauermanns Rücken betrachtend, erlebt René „unumstößlich und handhaft“ die „Tatsächlichkeit, daß man, an einem Menschen vorbeischauend, die für diesen allerwichtigsten Dinge hinter ihm sehen konnte wie eine Tapete, wie den Hintergrund eines gemalten Bildes“[124]. Während Etelkas Erscheinen unterbricht René seine „Perorationen“ über die Strudlhofstiege und diesen Stadtteil hier, den Alsergrund, nicht. Jetzt aber, indem er seinen Blick von Grauermann und dessen Hintergrund ab- und der Paula Schachl zuwendet, erkennt er, jene Erfahrung hier wiederholend: „Die Strudlhofstiege! Ja, das war sie. Dieses Antlitz hatte den Stadt-Teil zum Hintergrund, den man sah, wenn man daran vorbeischaute: und dann bestätigte sich nur das Gesicht. Beide waren ein und dasselbe.“[125] Schon vorher hat er denselben Eindruck, als er sich an die Stiege erinnert: „Alles nur Hintergrund, wie der Hintergrund eines Porträts. Vor jenem schwebte das Antlitz Paulas.“[126] Inzwischen ist das zusammengefaßt: „... die Paula Schachl war für Stangeler eine Art lokaler Gottheit der Strudlhofstiege, eine Dryas der Alservorstadt.“[127] Dieser Satz steht in einem Kapitel (II 5; S. 208–225), das von dem dynamischen Vollzug des Romans in den umliegenden Passagen exzentrisch abgehoben ist; es steht selbst im Hintergrund wie die Welt der Strudlhofstiege, die es zeichnet.

Bereits bei seinem ersten Vorstoß in den Alsergrund hat Stangeler die „unklare Empfindung, daß man dort leichter, besser und recht eigentlich vernünftiger lebte“[128]. In seinen „Perorationen“ bekennt er dann: „... ich bin hier einfach besser, als ich im dritten Bezirk dort drüben bin, ich mach' es besser, ich mach' alles besser. Oft wirkt es schon, wenn ich nur an diese Gegend hier denke. An die Strudlhofstiege zum Beispiel. Das ist eine ganz geheimnisvolle Stelle. Wie sich diese Stiegen hinabsenken, wie aus einer neuen Stadt und ihren Reizen in eine alte und ihren Reiz! Eine Brücke zwischen zwei Reichen. Es ist, als stiege man durch einen verborgenen Eingang in die schattige Unterwelt des Vergangenen ...“[129]

Die Welt des Vergangenen ist es, die in jenem exzentrischen Kapitel über Paula Schachl heraufzitiert wird. Ihr Vater, der Strom-Meister Ferdinand Schachl, der 1905 durch einen Unfall ums Leben gekommen ist, tritt ins Blickfeld. Wie die Strudlhofstiege der Grund und Hintergrund und ihr genius der „Hauptacteur“ des Romans ist, so ist Ferdinand Schachl – wenngleich vollends im Hintergrund, oder vielleicht gerade deshalb – die geheime Hauptperson. Dieses Dasein wird freilich im Roman nicht besonders akzentuiert, eben weil es mit der Exponierung schon seinen exemplarischen Wert einbüßen würde. („Die Schlüsselfiguren stehen nie im Rampenlicht.“[130]) In einem Nebensatz an unscheinbarer Stelle heißt es lediglich: „Dieser Strom-Meister Schachl nun, der mit seiner erheblich jüngeren, sehr hübschen Frau und dem munter aufwachsenden Mädchen ein weiter nichts als unauffallendes und vielleicht gerade dadurch an den Rand der Vollkommenheit tretendes Leben führte ...“[131] Ferdinand Schachl ist ein einfacher Mensch, aber nicht am Ende einer Bemühung darum (in jenem Sinn: „ein ganz gewöhnlicher Mensch, das schwerste, was es zu sein gibt“), sondern als „Gnadenstand“: er ist durch Einfalt ausgezeichnet. Insofern ist er ein „Genie in Latenz“[132]. Doderer sagt einmal: „Heute gehört die Einfalt – die in jedem Augenblicke durch den Einfall einer gewaltigen Apperception in's Genie umzuschlagen vermag – zu den seltensten und kaum mehr gesehenen Gnadenständen des Menschen. Ja, man könnte unser Zeitalter geradezu das ‚aevum simplicitatis perditae‘ nennen.“[133]

Paula Schachl – und mit ihr alle Figuren dieses „Menschenkreises“, vom Amtsrat Zihal bis zu Thea Rokitzer – lebt bereits in diesem „unserem Zeitalter“. Sie ist nicht „einfältig“, aber sie ist einfach. Sie bewahrt die Einfachheit noch als „Erbgut“. Und der Ort, der seinerseits die Einfachheit noch bewahrt, ist in Doderers Roman der Alsergrund, in dem es sich einfacher, leichter und besser leben läßt. Im Zentrum dieses Stadtteils liegt verborgen und idyllisch das „Schachl-Gärtchen“. Zwischen 1911 und 1925 besteht hier kein Bruch. Die Friedlichkeit bleibt erhalten, „trotz des inzwischen über diese Menschen, die das gar nichts anging, von einigen Wichtigtuern des Ballhausplatzes verhängten ersten Weltkriegs“[134], wie es aus Zihals Perspektive heißt.

In das „Schachl-Gärtchen“ gelangt Melzer am Ende des Romans, und hier gewinnt er Thea Rokitzer. Beides ist eine Art Belohnung, beides ist symbolisch zu verstehen. „Im Hintergrunde, bei den Obstbäumen, stand Thea Rokitzer“ – so heißt es, als Melzer zum ersten Mal das Gärtchen betritt, und dieser Satz wird noch zweimal wiederholt, ehe Thea zu ihm herantritt[135]. Thea ist für Melzer das Nicht-Erstrebte, das rein „Hinzugegebene“, das indirekte Resultat seiner rückwärts gewandten Bemühung um die eigene Vergangenheit. Sie tritt aus dem Hintergrund zu ihm heran; er wird durch sie in den Hintergrund entrückt.

Das ist wörtlich zu nehmen: durch Thea wird Melzer aus dem Roman entrückt: er hört auf, Figur zu sein, er wird Mensch. Sein Ich wird zum Ich erst durch die individuelle Beziehung zum Du. Damit wird seine Individualität verwirklicht, zugleich aber ist sie schon nicht mehr benennbar; denn: omne individuum ineffabile. Diesen Grundsatz hat Doderer hier auf einzigartige Weise veranschaulicht. Als Symbol für Melzers Individualität setzt er dessen Vornamen ein, und diesen kennt er, wie er vorgibt, nicht: „... der Autor weiß den Vornamen seiner Figur nicht, er weiß ihn wirklich nicht.“ Thea aber weiß ihn und wird ihn aussprechen, „wie ihn von da an nie mehr ein anderer Mensch aussprechen kann, denn sie wird in diesen Namen münden“. Und Melzer wird damit „endlich seinen Namen zu Recht bekommen". Auf solche Weise ist seine Menschwerdung besiegelt, und dem Autor bleibt nur noch zu sagen: „Für uns hört der Mann auf, Figur zu sein."[136]

Was indessen zunächst hier im „Schachl-Gärtchen" geschieht, ist der entscheidende „Kontakt-Schluß" zwischen Vergangenheit und Gegenwart. Melzer und Paula Pichler, geborene Schachl, erkennen einander wieder, jeder in einem assoziativen Regreß der Erinnerung[137]. Bei dem Skandal auf der Strudlhofstiege haben sie sich flüchtig kennen gelernt; sie sind durch die Strudlhofstiege verbunden. Das Stichwort genügt. Diese Erkenntnis gehört für Melzer zu dem „Orakel" der Strudlhofstiege, dessen Lösung sich ihm durch direkte, beschwörende Suche nicht eingestellt hat[138].

Während der Arbeit an der STRUDLHOFSTIEGE hat Doderer unter dem Stichwort KLEINER GARTEN einige Sätze notiert, die sich auf das „Schachl-Gärtchen" beziehen könnten: „Ein kleiner Garten an einer Villenstraße am Rande der Großstadt, ein heil gebliebenes Becken voll Stille, die jetzt erst fühlbar wird durch von da und dort hereinhallende ferne Geräusche, Hupenton, Straßenbahnklingeln, oder solche, die man nicht mehr benennen kann, fernes Mahlen und Brausen der Stadt. Ein kleiner Garten, abendliches Grün-Gold zwischen den Sträuchern; ein kleiner Garten wird mir zum Nabel der Welt."[139] Dieses Bild paßt auf das „Schachl-Gärtchen" gleichermaßen wie auf die Strudlhofstiege, nicht nur weil der Garten hier wie die Stiege im Roman als „Nabel der Welt" bezeichnet wird; vielmehr: die alles umgebende Aura ist beiden gemeinsam, und man kann sagen: das „Schachl-Gärtchen" und die Strudlhofstiege sind im Prinzip ein und dasselbe.

14

Über das Bauwerk der Strudlhofstiege sagt Stangeler einmal im Gespräch zu Melzer: „Es ist das entdeckte und Form gewordene Geheimnis dieses Punktes hier. Der entschleierte genius loci. Dieser Sachverhalt liegt jedem bedeutenden Bauwerk zugrunde, und tiefer noch als dessen Fundamente: dem Palazzo Bevilaqua in Bologna oder der Kirche Maria am Gestade zu Wien. Der Platz war in beiden Fällen ausgespart. Auch für die Strudlhofstiege, auch wenn sie keinen Punkt in der Kunstgeschichte markiert, heute wenigstens und für uns. Die Zukunft kann auch das sehr anders wenden." Mindestens die Zwecklosigkeit – oder genauer: die Zweckfreiheit, das Umspielen eines Zwecks – macht die Stiege zu einem Kunstgebilde. Stangeler sagt es so: „Hier sind die Stufen im Haine des genius loci: und erst nebenbei für Passanten." Vollends auf das Kunstgebilde wandert der Akzent, wenn es heißt, die Stiege sei ein „Werk" – „wie ein Gedicht". Diese Analogie treibt Stangeler noch weiter, indem er das Bauwerk „eine Ode mit vier Strophen ... in Gestalt einer Treppenanlage" nennt[140].

In anderem Zusammenhang wird die Stiege mit der Natur verglichen. Es heißt, die Strudlhofstiege liege „so einsam wie ein unberührtes Stück Natur zwischen Mittagsglut und Blätterschatten"[141]. In der Tat ist das Bauwerk „wie ein ... Stück Natur" nicht dem Terrain aufmontiert, sondern gleichsam aus ihm entsprossen. In Doderers Roman erscheint die Stiege aber auch insofern „wie ein Stück Natur", als ihr die Jahreszeit, in der die Natur in Blüte und Fülle steht, wesensgemäß zugeordnet ist. Einzig die Strudlhofstiege scheint es zu diktieren, daß die den ganzen Roman grundierende und färbende Jahreszeit, in der er 1911 wie 1925 spielt, der Sommer und Herbst ist. Denn das „üppige Laubgekuppel", das „aquariumhafte grüne Unterwasserlicht", die „schattige Unterwelt" gehören ihr als wesentliche Attribute zu. So fallen die Szenen, in welchen die Stiege beschrieben wird, fast ausschließlich jeweils in den Sommer und Herbst, einmal nur in den Frühling – und auch da ist ausdrücklich von dem „jungen hellgrünen Laub" die Rede[142] –, niemals aber in den Winter. Die tote und kalte Jahreszeit würde ihrem Wesen widersprechen. Ihr Wesen ist in dieser Hinsicht durch milde Wärme gekennzeichnet. Die Mittagsglut des Hochsommers wird durch den Blätterschatten gedämpft; die Abendkühle des Herbstes wird durch die wärme-atmende Pflanzenwelt ringsum gemindert. So kann es am Ende des Buches im spätesten Herbst, als Melzer von der Stiege Abschied nimmt, heißen: „Diese Nacht war nicht kühl, ja, unter den Büschen schien die Wärme des Tages gesammelt zu liegen und hauchte hervor an den Kehren der Treppe, wo diese ausholte in den baumreichen Hang."[89] Dem entspricht aufs genaueste die (nach der bloß topographischen Bestimmung) erste Anvisierung der Strudlhofstiege, die schon einiges Lokalkolorit vermittelt: Mary K. denkt „zurück bis zum Jahre 1910 und an die damals neu eröffnete ‚Strudlhofstiege' am Wiener Alsergrund, wo ihr vor kurzem angetrauter Gatte sie einmal ganz unvermittelt geküßt hatte, an einem warmen Herbstabend, da es nach den Blättern roch, die auf den steinernen Stufen lagen"[90]. Im Zusammenhang mit René Stangeler heißt es: „Es roch hier erdig."[95]

Doderer bemüht alle Sinne, die Aura der Strudlhofstiege wahrzunehmen. „Sein gespanntes Ohr", so heißt es einmal von Stangeler, „hatte schon von oben des Brunnens Selbstgespräch erfaßt."[143] Das Auge ertastet das An- und Absteigen der Rampen. Melzer steigt einmal die Stufen empor, um – wie Doderer mit Güterslohs Worten sagt – „die süße Luft der Oberfläche zu schmecken"[138].

Ständige Attribute der Stiege sind ferner die „tiefe Versunkenheit", sowohl im Raum wie in der Zeit, und eine fast absolute Stille und Verlassenheit. „In der Pasteurgasse unten wandte er [Stangeler] sich und betrachtete mit Staunen das Werk, welches hier wie meilentief begraben in der spätsommerlichen Stille der Stadt lag, die keinen Ton herübersandte, ihr Wort nicht sprach, jetzt, und gerade jetzt durch Augenblicke vollkommen schwieg."[143] Mehrmals heißt es: „Die Stiegen brachten es ja wieder einmal fertig, vollends verlassen zu sein ..."[144]

Auch die intellektuelle Betrachtung fehlt nicht. Stangeler sagt einmal: „Hier ist alles zugleich: die tiefste Tiefe der Stadt und das Frei-Sein von ihr, durch den grünen Abbruch des Terrains und den weiten Blick."[145] Jedoch, was die Strudlhofstiege ist und was sie bedeutet, erschließt sich weniger dem betrachtenden Blick und dem dialektischen Denk-Akt als dem lebendigen Eingehen auf sie durch den nachvollziehenden Schritt.

Die Strudlhofstiege nämlich – das ist ihr tiefster Sinn – veranschaulicht die Brechung des Weges zum Umweg. Sie selbst ist die anschauliche Gestalt des Indirekten und so – für Doderer – Symbol und Prinzip des Lebens. Wie die Stiege selbst ein Umweg ist, so werden die Romanfiguren allermeist auf einem Umweg zu ihr geführt. Stangeler entdeckt sie auf einem Umweg: „Die Richtung, in welcher René Stangeler ging, hatte mit seinem Heimwege keinen Zusammenhang. Diese Richtung hätte sich nur mit ‚nicht-nachhause' bezeichnen lassen."[146] Grauermann, auf dem Weg von der Konsular-Akademie zum Gasthaus „Flucht nach Ägypten", macht den „kleinen Umweg" über die Stiege[141]; auf demselben Umweg kehrt er, von René und Paula Schachl begleitet, zurück. Als Editha (Mimi) von einer Gesellschaft bei Eulenfeld den Heimweg über die Strudlhofstiege zu nehmen wünscht, bemerkt der Rittmeister: „Ist ein Umweg ... Ihr habt doch ein direkte Tramway."[94] Im Jahr 1925 ist der Umweg über die Stiege für Melzer wie für Stangeler so gut wie selbstverständlich[147]. Im Zusammenhang mit Melzer wird die ganze Problematik des Umweges entfaltet. Die Beschreibung und Deutung der Strudlhofstiege bewegt sich hier selbst umwegig in weitgeschwungenen Satzperioden. Die Stelle sei in aller Ausführlichkeit zitiert; denn sie bezeichnet das wesentliche Zentrum dieses Romans wie überhaupt des Dodererschen Welt- und Menschenbildes.

1 Er betrachtete das Werk – denn als solches erschien es immerhin auch seinem einfachen Gemüte – zum ersten Mal mit ein wenig Aufmerksamkeit und trennte sich so innerlich von einer endlosen Reihe der Passanten, die
2 täglich unter ihre Füße treten, was sie eben darum nie gesehen haben. Als eine Gliederung des jähen und also seiner Natur nach stumpfen und brüsken Terrain-Abfalles wuchs es empor oder kam es eigentlich herab, dessen unausführliche und also beinahe nichtssagend-allzufertige Aussage nun in zahlreiche anmutige Wendungen zerlegend, an denen entlang der Blick nicht mehr kurz ab und herunter glitt, sondern langsam fiel wie
3 ein schaukelndes und zögerndes Herbstblatt. Hier wurde mehr als wortbar, nämlich schaubar deutlich, daß jeder Weg und jeder Pfad (und auch im unsrigen Garten) mehr ist als eine Verbindung zweier Punkte, deren einen man verläßt, um den anderen zu erreichen, sondern eigenen We-

sens, und auch mehr als seine Richtung, die ihn nur absteckt, ein Vor-
4 wand, der versinken kann noch bei währendem Gehen. Dort oben, wo
rechts die ockergelbe, einzeln und turmartig in den blauen Himmel hoch-
gezogene Schulter eines kleinen, tief in sein inneres möbelhaftes Schweigen versunkenen Palais überstiegen und zurückgelassen wurde von einer
hohen, in feinste Ästchen aufgelösten Baumkrone vor dem Sommerhimmel:
dort oben schwang sich der Abgang zur ersten Rampe herein, würdig und
ausholend in den baumreichen Hang, mit flachen, nicht mit steilen, eiligen,
5 mühseligen Treppen. Hier war empor zu schreiten, hier mußte man herunter gezogen kommen, nicht geschwind hinauf oder herab steigen über
6 die Hühnerleiter formloser Zwecke. Die Stiegen lagen da für jedermann, für's selbstgenuge Pack und Gesindel, aber ihr Bau war bestimmt,
sich dem Schritt des Schicksals vorzubreiten, welcher nicht geharnischten
Fußes immer gesetzt werden muß, sondern oft fast lautlos auf den leich-
testen Sohlen tritt, und in Atlasschuhen, oder mit den Trippelschrittchen
eines baren armen Herzens, das tickenden Schlags auf seinen Füßlein
läuft, auf winzigen bloßen Herzfüßlein und in seiner Not: auch ihm
geben die Stiegen, mit Prunk herabkaskadierend, das Geleit, und sie sind
immer da, und sie ermüden nie uns zu sagen, daß jeder Weg seine eigene
7 Würde hat und auf jeden Fall immer mehr ist als das Ziel. Der Meister
der Stiegen hat ein Stückchen unserer millionenfachen Wege in der Großstadt herausgegriffen und uns gezeigt, was in jedem Meter davon steckt
8 an Dignität und Dekor. Und wenn die Rampen flach und schräg ausgrei-
fen und querlaufen am Hange, den zweckhaften Kurzfall und all' unsere
Hühnerleitern verneinend; wenn ein Gang hier zur Diktion wird auf
diesen Bühnen übereinander, und der würde-verlustige Mensch nun geradezu gezwungen scheint, sein Herabkommen doch ausführlicher vorzutragen
trotz aller Herabgekommenheit: so ist damit der tiefste Wille des Mei-
sters der Stiegen erfüllt, nämlich Mitbürgern und Nachfahren die Köstlichkeit all' ihrer Wegstücke in allen ihren Tagen auseinanderzulegen und
vorzutragen, und diese lange, ausführliche Phrase kadenziert durchzu-
führen – ein Zwang für trippelnde Herzln und für trampelnde Stiefel –
bis herab, auf die Plattform, wo sich um's Gewäsch und Geträtsche des
Brunnens die sommerliche Einsamkeit dick sammelt, oder bis ganz unten
zur Vase und zur Maske, die in eine warme stille Gasse schaut und
ebenso unbegreiflich ist wie ein Lebendiges, sei sie gleich aus Stein.[148]

Die Periode verdient es im einzelnen betrachtet zu werden. Auffällig ist der Wechsel und das Ineinander von Darstellung und Reflexion und demgemäß der Wechsel von epischem Präteritum und gnomischem Präsens. Melzer liefert zunächst die Perspektive; aber weniger auf ihn kommt es an, mehr auf sein Objekt, das er „betrachtet“, und zwar betrachtet im doppelten Sinn: sowohl sinnlich erschaut wie geistig erfaßt. Eben weil es hier letztlich nicht um Melzer geht, wird seine Perspektive nach dem ersten Satz fortschreitend verlassen. Im zweiten Satz ist sie lediglich durch die Apostrophierung des „Blickes“ gegenwärtig und dann nur mehr durch die Ortsadverbien „hier“ und „dort“, die einen Betrachter verraten, sowie durch das epische Präteritum, das aber am Ende aufgegeben wird. Die Aufhebung der Perspektive hat einen tiefen Sinn; denn sie bedeutet die Ablösung des Objekts von seinem Betrachter, wodurch es erst ganz Objekt wird, wodurch es in seiner Realität jenseits des Subjekt-Objekt-Bezuges erscheint.

Melzer „blieb unten stehen", so heißt es vorher, und dann: „Er betrachtete das Werk." Mit der Betrachtung sondert er sich von den gewöhnlichen Passanten ab. Das ist die Exposition, die der erste Satz bietet. Die folgende sprachgewordene Betrachtung der Stiege ist im eigentlichen Sinne Darstellung nur im zweiten und vierten Satz und im letzten Teil des Schlußsatzes. Der zweite Satz gibt ein Bild des ganzen Bauwerks. Von dem unten Stehenden aus gesehen, „wuchs es empor oder kam es eigentlich herab". Dieselbe Ambivalenz bezeichnet die zweite Reflexion (im fünften Satz): „Hier war empor zu schreiten, hier mußte man herunter gezogen kommen ..." Jedoch die ganze Periode ist eher – mit „fallender Tendenz" – eine Bewegung von oben nach unten, wie das Fallen eines „schaukelnden und zögernden Herbstblattes". So beginnt auch die Darstellung des Bauwerks im einzelnen (im vierten Satz) mit der Beschreibung des oberen Teils. Der untere Teil, die Plattform mit dem Fischmaul-Brunnen und ganz unten die Vase und Maske, kommt am Schluß zu Wort.

Zwischen die darstellenden Passagen schieben sich Reflexionen; sie retardieren den Abstieg und bezeichnen schon damit (ganz abgesehen von ihrem inhaltlichen Aussage-Wert), ebenso gültig wie jene die Gestalt, das Wesen der Strudlhofstiege. Die erste Reflexion (der dritte Satz) folgt nur scheinbar der Perspektive Melzers, indem sie mit dem Einsatz: „Hier wurde ..." auf einen Betrachter verweist, der diese Überlegung anstellt. Ihrer inhaltlichen Aussage nach ist sie nicht der Subjektivität Melzers zugeordnet, sondern erscheint als objektive Wesensdeutung. Dieser Sachverhalt erklärt sich vollends in der zweiten Reflexion (dem fünften Satz), die ihre Allgemeingültigkeit durch das „man" behauptet. Die Allgemeingültigkeit leitet denn auch zum sechsten Satz über, in dem von „jedermann" die Rede ist, dann vom „Schritt des Schicksals"; schließlich heißt es hier zusammenfassend: „wir". Dieses „wir" ist schon vorbereitet in der zwischen Klammern gegebenen Bemerkung: „auch im unsrigen Garten" in der ersten Reflexion (dem dritten Satz). Inzwischen ist das epische Präteritum zu Gunsten des gnomischen Präsens aufgehoben. So schließt sich der siebente Satz mit dem historischen Perfekt („Der Meister der Stiegen hat ... herausgegriffen ...") zwanglos an. Die Verallgemeinerung führt schließlich vom „man" und „jedermann" über das „wir" zum Höhepunkt, es heißt nunmehr: „der Mensch".

Die ganze Periode ist, was sie darstellend veranschaulicht und reflektierend besagt, selbst, nämlich ein Umweg. Eine umwegige, kadenzierte, ausführliche Phrase ist die Strudlhofstiege und ist der Weg über sie; und von derselben Struktur ist die zitierte Passage, ja der Roman DIE STRUDLHOFSTIEGE selbst. Der „Meister der Stiegen", wie Doderer den

Erbauer Johann Theodor Jäger nennt, das ist auf der Ebene der Dichtung Doderer selbst. Den „zweckhaften Kurzfall“ verneinend, „Mitbürgern und Nachfahren die Köstlichkeit all’ ihrer Wegstücke in allen ihren Tagen auseinanderzulegen und vorzutragen“ – besser kann die Aufgabe, die Doderer seiner Romandichtung gestellt hat, nicht formuliert werden.

Bei alledem ist die Wesenserfassung der Strudlhofstiege mittels Darstellung und Darlegung keine Sinngebung, die dem Phänomen eine Idee aufpreßt, sondern sprachgewordene Apperzeption, die das Phänomen bis zu seinem Grund durchdringt und es damit schon als Symbol erfaßt. Es handelt sich um eine „Entschleierung des genius loci“ mit den Mitteln der Sprache. Die Strudlhofstiege ist – „wortbar und schaubar“ – das Prinzip und die Gestalt oder, mit einem beides umfassenden Wort, das Sinnbild des Indirekten. Und weil für Doderer das Indirekte die Mechanik des Lebens ausmacht, könnte man sagen: der genius loci wird hier zum genius des Lebens. In diesem Sinn ist er das schöpferische Prinzip des Romans, und insofern ist die Strudlhofstiege dessen Ursprungsstelle. Das heißt: die Stiege ist nicht nur Bezugspunkt für alle Figuren und jedes Geschehen, sondern auch in entfernt analogischer Weise das Vorbild für die Komposition: auf Grund ihres Wesens als „Einfallstor in die Vergangenheit“ bestimmt sie das indirekte Verfahren der doppelten Zeitschichtung; auf Grund ihrer indirekten Gestalt diktiert sie die Zerlegung in einzelne Wegstücke. Wie das Bauwerk selbst keinen bestimmbaren Mittelpunkt hat, auf den es konzentriert wäre, sondern, in exzentrischer Weise unregelmäßig, gleichwohl ein harmonisches und unauflösbares Ganze darstellt, so ist die Roman-Komposition angelegt. Alles in allem bedeutet das den Ausgleich zwischen Statik und Dynamik, den die Strudlhofstiege gestalthaft veranschaulicht und der zugleich das allgemeinste Strukturprinzip des Romans bildet. Als eine „Bühne dramatischen Lebens“, „selbst aber träumend“ (und doch nicht gleichgültige Szenerie, sondern Grund und Hintergrund, der jenes „dramatische Leben“ evoziert), ist die Strudlhofstiege gleichsam der „unbewegte Beweger“ des Romans, der selbst solchermaßen bewegt-unbewegt in lebendigem Vollzug das Bild einer Welt zeichnet.

VIERTER TEIL

FORM UND WELT DER ‚DÄMONEN'

7. KAPITEL

DER FALL GEYRENHOFF

1

Das kategoriale Formprinzip der DÄMONEN ist die Ambivalenz zwischen Chronik und Roman. Schon auf dem Titelblatt bezeichnet Doderer das Werk als Roman nach einer Chronik, indem er dem Untertitel: NACH DER CHRONIK DES SEKTIONSRATES GEYRENHOFF die Gattungsbezeichnung ROMAN folgen läßt.

Das heißt: DIE DÄMONEN sind vor allem einmal ein Roman (also fiktive Er-Perspektive, Figurenwelt dritter Personen in ihrer Subjektivität), aber sie enthalten eine Chronik (also fingierte Ich-Perspektive, Figurenwelt dritter Personen in ihrer Objektivität). Der Roman übergreift die Chronik, ja der Chronist und seine Chronik werden im Laufe der Handlung wie jede Figur und ihre Lebensgeschichte zum Objekt des Romans. Dem Roman ist die Chronik als seine Vorstufe integriert. Indessen enthält auch die Chronik wiederum ihre Vorstufe, nämlich den Zeugenbericht; dieser ist allerdings schon mit Beginn des Romans in der Chronik aufgehoben.

Demgemäß ist das Werk ein mehrstufiges Gebilde: Zeugenbericht, Chronik, Roman sind die drei Stufen, auf denen es sich abspielt. Die Stufenfolge bezeichnet die Genesis des Romans (von unten) oder die Einholung des Romans (von oben). Einerseits gewinnt der Zeugenbericht Objektivität und erschließt seinen Wahrheitsgehalt erst durch seine Verwandlung in die Chronik, für die der Gegenstand allseitig erfaßbar ist; und die Chronik gewinnt wiederum erst Leben durch ihre Verwandlung und innere Durchdringung im Roman. Andererseits wird der Wahrheitsgehalt des Romans durch die Richtigkeit chronistischer Datierung und vollends durch die Aussage eines Zeugen bereichert, er erhält eine Absprungbasis und Überwindungsform. Dem Aufstieg vom Zeugen über den Chronisten zum Romanschriftsteller entspricht der Rückgriff des

Romanschriftstellers auf seine Vorstufen. Der Wechsel der Ebenen wird jeweils durch ein Scheitern markiert. Der Zeugenbericht scheitert, indem der Zeuge die äußere Unüberschaubarkeit seines Gegenstandes erfährt. Die Chronik scheitert, indem der Chronist seinen Gegenstand innerlich nicht zu durchdringen vermag, ihm nicht gewachsen ist.

Die ganze Problematik konkretisiert sich in der Chronisten-Figur Geyrenhoff; seine „Chronisterei" wird ihm selbst zum Schicksal, wie Doderer sagt[1]. Dies ist der „erzählungs-technische Grund-Einfall", aus dem sich der Roman entfaltet[1]; er besteht neben, ja vor aller Thematik, die allein einen Roman nicht zu legitimieren vermag. Im Hinblick auf den Kernsatz von Doderers Romantheorie: „Für den Romancier ist die Form die Entelechie jedes Inhaltes"[2], läßt sich sogar sagen: Geyrenhoff ist die Entelechie der DÄMONEN. Seine Problematik gilt es also zunächst zu erörtern.

2

Der Roman beginnt mit der zweiten Stufe, also als Chronik. In der OUVERTÜRE, die das Werk einleitet, stellt sich der Sektionsrat Geyrenhoff als Chronist der erzählten Begebenheiten vor, und seine Umstände weisen ihn zunächst als einen idealen Chronisten aus. Er befindet sich in jedem Sinn auf einem archimedischen Punkt: als alter und weiser Mann gegenüber dem Leben, räumlich „hoch über der Stadt" Wien, darin sich die von ihm berichteten Vorgänge und Ereignisse zugetragen haben, und zeitlich diesen gegenüber in einem Abstand von achtundzwanzig Jahren. „Man sitzt hoch wie auf dem Gefechtsstande eines Artilleriebeobachters oder in einem Leuchtturme"[3] – so kann er mit Recht von sich sagen: vor ihm und unter ihm liegt der Gegenstand seiner Berichte: „in diesen unter meinem Aug' gebreiteten neuen und daneben wieder hundertjährigen Gassen hat sich ein wesentlicher Teil jener Begebenheiten vollzogen, deren Zeuge ich vielfach war, deren Chronist ich geworden bin, und das letztere oft fast gleichzeitig mit den Ereignissen"[3].

Dabei wird die ideale Situation nicht durch Einseitigkeit, der jeder Chronist und Memoirenschreiber leicht und unvermeint verfallen kann, relativiert. Denn Geyrenhoff hat, dieser Gefahr vorbeugend, von Anfang an Mitarbeiter gewonnen, die ihn mit Vorgängen bekannt machen, „deren Zeuge ich nie hätte sein können, und welche ich so trotzdem in meine Aufzeichnungen hereinbekam"[4]. Die einen haben ihm, wie er sagt, ganze Abschnitte geliefert (so Schlaggenberg und Stangeler), andere haben ihm mündlich berichtet (so Selma Steuermann, Friederike Ruthmayr, Eulenfeld), andere wiederum sind von ihm „ausgehorcht" worden (so z. B. Grete Siebenschein). Auf solche Weise durch eigene Notizen sowie schriftliche und mündliche Berichte anderer unterstützt, nimmt Geyrenhoff „jetzt, hier und hintennach, in Schlaggenbergs ‚letztem Atelier' die Zusammenfassung und Überarbeitung des Ganzen"[4] vor.

Die Idealität des Standortes ist dem Chronisten freilich erst mit dem zeitlichen Abstand von seinem Gegenstand zuteil geworden. Jetzt erst, achtundzwanzig Jahre danach, ist sein Überblick vollkommen; „bei währendem Geschehen" war er genau so unwissend wie jede andere beteiligte Person. Dies gilt ja für jede Chronik oder Ich-Erzählung, in der das Ich sowohl der Schreibende wie auch ein Handelnder ist. Hier sind zwei verschiedene Zeitschichten konstitutiv: die Zeit des Schreibens als die „Erzählergegenwart" und die Zeit des erzählten Geschehens als die „Handlungsgegenwart"[5]. Dabei ist es gleichgültig, ob die Erzählergegenwart jenseits der Handlungsgegenwart noch eine eigene Handlungsebene darstellt, oder ob sie lediglich den archimedischen Punkt gegenüber der Handlungsgegenwart repräsentiert und also, wenn auch datiert, mehr oder weniger zeitlos ist. Ein Beispiel für den erstgenannten Fall ist Thomas Manns DOKTOR FAUSTUS: stets bleibt die Zeitebene, in der der Chronist Serenus Zeitblom die Lebensgeschichte Adrian Leverkühns aufzeichnet, als eine selbständige Gegenwartshandlung über der Zeitebene, in der sich jene Lebensgeschichte abspielt, als der Vorzeithandlung im Blick. Ein Beispiel für den anderen Fall liegt in Doderers DÄMONEN vor: Geyrenhoffs Erzählergegenwart ist keine eigene Handlungsebene, in ihr wird nicht gehandelt, sie ist nur auf die erzählte Vergangenheit zurückbezogen und ist mehr oder weniger zeitlos. Es ist für die Fiktion ohne Belang, daß der ideale Standort genau achtundzwanzig Jahre nach Ablauf der erzählten Begebenheiten datiert ist. Die Zeit von 1926/27 ist mit Ausschließlichkeit die Ebene der Handlung. Bezeichnenderweise wird das spätere Datum nie mit der Jahreszahl 1955 angegeben, sondern stets heißt es: „achtundzwanzig Jahre danach". Ebenso charakteristisch ist es, daß der Roman nicht mit einer Schlußbemerkung des Chronisten aus seiner Erzählergegenwart heraus endet, sondern mit einer Szene, die im Jahre 1927 spielt (dies hat indessen noch andere Gründe).

Die Ambivalenz zwischen Erzählergegenwart und Handlungsgegenwart und also zwischen dem Schreibenden und dem Handelnden offenbart sich vornehmlich in der Frage der „Zukunftsgewißheit". Der Schreibende kennt die Zukunftstendenz jedes Stadiums, das er erzählt, da er seinen Gegenstand als ganzen überblickt. Den Handelnden dagegen kennzeichnet die lebensgemäße Situation, daß er in der Gegenwart befangen ist, deren Verlängerung in die Zukunft ihm verborgen bleibt. Der Schreibende muß deshalb, wenn er sich selbst als Handelnden darstellt, seine Zukunftsgewißheit aufgeben: er verzichtet auf sein Wissen der Zusammenhänge, das sich ihm erst nach Ablauf der geschilderten Ereignisse eingestellt hat. Auch Geyrenhoff bequemt sich auf solche Weise seinem Gegenstand. Nachdem er seine Mitarbeiter aufgezählt hat, sagt er:

Trotz all dieser reichen Kenntnisse ... blieb ich natürlicherweise bei währendem Geschehen in vielen, ja in den entscheidenden Punkten teilweise oder auch völlig unwissend, und wenn ich nun jetzt, hier und hintennach, in Schlaggenbergs ‚letztem Atelier' die Zusammenfassung und Überarbeitung des Ganzen vornehme, so würde es mir schwindelhaft erscheinen, wollte ich etwa davor zurückschrecken, mich zumindest in denjenigen Abschnitten, wo ich als Augenzeuge selbst erzähle und somit auch vorkomme, wollte ich also davor zurückschrecken, mich dort etwa als weniger dumm und unwissend darzustellen, als ich's eben war, wie wir's ja alle dem Leben gegenüber sind, das sich gerade vor uns abspielt und dessen Verlängerung und Fluchtlinie wir unmöglich noch erkennen können.[6]

Aus diesen respektablen Gründen will Geyrenhoff seinen „Gesichtsausdruck nicht gescheiter" malen, „als er im gegebenen Zeitpunkte wirklich war". Obwohl „heute ... ‚in Kenntnis des Ganzen'", verzichtet er bei der Redaktion auf den fragwürdigen Stand eines „nach rückwärts gekehrten Propheten"[7]. Trotzdem läßt er keinen Zweifel darüber aufkommen, daß er als Schreibender sich auf einem archimedischen Punkt gegenüber dem Vorgetragenen befindet, auf den er sich jederzeit zurückziehen kann. Ja, er muß sich zuweilen auf ihn zurückziehen, denn einzig dadurch, daß er den Handelnden auf Grund seines späteren und besseren Wissens korrigiert, kann er kenntlich machen, daß er sich überhaupt wahrheitsgetreu als Handelnden darstellt. Bei solcher Gelegenheit finden sich die aus jeder Chronik bekannten Gegenüberstellungen von „heute" und „damals", genauer: Richtigstellungen des „Damals" durch das „Heute"; der Chronist vermerkt etwa: „Damals war ich so dumm ..." oder: „Heute weiß ich's besser ..." Soweit ist Geyrenhoff tatsächlich ein idealer Chronist.

3

Seine Versicherung, daß er jetzt im Rückblick das Ganze zusammenfasse und überarbeite, ist ernst zu nehmen. Er schreibt seine Chronik als idealer Chronist nicht zum ersten Mal, vielmehr hat er bereits bei währendem Geschehen als unmittelbarer Zeuge eine Chronik verfaßt. Die ideale Chronik hat eine Vorstufe, die sich am besten als „falsche" Chronik bezeichnen läßt. Von ihr sagt Geyrenhoff im Rückblick:

Ich begann also nicht weniger und nicht mehr als für eine ganze Gruppe von Menschen (und das sind vornehmlich jene, die ich späterhin kurz ‚die Unsrigen' nennen werde) ein Tagebuch zu führen. Jedoch nicht nur das Tagebuch einer Gemeinschaft – also ein Ding etwa wie ein Schiffstagebuch oder wie die Aufzeichnungen einer Expedition unter wilde Völker – sondern ich tat's gewissermaßen für jeden von diesen einzelnen und behielt ihn unter den Augen. Darum entstanden meine Berichte hier vielfach gleichzeitig mit den Ereignissen ...[8]

Allerdings erfüllt die Existenz des Sektionsrates Geyrenhoff schon im Jahre 1927, zur Zeit der erzählten Begebenheiten, den Eigenschaften wie den Umständen nach in idealer Weise die Bedingungen eines Chronisten. Geyrenhoff ist schon damals ein reifer Mann; unvoreingenommen und offen, durchaus konziliant, ist er ein „gelernter Österreicher", um ein Wort von Karl Kraus zu gebrauchen, oder ein „ausgelernter Österreicher", wie Doderer dieses Wort abwandelt[9]; er versteht es, „die Gegensätze in der Schwebe zu halten"[10]. Dem Alter nach steht er in der Mitte zwischen der jungen Generation der Unsrigen und der Vätergeneration, und er vermittelt zwischen beiden. Vorzeitig aus dem Staatsdienst ausgeschieden, mangelt es dem Pensionisten nicht an Zeit; er ist auch materiell unabhängig, seine Vermögensverhältnisse sind gesichert; er ist – mit einem Wort – „frei von allem, was man so gemeinhin Sorgen nennt; zudem Junggeselle". „In Ermangelung von Sorgen", so fährt er in seiner Selbstcharakteristik fort, „schuf ich mir indessen welche, wie dies eben alle Menschen tun"[11]: er beginnt seine Chronik. Die Aporien dieses „Steckenpferds" – so wird später seine „Chronisterei" genannt – bekommt er bald genug zu spüren.

4

Gleichzeitig mit den Ereignissen zu schreiben – das mag dem Leben angemessen sein und der Unmittelbarkeit der erzählten Welt dienen, doch widerspricht es im Prinzip dem Schreiben. Eine Chronik ist auf dieser Basis unmöglich, sie ist von vornherein zum Scheitern verurteilt, weil dem Chronisten die zeitliche und sachliche Distanz zu seinem Gegenstande fehlt und demzufolge dieser für ihn unüberschaubar und unerfaßbar bleibt.

Es versteht sich freilich von selbst, daß solche Gleichzeitigkeit keine absolute ist; sie meint lediglich das Schreiben „bei währendem Geschehen". Auch hier ist der Handelnde, als den Geyrenhoff sich selbst beschreibt, in dem Augenblick, da er beschrieben wird, immer schon einer, der gehandelt hat. Die zeitliche Kluft zwischen dem Schreibenden und dem Handelnden bleibt offen. Jedes Schreiben bedeutet ja gleichermaßen Abtötung von Gegenwärtigem wie Vergegenwärtigung von Vergangenem. Insofern unterscheidet sich das gleichzeitige Schreiben von demjenigen im Rückblick nur dadurch, daß dort die zeitliche Distanz auf ein äußerstes Minimum reduziert ist. Diese geringe Distanz aber genügt, die Zukunftsungewißheit, die den Handelnden kennzeichnet, zu einer echten auch für den Schreibenden zu machen.

Geyrenhoff fällt der Aporie des gleichzeitigen Schreibens auf der ersten Stufe seiner Chronik zum Opfer. Im Rückblick stellt er fest:

> Ich hätte damals schon zu einer Theorie des Tagebuches gelangen können. Ein solches hatte ich immer geführt. Nun erweiterte es sich. Ich schrieb im großen

und ganzen gleichzeitig mit den Ereignissen. Das hätte, wäre ich konsequent gewesen, infolge der Unmöglichkeit, das Wesentliche vom Unwesentlichen bei fehlendem Abstande zu unterscheiden, einer Schreibfläche von der Größe des mir überschaubaren Lebens-Ausschnittes bedurft, einer Totalität des Aufschreibens also: aber weil ich nicht konsequent war, kam ich auch zu einer solchen Einsicht nicht, führte mich nicht gleich jetzt ad absurdum, sondern scheiterte erst später.[12]

Doderer führt die Aporie im Tagebuch noch weiter aus; es heißt da, bei gleichzeitigem Schreiben müsse alles nur irgend Erreichbare aufgeschrieben werden, denn:

Wer kann wissen, ob nicht irgendeine Velleität, deren Notation man sich billig glaubt schenken zu können, die wahre Sprengladung der Zukunft seltsam verklausuliert in sich enthält ...?

Dabei verbietet sich jegliche Auswahl wie überhaupt eine Akzentuierung; beide würden schon eine Deutung nahe legen, für die es einen Maßstab nicht gibt. Konsequent gedacht, wird hier – mit Doderers Worten – „die absoluteste Sinnlosigkeit sozusagen zur Ehrensache für den Schreiber, wenn er anständig ist"[13].

Geyrenhoff erkennt die Absurdität seines Unternehmens zunächst nicht, er ist nicht konsequent, er schreibt, ohne einen Maßstab zu haben, und seine Willkür bringt ihn zu Fall. Seine „falsche" Chronik scheitert in dem Augenblick, da er den Überblick verliert, genauer: indem ihm bewußt wird, daß er einen Überblick nie besessen hat und daß es einen Überblick über ein währendes Geschehen im Prinzip nicht geben kann. Die gleichzeitig mit den Ereignissen verfaßte Chronik erweist sich als einseitig und lückenhaft, sie gerät auf einen aporetischen Nullpunkt, sie führt sich selbst ad absurdum.

An dieser Stelle sei eine knappe Bemerkung zur Entstehungsgeschichte der DÄMONEN eingefügt: wie Geyrenhoff im Roman an der Aporie des gleichzeitigen Schreibens scheitert, so ist Doderer selbst in den Jahren 1940–44 mit seiner Intention, den Roman als Zeugenbericht zu fingieren, gescheitert. Darüber unterrichtet der große Essay: EPILOG AUF DEN SEKTIONSRAT GEYRENHOFF. DIVERSION AUS ‚DIE DÄMONEN'. 1940–1944, den Doderer in seine TANGENTEN aufgenommen hat und aus dem das oben gegebene Zitat stammt. Der Essay wird im folgenden noch öfter herangezogen, obwohl er – das sei gleich gesagt – für die Analyse der DÄMONEN in ihrer heutigen und endgültigen Gestalt von fragwürdigem Wert ist. Er fixiert nur ein Stadium in der Entstehungsgeschichte des Romans, der selbst dieses Stadium überwunden hat. Das Scheitern des Romans, das Doderer im EPILOG eingesteht, ist in der endgültigen Fassung als Scheitern der Geyrenhoffschen Chronik integriert.

Dieser Prozeß, ironisch als Geyrenhoffs „Sturz vom Steckenpferd" bezeichnet, vollzieht sich in der Handlungsgegenwart des Romans; er betrifft den „falschen" Chronisten, der gleichzeitig mit den Ereignissen schreibt, nicht aber den idealen Chronisten, der im Rückblick erzählt. Es ist das Scheitern der Chronik auf der ersten Stufe, das nunmehr auf der zweiten Stufe dargestellt wird, und zwar von Geyrenhoff selbst. Die Aporie des gleichzeitigen Schreibens ist ja mit dem zeitlichen Abstand zwangsläufig behoben. Geyrenhoff beschreibt also innerhalb seiner idealen Chronik das Scheitern seiner „falschen" Chronik. Die ideale Chronik ist demgemäß zu einem Teil die Chronik einer Chronik.

Die „falsche" Chronik, der Zeugenbericht, dient dem Chronisten jetzt bei der Überarbeitung allenfalls als Quelle, sie tritt selbst kaum mehr in Erscheinung. Diesen Sachverhalt bestätigt eine Stelle, an der Geyrenhoff zugleich von dem Beginn seiner „Chronisterei" spricht:

> Das Gespräch, welches wir an diesem Abende führten, habe ich aufgeschrieben und dazu dreiunddreißig Seiten und fast eine Woche benötigt. Es ist dies keineswegs eine fiktive Angabe nach literarischem Brauch. Ich besitze den Text, auch andere haben ihn gesehen. Er bildete den Anfang meiner Chronik. Als Unterlage für das folgende ist er fast wertlos, und zwar in ähnlicher Weise wertlos, wie Photographien aus jener Zeit es wären.[14]

Das Gespräch mit Kajetan von Schlaggenberg, das Geyrenhoff hier meint, findet im Dezember 1926 statt[15]. Am 15. Mai des folgenden Jahres gesteht sich Geyrenhoff das Scheitern seiner Chronisterei ein. Eine Unmenge von ihm bisher unbekannten Einzelheiten stürzt auf ihn ein, mit einem Schlage wird ihm die Unüberblickbarkeit seines Gegenstandes klar, und er resümiert:

> Ich war kein Chronist mehr. Meine Rolle als solcher war mit dem heutigen Sonntag ausgespielt. Ich war von meinem Steckenpferd gefallen. ...In der Tat habe ich, von jenem Sonntag, den 15. Mai 1927, an, nichts mehr zusammenhängend verfaßt.[16]

Bei der Beschreibung dieses Tages stellt Geyrenhoff die vollständige Chronik seiner damaligen Chronik zusammen. Er erinnert an den Beginn nach jener Begegnung mit Schlaggenberg; dann heißt es:

> Intensität und Ausbreitung aber gewann meine Chronik erst nach jenem Gespräche mit Levielle am Graben zu Mariae Verkündigung.

Schließlich wird das Ende der Chronik bestätigt:

> Von nun ab jedoch warf ich nur mehr Notizen in ein Handbuch, bald in großer Zahl und ausführlich. Sie haben sich viele Jahre später, als ich die Sachen wieder aufnahm, als brauchbarer für mich und für Kajetan erwiesen, wie der vor Zeiten und durchaus vorzeitig verfaßte zusammenhängende Text.[16]

Die doppelte Schichtung der Chronik – als Chronik nach einem Zeugenbericht – hat eine wesentliche Bedeutung. Sie potenziert die Illusion eines Gegenwartsbildes, das in Wahrheit nur ein Erinnerungsbild ist. Eine Gegenüberstellung der idealen und der „falschen" Chronik mag das veranschaulichen.

Indem der ideale Chronist sich von seiner Erzählergegenwart auf die Handlungsgegenwart hinabläßt und aus der Perspektive des Zeugen berichtet, erscheint das durch den Schreibenden vermittelte Erinnerungsbild wie ein unmittelbares Gegenwartsbild des Handelnden. Einen solchen Wechsel markiert Geyrenhoff zum Beispiel in der OUVERTÜRE, die eindeutig im Rückblick erzählt ist, mit den Worten: „Als wär's gestern gewesen ..."[17]; dann folgt eine Passage, die wie ein unmittelbares Gegenwartsbild anmutet. Trotzdem bleibt die Priorität der Erzählergegenwart evident: der Schreibende bequemt sich nur dem Handelnden, das Gegenwartsbild, das hier entsteht, ist durch die Erinnerung gebrochen.

Indem aber ein Schreiben schon in der Handlungsgegenwart suggeriert wird, entsteht die Illusion, als schreibe der ideale Chronist nicht erst jetzt aus der Erinnerung, sondern als überarbeite er nur die Aufzeichnungen, die er seinerzeit als „falscher" Chronist gemacht habe. Insofern ist die Illusion des Gegenwartsbildes potenziert.

Freilich handelt es sich hier so wenig wie dort um ein wirkliches Gegenwartsbild. Nur wird die tatsächliche Priorität der Erzählergegenwart und also der Erinnerung durch die fiktive Priorität der Handlungsgegenwart und also derjenigen Gegenwart, auf die es in den DÄMONEN ankommt, überspielt. Die zweite Stufe der Chronik, die allein Chronik sein kann, wird zu Gunsten der ersten Stufe, des Zeugenberichts, relativiert. Zwar ist ein Zeugenbericht – ganz gleich, ob ein wirklicher oder ein fingierter –, konsequent durchgeführt, absurd, weil sich erst mit zeitlicher Distanz sein Wahrheitsgehalt ermessen läßt – deshalb ist eine Erzählergegenwart jenseits der Handlungsgegenwart notwendig –, dennoch ist er lebendiger, weil unmittelbarer, als die Chronik im Rückblick.

Um die erzählte Welt unmittelbar hervortreten zu lassen, begibt sich also der ideale Chronist von der Erzählergegenwart auf die Handlungsgegenwart; und um die Unmittelbarkeit noch zu steigern und zugleich zu legitimieren, hat Doderer seinen idealen Chronisten als die Selbstkorrektur eines „falschen" Chronisten, der sich unmittelbar in der Handlungsgegenwart bewegt, konzipiert.

Mit dieser doppelten Schichtung der Chronik vermeidet Doderer von vornherein den radikalen Perspektivenwechsel, den Dostojewski in seinen DÄMONEN vollzieht. Es handelt sich um den entscheidenden strukturellen Vergleichspunkt zwischen den beiden gleichnamigen Romanen. (Doderer hat ja nicht nur den Titel von Dostojewski übernommen und damit dessen Thema – im weitesten Sinne – variiert.) Dostojewski beginnt seinen Roman mit einem Kapitel, das er STATT EINER EINFÜHRUNG nennt; Doderer stellt seinem Werk eine OUVERTÜRE voran. Der Chronist heißt bei Dostojewski Anton Lawrentjewitsch G-ff und bei Doderer, in ganz offenkundiger Analogie, Geyrenhoff, dessen Name überdies zuweilen in der Abkürzung G-ff erscheint.

Dostojewskis G-ff ist – in der bisher gebrauchten Terminologie – ein idealer Chronist: er beginnt seine Chronik, nachdem die Geschichte, die er zu erzählen gedenkt, abgeschlossen ist; sein Gegenstand liegt ihm überschaubar vor Augen. Häufig genug gibt er den Zeitpunkt seines Schreibens an: „jetzt, wo alles vorüber ist und ich die Chronik der Geschehnisse schreibe ...". Er beginnt seine Chronik indessen nicht mit der „eigentlichen Geschichte"; der erste Absatz lautet:

Im Begriff, ans Werk zu gehen und mit der Schilderung der so merkwürdigen Ereignisse zu beginnen, die sich erst unlängst in unserer, bis dahin noch durch nichts aufgefallenen Stadt zugetragen haben, sehe ich mich infolge meiner schriftstellerischen Unerfahrenheit gezwungen, etwas weiter auszuholen und einige biographische Angaben über den talentvollen und hochverehrten Stepan Trofimowitsch Werchowenskij vorauszuschicken. So mögen denn diese Einzelheiten als Einführung in die geplante Chronik dienen; die eigentliche Geschichte aber der Ereignisse, die ich zu schildern beabsichtige, beginnt erst später.[18]

Die Schilderung der Voraussetzungen erstreckt sich bis etwa in die Mitte des zweiten Kapitels. Dann – mit der BRAUTWERBUNG – beginnt die „eigentliche Geschichte":

Ich komme jetzt zur Wiedergabe jenes fast vergessenen Ereignisses, mit dem meine Chronik eigentlich erst beginnt.[19]

Wurden jene Voraussetzungen durchweg und eindeutig im Rückblick erzählt, so berichtet der Chronist nunmehr aus der Perspektive des Zeugen. Bei den nächsten Abschnitten zum Thema BRAUTWERBUNG (I, 2. Kap., 6.–8. Abschn.) kann er sich auf Stepan Trofimowitsch Werchowenskij als Quelle berufen; für die Begebenheiten, die er in den darauf folgenden Passagen (I, 3. Kap. bis II, 1. Kap., 2. Abschn.) berichtet, bürgt er als unmittelbarer Zeuge; er ist selbst wenn nicht beteiligt, so doch anwesend. Zwar weiß er um den Sinnzusammenhang aller geschilderten Vorgänge, da er ja das Ganze überschaut, aber er beschränkt sich darauf, die Vorgänge so wiederzugeben, wie er selbst Einblick in sie gewonnen hat. Er geht in seinem Bericht chronologisch von Tag zu Tag oder von Woche zu Woche vor und erzählt, was er jeweils an Neuem erfahren hat.

Die Zeugen-Perspektive aber muß den Gegenstand verengen, denn sie erfaßt nicht jene Ereignisse, die sich zum gleichen Zeitpunkt wie die berichteten hinter dem Rücken des Chronisten zugetragen haben. Da diese aber von entscheidender Bedeutung für die „eigentliche Geschichte" sind, ja im Grunde die Geschichte selbst ausmachen, wird der Gegenstand durch die Zeugen-Perspektive sogar verrätselt. Der Chronist schildert Vorgänge, die ihm bei währendem Geschehen undurchsichtig gewesen sind, so, als seien sie jetzt noch ungeklärt, jetzt, wo alles vorüber ist und er alles weiß. Das heißt: er rekonstruiert die Zukunftsungewißheit.

Ein solches Schreiben, das auf den Gesamtüberblick verzichtet, ist zwar kein gleichzeitiges wie dasjenige Geyrenhoffs auf der ersten Stufe, doch ist es ebenso absurd, es läßt sich auf die Dauer nicht durchhalten. Der Chronist muß notwendig einmal an den Punkt gelangen, wo die Fülle seiner Erfahrungen ein kontinuierliches Schreiben unmöglich macht, in dem Augenblick nämlich, da sich die Ereignisse überstürzen und ihr rätselhafter Sinn sich offenbart. Dostojewski führt seinen Chronisten nicht bis zu diesem Punkt, sondern bricht schon vorher radikal die Perspektive. An dieser Stelle heißt es:

Jetzt aber, nachdem ich das Wichtigste aus diesen acht Tagen unserer rätselhaften Ungewißheit erzählt habe, will ich die weiteren Geschehnisse anders wiedergeben, sozusagen mit Kenntnis des ganzen Sachverhalts, so, wie sich schließlich alles, als es an den Tag kam, in seinen Zusammenhängen enthüllte und seine Erklärung fand.[20]

Damit ist die Zeugen-Perspektive aufgehoben zu Gunsten der Allwissenheit des Autors. Zwar berichtet G-ff ferner noch zuweilen als unmittelbarer Zeuge, auch achtet er darauf, die Quellen für sein umfassendes Wissen anzugeben, aber der Roman bewegt sich von hier ab auf der Basis der reinen Fiktion. Der entscheidende Grund für den Perspektivenwechsel besteht in der Übergewalt des Gegenstandes, der sich durch die Sicht eines beteiligten Zeugen nicht allseitig erfassen läßt. Es ist dasselbe Dilemma, an dem Geyrenhoff in Doderers Roman scheitert.

Doderer nennt die Lösung des Dilemmas bei Dostojewski ein „Meisterstück von Umschmiß"[21], und er objektiviert diese Fehlkonstruktion in seinem Werk. Zunächst läßt er seinen Chronisten nicht nur (wie Dostojewskis G-ff) aus der Perspektive des Zeugen, sondern tatsächlich als Zeugen berichten; der Zeugenbericht aber führt sich selbst ad absurdum, und der Prozeß des Scheiterns wird von dem Chronisten innerhalb seiner idealen Chronik (im Rückblick, „mit Kenntnis des ganzen Sachverhalts") beschrieben.

Ein solches Dilemma hat Albert Camus – das sei noch kurz erwähnt – in seiner fingierten Chronik Die Pest (La Peste, 1947) überhaupt nicht aufkommen lassen. Es erscheint berechtigt, Camus in diesem Zusammenhang zu nennen: er hat Dostojewskis Dämonen zu einem Schauspiel verarbeitet (Les Possédés, 1958), er hat Dostojewskische Themen weitergeführt (z. B. den „Kirilowismus" in Le Mythe de Sisyphe, 1943), und es ist nicht ausgeschlossen, daß er seine Pest in der Struktur den Dämonen Dostojewskis nachgebildet hat. Man vergleiche etwa den Beginn, der mit jenen oben zitierten Anfangssätzen bei Dostojewski nahezu wörtliche Übereinstimmungen zeigt:

Die seltsamen Ereignisse, denen diese Chronik gewidmet ist, haben sich 194 .. in Oran abgespielt. Man war allgemein der Ansicht, sie gehörten ihres etwas ungewöhnlichen Charakters wegen nicht dorthin. Auf den ersten Blick ist Oran nämlich eine ganz gewöhnliche Stadt, nichts mehr und nichts weniger als eine französische Präfektur an der algerischen Küste.

Der Chronist oder Erzähler stellt sich zu Beginn nicht vor (es heißt, man werde ihn noch früh genug kennenlernen), und er spricht nicht in der Ich-Form. Das ist das Ungewöhnliche an dieser „Chronik". Gegen

Schluß erst gibt der Chronist seine Identität mit der Hauptfigur des Werkes preis:

> Diese Chronik geht ihrem Ende entgegen. Es ist Zeit, daß Dr. Bernard Rieux sich als ihr Verfasser bekennt.[22]

Zwar vermeidet Camus auf solche Weise alle Beschränkungen der Ich-Perspektive, aber mit dem Verzicht auf ein Chronisten-Ich ist sein Werk schon keine Chronik mehr, sondern genuin ein Roman; der Arzt Rieux ist kein Chronist, sondern allenfalls die Quelle für den Roman.

5

Das Scheitern der „falschen" Chronik bei Doderer entspricht dem Perspektivenwechsel bei Dostojewski. Allein, in Doderers DÄMONEN scheitert auch die ideale Chronik. Die Gründe dafür betreffen gleichermaßen die Person des Sektionsrates Geyrenhoff wie die chronistische Perspektive, die beide den Gegenstand des Romans beschränken.

Zunächst ist die Ich-Perspektive für den Chronisten verbindlich, das heißt: die Personen aus Geyrenhoffs Kreis können von ihm recht eigentlich nur beschrieben und nicht dargestellt werden, sie stehen ihm gegenüber als Objekt, sie stehen nicht für sich als Subjekt. Von außen anvisiert – und ein Chronist kann nur von außen anvisieren –, erscheint jeder Mensch als ein vielseitiges Prisma, das dem Betrachter jeweils nur eine Seite zukehrt. So sagt es Schlaggenberg im Gespräch mit Geyrenhoff: „Wir alle sind vielseitige Prismen: so viele Menschen uns kennen, so vielmal verschieden existieren wir. Man sagt ja auch etwa ... ‚den oder den kannt' ich gar nicht von einer solchen Seite'."[23] Geyrenhoff hat diese Erkenntnis mehrmals zu vollziehen, und er weiß, daß damit jedesmal seine Chronik (die „falsche" wie die ideale) in Frage gestellt ist. Als er zum Beispiel zufällig durch einen Dritten von einer „Seite" des René Stangeler hört, die ihm bisher verborgen geblieben ist, heißt es: „Ich dachte das Folgende wörtlich: ‚Jetzt ist die ganze Chronik beim Teufel. Den hab' ich ja total verzeichnet und bei ihm fundamental danebengehauen.'"[24] Allerdings ist Geyrenhoff im allgemeinen wohl der Mann, ein Dilemma dieser Art zu beheben, und zwar durch den tief eindringenden apperzeptiven Blick, der ihm eignet. So etwa heißt es beim Tod des Imre von Gyurkicz, den Geyrenhoff beobachtet: „Ich war ganz bei ihm, ja, wie in ihm drinnen. Er fiel, wahrhaftig, als wär's ein Stück von mir: es waren diese Sekunden das eigentliche Resultat meiner Chronisterei."[25]

Auf Grund seiner Apperzeptionswilligkeit und -fähigkeit und zugleich mit der Tendenz, jene Aporie der Chronik, die nur von außen beschreiben und nicht von innen heraus gestalten kann, zu beheben, gerät Geyrenhoff in die Fiktion. Er gestaltet Zustände dritter Personen unmittelbar fiktiv-gegenwärtig, von denen er durch Berichte anderer erfahren hat. Eben das meint er schon damals, als er beabsichtigt, ein Tagebuch für jeden Einzelnen aus seinem Bekannten- und Freundeskreis zu führen, doch wähnt er sich dabei noch auf der Basis der Chronik. Schlaggenberg aber, der Schriftsteller, durchschaut diesen Sachverhalt und spricht von „fiktiver Chronisterei". Geyrenhoff seinerseits sagt dazu: „schon damals pflegte mich Schlaggenberg zu ärgern, der, nachdem er mir bald hinter meine Schreibereien gekommen war, zu dem Wort ‚Berichte' stets das Adjektiv ‚romanhaft' setzte: ‚Ihre romanhaften Berichte, Herr G-ff.'"[26] Und Schlaggenberg ist es auch, der den Begriff des „falschen Chronisten" prägt[27].

Der Übergang vom Bericht in die Fiktion ist, obwohl kategorial nicht eigentlich legitim, überaus häufig sowohl in fingierten Chroniken wie in Ich-Romanen anzutreffen. Auf alle mögliche oder unmögliche Weise versucht der Chronist an solchen Stellen den Leser von seinem Wissen zu überzeugen. Dostojewskis G-ff, der nach dem Perspektivenwechsel recht frei in der Fiktion schaltet, sagt einmal unwillig:

> Ich weiß zudem dank vertraulichsten Mitteilungen (nun, nehmen Sie meinetwegen an, Julia Michailowna hätte mir später ... einen Bruchteil dieser Geschichte selbst erzählt) ...[28]

Ähnlich ist es bei dem geheimen Gespräch zwischen Leverkühn und Schwerdtfeger in Thomas Manns DOKTOR FAUSTUS; Serenus Zeitblom sagt hier:

> Was nur zwei Tage nach dem geschilderten, mir denkwürdigen Ausflug zwischen Adrian und Rudolf Schwerdtfeger sich abspielte, und wie es sich abspielte, – ich w e i ß es, und möge man zehnmal den Einwand erheben, ich könnte es nicht wissen, da ich nicht ‚dabei gewesen' sei. Nein, ich war nicht dabei. Aber heute ist seelische Tatsache, daß ich dabei gewesen bin, denn wer eine Geschichte erlebt und wieder durchlebt hat, wie ich diese hier, den macht seine furchtbare Intimität mit ihr zum Augen- und Ohrenzeugen auch ihrer verborgenen Phasen.[29]

Herman Melville schließlich – ein weiteres Beispiel – nimmt in seinem MOBY DICK keinerlei Rücksicht auf die Bericht-Perspektive; wo immer der Gegenstand in seiner ganzen Gewalt hervortritt, verschwindet der Chronist und mit ihm die Ich-Perspektive.

Dieser Übergang ist letztlich gleichbedeutend mit dem Schritt von der Objektivität zum fiktionalen Realismus, der einem Chronisten im Grunde wohl ansteht. Dem echten Chronisten geht es ja nicht so sehr darum, von sich selbst zu sprechen und lediglich seine persönlichen Eindrücke und Erlebnisse wiederzugeben. Er will weder bei gleichzeitigem Schreiben ein origineller Tagebuchschreiber noch beim Schreiben im Rückblick ein Verfasser von Memoiren sein, die beide auf Grund ihrer exemplarischen oder auch genialen, mindestens sonderlichen Subjektivität die

Welt gleichsam um ihr Ich als Mittelpunkt herum anordnen, sondern durchaus nur Chronist, dessen Berichte auf eine Welt von Vorgängen und Ereignissen zentriert sind und also mit der Objektivität stehen und fallen. So tritt er hinter sich zurück, und der Gegenstand tritt unmittelbar hervor.

Zum andern ist jener Übergang das einzige Mittel, durch Intensität einigermaßen wettzumachen, was durch die Ich-Perspektive an Extensität verloren geht. Die Ich-Perspektive in jenem weiteren Sinne, daß nur vorgetragen werden kann, was innerhalb des Erfahrungsbereichs dieses einen Ich liegt, bleibt ja für die Geyrenhoffsche Chronik auch in den Passagen verbindlich, in denen sich das Ich nicht ausdrücklich als Verfasser nennt. Subjektivität des Betrachters auf der einen und Unüberschaubarkeit des Gegenstandes auf der anderen Seite sind die jedem Ich gesetzten Grenzen. Besteht die Situation einer dritten Person gänzlich außerhalb des extensiven Zugriffes für den Chronisten, also außerhalb seines Gesichtskreises, so kann sie freilich in seiner Chronik nicht dargestellt werden. Besteht sie aber innerhalb seines extensiven Zugriffes, ist sie also für ihn in Raum und Zeit datierbar, so hängt es einzig von seiner Imaginationskraft ab, von seiner intensiven und tief eindringenden Vorstellung, jene Situation auch bei Abwesenheit eines Zeugen in der Chronik zur Darstellung zu bringen. Sie läßt sich rekonstruieren; diese Möglichkeit ist dann kaum mehr als eine Frage der Zeit.

Solche Realisierung der Quellen in der Fiktion ist verhältnismäßig einfach bei Gesellschaftsszenen, die der Chronist nicht als Zeuge erlebt. Hier gibt es eine große Anzahl von Beteiligten, deren Berichte der Chronist zusammenfaßt; und er erreicht so ein Gesamtbild, das niemals in gleicher Weise umfassend sein könnte, wäre er selbst dabei gewesen und beschränkte er sich demgemäß bei der Darstellung auf seine eigene Erlebnis-Perspektive. Ein Beispiel dafür ist das große Kapitel DER EINTOPF (I 13). Geyrenhoff ist zu Beginn nicht anwesend, gestaltet indessen den Verlauf der Gesellschaft von allen möglichen Perspektiven aus und sagt, bevor er selbst hinzutritt:

> Bis hierher war mir der Verlauf dieser ganzen Geselligkeit genau geschildert worden und, wie sich bereits denken läßt, von den verschiedensten Seiten.[30]

Ähnlich verhält es sich mit Szenen, die zwei Gesprächspartner versammeln: Geyrenhoff rekonstruiert sie auf Grund von Zeugenberichten. Vor der Darstellung eines Gespräches zwischen Schlaggenberg und Levielle zum Beispiel heißt es:

> Heute, wo ich, aus Schlaggenbergs späteren, und so oft wiederholten Berichten fast jedes Wort kenne, das zwischen ihm und dem Kammerrat gefallen ist, besitze ich allerdings auch den Schlüssel dazu.[31]

Schwieriger ist es bei monologischen Szenen. Zwar wird hier die Intention des „Tagebuches für jeden Einzelnen“ in vollem Maß erfüllt, doch sind solche Situationen, die eine einzige Person ohne jeden Zeugen und mit all ihren inneren Vorgängen vergegenwärtigen – ein prägnantes Beispiel ist das Kapitel Ein Winter mit Quapp (I 6) –, so spezifisch romanhaft, daß sie sich kaum mehr als Rekonstruktion durch einen Chronisten, der auf die Ich-Perspektive beschränkt ist, denken lassen. Solange die Frage: „Woher bezieht der Chronist sein Wissen?“ bestehen bleibt, relativiert sich seine pseudo-objektive Darstellung zur Mutmaßung. Freilich könnte man sagen, der Chronist besitze die äußere Kenntnis von Raum und Zeit der Situation und darüber hinaus immer schon die innere Kenntnis des dargestellten Menschen, so daß er jetzt auf Grund starken Einfühlungsvermögens beides zusammenziehend jene Situation fiktiv-konkret darzustellen vermöchte. Dieses Argument gebraucht zum Beispiel Gottfried Keller im Grünen Heinrich. Nachdem der Ich-Erzähler seine Mutter beim Empfang eines Briefes von ihm dargestellt hat, sagt er:

> So sehe ich sie jetzt noch, obgleich ich nicht dabei war, dank der Kenntnis ihrer Gewohnheiten, ähnlich wie der Altertumskundige mit seinen Hilfsmitteln und Anhaltspunkten die Ansicht eines zerstörten Denkmals wiederherstellt.[32]

In Doderers Dämonen aber ist der Sachverhalt ein anderer; jene Frage des Lesers kommt gar nicht mehr auf, da das Werk letzten Endes keine Chronik ist, sondern ein Roman nach einer Chronik. Das bedeutet in dieser Hinsicht: jede monologische Szene einer dritten Person gehört schon nicht mehr der Chronik an, sondern dem Roman jenseits der Chronik. Geyrenhoff dient lediglich dazu, den Gegenstand mit chronistischer Perspektive einzukreisen, dann aber wird der Chronist liquidiert, und der Gegenstand tritt unmittelbar in Erscheinung. Das heißt: die Chronik mit romanhafter Vertiefung schlägt um in den Roman mit chronistischer Sicherung. Um diesen Umschlag zu legitimieren und die romanhaften Passagen nicht als phantasie-geborene Produkte eines Ich in ihrer Gültigkeit zu mindern, setzt Doderer den Chronisten im Laufe des Romans ausdrücklich ab.

Dies führt auf das Dilemma Geyrenhoffs – nicht nur in seiner „falschen“, sondern ebenso in seiner idealen Chronik: alle Quellen zu durchdringen und in der Fiktion zu realisieren, also die ganze Welt des Romans, die Welt der Dämonen, zu imaginieren, das setzt eine komplexe Persönlichkeit voraus, wie sie dem Sektionsrat Geyrenhoff offensichtlich nicht eignet. Wie jedem Menschen sind ihm nicht nur Grenzen des extensiven Zugriffes gesetzt – sein Gesichtskreis ist beschränkt –, sondern ebensowohl Grenzen des intensiven Zugriffes: sein Vorstellungskreis ist beschränkt. Geyrenhoff hat während der Arbeit an seiner gleichzeitigen Chronik Mitarbeiter gewonnen und sich damit gegen die äußere Unüberschaubarkeit seines Gegenstandes notdürftig abgesichert. Aus jenem zweiten Grund aber hat er auch für die ideale Chronik Mitarbeiter nötig. Denn um Situationen, deren Zeuge er nicht ist, dennoch in seine Aufzeichnungen zu bekommen, genügt schon der mündliche Zeugenbericht, den der Chronist dann verarbeitet. Bleibt aber eine Situation seinem Charakter und Wesen zutiefst fremd, so kann kein noch so genauer Bericht eines Zeugen diesen Mangel beheben. Aus guten Gründen überläßt Geyrenhoff also den beiden Berufsschriftstellern Schlaggenberg und Stangeler die Abfassung ganzer Kapitel.

Es handelt sich dabei vor allem um die spezifischen Dämonen-Komplexe, wie Schlaggenbergs „Dicke-Damen-Doktrinär-Sexualität" und den ganzen Block des Falles Herzka. Allerdings ist die „Mitarbeit" eine eigene Fingierung: Schlaggenberg und Stangeler schreiben nicht in der Ich-Form; es gibt kein Ich im Roman außer dem des Geyrenhoff. Das heißt: beide „Mitarbeiter" sind der Redaktion unterworfen.

Die ideale Chronik scheitert nicht ohne Grund an der Stelle, wo Geyrenhoff das Scheitern der „falschen" Chronik beschreibt. In dem Maße nämlich, wie der „falsche" Chronist die äußere Unüberschaubarkeit seines Gegenstandes zu spüren bekommt und gleichermaßen der ideale Chronist die innere Undurchdringlichkeit der beteiligten Figuren – auch auf äußerlich überschaubarem Feld und auch bei zeitlichem Abstand – erkennt, in eben dem Maße wird Geyrenhoff auf seine eigene Subjektivität zurückgedrängt. Er erkennt, daß jede seiner beschriebenen Personen in einer ihr eigentümlichen, höchst persönlichen „Welt" lebt, und muß sich vor Augen halten, daß seine eigene „Welt" keineswegs umfassender ist, daß auch sie ihr subjektives Zentrum hat. Schon indem er Mitarbeiter gewinnt, gefährdet er seine zentrale Stellung; denn er muß jene Mitarbeiter wohl oder übel als selbständige Zentren neben sich anerkennen. Das heißt: er beschwört unvermeint die Diversion und damit den endgültigen „Sturz vom Steckenpferd".

Insofern bedeutet das Scheitern der Geyrenhoffschen Chronik nicht mehr und nicht weniger als die Degradierung eines objektiven Weltbildes zu einer subjektiven Welthöhle. Da jeder in seiner eigenen „Welt" lebt, die nicht mit fremdem, von außen angelegtem Maße meßbar ist, wird „jeder sein eigener Sektionsrat". So formuliert es Doderer im Tagebuch und mehrfach im Roman selbst. Im Tagebuch heißt es mit Bezug auf das Scheitern der Chronik: „An dieser Stelle errichtete jede der an dem ganzen Schwindel beteiligten Personen ihren Sektionsrat"[33]; im Roman:

> ‚Jeder sein eigener Sektionsrat!' hatte Kajetan einmal als eine mögliche Devise angenommen. ‚Jeder habe einen geordneten und unbeteiligten Sektionsrat in sich, der alle Schlichtungsverfahren durchführt.'[34]

Es bleibe dahingestellt, ob Doderer hier bewußt an das Wortspiel ‚Sektion' oder ‚Sektor' denkt; der Sachverhalt wenigstens ist klar: die von Geyrenhoff dargestellte Welt zerfällt in einzelne Sektoren, Geyrenhoff verfällt den Einzelheiten[35]. Solange „die ganze Bande beisammenblieb“, so heißt es im Tagebuch[35], „wurde Herr von Geyrenhoff zum geometrischen Ort aller Sektionsräte“. Bis dahin galt: „Es war das Atelier des Sektionsrates Geyrenhoff sozusagen stets gleich weit entfernt von allen Angehörigen jenes Lebenskreises ...“ Jetzt aber ist Geyrenhoff einer unter anderen[36].

6

Bei alledem gibt es noch einen, wie es scheint, höchst einfachen Scheiterungsgrund für beide Arten der Chronik: Geyrenhoff ist kein Schriftsteller, er dilettiert, das Schreiben ist sein „Steckenpferd“, und der „Sturz vom Steckenpferd“ ist unvermeidlich. Geyrenhoff ist kein Schriftsteller, er ist nur eine schreibende Figur.

Allerdings ist auch in anderen Romanen der vorgeschobene Chronist oder Ich-Erzähler, den ein Autor an seiner Statt erzählen läßt, kaum jemals selbst ein Schriftsteller: Serenus Zeitblom so wenig wie Felix Krull, der Matrose Ismael in Melvilles MOBY DICK so wenig wie der Oberregierungsrat Karl Krumhardt in Wilhelm Raabes AKTEN DES VOGELSANGS, Max Frischs Homo Faber so wenig wie der Blechtrommler Oskar bei Günter Graß. Alle diese Chronisten oder Ich-Erzähler beteuern zumeist wie Dostojewskis G-ff, daß sie mehr oder weniger unerfahren in der Tätigkeit des Schreibens seien, offenbaren aber im Zug ihrer Aufzeichnungen nicht selten ein hohes Maß an schriftstellerischer Kunst. Besonders dieser Umstand weist sie als Delegierte ihres Autors aus. Der Autor erweckt zwar die Illusion, als schreibe in Wirklichkeit der von ihm vorgeschobene Chronist, und nicht er selbst. Indem er aber den Chronisten mit seinen schriftstellerischen Erfahrungen ausstattet, ohne ihn als Schriftsteller zu deklarieren, gefährdet er die Illusion: er wird hinter dem Chronisten bemerkbar, zumindest als derjenige, der alle schriftstellerischen Probleme stillschweigend löst. Dennoch hält er an der Illusion fest: er entlarvt den Chronisten nicht als seinen Delegierten, noch gibt er seine Identität mit dem Delegierenden preis.

Dieses Spiel zwischen Illusion und Wirklichkeit ist bei Doderer auf eine andere Ebene gehoben. Einerseits wird die Illusion, daß der Chronist tatsächlich selbst schreibt, potenziert: er zeigt sich – da es ein Schreiben ohne schriftstellerische Aporien nicht geben kann – in der Auseinandersetzung mit dem Schreiben. Das Schreiben des „Nicht-Schriftstellers“ Geyrenhoff wird ausdrücklich zum Problem gemacht; und der Mangel, daß er kein Schriftsteller ist, wird ihm zum Verhängnis; der Autor springt ihm nicht helfend bei. Andererseits wird die Illusion in dem Augenblick radikal aufgehoben, da der Chronist versagt, der Roman aber trotzdem weitergeführt wird. Damit tritt indirekt der Autor selbst in Erscheinung, zwar nicht persönlich als ein Ich (die Ich-Form bleibt dem Chronisten vorbehalten), sondern nur als „Erzähler“ im „personlosen“ Sinn: als das Erzählen oder als Erzählfunktion. Wenigstens ist damit die zu Beginn erweckte Illusion, als sei der Chronist auch der Verfasser des Werkes, zerstört: er erweist sich vielmehr ausdrücklich als einer, der delegiert worden ist, indem er jetzt, da er als Chronist scheitert, relegiert wird.

7

Geyrenhoff wird relegiert, das heißt: er wird zur Figur. Tatsächlich ist von ihm in den späteren Teilen des Romans gelegentlich in der dritten Person die Rede. Die Diversion in Einzelheiten – mit der Formel: „Jeder sein eigener Sektionsrat“ genau bezeichnet – ist, von Geyrenhoff aus gesehen, dem als Chronisten zunächst eine zentrale Rolle zukommt, die Konsequenz der „falschen“ Chronisterei. Jedoch im Hinblick auf das Ganze des Werkes, wie es heute vorliegt, erscheint jene Formel nicht nur als eine „mögliche“ (wie Geyrenhoff vermeint), sondern als die tatsächliche „Devise“ des Romans; sie ist dessen Substruktion. Geyrenhoff ist eine Figur unter anderen, er unterscheidet sich von den anderen allein dadurch, daß er seine Geschichte (seine „Welt“) selbst erzählt, genauer müßte man mit einer paradoxen Wendung sagen: dadurch, daß seine Geschichte in der Ich-Form statt in der Er-Form erzählt wird!

Alle Figuren – und Geyrenhoff zunächst inbegriffen – sind Delegierte des Autors in doppelter Hinsicht: sie sind Perspektive und Objekt. Als Subjekt liefern sie die Perspektive auf eine Welt, der sie als Objekt angehören; anders: sie betrachten und sie werden betrachtet. Sie alle hat der Autor in der Hand. So heißt es genau in der Mitte des Buches in Bezug auf Geyrenhoff, der sich die Rolle der ‚letzten Redaktion‘ anmaße („wovon natürlich gar keine Rede sein kann“): „Nicht er redigierte, sondern er wurde redigiert, genau so wie alle anderen . . .“[37]

Dennoch gibt es einen wesentlichen Punkt, in dem sich Geyrenhoff von allen anderen Figuren unterscheidet: er ragt als einziger über die Zeit der eigentlichen Romanhandlung hinaus; es handelt sich um die Position des idealen Chronisten. Das heißt, Geyrenhoff ist ein Delegierter des Autors in dreifacher Hinsicht: er fungiert einmal, wie jede andere Figur, als beschränkte Perspektive auf die Welt des Romans – das ist in seinem Fall die Position des „falschen“ Chronisten; ferner übt er, wie keine Figur sonst, als idealer Chronist die Funktion der „Zusammenfassung“ aus; allerdings kommt ihm die letzte Redaktion nicht zu, denn er ist – drittens – als Figur Objekt des Romans.

Dies letztere ist notwendig; denn nur durch die Anvisierung von außen kann die beschränkte Perspektive und die Persönlichkeit des Chronisten objektiv und gültig bestimmt werden. Zwar genügt Geyrenhoffs eigener

Bericht, soweit er ehrlich ist, seinen begrenzten Gesichtskreis zu dokumentieren: er kann selbst sagen, wie weit er seinen Gegenstand überblickt und daß ihm manches verborgen bleibt, und er kann als idealer Chronist sogar sagen, was ihm seinerzeit verborgen geblieben ist. Aber er kann nicht die Grenze seines Vorstellungskreises angeben. An diesem Punkt wird die objektive Charakteristik von außen notwendig, und zwar als Kritik. Nur so kann jene Aporie der inneren Undurchdringlichkeit behoben werden.

Eine solche Charakteristik und Kritik ist allerdings auch immanent denkbar, nämlich im Dialog. So verfährt zum Beispiel Wilhelm Raabe in den AKTEN DES VOGELSANGS: der Chronist Karl Krumhardt kann Lob und Tadel seiner eigenen Person nicht wohl selbst vorbringen, also läßt er es in den Dialog einströmen. Doderer bedient sich dieses Mittels auch, vor allem in den Unterredungen des Chronisten mit Schlaggenberg. Diesem Berufsschriftsteller kommt ja am ehesten ein Urteil über Geyrenhoffs Unternehmen zu. Es geht dabei zunächst um das Problem: Bericht – Roman. Als Schlaggenberg darauf drängt, daß sein Dicke-Damen-Komplex „in Ihre romanhaften Berichte – oder wie Sie Ihre Schreiberei da schon nennen – aufgenommen werde“, entfährt es Geyrenhoff: „Das ganze Buch wird verdorben!“ – worauf Schlaggenberg repliziert: „Sie wollen also doch ein Buch schreiben! Sie wollen dichten! Feiner Dichter! ...“[38] – In dem damit korrespondierenden Gespräch, als Schlaggenberg sein Manuskript übergibt, äußert er seine Kritik an Geyrenhoffs Stil[39]. Doch alle Gespräche finden in der Handlungsgegenwart statt, betreffen also, wo sie die Chronik zum Gegenstand haben, lediglich die „falsche“ Chronik, und nicht das ganze Unternehmen Geyrenhoffs. Dies gilt auch für den Brief, in dem Schlaggenberg den Sektionsrat scherzhaft einen „falschen Chronisten“ nennt und sagt: „Sie sollten aufhören. Oder, besser: sammeln Sie nur Notizen. ... Dieses Herumschriftstellern gehört abgeschafft.“[40] Tatsächlich erkennt Geyrenhoff den Schriftsteller Schlaggenberg in dieser Beziehung als kompetent an; als seine „falsche“ Chronik scheitert, heißt es in einer Art von innerem Monolog (Geyrenhoff spricht selbst von „innerlichem Sermon“[41]): „... und dann sagte eine impertinente Stimme: ‚Daß Sie den Überblick verlieren, die wichtigsten Sachen vergessen, ganz in Befangenheit geraten schon nach diesen paar Monaten, na, das ist – Sie verzeihen schon, Herr Sektionsrat – halt typisch dilettantisch.‘ ...“[42] So setzt Geyrenhoff Schlaggenbergs Urteil bisweilen gleich in Parenthese hinzu, zum Beispiel: „... Kenntnisse – Schlaggenberg sagte ‚Tratschereien‘ – ...“[43] oder: „... Bericht ... ‚Jedoch romanhaft!‘ wird eine gewisse Person einwenden“[44]. All das aber zeigt, daß hier im wesentlichen nur das kritisiert wird, was Geyrenhoff auch in einer Selbstkritik vorbringen kann.

Außer der Kritik im Dialog gibt es ferner eine immanente und indirekte Kritik an dem Chronisten, die keine Selbstkritik ist, nämlich die Ironie. Thomas Mann gebraucht dieses Mittel zur Charakterisierung von Serenus Zeitblom: er läßt den Studienrat in einer Haltung und in einem Stil schreiben, die über dessen Beschränktheit dem Gegenstand gegenüber ein eigenes Urteil sprechen. Solche immanente Ironisierung des Chronisten dient hier überdies als ein Stilmittel, die Unerfaßbarkeit des Gegenstandes augenfällig zu machen: dieser Gegenstand, das Schicksal Adrian Leverkühns mit all seiner Symbolik, soll nämlich letzten Endes unfaßbar bleiben. Indessen führt solches Verfahren an die Grenze der Karikatur. Geyrenhoff dagegen ist keine Karikatur, und sein Gegenstand soll in der Tat erfaßt werden, doch wird er dieser Aufgabe nicht gerecht. So bleibt nur die objektive Kritik von außen, die die Grenzen des Chronisten bestimmt.

Dieser Punkt ist eine echte Aporie: der Chronist muß kritisiert werden, aber es gibt keinen Unbeteiligten, der ihn kritisieren könnte, außer dem Autor; dieser jedoch, als Erzählfunktion definiert, kann nicht wohl als kritisierendes Ich in die Fiktion eingreifen, denn er würde sich von dem Ich des Chronisten nicht unterscheiden – es sei denn, er machte sich namhaft, dann aber wäre er nicht mehr als ein zweiter Geyrenhoff. Doderer rettet sich aus dieser Aporie zunächst dadurch, daß er die Kritik des Autors den fingierten Mitarbeitern in den Mund legt, vor allem wiederum Schlaggenberg. Dessen Kritik entzündet sich an einer kleinen Eigenart Geyrenhoffs, nämlich an seiner Vorliebe für den Ausdruck ‚ab ovo'. Schlaggenberg macht sich mehrmals darüber lustig[45]. Freilich setzt das voraus, daß Geyrenhoff solche Stellen bei der „Zusammenfassung und Überarbeitung" stehen läßt. Tatsächlich nimmt er sich vor, keine Kleinigkeit zu unterschlagen;

> denn heute, bei der Sammlung und Bearbeitung dieser von den allerverschiedensten Seiten stammenden Berichte, Szenen und Auftritte, muß es mir doch in hohem Maße auch um meine eigene biographische Wahrheit gehen, und ich darf nicht verschweigen, sondern muß genau feststellen, wovon ich jeweils infiziert war. Nebenbei bemerkt, achte ich auch streng darauf, nur ja keinen Strich zu ändern, wenn einer meiner Gewährsmänner oder Mitarbeiter mich selbst beim Namen nennt; wenngleich's mir manchmal wirklich schwer fällt, besonders bei Schlaggenberg, seiner Unverschämtheiten wegen (man wird das noch sehen).[46]

Der Streit um den Ausdruck ‚ab ovo' führt schließlich zu einem reizvollen Fußnoten-Krieg, wie er bei Lawrence Sterne oder Wieland – mit seinen Anmerkungen des Herausgebers, des Übersetzers, des Verfassers – und schon gar bei Jean Paul beliebt ist. So heißt es einmal, als von Frau Mayrinker die Rede ist, im Text:

> ... ein Ei der Apperzeptions-Verweigerung, aus dem sie niemals kroch. Sie blieb ab ovo in ovo (der Sektionsrat Geyrenhoff hat so einige Redensarten, aber Variationen darauf fallen ihm nie ein).[47]

Dazu vermerkt Geyrenhoff in der Fußnote:

Ich lasse auch diese Stelle unverändert stehen, weil sie bezeichnend für die Art erscheint, wie Kajetan sich erfrechte; ganz abgesehen von jener ‚Chronique scandaleuse‘, die sich ja als fast unreproduzierbar erwiesen hat. Sunt certi denique fines.[47]

Doch all dies bleibt Scherz und Spiel; ein Streit zwischen Figuren gewährleistet noch keine objektive Kritik: die Objektivität relativiert sich hier nach dem Grade der Subjektivität des Urteilenden. So muß schließlich der Autor selbst sprechen, und das ist im Grunde schon bei dem ‚ab ovo‘-Streit der Fall; denn diese vorgeblich von Schlaggenberg stammenden Invektiven finden sich in den fiktiven Roman-Teilen, für die Schlaggenberg allenfalls als Quelle fungiert, nicht aber als Verfasser zeichnet: er tritt hier stets als dritte Person in Erscheinung, ist also wie Geyrenhoff dem Autor unterworfen.

Geyrenhoff wird zum ersten Mal auf Seite 552 in dritter Person genannt und kritisiert, und zwar ganz eindeutig vom übergeordneten Autor:

Wir haben in diesen Berichten schon einmal darauf hingewiesen – anläßlich der Begegnung des Sektionsrates Geyrenhoff in der Konditorei Gerstner zu Wien, als er dort bei Frau Ruthmayr saß, mit der Gattin des Rechtsanwaltes Trapp, was alles der Herr von Geyrenhoff in seiner eben so zartfühlenden wie allzu breiten Art selbst erzählt – . . .

Ganz in der Nähe dieser Stelle heißt es dann: der „Sektionsrat Geyrenhoff, der sich zeitweise für einen Schriftsteller hielt . . .“[48]. Schließlich gibt es eine vollständige Charakterisierung von außen:

Geyrenhoff war stets etwas langsam. Zudem, er hatte wenig selbsterlebte Gegensätze in sich, und kannte wahrscheinlich in seinem Inneren keineswegs jene Grenze, die gesund von krank trennt, oder, wenn man will, Leben von Holz, jenes Intervall, das erst die wesentlichen Empfindungen schafft und den wesentlichen Schmerz. Was ihm eignete, war ein bis zur Salonfähigkeit moderierter gesunder Menschenverstand, der also nicht mehr aufdringlich und hausmeisterisch wirken konnte – und mit so etwas kann man dann leicht gerecht sein. Nun genug. Der Herr von Geyrenhoff klagt oft über Unverschämtheiten in diesem Manuskript.[49]

Mit der letzten Bemerkung wird die Kritik, die in Wahrheit vom Autor ausgeht, noch notdürftig als Kritik eines Mitarbeiters verschleiert. Zwei Seiten danach ist die Rede von einem „Herrn (es war jener, der hier manchmal die unverschämten Bemerkungen über den Sektionsrat Geyrenhoff fallen läßt . . .)“[50]; und später wird dieser „Herr“ als Dr. Döblinger identifiziert, unter welchem Pseudonym Schlaggenberg zuweilen auftritt[51]. – Übrigens gibt es zu jenem Zitat eine Parallelstelle in Doderers Tagebuch. In Bezug auf Geyrenhoff heißt es dort:

Was er innehatte war eine aus bürgerlicher Gebildetheit – aus urbanité et civilité, hätte Franz Blei gesagt – erfließende Anstands-Objektivität, ein österreichisches Wohlgeartet-Sein und damit eine antikische Abneigung gegen den Exzeß, die Ideologie und das Verabsolutieren . . .[52]

Und er könne – so heißt es weiter – mit seinen urbanen Mitteln gegen das Dämonische, das sich seiner Umgebung bemächtigt habe, nicht aufkommen. „Dagegen hätte es einer ebensolchen, jedoch kontradiktorisch gerichteten Besessenheit bedurft"; diese aber, sagt Doderer, eigne keinem „Gebildeten"[53].

Es fehlt bei alledem noch das entscheidende Urteil, mit dem der Autor dem Chronisten die Rolle der „letzten Redaktion" abspricht und ihn dadurch vollends zur Figur macht. Dieses Urteil findet sich, wie bereits vermerkt, genau in der Mitte des Buches – freilich spricht der Autor hier nicht als ein Ich, sondern verbirgt sich hinter einer passivischen Wendung –, es lautet im Zusammenhang:

. . . bei Geyrenhoff ist doch allezeit die gute Meinung der stärkere Teil gewesen gegenüber der Fähigkeit zur Begriffsbildung. Eben deshalb hat man zuletzt nur verhältnismäßig kleine Teile seiner ‚Chronik', oder was es schon hätte werden sollen, hier aufgenommen. Er selbst vermeinte übrigens immer, die ‚Letzte Redaktion' aller Berichte allein zu vollziehen, wovon natürlich gar keine Rede sein kann. Nicht er redigierte, sondern er wurde redigiert, genau so wie alle anderen (auch Kajetan), genau so wie Frau Selma Steuermann zum Beispiel. Doch seine dahin gehenden Bemerkungen ließ man gerne stehen.[54]

Diese Kritik, in der sich der Kritisierende – nämlich der Autor als der in Wahrheit „letzte Redaktor" – verleugnet, begründet das endgültige Scheitern der Geyrenhoffschen Chronik. Der Chronist wird relegiert, weil er dieser so und so beschaffene Geyrenhoff ist.

Mit alledem ist der Prozeß, in dem der Chronist zur Figur wird, nur von seiner negativen Seite her betrachtet: als „Sturz vom Steckenpferd" und als Relegierung. Es gibt indessen auch eine positive Seite dieses Prozesses, nämlich die Ausbildung zum Akteur. Die Devise für Geyrenhoffs Schreiben auf der ersten Stufe lautet: „primum scribere, deinde vivere"; es ist zugleich die Formel seiner „Figurwerdung", ja Menschwerdung. Er bezieht einen Standpunkt gleichsam außerhalb des Lebens; von hier aus beschreibt er das Leben, mehr noch: er provoziert es. So heißt es einmal im Ersten Teil des Romans, nachdem Geyrenhoff eine Reihe belanglos scheinender Fakten berichtet hat:

danach erst [nach diesen Ereignissen] schoss eine neue Konstellation zu Kristall, die in mir, so fühlt' ich's, in einer Art Bereitschaft gelegen war, und nun äußerlich wurde, nach außen sich umklappte. Näher gegen das Frühjahr zu kam auch die Niederschrift meiner Chronik lebhafter in Gang. Provozierte ich das Leben? Primum scribere, deinde vivere.[55]

Die Wogen des provozierten Lebens aber schlagen über Geyrenhoff zusammen, er verliert seinen Standpunkt und wird vom Leben mitgenommen. Mit seinen eigenen Worten: „. . . nun schloß sich mir der Blätterdom eines neuen Urwalds beinah schon über dem Kopfe."[56] Und später bekennt er: „Als Chronist war ich erledigt."[57] Doch ist seine

„Chronisterei" keineswegs vergeblich gewesen, denn sie hat ihn leben gelehrt: er ist jetzt um so bewußter und entschiedener „Akteur".

Hatte ich als Chronist ganz vergeblich mich bemüht in's Zentrum der Sachen zu kommen ... so wehte mir jetzt eine Ahnung entgegen von sozusagen höheren Formen des Handelns, ja, vom eigentlichen Handeln überhaupt: und dahin war ich durch Schreiben gelangt. Primum scribere, deinde vivere. Erst schreiben und dann leben. Die umgekehrte und ursprüngliche Form dieses Sprichwortes war nur eine Maxime für Reporter, bestenfalls für krüde Naturalisten. Sie entsprach nicht der Mechanik des Geistes.[57]

Geyrenhoff schreibt sich gleichsam selbst zur Figur; die Chronisterei wird zum Vehikel seiner Menschwerdung. Das heißt: Doderer beläßt die Problematik nicht auf der kategorialen Ebene als bloße Theorie der Chronik und des Romans, sondern er konkretisiert sie in dem höchst persönlichen Fall eines Menschen. Die Problematik der Chronik wird zur Problematik des Chronisten, und auf dieser Basis wird sie nach den Gesetzen der „Mechanik des Lebens" gelöst. Ein solches Gesetz besagt: es gibt kein Steckenpferd, das nicht früher oder später die Person durchdringt, es gibt keinen Sonntag, an dem man gleichsam außerdienstlich oder inoffiziell existiert. Jede Pose, die einer annimmt, fordert die Person heraus. Diesem Gesetz verfällt der Amtsrat Zihal bei seinen inoffiziellen Beobachtungen erleuchteter Fenster. Diesem Gesetz verfällt der Sektionsrat Geyrenhoff, der sich mit seiner Chronisterei „Sorgen leichterer, ja fast möchte ich sagen, tändelnder Art"[58] schafft, alsbald aber beim Wort genommen wird und von seinem Steckenpferd stürzt. Damit ist er auf einen fruchtbaren Nullpunkt geführt, von dem aus sich zwei Wege eröffnen: entweder gelingt es ihm, die Pose in eine wirkliche Position zu verwandeln, also letzten Endes Schriftsteller zu werden (dazu ist Geyrenhoff nicht der Mann, und diese Funktion wird vom Autor übernommen), oder aber (und das ist der Weg, den Geyrenhoff einschlägt) er befestigt sein ihm eigentümliches Menschsein, dessen Grenzen ihm mit dem Zerbrechen seiner Pose offenbar geworden sind. Es ist für diesen Sachverhalt bezeichnend, daß Geyrenhoff, der zu Beginn als Chronist stets die Objektivität seiner Berichte versichert, gegen Ende des Romans als schreibende Figur einmal sagt: „ich kann (wie eben in allem und jedem hier) nur meine sehr subjektiven Eindrücke wiedergeben"[59].

In der Tat wird der anfangs unbeteiligte Beobachter im Laufe der Handlung zur beteiligten Figur. Geyrenhoff gewinnt Friederike Ruthmayr zur Frau (auf diese „Verstrickung" wird bereits in der OUVERTÜRE angespielt[60]). Damals – so sagt er jetzt im Rückblick – hat er in dieser Ehe den Effekt seiner Chronisterei gesehen, heute aber erkennt er das wahre „Resultat" seiner Chronik in der völlig unverstellten Apperzeption, die ihm beim Tod des Imre von Gyurkicz schlagartig aufgegangen ist:

daß ich jenen, der nun dort unten tot auf dem Rücken lag und vielleicht sein Emblem noch mit der Faust umklammerte – ganz deutlich konnt' ich das nicht sehen – derart verstand und von ihm wußte, und sogar das Ehrenvolle seines armen Sterbens begriff, und, wahrscheinlich als einziger von allen, die je um ihn gewesen, jetzt bei ihm war: dazu nur, und zu keinem anderen Ende, hatt' ich meine Schreibereien begonnen und aus ihnen gelernt, war ich mit ihnen gescheitert. Primum scribere, deinde vivere.[61]

Dasselbe meint er, wenn er sagt:

Mit Leidenschaft – wenngleich nicht mehr Chronist! – ergriff mich der Wunsch, ja eine heftige Sehnsucht, über mich hinauszugehen, über mich hinwegzukommen, in's Jenseits im Diesseits, in den anderen Menschen, in das Gespinst seiner Verschlossenheit.[62]

Geyrenhoffs Devise auf der ersten Stufe wird also in doppeltem Sinn an ihm selbst erfüllt: vom unbeteiligt Schreibenden wird er zur beteiligten Figur, und durch das Schreiben lernt er das „apperzeptive Leben", und das heißt bei Doderer: das wirkliche Menschsein.

Indessen erschöpft jene Devise – im Hinblick auf die Struktur – nicht den ganzen Roman. Zwar ist dem Sektionsrat auf der zweiten Stufe die Möglichkeit gegeben, jenen Prozeß: „primum scribere, deinde vivere" selbst darzustellen, doch wird er damit nicht zum fingierten Verfasser des ganzen Werkes. Seine Chronik ist vielmehr von genuin romanhaften Teilen umlagert, deren Devise jene Geyrenhoffsche verschlingt; sie müßte lauten: primum scribere, deinde vivere, deinde scribere. Der Autor setzt das Schreiben des Chronisten fort. Geyrenhoff repräsentiert nur die Vorstufe des Romans.

8

Nach alledem bleibt die Frage, weshalb der Autor überhaupt einen Chronisten delegiert habe, den er dann früher oder später relegieren muß. Diese Frage ist der entscheidende Punkt im Fall Geyrenhoff. Sie führt zunächst auf die autobiographische Substruktion.

Die komplexe Person des Autors, die die ganze Welt des Romans imaginiert und die für die Wirklichkeit dieser Welt als Zeuge bürgt, erscheint in den DÄMONEN dreifach aufgespalten und in drei Gestalten objektiviert. Geyrenhoff, Schlaggenberg und Stangeler sind die drei prismatischen Seiten der einen Schriftsteller-Person des Autors. Sie fungieren mit ihrem jeweiligen Gesichts- und Vorstellungskreis als Zeugen für die gesamte äußere und innere Welt des Romans. Es gibt im Roman keinen Wirklichkeitsbereich, der nicht von einem dieser drei erlebt oder imaginiert worden wäre. Sie stecken – gleichsam als Eckpfeiler – die Grenzen des Romans ab. Nimmt man Doderers Wort, die Rede des Erzählers sei Monolog[63], ernst, so erscheint dieser Monolog in den DÄMONEN nach außen gekehrt als Dialog zwischen Geyrenhoff, Schlaggenberg und

Stangeler. Der Autor hat diese drei Gestalten aus sich herausgelöst und objektiviert, das heißt: er ist mit keiner von ihnen identisch, er läßt sich von ihnen in einem jeweils begrenzten Bereich vertreten, er hat sie für einen solchen Bereich als Perspektive delegiert, er steht hinter ihnen als der Delegierende. Ein Zeuge aber, der die Wirklichkeit der dargestellten Welt verbürgt, kann nur ein Ich sein. Um nicht selbst dieses Ich sein zu müssen, das seinen Gesamtüberblick zur Einzelperspektive verengen würde, hat Doderer seine drei autobiographischen Figuren nicht zu Figuren gleichen Grades gemacht, sondern eine von ihnen vorläufig exponiert: er setzt Geyrenhoff als Chronisten ein und gibt ihm die Ich-Perspektive des Zeugen. Geyrenhoff verdient die Exponierung vor Schlaggenberg und Stangeler, da sein Horizont – wenigstens zu Beginn des Romans – nicht durch eigene Verstrickung verbarrikadiert ist wie bei Schlaggenberg, der zeitweilig seiner Manie verfällt, und Stangeler, der konstitutionell „blind" zu sein scheint.

Geyrenhoff repräsentiert als idealer Chronist wie als Zeuge die Stufe der Objektivität – das ist seine eigentliche Funktion. Dadurch wird die Welt des Romans als wirklich verbürgt, zugleich aber wird sie durch seine Perspektive zu seiner Welt relativiert. Anders: der Chronist erhebt sich zur Hauptfigur, welche Charge in Doderers Spätwerk keiner Person zukommt. Deshalb wird die Exponierung alsbald zurückgenommen. Doderer sagt in seinem EPILOG AUF DEN SEKTIONSRAT GEYRENHOFF:

> sein Autor hat den Sektionsrat delegiert und sich auf diese Weise von einem ihm noch zu nahen Sachverhalte zurückgezogen. Geyrenhoff war so etwas wie ein eingebauter Gleichgewichtskörper, ein Gyrostat: also Mittelpunkt, Subjekt. Jedoch, er wurde mit der Zeit exzentrisch, weil eben das Schreiben für einen pensionierten Sektionsrat nun einmal von vornherein als exzentrische Beschäftigung anzusehen ist. Damit konnte, bei sich neigendem Gleichgewicht, der ganze kleine Kosmos von seitwärts sichtbar werden. Der Sektionsrat gerät an die Peripherie; anders: er wird selbst zur Figur ...[64]

Auf solche Weise impliziert die Dezentralisierung Geyrenhoffs – bei aller Negativität für ihn selbst – positiv die Ausbildung einer lebensgemäßen epizentralen Welt, in der es keine Hauptfiguren gibt. Und doch läßt Doderer den Sektionsrat zuweilen noch erzählen, weil er nämlich die komplexe Welt wenigstens notdürftig noch zusammenzuhalten vermag[65]. Geyrenhoff, „diese seltsamste Durchdringung zwischen einer Person und einer Fiktion", bleibt auch in den späteren Teilen des Romans, was Doderer von ihm in Bezug auf die früheren Passagen sagt, nämlich die „Reservation des Objektiven mitten in einer aus den Angeln gehängten Erzählung"[66].

Ferner repräsentiert Geyrenhoff durch sein Schreiben als Zeuge bei währendem Geschehen einen Sachverhalt, der den Schriftsteller als Menschen gleichermaßen konstituiert, und zwar die Zukunftsungewißheit. Nachdem Doderer im EPILOG von Geyrenhoffs Unfähigkeit, sich der

Gegenwart zu bemächtigen, gesprochen hat (Geyrenhoff bemühe sich redlich um das Präsens, „manierlich, urban, aber ohne definitorische Kraft"), sagt er:

> Der Schriftsteller andererseits muß dem hier und jetzt sich vollziehenden Leben gegenüber genau so ratlos und befangen bleiben wie jeder Mensch – „plonger dans la vie commune sans arrière-pensée d'analyse ou d'observation" nannte das Henri Bordeaux einmal: denn eben dies konstituiert das Praesens, ohne welches das Perfektum, das eigentliche historische Perfektum, nicht gesetzt werden könnte. (Aus Gründen der G r a m m a t i k also muß der Schreibende das sein, was man einen ganz gewöhnlichen Menschen nennt.) Nur wer das dumpfe Praesens riskiert, darf hoffen, zum Kristall des Perfektums zu gelangen.[64]

Damit sind die beiden wesentlichen Gründe genannt, weshalb Doderer überhaupt einen Chronisten zwischen sich und die eigentliche Romanhandlung gestellt hat. Geyrenhoff bildet einmal die „Reservation des Objektiven"; der Romanwelt ist ein Zeuge beigegeben, damit nicht lediglich der Autor außerhalb der Fiktion als Zeuge für die erzählte Welt fungiere (solche Zeugenschaft wäre übrigens fragwürdig, sie eignet jedem Autor, auch demjenigen, der eine Welt frei erfindet, sie ist im Grunde gar keine Zeugenschaft, sondern nichts anderes als die Verantwortung, die jeder Autor seinem Werk gegenüber trägt). Zum andern gewährleistet Geyrenhoff auf der ersten Stufe die lebensgemäße Perspektive der Zukunftsungewißheit, die für ihn als „falschen" Chronisten echt ist, während sie für den Autor selbst nur illusionär sein könnte.

Eben diese Dialektik bildet die Struktur von André Gides Roman LES FAUX-MONNAYEURS. Der Schriftsteller Edouard wird hier bei seinen Vorarbeiten zu einem geplanten Roman mit dem Titel LES FAUX-MONNAYEURS dargestellt, welcher Roman indessen hinter seinem Rücken vom Autor geschrieben wird. Dabei wird Edouard wie Geyrenhoff von seinem Autor kritisiert und in seine Schranken gewiesen (übrigens findet sich hier wie bei Doderer genau in der Mitte des Buches – II 7 – eine summarische Reflexion des Autors über alle seine Figuren). Edouard ist wie Geyrenhoff eine schreibende Figur; allerdings ist er ein Schriftsteller, und insofern vertritt er den Autor im Stadium der Vorarbeit. Auf solche Weise zeigt Gide, wie ein Roman entsteht, ja dies ist sein eigentliches Thema: die Geschichte des Buches interessiert ihn mehr als das Buch selbst – so sagt es Edouard (II 3). Edouard sammelt Material, ihm geht es bei jeder Erfahrung weniger um deren Inhalt als um das Problem, wie weit sich diese Erfahrung in der Romanfiktion gestalten lasse. Geyrenhoff dagegen ist von solcher Problematik nicht belastet, er ist kein Schriftsteller, sondern nichts anderes als ein Mensch, der es sich zur Pflicht gemacht hat, alles, was er erfährt, chronistisch festzuhalten. Der Effekt aber ist bei Gide wie bei Doderer derselbe: nämlich eine potenzierte Illusion der Wirklichkeit des erzählten Geschehens. Und dies erweist sich jetzt als der letzte Grund, weshalb Doderer einen Chronisten eingeführt hat: indem ein Schreibender – sei es ein Schriftsteller oder ein Laie – beim Schreiben innerhalb eines Romans dargestellt wird, entsteht die Illusion, als erzähle das Geschehen in denjenigen Passagen, die ausdrücklich nicht jenen Schreibenden zum Verfasser haben, sich selbst.

9

Der Zeugenbericht bildet die erste Stufe des Romans, aber die lebensgemäße Perspektive des Zeugen schafft noch keinen Roman. Denn die „Gedächtnis-Distanz" konstituiert das Schreiben, „die fruchtbare Gedächtnis-Distanz, aus der allein irgendwas gesehen, das heißt in den goldnen Schnitt zwischen Nähe und Entfernung gerückt werden kann"[67]. Diese Voraussetzung und mit ihr die Objektivität ist auf der zweiten Stufe der – nunmehr idealen – Chronik gegeben. Indessen ist auch die Objektivität noch nicht die entscheidende Bedingung – die „erzählerische Ergriffenheit" erst konstituiert den Roman. Durch sie wird der Subjekt-Objekt-Bezug überwunden, die Beschreibung von außen schlägt um in die Gestaltung von innen heraus. Diese dritte und eigentliche Stufe des Romans kann nicht mehr von einem Erzähler-Ich repräsentiert werden, sondern nur von der ichlosen Erzählfunktion.

Das objektive Schreiben des Chronisten macht Geyrenhoff zu einem lebensgemäßen Schreiber, nicht aber zum Schriftsteller, es hält ihn in der Schwebe zwischen Figur und Schriftsteller. Der Chronist wäre entbehrlich, wäre er eines von beiden ganz. Als Schriftsteller wäre er im Prinzip – wenngleich nicht der Person nach – mit dem Autor identisch; ihm wären alle Funktionen des Autors übertragen. Als Figur würde er freilich von der Problematik des Schreibens gar nicht betroffen, geriete er nicht in Wettstreit mit dem Autor. Im ersten Fall wären DIE DÄMONEN ein reiner Ich-Roman, im andern ein reiner Er-Roman. So aber entspricht der Schwebe zwischen Figur und Schriftsteller im Falle Geyrenhoffs die Ambivalenz des ganzen Werkes zwischen Chronik und Roman[68].

Das Scheitern des Zeugenberichts beschwört die Chronik, das Scheitern der Chronik beschwört den Roman, ja, mit dem Scheitern der Chronik wird der Roman erst geboren, durch das Scheitern des Chronisten wird der Autor evoziert. Das heißt: das Verhältnis zwischen dem Autor und seinem Werk ist nicht von vornherein entschieden, es ist nicht statisch festgelegt, sondern wird in einem dynamischen Prozeß erst konsolidiert. Der Autor beginnt das Werk nicht als er selbst und nicht als einen Roman, sondern er schiebt einen Chronisten vor. Doderer sagt in Bezug auf die fingierte Chronik im allgemeinen:

> Die beim Autor in Wahrheit vorhandene, ja im vollkommensten Grade vorhandene Gedächtnis-Distanz wird dissimuliert; er hat durchaus den teleskopi-

schen Blick des Rückschauenden, der da die unerbittliche Auswahl längst getroffen; er stellt sich aber als Zeuge vor, der nur chronistisch berichtet und noch keine drei Schritt weit sieht.[67]

Diese Worte aus dem EPILOG AUF DEN SEKTIONSRAT GEYRENHOFF mögen Doderers ursprüngliche Intention bezeichnen, den ganzen Roman als Chronik zu fingieren; für das Werk, wie es heute vorliegt – als Roman nach einer Chronik –, gelten sie nur bedingt. Denn es ist nicht eigentlich so, daß der Autor sich selbst als Zeugen und Chronisten hinstellt; vielmehr ist dieser Chronist ein durch Eigenschaften und Umstände fixiertes Wesen, das schon deshalb nicht mit dem Autor identisch ist. Der Autor versetzt sich in eine konkrete Figur, und es steht ihm jederzeit frei, sie zu verlassen. Er bequemt sich seiner Fiktion, indem er deren Perspektive annimmt, die ihn notwendig beschränkt, aber er unterwirft sich ihr nicht bedingungslos. Deshalb kann ein Scheitern der Chronik nicht den ganzen Roman sprengen. Doderer sagt dazu im EPILOG:

Der Erzähler, in seiner Idealität gesehen, schwebt wohl unbeweglich über dem Teppich des Lebens, der unter ihm durchrollt. Ist er jedoch nicht von so musterhafter Haltung, führt er chronistischen Ballast, sinkt er etwa und schwebt zu tief, dann kann es geschehen, daß ihn die Bewegung mitnimmt. Ich gleiche einer Fliege, die sich auf einen tapis roulant (oder ist es ein Treibriemen?) gesetzt hat. Jedoch ist sie heil geblieben. Sie kann sich wieder erheben.[69]

Aus dem Kontext dieser Stelle geht eindeutig hervor, daß Doderer mit alledem sein eigenes Scheitern meint: es gelang ihm nicht, die anfängliche Konzeption des Romans als einer fingierten Chronik durchzuhalten. An diesem Punkt befand er sich zur Zeit der Niederschrift des EPILOGS (1940–44). In der endgültigen Fassung des Werkes aber, die allein hier der Gegenstand der Analyse ist, erscheint jene Fehlkonstruktion integriert. Von hier aus läßt sich feststellen: mit Recht sagt Doderer in jenem Zitat „ich" und bezeichnet damit den Autor oder den „idealen Erzähler"; denn dieser allein kann sich wieder erheben, nicht aber der durch Umstände und Eigenschaften beschränkte Chronist Geyrenhoff. Der Autor hat nicht nur „chronistischen Ballast" mitgeführt (dies gilt nur so lange, wie er sich selbst als Chronisten hinstellt), sondern er hat außerhalb seiner eine Chronisten-Figur geschaffen, die mit dem Scheitern der Chronik vollends zur Figur wird. An diesem Punkt aber wird der Autor frei, die dritte Stufe ist gewonnen, der Roman setzt sich ohne Chronisten fort. Doderer stellt im EPILOG fest:

Heute aber, nach bald vierzehn Jahren Arbeit, muß der Autor endlich selbst auf den Plan. Es ist nicht mehr vertretbar, daß er sich vertreten lasse.[70]

Insofern ist der Fall Geyrenhoff indirekt die Ortung des Schriftstellers. Er zeigt, wie ein Schriftsteller nicht beschaffen sein darf, ja, daß er überhaupt nicht beschaffen sein darf. Er darf keine Eigenschaften haben, denn „jede Eigenschaft verbarrikadiert ein Stück Horizont"[71]. Er darf keine Meinungen und Überzeugungen haben, denn sie verstellen ihm den

Blick auf die Welt. Er hat Figur zu sehen, nicht aber Figur zu sein[72]. Er darf kein Mensch sein, der der Welt angehört und „in ihren Netzen verstrickt bleibt“, sondern hat sich – mit einem Wort Musils – für eine „utopische Existenz“ zu erklären[73]. Er hat seine Person zu opfern, nur so wird seine Apperzeption grenzenlos, nur so kann die Welt als Welt, und nicht nur als seine persönliche Welt, Sprache werden.

Dieses Bild des Schriftstellers wird nach der Relegierung des Chronisten praktisch erfüllt. Es bedeutet die Selbstaufhebung des Ich-Erzählers, ja ganz wörtlich: seine Liquidierung. Hier wird Doderers Forderung nach der Personlosigkeit des Schriftstellers bestätigt. Indessen gilt die Personlosigkeit nur in effigie: sie meint nur die Ausbildung einer positiven Leere, die gleichbedeutend ist mit potentieller Komplexität. Der Schriftsteller liquidiert seine eigene Person, indem er sie gemäß ihren Facettierungen in verschiedenen Gestalten objektiviert, und bleibt zurück als eigenschaftslose, utopische Existenz, als Erzählfunktion, das heißt: als Organ grenzenloser Apperzeption und letzten Endes als Sprache.

Diese ideale Konstitution ist der Geburts-Stand des Schriftstellers, das heißt: sie bedarf der Einholung; ihre Realisierung erfordert den Durchgang durch den Menschen. Der Prozeß der Einholung ist die andere Seite des Falles Geyrenhoff. Freilich eignet dem Schriftsteller jene positive Leere und Komplexität schon, bevor er den Roman beginnt. Aber er verläßt sich nicht auf seine Idealität, denn sie ist ebensowohl dem Schreiben gemäß wie dem Leben ungemäß, sie bedarf der Bestätigung durch das Leben, sie muß sich am Leben bewähren. Deshalb nimmt der Autor die menschliche Perspektive eines Chronisten an, und deshalb – mehr noch – fingiert er ein Schreiben, das nicht direkt und vermessen mit dem „Kristall des Perfektums“ einsetzt, sondern dieses als die legitime Verlängerung eines Schreibens erweist, das „das Praesens riskiert“. Er stellt das echte, aber lebensungemäße Schreiben durch das falsche, aber lebensgemäße in Frage, weil das Leben stets der letzte und gültige Maßstab bleiben muß. Der Schriftsteller verläßt seinen idealen Ort zu Gunsten des schreibenden Menschen, um ihn im Durchgang durch den Menschen, der als Figur zurückbleibt, wieder einzuholen und so erst eigentlich zu legitimieren.

Hier wird die letzte Substruktion des Falles Geyrenhoff sichtbar. Der Ambivalenz zwischen „falschem“ und idealem Chronisten entspricht auf höherer Ebene diejenige zwischen dem Chronisten und dem Autor; diese wiederum ist gleichbedeutend mit der Ambivalenz zwischen dem Menschen und dem Schriftsteller. Der Fall Geyrenhoff läßt sich zwanglos auf die Formel reduzieren, mit der Doderer den Schriftsteller definiert: „Ein Schriftsteller ist ein Mensch, dessen Sprache der Welt entsagt hat, dessen Person in ihren Netzen verstrickt bleibt.“[74] Geyrenhoff bleibt in den Netzen der Welt verstrickt, so sehr er auch bemüht ist, der Verstrickung zu entgehen. Er ist kein Schriftsteller, sondern eine schreibende Person. Andererseits bleibt der Schriftsteller ein Mensch. Seine Sprache als die ihm eigentümliche Kategorie, mit der er der Welt entsagt, nährt sich immerwährend aus seiner Person, die in den Netzen der Welt verstrickt bleibt. Demgemäß ist der Ort des Schriftstellers in paradoxer Weise der archimedische Punkt seiner selbst: er bewegt sich ständig in der Schwebe zwischen Intimität und Distanz. Dieser Wechsel der Ebenen wird in den DÄMONEN praktisch dargestellt. Die eine Schriftsteller-Person ist in ihre beiden Bestandteile zerlegt: der übergeordnete Autor, dem keine Person eignet, der nur als das Erzählen – oder, wie Doderer sagt, als Sprache – fungiert, steht hinter dem Menschen, der als Zeuge und Chronist berichtet. Der Autor identifiziert sich zuweilen mit Geyrenhoff, begibt sich damit in die Verstrickung der Welt, um aber letztlich darzutun, daß er nie Geyrenhoff ist, den er gleichwohl nicht entbehren kann.

8. KAPITEL

DER TOTALE ROMAN

1

Ein solches singuläres und gleichwohl die Struktur des Romans weitgehend aufschließendes Formprinzip, wie es der Fall Geyrenhoff auf der kategorialen Ebene darstellt, gibt es in den DÄMONEN auf der Ebene der Komposition nicht. Der Roman hat so wenig ein Hauptthema wie eine Haupthandlung oder eine Hauptfigur. Zwar hat er ein Hauptereignis (es ist der Brand des Wiener Justizpalastes am 15. Juli 1927), aber er beschränkt sich keineswegs auf die Darstellung dieses Ereignisfeldes. Die Struktur des Romans – und das ist der Roman selbst – ist also nicht aus einem Punkte zu erfassen. Eine Untersuchung seiner verschiedenen Dimensionen und Elemente indessen vermag den Grundriß und die Einheit dieses „totalen" Romans zu zeigen.

Als Ausgangspunkt kann wiederum Geyrenhoff dienen. Denn wie auf der kategorialen Ebene mit seiner Chronik die Basis für den Roman gelegt ist, so bildet seine „Welt" – das von ihm begangene „Segment"[1] – die Basis für die Welt des Romans; und wie das Scheitern der Chronik den Roman evoziert, so eröffnet die Diversion der Geyrenhoffschen Welt die totale Dimension des ganzen Werkes.

Die Geyrenhoffsche Welt ist – der strukturellen Dimension nach – im wesentlichen ein polygraphisches Gesellschaftsbild. Gegenstand ist hauptsächlich die Geschichte einer Gruppe mit einigen „écartements", wie Doderer sagt[2]. Das heißt: in den Kreis – er wird nach dem Vorbild Dostojewskis unter dem Namen ‚Die Unsrigen' begriffen – werden einige Bereiche miteinbezogen, die an der Peripherie oder in der Perspektive von dem oder jenem der Unsrigen liegen (etwa Friederike Ruthmayr, vermittelt durch Geyrenhoff; die Familie Siebenschein, vermittelt durch Stangeler; auch die Zeitungswelt der Allianz, die eine Station auf dem Wege Schlaggenbergs bildet, ist ein solches „écartement").

Entstehung und Zerfall der Gruppe werden im Ersten Teil des Romans vorgeführt. Aus einer großen Gesellschaft (einer Veranstaltung des Eulenfeldschen ‚Troupeau') kristallisiert sich eine kleinere Gruppe heraus, die den Grundstock der Unsrigen bilden wird: Schlaggenberg, Stangeler, Eulenfeld, Gyurkicz und Geyrenhoff gehören dazu; später wird der Kreis durch Quapp, Körger, Orkay u. a. vergrößert. Fast alle diese siedeln in die Gartenvorstadt Döbling über, mehr oder weniger unabhängig voneinander, aus den verschiedensten persönlichen Gründen. Es entsteht eine Kolonie. (DIE ENTSTEHUNG EINER KOLONIE – so sind zwei Kapitel überschrieben.) Im Schlußkapitel des Ersten Teils, das bezeichnenderweise den Titel DER EINTOPF trägt, verschwindet die Gruppe der Unsrigen in einer kaum übersehbaren Gesellschaft, wie sie zu Beginn aus einer solchen hervorgegangen ist.

Eine kurze Charakteristik der Unsrigen ist für die Struktur aufschlußreich. Art und Wesen der Gruppe werden mit den verschiedensten Metaphern umschrieben. Mit einem astronomischen Bild ist die Rede vom „Döblinger Gestirn" oder „Sternbild"; es ist in der Tat eine „Konstellation" von Figuren, die sich „unmerklich und plötzlich zugleich aus dem Leben" gebildet hat, die „zu Kristall schießt" und alsbald in „Beziehungslosigkeit" zerfällt[3]. Auf gleichsam geometrische Weise wird bei einem Ausflug die Spaltung der Gesellschaft in zwei wesensverschiedene Gruppen dargestellt, indem eine fremde Person (Renata Gürtzner-Gontard) mitten durch sie hindurch geht. Eben diesen Sachverhalt bezeichnet Doderer im Tagebuch mit einer geologischen Metapher als „Wasserscheide". Eine Gesellschaft ähnlicher Art (es ist der Kreis junger Menschen im Hause Mary K.s) wird mit dem chemo-physikalischen Ausdruck „Agglomeration von Elementen" belegt (was Doderer dann scherzhaft mit „Knödelbildung" übersetzt) und schließlich sprichwörtlich mit dem „Durcheinander kleiner Katzen im Korbe" verglichen[4]. Niemals – und das ist entscheidend – verwendet Doderer in diesem Zusammenhang die sonst bei ihm beliebte Metaphorik der „chymischen Durchdringung"; denn die Unsrigen sind kein Kollektiv, sondern eine Versammlung durchaus solitärer Individuen, deren Individualität sich nicht dem Gesellschaftscharakter unterordnet.

Dies ist im besonderen der Unterschied gegenüber den Unsrigen bei Dostojewski: diese sind durchaus eine politische Gruppe von Weltverbesserern, die bei aller individuellen Ausprägung ihrer Theorien doch ein gemeinsames politisches Ziel haben. Bei Doderer dagegen sind die Unsrigen zunächst wahrlich nicht mehr als ein Freundeskreis.

Und doch gibt es hier so etwas wie einen „Maßstab", nach dem der Einzelne als „brauchbar" für den Kreis erscheint[5]. Dieser Maßstab ist indessen kein objektiver, sondern er wird von den einzelnen Beteiligten errichtet, je nach ihrer Sicht. Für Geyrenhoff ist es die wirkliche und positive Freiheit, welche die Gruppe kennzeichnet:

> ... wir waren unter uns, im flachsten, aber dahinter wohl auch in einem bedeutenderen Sinne, wir waren unter uns und damit von allen unfruchtbaren Gegensätzen und ihrer Qual beurlaubt, freie Herren, die fröhlich und guter Dinge sein durften. Denn hier blieb draußen, was sich dem Verständnis sperrte und den Menschen zwang, gebückt auf fremden Pfaden zu tasten; hier durfte einer im höchsten wie im niedrigsten Grade immer er selbst sein.[6]

Für Körger hat dieses „unter uns" schon einen anderen, und zwar bedenklichen Sinn: er versteht es rassen-ideologisch; und hier werden die „unfruchtbaren Gegensätze" aktiv. Als die Gesellschaft durch Renata, die den Weg kreuzt, in zwei Gruppen geschieden wird, sagt er: „Fassen Sie dieses getrennte Marschieren sinnbildlich auf, dann kommen Sie dem wahren Sachverhalt am nächsten", und er setzt hinzu: „... als die Vision einer besseren Zukunft"[7]. Hier konkretisiert sich das Thema „Wasserscheide", die „Zerreißung der Wiener Gesellschaft durch den totalitär werdenden Antisemitismus", wie Doderer im Tagebuch erläutert[8]. Doch läßt sich die Scheidung in zwei Gruppen, die übrigens nur einen Teilaspekt der Szene bildet, nicht schematisch begreifen; so viel wenigstens ist deutlich: auf der einen Seite befindet sich neben Körger der Rittmeister von Eulenfeld und Schlaggenberg, die dem Faschismus mehr oder weniger nahe stehen; und auf der anderen Seite steht u. a. die Jüdin Grete Siebenschein. Ihr wird übrigens der Ausdruck „Döblinger Montmartre" zugeschrieben[9], mit dem die Unsrigen – wiederum subjektiv – charakterisiert sind. Von hier aus tritt die Brüchigkeit aller dieser Existenzen in den Blick, und hier zeigt sich jene Freiheit als eine negative, als eine „maligne", wie es einmal in Bezug auf Stangeler heißt[10]. Dies ist das Stichwort, das bereits im Motto des Romans erscheint und dem schon deshalb erhöhte Bedeutung zukommt. „Malignitati falsa species libertatis inest" – so lautet das Motto nach Tacitus; es gilt vor allem für die Unsrigen, die – jeder auf seine Weise – in ihrem Wahn leben, ja dämonisiert sind: so Körger und Eulenfeld mit ihrem Faschismus, so Schlaggenberg mit seiner „Dicke-Damen-Doktrinär-Sexualität", so Gyurkicz mit seiner „Emblematik", so Quapp in ihrer Verkrampftheit, so Stangeler mit seinen Selbstkonstruktionen. Unter diesen allen begrüßt Grete Siebenschein den Sektionsrat Geyrenhoff als „wenigstens e i n e n wirklich vernünftigen, objektiven Menschen ohne irgendwelche Voreingenommenheiten"[11]. Jedoch, auch Geyrenhoff, der sich bemüht, „stets abseits zu stehen in unserem schnell entstandenen Kreise"[12], um so die Objektivität zu wahren, weiß sich inzwischen von den Unsrigen beeinflußt, ja infiziert, einmal von Stangeler, der ihn daran hindert, ein „Döblinger Kultur-Hofrat" zu werden und in dieser Charge zu erstarren, zum andern von Schlaggenberg und Körger: „Ich sah die Dinge wirklich schon mit den Augen jener an, ... versuchte aber noch immer, daran festzuhalten, daß dies alles Phantasmagorien seien ..."[11] Auf diese Weise wird die Objektivität relativiert. Alles in allem läßt sich sagen: es gibt keine objektive Einheit der Unsrigen außer in der Form eines allgemeinen Lebenszusammenhangs, und es gibt keine subjektive Einheit, die sich in einem gemeinsamen Programm verdichten würde. Denn die Gesellschaft ist bei Doderer grundsätzlich durch den „Pluralismus" bezeichnet, sie ist keine „Klassengesellschaft".

Dies wirkt sich auf die Struktur des Romans aus. Es geht nicht um das Schicksal einer „Klasse“, sondern um jeden Einzelnen selbst. Das heißt: bei aller Polygraphik bleibt der monographische Impuls erhalten. Dem entspricht es, daß die Gruppenszenen weniger Höhepunkte als vielmehr Integrationspunkte des Romans vorstellen. Die Einzelgeschichten – mit jeder Figur ist eine solche gegeben – sind nicht Expositionen und Voraussetzungen und also bloße Funktionen für die Konkretion in einer Gruppenszene. Es scheint sich im Gegenteil genau umgekehrt zu verhalten: die Gruppenszenen haben die Funktion, die Vielzahl der einzelnen Geschichten in einem Schnittpunkt miteinander zu kreuzen und zusammenzuhalten.

An dieser Stelle wird ein innerer Widerspruch der Geyrenhoffschen Chronik sichtbar, und die Konstellation erweist sich als eine dialektische. Die Chronik als Kategorie hat prinzipiell ihre Schwerpunkte in den Gruppenszenen, diese sind ihr eigentliches Feld: der Chronist berichtet von Geschehnissen, die er als Zeuge beobachtet hat. Geyrenhoff dagegen verlegt den Akzent auf die monologische und monographische Szene; das ist sein Programm, wenn er sich vorsetzt, ein Tagebuch für jeden Einzelnen zu führen. Es ist eine einzigartige Konstellation, die dieser Widerspruch beschwört: der Funktionalismus von Polygraphik und Monographik (und damit von Gesellschaft und Individuum) wird relativiert. Verlangt die Chronik als Kategorie, daß die Einzelszene nur eine Funktion der Gruppenszene sei, so verlangt umgekehrt das Geyrenhoffsche Programm, daß die Gruppenszene nur als Bindung einer Vielzahl von Einzelgeschichten fungiere. Und das Ergebnis ist die Gleichwertigkeit von Monographik und Polygraphik jenseits des Funktionalismus. In der Tat stehen monographische und polygraphische Szenen im Roman gleichwertig nebeneinander.

Der Sachverhalt erklärt sich am besten durch einen Blick auf das große Kapitel DER EINTOPF, das den Ersten Teil des Romans wesentlich beschließt. Es ist eine Integration der Geschichte der Unsrigen (mit ihren „écartements“) sowie aller mit ihnen gegebenen Handlungen und Themen. Einzelszenen und Gruppenszenen stehen nebeneinander. Die große Szene selbst (der Tischtennis-Tee in der Siebenscheinschen Wohnung) wirkt wie „ein wildes Durcheinander“, es ist ein „Kuriositäten-Kabinett oder Panoptikum“, eine „Suppe“, kurz: ein „Eintopf“[13]. Funktional gesehen, dient sie der Zusammenfassung des Disparatesten, darüber hinaus aber ist sie als Gesellschaftsbild von eigenem Wert. Geyrenhoff kommt zu der „nicht mehr abweisbaren Einsicht“,

> daß ich keineswegs in einen Kreis von Sonderlingen oder Hinterwäldlern oder sonst in eine abseitige Gesellschaft hineingeraten war, sondern daß in unserer Stadt eben überall die ungefähr gleiche Beschaffenheit der Menschen herrschte.[14]

Mit dem Gesellschaftsbild scheint die Kategorie der Chronik den Sieg über Geyrenhoffs Programm davongetragen zu haben. Allein, diese

Szene markiert schon den Endpunkt der Geschichte der Unsrigen und zugleich den Endpunkt von Geyrenhoffs Chronik. Mit alledem aber ist eine Basis geschaffen, auf der sich der Roman im weiteren aufbaut. Stand am Anfang Geyrenhoffs Vorsatz eines monographischen Tagebuches für jeden Einzelnen, wurde daraus ein polygraphisches Gesellschaftsbild, und scheiterte Geyrenhoff mit der Erkenntnis der Devise: „Jeder sein eigener Sektionsrat“, so wird eben diese Devise jenseits der Chronik neu aktiviert.

2

Mit der Monographik in der Polygraphik – gemäß der Devise: „Jeder sein eigener Sektionsrat“ – werden die kleinsten Bau-Elemente des Romans sichtbar. Es sind jedoch nicht die Figuren selbst, etwa als abstrakte Prinzipien, sondern konkrete Situationen der Figuren hier und jetzt. Doderer spricht in diesem Zusammenhang – mit einem Wort, das er von Ortega y Gasset übernommen hat – von der „Anatomie des Augenblicks“. Sie nennt er das „Atom des Romans“ und „die genauen Anatomien vieler verschiedener Augenblicke aus dem Leben vieler verschiedener Menschen“ bezeichnet er als dessen „Moleküle“[15]. Die Dimension, die damit eingeführt ist, ist die Zustands-Deskription (ein Augenblick ist ja nichts anderes als ein punktförmig abgekürzter Zustand).

Die „Anatomie des Augenblicks“ umfaßt mehrere verschiedene Tendenzen, die nicht alle gleichermaßen strukturell wirksam werden. Als Praktik der Figur ist sie eine spezifische Art der Introspektion: die Figur tastet auf den Grund der Situation, auf ihr „Grundgeflecht“. Im „Grundgeflecht der Situation“, so sagt Doderer, „sind Innen und Außen, Psychik und Physik eins“[16]. Hier ist – um ein anderes Bild zu gebrauchen – wie in einem Hohlspiegel ein ganzes Leben als horizontale wie als vertikale Totalität, d. h. als Ausführlichkeit in der Breite und als Wesentlichkeit in der Tiefe, versammelt. Und insofern ist die „Apperzeption von Zuständen ... der Weg, am tiefsten mit sich selbst bekannt zu werden“[17]. (Diese tiefgreifende Problematik sei nur angedeutet, sie kann hier, wo es um die Dimensionen und Elemente der Komposition geht, nicht ausführlich erörtert werden.) Als Praktik des Erzählers erscheint die „Anatomie des Augenblicks“ zunächst in der Form der Augenblicks-Gestaltung. Sie gilt einmal im monographischen Bereich: die Epochen im Leben einer Figur (wie etwa die Interzession der Menschwerdung) werden als Augenblicke exponiert; ferner gibt es hier den exemplarischen Augenblick, das heißt: an die Stelle chronistischer Ausführlichkeit tritt ein Augenblick, in dem das Sein eines Menschen vergegenwärtigt wird (ein Beispiel dafür ist das Kapitel Ein Winter mit Quapp: es ist gar kein Winter – als eine immerhin längere Zeitspanne –, was hier zur Darstellung kommt, sondern ein einziger Tag aus dem täglichen Leben Quapps). Auch im Bereich zwischenmenschlicher Beziehungen wird die Augenblicks-Gestaltung aktiv. So sind die Liebesszenen wesenhaft augenblicklich. So klären sich gesellschaftliche Konstellationen blitzartig in einzelnen Augenblicken (ein Beispiel ist die Spaltung der Unsrigen durch Renata). So sind die Konflikte der äußeren Handlung nichts anderes als entscheidende Augenblicke (dafür zeugt die Szene zwischen Geyrenhoff und Levielle in der OUVERTÜRE und – noch deutlicher – der Blickwechsel von Geyrenhoff und Lasch nach Stangelers „Perorationen“, über die hinweg sich – für Lasch – Geyrenhoff und Schlaggenberg zu verständigen scheinen; es sind die epochalen Begebenheiten in der Erbschafts-Affäre). Schließlich gilt die Augenblicks-Gestaltung auch im übertragenen Sinn bei der Darstellung des politischen Geschehens (der 15. Juli 1927 ist ein „historischer Augenblick“). Nach alledem läßt sich der ganze Roman gleichsam als eine Kette von Augenblicks-Gestaltungen auffassen, und es ist nur selbstverständlich, daß die Gestaltung und Anatomie des Augenblicks eine seiner Dimensionen bildet.

Einen besonderen Wert gewinnt die „Anatomie des Augenblicks“ bei der Exposition einer Figur. Hier fungiert sie als heuristisches Prinzip, ja hier wird sie zu einem spezifischen Strukturprinzip. An diesem Aspekt ist festzuhalten, er führt die Untersuchung der Roman-Komposition weiter. Als Ausgangspunkt können drei Stellen dienen: einmal ein Wort Geyrenhoffs (es steht in der OUVERTÜRE):

> ... im kleinsten Ausschnitte jeder Lebensgeschichte ist deren Ganzes enthalten, ja man möchte sagen dürfen: in jedem einzelnen Augenblicke steckt es, sei's nun, daß Wollust, Verzweiflung, Langeweile oder Triumph den, gleichwie bei einem Bagger, herankommenden und vorübergleitenden Eimer der tickenden Sekunde füllen.[18]

Ferner eine Tagebuchnotiz:

> Da alles, was man je hatte, zur gleichen Zeit stets anwesend ist, fällt der aufmerksam nach innen gerichtete Blick allermeist in ein Chaos: die Anatomie des Augenblicks umfaßt – als bestehende Möglichkeit – alle Augenblicke schlechthin im Leben des betreffenden Individuums.[19]

Der hier formulierte Sachverhalt wird bei der Exposition einer Figur aktualisiert. Ein Beispiel dafür bietet gleich das erste Kapitel. Ein Augenblick wird fixiert und sodann aufgefächert: das „Chaos“ einer Lebensgeschichte, das er enthält, wird geordnet. Dabei ist die handhafte Situation der Umgebung (das „Futteral“, in dem der Mensch steckt, wie Doderer einmal sagt[20]) ebensosehr anwesend wie die innere Situation des Menschen selbst. Dies führt auf die dritte Stelle: es wird szenisch realisiert, was Doderer einmal stichwortartig und gleichsam lyrisch im Tagebuch notiert, nämlich:

> Jeder Augenblick des Lebens ein hochkomplizierter Akkord, ein Differentialbruch, unauflösbar, eine chymische Unio des Disparatesten ... es geht der Strom dahin in jeder Sekunde oberhalb der Stadt, fließend, unaufhörlich ... So zu

denken: ein Stimmchen verklingt ... Und alles immer anwesend, die präsente Universalität ...[21]

Am Anfang des ersten Kapitels steht eine Szene am Bach; die Landschaft bildet den Hintergrund (sie ist präsent wie in der Tagebuchstelle die Donau); ihr ewiges Gleichmaß wird in einer Präsens-Konstruktion ausgedrückt: „Immerfort sprudelt der breite Bach ...“; dann gleitet die Erzählung in die Fiktion; an die Stelle des Präsens tritt das epische Präteritum: „Herr Williams und Fräulein Drobil saßen mitten im Bachbett ...“ Schließlich werden Mensch und Landschaft zusammengezogen: der Bach wird aus der Perspektive der Figuren gesehen, und er wird zum Symbol: „Immerzu sprudelte und brodelte das Wasser ihnen in breiter Front entgegen, als wär's die unaufhörlich gehende und vergehende Zeit ihres Lebens, darin sie selbst aber jetzt paradoxer Weise ruhten.“ Dieser paradoxe Ruhepunkt ist der konkrete Augenblick, in dem sich eine ganze Lebensgeschichte versammelt: „Wirklich“, so heißt es, „waren zwei Lebensgeschichten in springenden Bildern unter allem anwesend“; und im Sprung von Bild zu Bild wird im folgenden die Lebensgeschichte der beiden erzählt. Dabei wird die gebrochene Erzählung, die zwischen Williams und der Drobil immer wieder wechselt, durch eingefügte Landschaftsbilder, die mitunter zugleich als Symbole dienen, gegliedert und grundiert.

Die Bilderreihe folgt einerseits der Erinnerung der betreffenden Figur; so heißt es einmal, daß Einzelheiten aus Williams' Leben in seiner Erinnerung „heraufschießen“, „wie ein Holz, das am Grunde eines Weihers irgendwie verklemmt war und freigekommen ist, und nun ein Stück noch über die Oberfläche emporspringt“ (es ist die Aktivierung des „Grundgeflechts“). Andererseits werden die Fakten aus dem Innenraum der Erinnerung herausgeholt und durchaus als die äußeren Fakten erzählt, die sie sind; das heißt: die Bilderreihe folgt zum andern der Perspektive der betreffenden Figur. Nur so, durch Innen- und Außensicht zugleich, ist eine Ordnung des „Chaos“ möglich. Es bliebe ein Chaos, wenn die Einzelheiten gänzlich der Erinnerung der Figur überlassen wären und die Darstellungsform konsequenterweise der innere Monolog wäre. Bei der „Anatomie des Augenblicks“ aber ist der Erzähler, den der innere Monolog prinzipiell ausschließt, indirekt gegenwärtig (die Anatomie setzt ja voraus, daß da einer ist, der sie praktiziert), so daß sich allenfalls die erlebte Rede, genauer: der style indirect libre, als Darstellungsform anbietet[22].

Auf solche Weise erscheint die „Anatomie des Augenblicks“ sogar als ein Stilprinzip (und das erklärt vollauf, daß sie den ganzen Roman durchsetzt); wenigstens wird sie in diesem Zusammenhang zum Strukturprinzip. Denn die doppelte Sicht, die Sicht von innen und außen zugleich, bringt es mit sich, daß der Gegenstand, der durch Erinnerung und

Perspektive einer Person – auf Grund einer handhaften Situation – ins Blickfeld getreten ist, ohne weiteres alsbald von ihr abgelöst werden kann, nunmehr seinerseits in den Mittelpunkt gerückt und – falls es wiederum eine Person ist – vom bloß betrachteten Objekt zum betrachtenden und agierenden Subjekt wird.

Auch dafür ist das erste Kapitel ein Beispiel: die Erzählung führt Williams' Gedanken – im Sprung von Bild zu Bild – schließlich zu Mary K. (sie ist der Gegenstand seiner Sehnsucht und neben dem beruflichen der andere „Pol seiner Anwesenheit in Wien"); und an diesem Punkt wechselt die Erzählperspektive schroff auf Mary über. Der zweite Abschnitt beginnt: „Frau Mary K. lebte im Sommer 1926 nicht in Wien ..." Es ist ein für Doderers Technik charakteristischer „exzentrischer Einsatz"; die Erzählung geht von einem neuen Zentrum aus, ein neuer „Augenblick" ist gegeben, eine neue „Anatomie". Die Passage, in deren Zentrum Mary K. steht, erweist sich jedoch als „Einstreuung": mit dem dritten Abschnitt kehrt die Erzählung zu Williams-Drobil zurück. Doch gibt es hier gleich wieder eine Einstreuung: vermittelt durch die Wohngegend der Drobil – es ist der Stadtbezirk Hietzing, zu dem die beiden jetzt auf dem Wege sind –, folgen einige Details aus dem Leben der Camy von Schlaggenberg, die hier einmal gewohnt hat. Im vierten und fünften Abschnitt erst wird die Sequenz Williams-Drobil fortgesetzt und einstweilen beschlossen.

Damit wird ein Strukturmerkmal der DÄMONEN sichtbar, das über die Exposition hinaus seine Gültigkeit hat, nämlich das absolute Nebeneinander der Figuren und Situationen, der Atome des Romans. Jede Figur stellt ein eigenes „Epizentrum" dar, ein „Neben-Zentrum", jedoch nicht „epi tinos"; denn es gibt kein eigentliches Zentrum im Roman. Es ist dasselbe Prinzip, das an der STRUDLHOFSTIEGE gezeigt werden konnte, nur mit dem Unterschied, daß es in den DÄMONEN keinen singulären „Spagat" gibt, der das Ganze des Romans bindet, und daß auch im Grund und Hintergrund kein Fixpunkt besteht, wie ihn dort die Stiege bildet. Insofern ist eine Unterscheidung zwischen Zentral- und Instrumentalcharakter, die Doderer in der STRUDLHOFSTIEGE noch gemacht hat und die hier schon überaus gewagt erscheint[23], in Bezug auf die DÄMONEN vollends abwegig. Der Roman setzt sich aus einer Fülle durchaus gleichrangiger Epizentren, die auf den ersten Blick unverbunden (absolut) nebeneinander stehen, zusammen und erscheint demnach im ganzen als eine lebensgemäß epizentrale Welt.

Bei alledem bleibt die Dimension, auf welcher der Roman als „Anatomie des Augenblicks" im einzelnen und als epizentrale Welt im ganzen erscheint, die Zustands-Deskription. Der Grundaspekt ist die Statik. Fixiert man diesen Blickpunkt, so bietet sich das Bild des Mosaiks zur Bezeichnung der Roman-Komposition an. Doderers Mosaik-Technik wurde bereits bei der Betrachtung seines Romans Das Geheimnis des Reichs erwähnt; sie ist jedoch hier wie dort nur eine Technik unter anderen und keineswegs der Aspekt, die Komposition des ganzen Romans zu erschließen.

3

Mit der Bewegungs-Deskription beginnt erst die eigentlich epische Erzählung, wie Doderer einmal sagt[24]. Damit ist eine neue Dimension gegeben, die sich als innere oder äußere Entwicklung oder Handlung realisiert. Sie ist – ideell wie strukturell gesehen – bei Doderer sekundär gegenüber der Zustands-Deskription. Denn wie er den Zustand ungleich höher bewertet als jegliches Handeln (er definiert das Handeln geradezu als „Zustandsflucht" oder Handlungen als „nicht genügend distinkt apperzipierte Zustände"[25]), so erfließt in seinen Romanen die Entwicklung wie die Handlung stets aus einer vorgegebenen Situation, der allererst die Betrachtung gilt.

Beide Aspekte widerstreiten einander nicht. Denn eine Figur wird freilich nicht nur in einer einzigen Situation dargestellt, sondern in vielen immer neuen Situationen, deren jede eine Station eines Weges bildet, so daß sich am Ende ein Continuum einstellt. Damit wird der statische Aspekt der Zustands-Deskription aufgehoben: von Situation zu Situation ergibt sich ein dynamischer Prozeß; der „teleologische Einschlag, den eben jede Erzählung hat"[26], kommt zur Geltung. Allein, da der Roman ursprünglich ein polygraphisches Gebilde ist, erscheint die Situationenfolge einer Figur nicht – wie im monographischen Roman – als kontinuierliches Nacheinander, sondern wird immer wieder zu Gunsten des polygraphischen Nebeneinander gebrochen.

Was unter dem Aspekt der Zustands-Deskription ein Epizentrum ist, erweist sich jetzt unter dem Aspekt der Bewegungs-Deskription als Episode. Und das bedeutet im großen: erscheint der Roman von dort aus als mehr oder weniger statische „epizentrale Welt", so zeigt er sich von hier aus als ein dynamisches Gebilde, das durch seine „episodäre Zentrierung"[27] gekennzeichnet ist. Die „episodäre Zentrierung" – das ist die Formel, die den Roman über die Bildvorstellung eines bloßen Mosaiks hinausträgt. Die Epizentren, in denen der Roman seine Schwerpunkte hat, sind nur vorläufig unverbunden; letztlich tendieren sie als Episoden zu einem Gesamtgefüge.

Mit jeder Figur ist also nicht nur ein statisches Epizentrum gegeben, sondern ebensowohl eine Geschichte, die sich in Stationen über den Roman verteilt und die ihre spezifische Dynamik hat. So gesehen, setzt sich der Roman aus einer Vielzahl von einzelnen Geschichten oder Einzelhandlungen zusammen, deren Vollzug die Dynamik des ganzen Romans gewährleistet.

Der Idealfall der Menschwerdung von Leonhard Kakabsa; die Verwirklichung des Charakters bei Quapp; Mary K.s Triumph über das Unabänderliche, ihre „Aristeia"; die Jugendgeschichte der Renata Gürtzner-Gontard; Geyrenhoffs vielseitiger Weg; die zwielichtige politische Existenz des Imre von Gyurkicz; die Besessenheit Schlaggenbergs und Herzkas; der „schwere Weg" René Stangelers – sie alle, und keineswegs nur sie, bilden jeweils eine eigene Geschichte, die ihre eigenen Epochen hat. Ein Beispiel dafür, wie sich alle diese Einzelhandlungen linear mehr oder weniger durch den ganzen Roman hindurch erstrecken, braucht nicht mehr ausgeführt zu werden; denn der Fall Geyrenhoff steht bereits für ein solches.

Beide Prinzipien, die unter den Aspekten der Zustands-Deskription und der Bewegungs-Deskription sichtbar wurden: die statische „epizentrale Welt" und die dynamische „episodäre Zentrierung", mit anderen Worten: das absolute Nebeneinander und das absolute Miteinander der einzelnen Figuren und Situationen, beide Prinzipien zusammen sind erst die volle Realisierung der Devise: „Jeder sein eigener Sektionsrat". Und beide bilden – wie die Devise selbst, die im Roman als Konsequenz von Geyrenhoffs Chronisterei augenfällig gemacht wird – beide bilden in der Tiefe schon die Substruktion des Werkes; beide schließlich sind letzten Endes von Doderers Menschenbild bestimmt. Die prinzipielle „solitudo" im personalen oder existentiellen Sinn ist für Doderer die Basis des Menschseins; „die Einsamkeit des Menschen als Voraussetzung, daß er's überhaupt sei ..." – so heißt es einmal in seinem Tagebuch[28].

Indessen würde die konsequente Praktizierung der Devise unter dem Aspekt der Statik eine vollends atomisierte Welt und unter dem Aspekt der Dynamik die totale Diversion zur Folge haben. Deshalb wird diese Tendenz, die Geyrenhoff als Chronist schon zu spüren bekommt, aufgehalten und schließlich besiegt dadurch, daß die einzelnen Epizentren zu einem Gesamtgefüge, in dem die Beziehungen hin und wider laufen, verdichtet werden. „Jedes einzelweise Nennen", so heißt es einmal bei Doderer, „ist bereits ein Übertreiben."[29] Der Ausweg aus dem Dilemma besteht jedoch weder in der Verallgemeinerung noch im Verzicht auf jegliches Nennen, sondern allein darin, daß Einzelnes mit Einzelnem konfrontiert und verbunden wird; nur so wird die „Übertreibung" vermieden, und nur so wird der Roman vor der Auflösung bewahrt.

4

An dieser Stelle wird ein Blick auf die äußere Handlung notwendig. Die Handlung nämlich übernimmt zunächst die Funktion der Bindung, und zwar noch vor aller möglichen Auflösung; denn sie bildet zugleich eine genuine Dimension des Romans. In seinem Traktat GRUNDLAGEN

UND FUNKTION DES ROMANS stellt Doderer in aller Schärfe fest, er sei „gar nicht der Meinung, daß Romanhandlungen etwas Überwundenes darstellen, und daß man ab Robert Musil in dieser Hinsicht nur mehr mit Wasser zu kochen habe“; und da er die entscheidende Aufgabe des zeitgenössischen Romans (eine seiner Funktionen) in der „Wieder-Eroberung der Außenwelt“ erblickt, verteidigt er die Romanhandlung mit dem lapidaren Satz: „in dieser [in der Außenwelt] wird bekanntlich gehandelt, in jedem Sinne. Denn die Schöpfung ist nun einmal dinglich, dagegen ist nichts zu machen ...“[30] Allerdings ist es vor allem die Handlung, die den Blick nach außen zwingt; und insofern ist sie eine Voraussetzung der Weltgestaltung.

Die umfassendste Romanhandlung in den DÄMONEN wird durch ein Stück Kolportage repräsentiert: es ist eine Erbschafts-Affäre, die Geschichte eines unterschlagenen Testaments, eine Art Kriminalgeschichte (Bestandstücke also, wie sie seit eh und je zum Roman gehören). Hier wird wahrhaftig „in jedem Sinne gehandelt“; die Dimension der Machenschaften und Manipulationen ist eröffnet.

Mit alledem aber werden die DÄMONEN keineswegs zu einem „Handlungsroman“ im begriffsstrengen Sinn, also zu einem Roman, der nichts als Handlung wäre, der in der Handlung aufginge. Im Gegenteil: die Handlung ist wie alles und jedes, was hier zur Darstellung kommt, zugleich ein funktionales Element. Sie fungiert einmal als Sinnträger: sie veranschaulicht die „Mechanik des Lebens“. Dazu ist in Kürze ein Wort zu sagen.

Der Fall ist fast ausschließlich ein Gegenstand von Geyrenhoffs unmittelbarer Chronik. Das heißt: er wird nicht kontinuierlich – im Fortschritt von seinen Voraussetzungen über die verschiedenen Konflikte bis zur Lösung – erzählt, sondern er wird enthüllt: die Anordnung folgt der Erfahrung des Chronisten. So ergeben sich immer wieder neue Aspekte, die nicht eigentlich Stadien der Geschichte sind. Der verborgene Kern wird umkreist, bis er sich schließlich enthüllt. Diese Struktur ist vor allem aus Kriminalgeschichten bekannt; auch hier gibt es zumeist eine Fülle rätselhafter Situationen, die sich am Ende auf den einen kriminellen Kern zurückführen lassen und also erklären.

Geyrenhoff jedoch, von dem im wesentlichen die Enthüllung ausgeht, ist nicht eigentlich ein Detektiv (allerdings spielt er später als Akteur fast diese Rolle), vielmehr: die Geschichte enthüllt sich von selbst, nach der „Mechanik des Lebens“. Ist das Verfahren des Detektivs selbst schon grundsätzlich ein indirektes (der Detektiv stürzt nicht auf den Fall zu, sondern umkreist ihn), so bleibt dies doch eine bewußte Indirektheit. Demgegenüber ist Geyrenhoffs Verfahren tatsächlich als „Unschuld im Indirekten“ zu bezeichnen, ja man könnte fast, im Gegensatz zu jener bewußten Indirektheit des Detektivs, von einer unbewußten Direktheit

Geyrenhoffs sprechen. Er und Stangeler, die beide den ersten Impuls zur Enthüllung des Falles geben, fungieren gleichsam nur als Katalysatoren, deren Anwesenheit genügt, die Geschichte in Bewegung zu bringen.

Bekanntlich gilt im praktischen Leben auf die Länge der unangenehme Satz ‚es kommt alles heraus'. Die Tatsachen schlagen durch wie Fettflecke, man mag sie einwickeln, wie man will.[31]

Diesem Satze gemäß kommt es auf die Enträtselung des Falles an, weniger auf den Enträtselnden und weniger auf den Fall selbst. Das Gesetz der Enträtselung ist – wie das Gesetz des Lebens bei Doderer – der indirekte Weg. Nicht direkte, bewußte Anstrengungen, sondern indirekte, unbewußte Vorstöße beschwören die Lösung[32].

Auf solche Weise veranschaulicht die Struktur der Erbschafts-Affäre beispielhaft die indirekte Mechanik des Lebens. Und man könnte sagen, Doderer habe den Fall deshalb auf so niederem Niveau gehalten, weil er bei größerer Gewichtigkeit des Falles das Interesse von der Lebensmechanik, um die es wesentlich geht, auf den Inhalt, um den es nicht so sehr geht, abgelenkt hätte. Besser jedoch wäre zu beachten, was Doderer an Lebensgesetzlichkeit in einer so einfachen und banalen Geschichte aufspürt und ihr abgewinnt. Beide Fragestellungen haben indes den gleichen Effekt: die Vordergründigkeit der Handlung legitimiert sich durch ihren hintergründigen Gehalt; der Akzent bleibt auf dem Mechanismus, nach dem der Fall als ein realer abläuft, und zugleich auf dem Formgesetz, nach dem er sich als künstlerisch gestalteter artikuliert.

Zum andern fungiert die Handlung als Kompositionsträger. Sie versammelt eine große Anzahl von Personen und verzweigt sich – von der OUVERTÜRE bis zum letzten Abschnitt – über den ganzen Roman. Das heißt: sie hat zusammenhaltende Kraft. Die Handlung wird bei Doderer grundsätzlich aus den Epizentren entfaltet; in ihr realisiert sich die zwischenmenschliche Konstellation, die reale Beziehung von Mensch zu Mensch. Wie aber dieser Bereich bei Doderer – das wurde schon gesagt – sekundär bleibt gegenüber der personalen Ebene, so ist die Handlung selbst ein sekundäres Element. Die Figuren sind nicht Funktionen der Handlung – sie werden nicht, weil die Handlung es verlangt, herbeizitiert und im übrigen vernachlässigt –, sondern sie sind die Träger der verschiedensten Handlungen, und auch das nur bedingt: sie erschöpfen sich nicht in dieser Rolle.

Ein instruktives Beispiel dafür ist der Wagmeister Alois Gach. Er ist Zeuge bei der Testaments-Abfassung gewesen, von ihm erhält Geyrenhoff wichtige Aufschlüsse. Als dessen Kriegskamerad wird er zuerst – beiläufig in einer Erinnerung Geyrenhoffs – mit Namen genannt[33]. Später begegnet er dem Sektionsrat auf dem ‚Graben' und erscheint dabei wie gerufen[34]. Auf ähnliche Weise zitiert, stellt er sich ein, als Geyrenhoff und Schlaggenberg den Erbschafts-Skandal diskutieren[35]. Seine Sendung in der Erbschafts-Angelegenheit ist damit erfüllt. Darüber hinaus aber – allerdings entfernt noch in diesem Zusammenhang – wird er in einer Begegnung mit Quapp in Deutsch-Altenburg dargestellt[36]. Und einmal erscheint er sogar kurz selbständig, als Perspektive oder zumindest als Quelle: er wird als ein Zeuge angeführt, der des öfteren den Maler Imre von Gyurkicz im Burgenland und in Deutsch-Altenburg gesehen hat[37]. In einem ganz anderen Zusammenhang indes wird das Schicksal Alois Gachs – seine Geschichte, sein Menschsein, sein „Fall“ – in aller Breite entfaltet: er erzählt Kakabsa und Niki Zdarsa, mit denen er im Wirtshaus ‚Zum Storchennest‘ Bekanntschaft schließt, aus seinem Leben[38]. Seine Erzählung bildet ein Stück Welt, das zum Roman gehört, und hat überdies – auf Grund ihrer Dialektgebundenheit – eine entscheidende Bedeutung für Kakabsa, in dessen Zusammenhang sein Name dann noch öfter erwähnt wird[39].

Alois Gach also, eine Randfigur des Romans, ist gleichwohl keine Marionette, die von den Fäden dieser oder jener Handlung bewegt wird. Dasselbe gilt sogar für Levielle und Lasch, die eigentlichen Initiatoren des Skandals: sie gehen nicht in dieser Funktion auf, sondern haben jenseits dieser ihrer Rolle im Roman eine selbständige Existenz. Von Geyrenhoff, Schlaggenberg, Stangeler und Quapp ist hier gar nicht zu reden: für sie ist die Beteiligung an der Erbschafts-Sache erst recht eine Rolle unter vielen anderen, die sie im Roman spielen. Ja, die Affäre selbst (erstreckt sie sich gleich von Anfang bis Ende und verzweigt sie sich über den ganzen Roman) ist nur ein Teilbereich des Werkes, weit entfernt davon, dessen Struktur zu diktieren. So wird ihr auch kein eigenes Kapitel eingeräumt; und die Szenen, in denen sie zu Wort kommt, haben mehrere verschiedene Funktionen. Insofern ist die Erbschafts-Geschichte restlos im Roman aufgehoben; in der weiten Verzweigung und darin, daß sie Beziehungen zwischen den einzelnen Epizentren schafft, diese miteinander verknüpft und also die Atomisierung und Diversion des Werkes verhindert, besteht ihre Bedeutung für die Komposition des Romans.

5

Die „episodäre Zentrierung“ und damit im ganzen das Neben- und Miteinander einer Vielzahl von Epizentren, die sich wohl hier und da durchdringen, die sich jedoch nicht restlos einem einzigen Handlungsgefüge unterordnen, die vielmehr durch die Handlung miteinander verbunden werden, selbst aber das Handlungsgefüge umlagern, – diese Struktur bringt den Roman in die Nähe der „offenen Form“. Die Gefahr der Atomisierung und Diversion bleibt bestehen. Zwei Kapitel im letzten Teil bezeichnen diese Gefahr aufs deutlichste: sie tragen den

Titel KURZE KURVEN, bestehen aus einer großen Anzahl kurzer Abschnitte (Atome) und bewegen sich solchermaßen selbst in „kurzen Kurven“. Bevor es indessen zur Auflösung oder zum Zerfall kommen müßte, wird die ganze Welt des Romans gleichsam in einem Punkte versammelt: nämlich in der Darstellung eines einzigen Tages, des 15. Juli 1927. Gemeint ist das Kapitel DAS FEUER; es läßt sich als ein Querschnitt durch das Bündel oder Parallelgefüge sämtlicher Einzelgeschichten begreifen, die hier auch finalisiert werden.

Zugleich und zuletzt wird hier eine neue Dimension eingeführt: das anonyme politische Geschehen. Die Dodererscher Wirklichkeitsgestaltung, die vom inneren Schicksalsweg des Menschen über die äußere und zwischenmenschliche Handlungswelt bis hierhin führt, wird damit vollendet. Dies sei nur angedeutet; der ganze Komplex wird im übernächsten Kapitel eigens analysiert, weil er erst im Zusammenhang mit Doderers Theorie der geminderten Wirklichkeit, die im folgenden Kapitel betrachtet wird, verständlich ist.

6

Die „episodäre Zentrierung“ gilt auch im großen, nicht nur in Bezug auf die Stationen, die eine einzelne Figur durchläuft. Handlungsfelder, Personenkreise und Ereigniskomplexe sind die großen Bau-Steine, aus denen sich der Roman im ganzen zusammensetzt. Eine Übersicht mag das verdeutlichen.

Nach der einleitenden OUVERTÜRE gliedert sich das Werk in drei große Teile von jeweils fast gleichem Umfang. Anfang und Ende orientieren sich am Raum. Der Roman beginnt mit einem Kapitel, das DRAUSSEN AM RANDE überschrieben ist; es spielt im Wienerwald bei Hütteldorf, also am westlichen Stadtrand Wiens, im Mittelpunkt stehen zwei ortsfremde Personen (der Amerikaner Williams und die Pragerin Drobil). Auch die Einstreuungen in dieses Kapitel betreffen Figuren, die sich zur Zeit außerhalb Wiens befinden (Mary K. und Camy von Schlaggenberg, von denen die letztere überhaupt am Rande des Romans verbleibt). Vom Aussichtsturm mit Blick auf die Stadt, der mehrmals erwähnt wird, begeben sich Williams und die Drobil in deren Wohnung in Hietzing: die Erzählung führt also auf die Stadt zu, aber noch nicht in das Stadtinnere hinein. Dem Beginn entspricht aufs genaueste der Schluß des Romans: die vorletzte Passage spielt wiederum im Wienerwald (diesmal in der Gegend des Cobenzl), die letzte auf dem Wiener Westbahnhof. Wie die Stadt zu Beginn von zwei Fremden betreten wird, so wird sie am Ende von zwei Unsrigen (Orkay und Quapp) verlassen.

Die symmetrische Grundform tritt bei der Einrahmung des Mittelteils von zwei chronistischen Kapiteln, die am selben Tag spielen, wieder in Erscheinung. In der Mitte des Zweiten Teils und damit in der Mitte des Romans steht der dämonische Komplex des Falles Herzka, und in dessen wesentlichem Zentrum das Kapitel DORT UNTEN, das spätmittelalterliche Manuskript des Achaz von Neudegg, das den thematischen Schlüssel des Romans bildet.

Die drei Teile lassen sich als „Sätze“ im musikalischen Sinn begreifen. Sie haben jeweils ein eigenes Formgesetz und sind doch insgesamt zu einem Ganzen komponiert. Solche Komposition über die Sätze hinweg ist etwa aus Beethovens Symphonie No. V bekannt. Der Vergleich mit einer symphonischen Kompositionsweise dieser Art ist allerdings kein Zwang; doch ist er insofern fruchtbar, als sich damit am besten die Einführung neuer, bisher nicht oder kaum bekannter Personen und Themenkreise in einem späteren Teil erklärt und legitimiert.

Der Erste Teil ist, wie gesagt, im wesentlichen eine Geschichte der Unsrigen mit „écartements“, von Geyrenhoff erzählt. Der Erweiterung der Chronik zum Roman entspricht die Erweiterung der Personen- und Handlungskreise im Zweiten Teil. Die Welt AM ANDEREN UFER, schon aus Einstreuungen im Ersten Teil bekannt, wird in aller Breite entfaltet. Die Welt IM OSTEN tritt neu hinzu: sie liefert die Voraussetzungen des politischen Geschehens, das im Dritten Teil seinen Höhepunkt erreicht. Der Dritte Teil selbst führt einen weiteren Handlungskreis ein, DAS HAUS ‚ZUM BLAUEN EINHORN‘, und bildet schließlich die Integration des ganzen Werkes.

Diese schematische Übersicht bezeichnet vorläufig das „dynamische Gesamtbild“ des Romans, das Doderer noch vor aller inhaltlichen Benennung und Füllung vor Augen hatte. In seinem Traktat über GRUNDLAGEN UND FUNKTION DES ROMANS spricht er davon, daß ihm die „Dreiteiligkeit samt dem dynamischen Konzept“ der DÄMONEN ebenso als „apriorische Form“ gegeben war wie bei dem Entwurf der POSAUNEN VON JERICHO[40].

Die Form, die hier gemeint ist, hat zwei Aspekte, die sie beide gleichermaßen wesenhaft konstituieren: einmal die Form als architektonischer Bau, Gliederung, Gestalt, zum andern die Form als dynamisches Prinzip und Artikulierung. Es sind freilich die beiden, im Grunde nicht voneinander trennbaren Seiten der einen Form, die den Inhalt zugleich bannt und schafft.

Die Dialektik der Form läßt sich beispielhaft an der Handlungszeit veranschaulichen. Die Handlungszeit der DÄMONEN ist – auf den ersten Blick – als die Spanne zwischen dem Herbst 1926 und dem Sommer 1927 markiert. Es ist die lineare Erstreckung des Romans. Da der Roman jedoch keine lineare Geschichte erzählt, sondern eine Vielzahl von Geschichten enthält, die er vorwärts zu bewegen hat, kann er nicht kontinuierlich zwischen Anfang und Ende vorschreiten: Rückgriffe, zeitliche Überschneidungen und Umstellungen werden immer wieder notwendig. So bringt der Erste Teil im großen den Fortschritt vom Herbst 1926 bis zum 14. Mai 1927. Der Zweite Teil wird von zwei Kapiteln eingerahmt, die am 15. Mai 1927 spielen; dazwischen wird bis in das Frühjahr 1926 zurück- und in einer großen Passage auf die Zeit vom 16. bis zum 20. Mai 1927 vorgegriffen. Der Dritte Teil schreitet wiederum vom 15. Mai bis gegen Ende des Juli 1927 vor; indessen gibt es auch hier Einblendungen, die bis in den Sommer 1926 zurückführen. Mit dieser zeitlichen Gliederung ist schon die Dynamik des Romans angedeutet.

Dagegen aber steht der Aspekt der Statik. Von hier aus erscheint der Lebensausschnitt, wie ihn jeder Roman bietet, nicht so sehr als die lineare Bewegung einer oder mehrerer repräsentativer Figuren oder Handlungen, sondern als der Querschnitt durch eine Zeitsituation, die eine Reihe von Figuren gleichsam in einem Punkte versammelt. Dieses Prinzip gilt für den ganzen Roman wie auch im einzelnen. So werden die Kulminationspunkte, soweit sie ein äußeres Geschehen betreffen, auch zeitlich exponiert. Es handelt sich dabei vor allem um den 8. Januar und die ihn umlagernden Tage, um den 14. Mai und schließlich um den 15. Juli 1927. Die beiden ersten Daten bezeichnen die äußeren Handlungszentren des Ersten Teils (sie bestimmen dessen wesentlichen Anfang und wesentliches Ende), das letzte Datum betrifft das Hauptereignis des Dritten Teils wie des ganzen Romans überhaupt. Auf solche Weise treten einzelne Zeitpunkte in den Blick, die – fixiert man den Aspekt der Zeitfolge – unsichtbar bleiben.

Beide Aspekte haben ihr Recht. Einerseits wird der Roman nur durch die Zeitfolge zur Erzählung, zur „Bewegungs-Deskription". Das „Vorher" und des „Nachher", das „Heute" und das „Damals" lassen sich nicht eliminieren. Der Roman hat Anfang und Ende, die notwendig eine zeitliche Datierung enthalten. Andererseits kann nur durch die Fixierung einzelner Zeitpunkte die Dimension der Vielschichtigkeit (der Simultaneität vieler verschiedener Situationen), die ganz ursprünglich schon die Devise der DÄMONEN ist, realisiert werden; so erst wird es möglich zu zeigen, was alles in der Welt gleichzeitig nebeneinander existiert.

Während die Zeitfolge den Roman bewegt, wird er an einzelnen Zeitpunkten angehalten. Damit wird schon deutlich, daß sich beide Aspekte sehr wohl vereinen lassen. Man könnte sagen: die dem Roman zu Grunde liegende Zeitfolge, durch die das ganze Romangeschehen wie die einzelnen Stadien gezeitigt wird, ist mit einer gebrochenen Folge von Zeitpunkten (es sind im großen konkrete Augenblicke, denen die Anatomie gilt) synkopisch verbunden. Anders: das Nebeneinander ist gleichermaßen konstitutiv wie das Nacheinander. Der Akzent liegt ebensosehr auf der Dynamik des Weltvollzuges wie auf der Statik des Weltbildes.

Mit alledem ist die innere Dialektik der Handlungszeit nur ein Beispiel für die Dialektik der Form. Die Form selbst, also das „dynamische Gesamtbild“, ist damit noch keineswegs begriffen. Denn die Handlungszeit betrifft definitionsgemäß nur die Seite des zeitlich artikulierbaren Geschehens, also nur eine Dimension des Romans, dessen Struktur als ganze sich unter dem Aspekt der Handlungszeit so wenig erschließt wie unter dem des Handlungsraums, des Themas oder der Handlung selbst. Alle diese Elemente sind vielmehr nur Komponenten eines „totalen“ Romans.

7

Ein Bild, mit dem sich die Gesamt-Struktur des Romans vorläufig beschreiben läßt, gibt der Roman selbst an; Geyrenhoff spricht mehrmals vom „Geweb’ des Lebens“:

> . . . gälte es nur, den Faden an einer beliebigen Stelle aus dem Geweb’ des Lebens zu ziehen, und er liefe durchs Ganze . . .[41]

Die Ouvertüre, in der diese Worte stehen, konsolidiert – wie es zunächst scheint – einen Punkt jenseits des Romangeschehens. Sie ist „achtundzwanzig Jahre danach“ datiert; von hier aus scheint demnach ein Gesamt-Überblick möglich zu sein. Das ist jedoch nicht ausschließlich der Fall. Denn die Ouvertüre wird von Geyrenhoff erzählt, ist also ein Bestandteil der Chronik, die der Roman im Zuge der Handlung hinter sich läßt. Das heißt: sie steht lediglich jenseits der Geyrenhoffschen Welt, nicht jenseits der Welt des ganzen Romans. Sie exponiert im wesentlichen die Geschichte der Unsrigen mit ihren „écartements“, deren größtes die Erbschafts-Affäre ist. Im Jahre 1936 geschrieben, war sie analog der Opern-Ouvertüre konzipiert und ausgeführt, die alle oder wenigstens die wichtigsten Themen und Motive des Folgenden zusammenfaßt; und sie vermittelt auch ein verkleinertes Bild des Romans, wie er anfangs konzipiert wurde. Indessen, der Roman erweiterte sich bei der Ausführung, neue Themen und Handlungskreise traten hinzu (die wichtigsten davon sind Kakabsa und Herzka), von denen in der Ouvertüre nicht die Rede ist. Denn sie wurde nicht korrigiert, nicht erweitert. Insofern gilt die Analogie zur Opern-Ouvertüre nur noch bedingt; die Ouvertüre der Dämonen eröffnet – streng genommen – nur die Geyrenhoffsche Welt.

Das bedeutet im besonderen: das „Geweb’ des Lebens“, von dem Geyrenhoff spricht, ist das Geweb’ der Geyrenhoffschen Welt. Ihm erscheint in der Distanz das „Gewirr“ seines Lebens als „Gewirk“[42], und als solches wird es von ihm augenfällig gemacht. So sagt er später, als ihm die Hintergründe der Erbschafts-Affäre deutlich werden: „Jetzt fiel die Masche, jetzt sah ich den Faden laufen durch’s ganze Geweb, er wurde einzeln sichtbar ...“[43] Es ist ein Kontaktschluß der Evidenz, wie ihn in ähnlicher Weise Schlaggenberg am Ende des Romans vollzieht: er erkennt endlich, daß jenes dunkelblonde Mädchen, das bei einem Ausflug der Unsrigen die Gesellschaft geteilt hat, mit Renata Gürtzner-Gontard, die später zu seiner ‚Bande‘ gehört, identisch ist[44]. Von beiden Fällen ist schon in der OUVERTÜRE die Rede. Dabei handelt es sich um reale Bezüge, die anfangs verborgen sind und früher oder später offenbar werden. In der Tat sind es vor allem reale Bezüge, die das Geweb' oder Gewirk, von dem Geyrenhoff spricht, strukturieren, indem dadurch die einzelnen – zunächst absoluten – Epizentren verbunden werden. Dieselbe Funktion wurde bei der Handlung beobachtet.

Solche realen Bezüge gelten auch außerhalb der Geyrenhoffschen Welt, und insofern ist es berechtigt, das Bild des Gewebes auch auf den ganzen Roman anzuwenden. Williams-Drobil und Mary K. z. B., die im ersten Kapitel absolut nebeneinander stehen, finden im Laufe der Handlung zusammen. Diese Verknüpfungsart geht bis zur zartesten Andeutung. So etwa richtet Stangeler gelegentlich dem Bankvorsteher Mayrinker seine Empfehlung aus, woraus hervorgeht, daß beide miteinander bekannt sind. Es ist dies der einzige reale Bezug zwischen dem absoluten Epizentrum Mayrinker und der Welt des Romans.

Reale Bezüge dieser Art sind für die Figuren selbst durchsichtig. Es ist im Grund ein einfacher Sachverhalt: man kennt einander, oder man schließt früher oder später Bekanntschaft. Daneben aber gibt es tiefere Beziehungen, die den Figuren undurchsichtig bleiben, und zwar zunächst gleichfalls reale. Ein Beispiel dafür ist das Netz von Beziehungen, das von Madame Libesny, die selbst im Roman nicht auftritt, ausgeht. Bei ihr in London hat Williams gewohnt. Sie ist eine Freundin von Mary K. Durch ihre beiden Schwiegersöhne – die eine von ihren Töchtern ist mit dem Professor Bullog, die andere mit einem Sohn Gürtzner-Gontards verheiratet – reichen die Bezüge bis zu Stangeler, und über deren Kinder, die zur ‚Bande‘ gehören, bis zu Schlaggenberg. In ihrem Haus ist Anna Kakabsa, Leonhards Schwester, als Dienstmädchen beschäftigt, deren Schwester übrigens dieselbe Stelle im Hause Ruthmayr inne hat. Bei ihr wohnt schließlich Camy von Schlaggenberg (auf Grete Siebenscheins Bitte und durch Mary K.s Vermittlung ist sie dorthin gekommen). Auf solche Weise (im einzelnen soll das nicht ausgeführt werden) sind die verschiedensten Handlungskomplexe des Romans, jenseits aller offen zu Tage liegenden Bezüge, miteinander verbunden. Alle diese verschiedenartigen Beziehungen nämlich sind den einzelnen Beteiligten nur in Bruchstücken bekannt, keinem von ihnen sind sie restlos klar. Wenigstens läßt sich hier mit Recht sagen: „... gälte es nur, den Faden an einer beliebigen Stelle aus dem Geweb' des Lebens zu ziehen, und er liefe durchs Ganze ...“

Demgemäß erscheint der Roman zuerst – und, wie sich zeigen wird, auch zuletzt – als ein Lebensgewebe; inzwischen aber ist er, da mit den Mitteln der Kunst geschaffen, im entscheidenden Punkt ein Kunstgewebe. Auf das Kunstgewebe wandert denn auch der Akzent bei einer anderen Verknüpfungsart, bei derjenigen durch die Motive.

Bei Doderer gibt es – den verschiedenen Dimensionen des Romans entsprechend – verschiedene Arten von Motiven. Zunächst die Begleitmotive: sie sind dem Continuum einer Figur zugeordnet, sie sind – wie die Figuren selbst – individuell (sie bilden eine andere Art von „Atomen des Romans"). Das ist noch näher zu spezifizieren. Als Begleitmotive dienen einmal Bildvorstellungen, welche die Existenzproblematik der betreffenden Figur veranschaulichen; sie können der Figur bewußt oder auch unbewußt sein, das heißt: sie sind von der sich selbst deutenden Figur geschaffen oder werden ihr von außen als Deutung auferlegt (so stammt das Bild der „roten Lichter", das Schlaggenbergs Problematik veranschaulicht, von diesem selbst; dasselbe gilt für Kakabsas Ausdruck „benachbarte Verstrickung"; demgegenüber wird die Existenz der Friederike Ruthmayr von außen mit einer Existenz im „Aquarium" verglichen, und sie selbst mit einem „stummen Fisch"). Ferner dienen als Begleitmotive bestimmte Realien aus dem Leben einer Figur (ein Beispiel ist Kakabsas „Ledersofa", der Ort seiner Meditation und Personswerdung); auch gewisse Aussprüche gehören hierher (die stereotype Redewendung „I bet' für Ihna" von Kakabsas Wirtin; das ständige „und überhaupt" der Irma Siebenschein; Geyrenhoffs „ab ovo"). Weiterhin gibt es Äußerlichkeiten einer Figur, die ihren Habitus repräsentieren (etwa Imre von Gyurkicz' stets „genau in der Mitte sitzende Krawatte"); schließlich innere Gegebenheiten oder Erlebnisse, die der Figur nur dunkel bewußt sind (z. B. die „Doppelgesichtigkeit" Quapps oder die magische Anwesenheit der Charagiel in Geyrenhoffs Leben).

Alle diese Begleitmotive sind einmal eine Art von metaphorischer Namensgebung; durch sie ist eine Person – wie durch ihren Namen – stets identifizierbar. (So kann Gyurkicz in einem Abschnitt, der aus der Perspektive Renatas erzählt ist, ohne Namensnennung – als „ein fremder Herr" – auftreten und ist doch auf Grund seiner Begleitmotive als dieser Gyurkicz erkennbar[45].) Dieser mehr statische Aspekt gilt jedoch nicht ausschließlich; denn zum andern handelt es sich um echte Motive: sie bewegen die Handlung (so z. B. die geheimnisvolle „Doppelgesichtigkeit" Quapps).

Daneben gibt es Motive, die nicht einer einzelnen Figur mitgegeben sind, sondern zum ganzen Roman gehören. Ein solches ist z. B. die häufige Anspielung auf den Brand des Wiener Justizpalastes oder auch die Erwähnung dieses Gebäudes. Auf solche Weise ist jedes Ereignis im Roman durch Andeutungen vorbereitet, es ist in jedem Falle motiviert. Es sei nur eines der unscheinbarsten und gerade deshalb repräsentativsten Beispiele genannt: als Geyrenhoff zum ersten Mal seinen ehemaligen Chef Gürtzner-Gontard besucht, fällt sein Blick zufällig aus dem Fenster auf eine Bogenlampe; nur beiläufig und, wie es scheint, „zufällig" ist davon die Rede. Später aber – bei seinem zweiten Besuch am 15. Juli 1927 – wird ihm die Bogenlampe zum Symbol, und ihre frühere Erwähnung erweist sich damit als Motiv[46].

Das Beispiel gilt grundsätzlich. Es handelt sich dabei freilich um ein bekanntes ästhetisches Gesetz, nach dem kein Detail roher Wirklichkeitsstoff bleiben darf, sondern funktionaler Bestandteil der Fiktion zu sein hat, und nach dem einem scheinbar zufälligen Faktum stets eine Bedeutung zukommt, die später erst zu Tage tritt. Wie sehr Doderer dieses Gesetz beachtet, zeigt auf heiter-ironische Weise eine Randbemerkung im ZIHAL: nach einer „zufälligen" Begebenheit heißt es da: „wir meinen geradezu: rein zufällig, Hand auf's Herz ohne autorliche Hintergedanken, und ohne daß wir hier für später was beiseite legen wollten!" – und gerade damit ist bereits „für später was beiseite gelegt"[47]!

Das bedeutet im ganzen die restlose formale Aufhebung jeglichen Wirklichkeitsstoffes. Genau betrachtet aber ist der Prozeß bei Doderer gerade umgekehrt: nicht die Wirklichkeit wird durch die Form aufgehoben, sondern die apriorisch gegebene Form wird mit Wirklichkeit gefüllt; anders: sie wird realisiert. Mit alledem wird deutlich, daß jenes Netz von Beziehungen um Madame Libesny im Grunde ein Kunstgewebe ist, das nur als ein Lebensgewebe erscheint. Es kommt nicht darauf an, wer mit wem verwandt oder befreundet ist, oder wer durch wen mit wem bekannt wird, sondern allein darauf, wie weit ein solches Netz von realen Bezügen geeignet ist, die Form des Romans zu sichern, wie weit es also ein Gewirk von Motiven darstellt. Denn im Hinblick auf die Form sind die Figuren selbst nichts anderes als Motive.

Alles dies wurde nur um der begrifflichen Schärfe willen verabsolutiert. In Wahrheit handelt es sich keineswegs um einen absoluten Mechanismus. Denn jedes Ding ist zunächst einmal es selbst; und wenn es zugleich ein Motiv ist, so ist dies eine Funktion, die es übernimmt; es bleibt dabei der Funktionsträger. Wird aber jedes Ding ausschließlich zu einem Motiv, geht es in dieser Funktion (die nur eine seiner Funktionen ist) auf, so verschwindet es als Wesenheit. Ein Motiv setzt einen Nährgrund voraus, aus dem es sich entfaltet. Dieser Nährgrund ist mit der Szene gegeben. Hier erscheint das Ding als Ding, und in Bezug auf das Ganze des Romans wird es erst zum Motiv. Das bedeutet von der Form aus gesehen: das Motiv als Form-Element wird improvisatorisch umlagert. Fehlt die Improvisation, so wird die Form zum nackten Skelett. Diese Tendenz zur Starre aber – das ist ein echtes Dilemma – ist dem Grundsatz der Priorität der Form von vornherein impliziert. Die

Priorität der Form enthält nämlich einen gleichsam „totalistischen“ Anspruch: sie läßt ein Ding nicht als Ding, sondern nur als Motiv zu. Und ihre solchermaßen plane Realisierung wäre nur ein Schein. Denn jede Art von Verwirklichung ist freilich nicht als bloße Projektion, sondern nur als wechselseitige Durchdringung konträrer Elemente denkbar. So erst wird der totalistische Anspruch überwunden, und die Realisierung wird eine im echten Sinn totale. So erst wird nämlich eine totale Wirklichkeitsgestaltung möglich, die ein Ding als Ding in seinem Sein beläßt und es zugleich als Motiv in seiner Bedeutung etabliert.

Ein Ding als Ding unter anderen Dingen ist die Bogenlampe in der Szene, wo sie zum ersten Mal genannt wird; sie wird hier um der „dezidierten Deskription“ willen beachtet. Exponiert wird sie erst durch ihre spätere Symbolisierung; und hier enthüllt sich ihre Bedeutung in beiden Szenen gemäß der formalen Konstitution. Erscheint die Bogenlampe in der ersten Szene lediglich durch das Wort befestigt, so ist sie durch den formalen Bezug zwischen beiden Szenen vollends als Wirklichkeitsbestand, der da ist und zugleich auch bedeutet, gesichert. So erst ist das Gewirk von Motiven als Lebensgewebe verwirklicht.

An dieser Stelle ist noch einmal auf das „Geweb' des Lebens“ zurückzukommen, und zwar im besonderen auf den Umstand, daß dieses Wort von Geyrenhoff ausgesprochen wird. Da es nämlich innerhalb des Romans steht und aus dem Mund einer Figur kommt, betrifft es nicht eigentlich den Roman, sondern nur dessen Gegenstand. Geyrenhoff gibt vor, das Geweb' des Lebens zu analysieren, das indessen der Roman erst schafft. Anders: der Roman ist grundsätzlich eine synthetische Welt, stellt sich jedoch – unter chronistischem Aspekt – als Welt-Analyse vor.

Diese Paradoxie ist nur eine Erscheinungsform der dialektischen Konstitution des Romans als Wirklichkeitskunst. Das wurde zu Beginn dieser Abhandlung grundsätzlich erörtert. Nunmehr ist zu zeigen, wie Doderer die Dialektik „aushält“. Doderer konsolidiert einen Punkt zwischen den Extremen Form und Wirklichkeit und erreicht hier deren Konkretion. Hieß es weiter oben beiläufig: die Struktur des Romans – das ist der Roman selbst, so muß es jetzt mit gleichem Recht heißen: der Gegenstand des Romans – das ist der Roman selbst. Die Kongruenz von Struktur und Gegenstand aber ist in dem Augenblick gegeben, da das Kunstgewebe und das Lebensgewebe einander decken. Die Form verliert – der Wirklichkeit gegenüber – ihre Absolutheit; ursprünglich ihrem eigenen Gesetz folgend, integriert sie sich das Gesetz der Wirklichkeit. So wird das Kunstgewebe zum Lebensgewebe, als das es zuerst erscheint und das es zuletzt ist.

Ein Blick nochmals auf Madame Libesny kann das veranschaulichen. Das Netz von realen Beziehungen, das sich hier manifestiert, wird – wie gesagt – von keinem der Beteiligten restlos durchschaut. Und gerade deshalb ist es ein Gewirk des Lebens, dessen Struktur und Gesetzlichkeit im ganzen und in der Tiefe dem einzelnen Menschen letzten Endes verborgen bleibt. Es wird indessen mit den Mitteln der Kunst geschaffen und erscheint als Gewirk der Form, das den Roman zusammenhält. Insofern aber präsentiert das Gewirk der Form im kleinen ein Modell des Lebensgewirks; insofern erst ist der Roman ein Modell der Welt.

8

Der Sachverhalt wird noch deutlicher, wenn das Bild des Gewebes aufgegeben und durch das Bild des Gefüges ersetzt wird. Liegt der Akzent dort auf der Verbindung, so liegt er hier auf dem, was da verbunden wird: auf den Wirklichkeitspartikeln. Diese werden nämlich nicht nur durch wechselseitige Bezüge miteinander verknüpft, sie stehen auch gegeneinander. Die Konfrontation, genauer: die Kontrapunktik, ist eine weitere Art der Verbindung von Epizentren oder Episoden miteinander. Ja, von hier aus werden die Epizentren und Episoden allererst sichtbar, nämlich als geschlossene Blöcke, die insgesamt ein Gefüge bilden. Von hier aus treten schließlich die Überlagerungen und Überschneidungen in den Blick als partielle Durchdringungen einzelner Epizentren, die dabei gleichwohl selbständig bleiben.

Als ein Beispiel wurde das Epizentrum Alois Gach angeführt. Die Geschichte Gachs wird nicht als kontinuierliche Sequenz erzählt, sondern erscheint – in verschiedenen Zusammenhängen – aufgeteilt, welche Aufteilung aber eben die Sequenz beschwört.

Diese Technik gilt bei Doderer allgemein. Niemals erzählt er einen Vorgang mit Vollständigkeit ganz bis zum Ende, er führt ihn nur bis zu einem „Reifepunkt“ und setzt die Folgerungen dann, wenn er die Sequenz wieder aufnimmt, schon voraus; „den letzten Vollzug“, so sagt er, „besorgt der Leser selbst und wird zustimmen, wenn er den Sachen später und in anderem Zusammenhange schon auf diesem Punkte begegnet“[48].

Ein bezeichnendes Beispiel ist die Entwicklung der Liebesgeschichte zwischen Williams und der Drobil. Es heißt einmal, „daß die beiden im Grunde gut wußten, sie seien für einander die richtigen ... Das Fundament lag fest ...“; in diesem Zusammenhang siezen sie sich. Am Schluß desselben Kapitels besteht ihr Zusammentreffen bei Mary K. „seine entscheidenden Sekunden“. Als die Sequenz später wieder aufgenommen wird – bei der Begegnung mit Stangeler –, stellt Williams diesem die Drobil als seine Braut vor, und die beiden duzen einander[49].

Wie solchermaßen im einzelnen Ausgespartes sehr wohl mitgedacht ist, so beschwört die dezidierte Gestaltung von Wirklichkeitspartikeln verschiedenster Art im ganzen das Bild einer Welt. Dieses Weltbild wird keineswegs als geschlossenes vorausgesetzt, das sich dann mit Ausführlichkeit oder gar Vollständigkeit abbilden ließe. Es wird nicht in seine einzelnen Bestandteile zerlegt. Es wird vielmehr durch die Beschwörung vom Einzelnen her erst geschaffen. Die Kraft der Beschwörung aber ist so stark, daß am Ende der Umschlag eintritt: das durch das Einzelne gerade erst geschaffene und beschworene Gesamtbild grundiert den Roman und hebt seinerseits alle einzelnen Fakten in sich auf. Mit anderen Worten: die Welt wird nicht universal abgebildet, sondern von ihren multiversalen Bestandstücken her, die zur Universalität tendieren, anvisiert und gestaltet.[50] Es ist dieselbe Dialektik, die weiter oben in Erscheinung trat; und so läßt sich zusammenfassend sagen: das synthetische Kunstgewebe ist die Analyse des Lebensgewebes, oder: der Roman ist gestalthafte Analyse der Welt.

An diesem Punkt wird die Form zugleich realisiert und schon überwunden. Sie erweist sich lediglich als Gerüst, das der errichtete Roman hinter sich läßt. Denn der Roman ist nicht nur durch seine Identität mit der Struktur, sondern ebenso durch seine Identität mit dem Gegenstand definiert; er stellt die Totalität beider dar.

9

Hier endlich fällt der Begriff: der totale Roman. Doderer wendet ihn auf Güterslohs – noch immer unveröffentlichtes – Werk DIE MATERIOLOGIE VON SONNE UND MOND. EIN HISTORISCHER ROMAN AUS DER GEGENWART an. Gütersloh arbeite daran, wie er selbst sagt, „ohne jede Komposition (‚plot‘) ...; es ginge ihm auch im Grunde garnicht darum, die Geschichte oder eigentlich die Geschichten zu Ende zu erzählen“[51]. Demgemäß ist das Wesen des totalen Romans, wie Doderer sagt, die Diversion: „Der tangentiale Ausgang ist innerhalb des totalen Romans bei jeder seiner Diversionen möglich.“[51]

Ohne es zu wollen – das sei zur Verdeutlichung am Rande vermerkt – kommt Robert Musil mit seinem gewaltigen Fragment DER MANN OHNE EIGENSCHAFTEN dem Begriff des totalen Romans nahe; ohne es zu wollen, aber müssend; denn der fragmentarische Charakter (der „tangentiale Ausgang“) ist seinem Werk von vornherein immanent. Das ist deutlich genug, wenn Musil feststellt: „Die Geschichte dieses Romans kommt darauf hinaus, daß die Geschichte, die in ihm erzählt werden sollte, nicht erzählt wird.“[52]

Doderer selbst kam in ähnlicher Weise – über die Diversion – dem totalen Roman im Güterslohschen Sinne nahe, als er die DÄMONEN gegen Ende der dreißiger Jahre sowohl als fingierte Chronik wie überhaupt scheitern, divergieren sah. Angesichts des Umstandes, daß ein

Thema das andere „verschlang" (davon wird noch zu sprechen sein), stellt Doderer am 30. Januar 1940 fest, er müsse nunmehr den Mut finden, „mit den nun schon einmal vorhandenen Personen und ausgehend von den nun schon einmal gegebenen Situationen einen neuen Roman im totalen Sinne zu beginnen". Und in diesem Zusammenhang erläutert er gleich den Charakter des totalen Romans und der totalen Prosa. Stilistische Einheitlichkeit, so sagt er, sei gegenüber „einem so sehr komplexen und notwendig unvollendbaren und unvollkommenen Gebilde, wie es der totale Roman ist", ein „unzuständiges Maß"; „hier muß vielmehr alles ständig gewechselt werden, die erzählungstechnischen Mittel ebenso wie die Rhythmik der Sprache, je nach dem Substrat, welches gerade bewältigt werden soll; auch die Gesamtheit des Erzählens wird hier variieren, vom Sprühregen ironischer Kommentare, welche die sogenannte Handlung oft nur mehr als ihren Anlaß und als Boden für ihre improvisatorischen Kunst-Stücke betrachten, bis zum knappsten Referat, das den Tatsachen allein Bedeutung zu vindizieren scheint, um diese Bedeutung dann gerade noch rechtzeitig zu kassieren, bevor sie zum ‚ehernen Ton' ausartet"[53].

Inzwischen ist ein weiterer Wesenszug des totalen Romans genannt worden: die Improvisation. Noch ein anderes Kriterium spricht Doderer später aus, wenn er den totalen Roman als „das universale Journal seines Autors" bezeichnet[54]. Alle diese Äußerungen betreffen den totalen Roman im Güterslohschen Sinn; sie wurden nicht während der Arbeit an den DÄMONEN getan, sondern im Stadium der Reflexion über diesen, wie es schien, gescheiterten Roman.

Alle diese Äußerungen zeigen zugleich, daß Doderers DÄMONEN zu jener Zeit nahe daran waren, einen anderen Fall Musil zu beschwören. Darin besteht die historische Bedeutung der Entstehungsgeschichte von Doderers DÄMONEN: sie befanden sich mitten in der sogenannten Krise des Romans. Sehr wohl hätte Doderer das Dämonen-Fragment von 1936/37 veröffentlichen können, nämlich 17 vorliegende Kapitel (also um etwas mehr als der Erste Teil der endgültigen Fassung) und dazu den EPILOG AUF DEN SEKTIONSRAT GEYRENHOFF, sowie einen anderen theoretischen Essay, der die Unvollendbarkeit dieses Werkes zum Gegenstand gehabt hätte. Es wäre ein exemplarisches Dokument der Krise des Romans gewesen mit dem Effekt: man könne nicht mehr erzählen, die Romanform sei überwunden, der Roman sei tot, als Roman käme „nur noch das in Betracht, was kein Roman mehr sei", wie Thomas Mann es formuliert hat. Doderer hat indessen im Jahre 1937 auf die Veröffentlichung des Ersten Teils der DÄMONEN verzichtet. Dafür gibt es mehrere Gründe. Einmal habe Doderer, so sagt man, sein Werk nicht politischer Mißdeutung aussetzen wollen[55]. Zum andern hat er das Werk aus dem Grunde nicht publiziert, weil er wußte, daß dies kein Erster Teil eines

Romans gewesen wäre, sondern ein fragmentarisches Gebilde, dem die Unvollendbarkeit immanent war. Ferner, weil er gleichermaßen wußte, daß die Krise, in die sein Werk geraten war, seine, Doderers, eigene Krise gewesen ist, die zeitgemäß mit einer allgemeinen Krise des Romans zu verteidigen zu billig gewesen wäre. Schließlich aber – und das ist der entscheidende Grund –, weil er – bei aller Ratlosigkeit – in der Tiefe wußte, daß es möglich sei, die Krise zu überwinden, und daß sie von ihm selbst behoben werden könnte. Aus alledem erklärt und legitimiert sich nebenbei Doderers massive Abgrenzung gegen Robert Musil, mit dem er oft zu Unrecht verglichen worden ist; einem Vergleich mit Musil zuvorkommend, sagt Doderer ebenso selbstbewußt wie mit Recht: „Ich schreibe keine Fragmente."[56]

Die Dämonen, wie sie heute vorliegen, sind ein totaler Roman nicht im Sinne Musils, der sich im Laufe der Arbeit die Kompositionslosigkeit seines Werkes eingestehen mußte, und nicht im Sinne Güterslohs, der die Kompositionslosigkeit dezidiert zum Ausgangspunkt seines Romans machte. Gegen Gütersloh setzt sich Doderer in einer ausführlichen Tagebuch-Notiz vom 5. September 1945 ab. Güterslohs Art der Erzählung, so sagt er, sei „ein Zer-sehen des Lebens", so wie Hermann Swoboda sich einen „Zer-denker" genannt hat (übrigens bezeichnet Doderer in anderem Zusammenhang Musils Technik mit demselben Wort als „gänzliches Zerdenken ... einer fragwürdig gewordenen faktizitären Umwelt"[57]). Bei Gütersloh herrsche das „Weltbild des Fliegen-Auges, vierhundert Facetten. Die Dynamik der Erzählung kommt zum Stehen gegenüber der Deutlichkeit einer mehr seienden als geschehenden Welt." Auf die Statik bei Gütersloh hat Doderer mehrmals verwiesen, sie erstrecke sich bis in den einzelnen Prosa-Satz, der ein „architektonisches Gebilde" sei wie der des Tacitus. Und in der Deutung dieses Sachverhalts wird bereits Doderers eigene Abgrenzung dagegen sichtbar; er sagt: „Damit [mit der Architektonik] ist höchste Forderung der Prosa erfüllt, zugleich schärfster Gegensatz zur episch-erzählenden Sprache erstellt, die ja auch in der Prosa den epischen Vers noch kryptisch mit sich führt, wie ein unterirdisch Gewässer rauschend."[51] In diesem Sinne sagt er in jener Tagebuch-Notiz, der „fundamentale Unterschied" zwischen der Güterslohschen und seiner eigenen Art der Erzählung bestehe „in der φυή, im Wuchse. Wenn er [Gütersloh] beinahe ohne Komposition doch immer noch erzählt, muß ich trotz der Komposition immer wieder improvisieren." Und er faßt zusammen: „Gütersloh und ich trafen uns in der Grunderkenntnis, daß Schreiben Improvisieren sein müsse. Wir mißverstanden uns jedoch hinsichtlich des ‚totalen Romans', dessen soit-disant größtmögliche Kompositions-Losigkeit für Gütersloh durch persönliche Eigenschaft erreichbar ist, für mich jedoch nur durch geflissentliche Ausschaltung meiner erzählerischen Mittel darzustellen wäre."

Die Antithetik ist in dieser letzten Stelle begrifflich überschärft. Einerseits ist der totale Roman, wie er als kompositionsloses Gebilde (als „universales Journal seines Autors") für Gütersloh erreichbar ist, kein Roman im Sinne der epischen Erzählung mehr; denn er hat wohl notwendig einen Anfang, aber kein Ende, es gibt keinen Finalisierungspunkt, der „tangentiale Ausgang" ist an jeder Stelle möglich; das aber heißt: er hat keine Dynamik, die immer nur durch die Ausrichtung auf einen Endpunkt gegeben ist. (So kann dieser totale Roman im Grunde nur abgebrochen werden, und nicht enden; das mag der entscheidende Grund sein, weshalb Gütersloh eine Veröffentlichung seines Romans SONNE UND MOND immer wieder verzögert.) Andererseits ist der totale Roman, wie er als komponiertes Gebilde (mit wesentlichem Anfang und wesentlichem Ende sowie mit spezifischer Dynamik) von Doderer angestrebt wird, mit seiner Verwirklichung schon kein totaler Roman mehr, sondern ein geschlossenes Werk. Angesichts dieser Dialektik sagt Doderer heute, den totalen Roman im begriffsstrengen (Güterslohschen) Sinn gebe es gar nicht[58]. Es gibt ihn dennoch, und zwar durch die innere Vermittlung der beiden dialektischen Pole. Jene Tagebuchstelle gibt schon einen Hinweis; es ist die Rede von „größtmöglicher Kompositions-Losigkeit". Während Gütersloh diese direkt (durch „persönliche Eigenschaft") erreicht, gewinnt Doderer sie indirekt im Durchgang durch die Komposition, in der Überwindung der Form.

Doderer stellt einmal fest: „Im großen und ganzen muß jede Komposition als prä-grammatische Fixierung angesehen werden, die in der grammatischen Improvisation des täglichen Textes sich jedesmal auflöst und das so lange, bis das Werk fertig und von ihr nichts mehr übrig ist."[59] Das heißt: die Improvisation verwischt den apriorisch bestimmten Umriß der Form, mehr noch: sie führt über die Eingrenzungen, welche die Form setzt, hinaus, sie divergiert. Dabei ist das Skelett der Form längst improvisatorisch umlagert – derart, daß es unsichtbar geworden ist; und dennoch bleibt es im verborgenen als letzter Halt des Romans wirksam. Auf solche Weise wird der „tangentiale Ausgang", der von der Form weg führt, in den Roman „heimgeholt". Die Diversion, die den totalen Roman konstituiert, wird dem Roman immanent.

Dies alles ist in den DÄMONEN der Fall. Die gebrochene Sequenz, die am Beispiel Alois Gachs gezeigt wurde, ist nur ein Beispiel dafür, wie das Prinzip im einzelnen wirksam wird. Dasselbe besagen im ganzen die verschiedenen Elemente und Dimensionen des Romans, die im vorliegenden Kapitel dargelegt wurden. In dem ständigen Wechsel zwischen Gebundenheit (durch die Gruppe der Unsrigen) und Diversion (der einzelnen Figuren), zwischen Rückbindung (durch die Handlung) und Atomisierung (KURZE KURVEN), zwischen querschnittartiger Versammlung (15. Juli 1927) und wiederum „tangentialem Ausgang" (der Roman endet mit einer Szene, die im Jahre 1927 spielt, und die Geyrenhoff als „unmittelbarer“ Chronist mit einem Fragezeichen beschließt, obwohl er die Frage als „idealer“ Chronist beantworten könnte), – in solchem ständigen Wechsel dokumentiert sich das „Schweben des Schriftstellers zwischen der klaren Konstruktion und deren ständiger Auflösung“. Dieses Schweben – „eine der größten Paradoxien innerhalb der Kunst des Romans“, die es nicht zu lösen, sondern „auszuhalten“ gilt – dieses Schweben des Schriftstellers kommt letztlich „aus seinem eingeborenen Wissen von der Unendlichkeit des epischen Feldes, von der Lebenstotalität ...“, wie Doderer sagt[60]. Um diese nämlich geht es dem Roman, und besonders einem Roman, der mit Recht ein „totaler“ heißen darf. Von alldem wird noch einmal unter dem Aspekt der Wirklichkeitsgestaltung die Rede sein. Hier, unter dem Aspekt der Form, läßt sich am Ende eine einfache Definition geben: der totale Roman – wie er in Doderers DÄMONEN verwirklicht ist – ist nichts anderes als die komponierte Kompositionslosigkeit.

9. KAPITEL

DIE ZWEITE WIRKLICHKEIT

1

Der totale Roman ist – streng genommen – ein Roman ohne Thema. Das heißt: ein Thema oder Themen haben wohl in ihm Platz, doch bestimmen sie nicht seine Struktur. Der totale Roman läßt sich nicht auf ein thematisches Substrat reduzieren.

Dies war bei den DÄMONEN nicht immer der Fall. Vielmehr: wie sie erst durch die Überwindung der Chronik, von der sie ausgingen, zum Roman wurden, so wurden sie zum totalen Roman im eigentlichen Sinn erst durch die Überwindung ihres thematischen Ursprungs.

In der Tat waren die DÄMONEN anfangs thematisch konzipiert. Ihr Hauptthema, in dessen Darstellung sie aufgehen wollten, war die „zweite Wirklichkeit". Es konkretisierte sich zunächst monographisch in der „Dicke-Damen-Theorie" Schlaggenbergs (genannt „DD"), dann auf der polygraphischen Ebene als „Zerreißung der Wiener Gesellschaft durch den totalitär werdenden Antisemitismus" (bezeichnet durch das Schlagwort „Wasserscheide") und schließlich in der Darstellung des Totalitarismus überhaupt. Doderer spricht hier von dem „Genfer Thema" und erläutert: „‚Genf' ist eine Kurzbezeichnung für alles ideologisch revolutionäre und totalitäre. In Genf wurde zum ersten Mal ein totaler Staat begründet (Calvin). Im 19. und 20. Jahrhundert haben – eigentümlich genug! – hier wiederholt russische Revolutionäre ein Asyl gefunden."[1]

Auf diesem Wege fortschreitend von Thema zu Thema, das dabei immer umfassender wurde, begann der Roman zu wuchern; und im Jahre 1940 stellt Doderer fest:

> Ich erkenne jetzt, rückblickend bis 1930, wie ein „Thema" das andere verschlang: DD wurde von „Wasserscheide" verschlungen ... Diese selbst ward von „Genf" verschluckt, und erhielt – gleichzeitig mit ihrer Objektivierung – fallende Tendenz. Auch „Genf" mußte untergehen mit seinem „Aion geminderter Wirklichkeit" (dies war das zuletzt aufgeschlagene Zelt) und nun will sich ein totaler Roman öffnen und nichts anderes bleibt zurück als die Gesinnung des Lebens und die Hintergrunds-Bezogenheit all' dieser zu Einzel-Objekten gewordenen thematischen Grundlagen.[1]

Die Erklärung der Begriffe wird sich im folgenden beiläufig ergeben. Hier ist zunächst festzuhalten, daß die thematische Konzeption scheitert.

So diskutiert Doderer zugleich die Frage des Romanthemas überhaupt und resümiert:

> Hier ist nun der Punkt, an welchem ich einsehe, daß ein Roman auf „thematische“ Art und Weise überhaupt nicht entstehen kann; sondern nur aus einer Gestalt oder aus Gestalten oder aus einem erzählerischen – sei's auch rein erzählungs-technischen – Grund-Einfall, mit welchem ja Personen ab ovo gegeben sind. Aber ein Thema, das dann persönliche Träger erhält, darf der Erzähler überhaupt nicht anerkennen, weil er es damit allein schon verabsolutiert und über seine wirkliche Ebene – nämlich seine Existenz bloß in der Psychologie der Figuren – hinaushebt. Ein „Thema“ kann es nur als Vorstellung bei einzelnen Personen im Roman geben, eine andere Existenz kommt ihm hier nicht zu, und schon garkeine als leitender Gedanke im Autor, der sich nur Menschen vorzustellen hat, aber keine Ideen.[1]

Doderer weiß allerdings, daß „mit der ‚Idee‘ des Sektionsrates Geyrenhoff [seiner Chronik] ... und mit der Art, wie er sie durchführt“, „ein erzählungs-technischer Grund-Einfall“ gegeben ist. Und daran hält er fest, denn er meint schon jetzt, im Jahre 1940, daß dies sehr wohl den „Nährboden eines totalen Romans“ bilden könne[2], und daß auf diesem Boden der „vitiöse“ thematische Ursprung[3] zu überwinden sei.

Tatsächlich ist der totale Roman, den Doderer nach der Wiederaufnahme der Arbeit ausgeführt hat, tiefer angelegt als ein thematisches Gefüge. Seine Basis ist die Lebenstotalität, von der ein Thema immer nur einen Ausschnitt bilden kann. Auf solche Weise ist das Thema der zweiten Wirklichkeit zugleich eingedämmt und formal aufgehoben. Es hat seine strukturbestimmende Kraft verloren; es bleibt als Teilbereich einzelner Epizentren zurück.

Aber es bleibt; und seiner Bedeutung wie seinem Gewicht ist durch die formale Aufhebung nichts genommen; im Gegenteil: seine Bedeutung ist durch die Form noch eigens akzentuiert. Der intensivste Fall zweiter Wirklichkeit nämlich – der Fall Herzka und das durch ihn vermittelte spätmittelalterliche Manuskript Dort unten – ist genau in der Mitte des Buches plaziert. Einzig der ästhetische Ort ist es ja, der die Wichtigkeit eines Phänomens im Roman statuiert. Vor allem deshalb kommt der Problematik der zweiten Wirklichkeit auch in der heute vorliegenden Fassung der Dämonen eine erhöhte Bedeutung zu, nicht allein deshalb, weil dieses Problem immer wieder in den verschiedensten Teilbereichen erscheint, und nicht nur deshalb, weil der Titel Die Dämonen, der nichts anderes meint als die zweite Wirklichkeit, beibehalten wurde, obwohl er nicht mehr wie bei der ersten Konzeption das thematische Substrat und das Hauptthema des Werkes bezeichnet. Der totale Roman, streng genommen, ein Roman ohne Thema, ist freilich, noch strenger genommen, auch ein Roman ohne Titel.

2

Wenn das Problem der zweiten Wirklichkeit im folgenden eigens analysiert wird, so geschieht dies also zunächst aus ästhetisch-formalen Gründen, dann aber auch deshalb, weil es – neben und nach der Menschwerdung – den Kern des Dodererschen Zeit- und Weltbildes ausmacht. Doderer hat es sowohl theoretisch diskutiert (das wichtigste Zeugnis dafür ist sein Traktat SEXUALITÄT UND TOTALER STAAT) als auch praktisch im Roman veranschaulicht. Ja, selbst in den DÄMONEN findet es auf diese doppelte Weise seinen Niederschlag: es wird hier gleichermaßen „gestaltweise" artikuliert wie „zerlegungsweise" (vor allem in theoretischen Gesprächen, aber auch in beiläufigen Reflexionen) formuliert. Und von daher legitimiert sich die Methode der folgenden Problem-Analyse: die zweite Wirklichkeit soll zunächst begrifflich bestimmt und sodann in einem Beispiel (dem Fall Herzka) in ihrer dichterischen Gestalt vorgestellt werden.

Die Technik des gleichrangigen Nebeneinander von Darstellung und Darlegung – das ist noch zu vermerken – hat Doderer inzwischen aufgegeben: er verlegt den Akzent immer mehr auf die Seite der Gestaltung, wodurch die Reflexion immer mehr zum „sekundären Kunstmittel" absinkt. Das „reine" Formgebilde der STRUDLHOFSTIEGE zeugt bereits dafür, ebenso die zuletzt geschriebenen Passagen der DÄMONEN: die Episode der Frau Mayrinker im besonderen und das große Kapitel DAS FEUER im allgemeinen. So nämlich wird der totale Roman erst eigentlich realisiert: als „reiner" Roman, das heißt: mehr als Ausdruck, weniger als Aussage.

Die Tendenz zu diesem Ergebnis wird auch bei den verschiedenen Darstellungen der zweiten Wirklichkeit bemerkbar: während die früheren mehr oder weniger begrifflich konzipiert und dargelegt sind (so der ZIHAL und Schlaggenbergs „Dicke-Damen-Theorie"), erscheint der zuletzt verfaßte Komplex (das spätmittelalterliche Manuskript) als reine Gestalt. Allerdings folgt ihm Stangelers Kommentar, doch dieser wird sogleich relativiert: ein „Gedanken-Keim" – „mehr war's ja nicht"[4]. So könnte man sagen: auch hier erweisen sich die DÄMONEN als ein dynamisches Gebilde, das seine eigenen Vorstufen noch enthält; wie die Chronik Vorstufe des Romans, so ist die Formulierung der zweiten Wirklichkeit die Vorstufe zu ihrer Artikulierung.

3

„Wirklichkeit", so sagt Doderer, „heißt bei uns nichts Anderes als eine gewisse Mindest-Deckung zwischen Innen und Außen."[5] Wirklichkeit ist für ihn ein Verhältnisbegriff, ein stets wanderndes „Differential". Ihr Grad muß ständig schwanken, sie selbst muß in der Schwebe bleiben.[6]

Idealtypisch ist die Wirklichkeit freilich als die restlose Deckung zwischen Innen und Außen definiert. Doch bleibt solche Definition ein Heurisma; sie wird von der „empirischen" Wirklichkeit nur in einiger Annäherung erfüllt. Die empirische Wirklichkeit ist immer schon „gemindert". Deshalb – um sie wenigstens bei ihrem Begriff zu erhalten – spricht Doderer von einer „gewissen Mindest-Deckung".

Jede Verabsolutierung hebt die Wirklichkeit auf. Und zwar nach beiden Seiten hin: die volle und ausschließliche Deckung zwischen Innen und Außen konstituiert eine Überwirklichkeit, die keine Bewegung (und das heißt Leben) mehr zuläßt, also dem Tod gleichkommt; die Trennung von Innen und Außen auf der anderen Seite bedeutet den Absturz beider in die Unwirklichkeit.

Doderer faßt die drei Stufen in einem Begriffs-Schema zusammen: „Wirklichkeit (als Limes-Wert), geminderte Wirklichkeit (als empirischer Wert), Unwirklichkeit (als Limes-Wert)"; und er erläutert:

Wirklichkeit ist die volle Deckung zwischen Innenwelt und Außenwelt.
Geminderte (empirische) Wirklichkeit ist der jeweils vorhandene Grad solcher Deckung.
Unwirklichkeit ist die vollkommene Abwesenheit jeder Deckung zwischen Innen und Außen.[7]

Dieser Wirklichkeitsbegriff ist eine Übertragung – Doderer sagt „Abspiegelung"[8] – der thomistischen analogia entis auf die Ebene der „dialektischen Psychologie" oder „Mechanik des Geistes" (denn diese Disziplin ist es, die der Romancier für seinen „Hausgebrauch" betreibt): die metaphysisch gedachte Übereinstimmung von Schöpfer und Geschöpf erscheint als geistesmechanisch gesichtete Übereinstimmung zwischen Außen und Innen. Deren Bezug nennt Doderer denn auch im Sinne des Thomas von Aquin einen „analogischen". Das heißt: der Mensch ist a priori auf die Welt abgestimmt, und er realisiert sich durch die dezidierte Einstimmung in die Welt oder Zustimmung zur Welt. Dies geschieht nach Doderer durch die freie und gänzlich unverstellte Apperzeption. Die Apperzeption bewirkt eine „chymische Hochzeit" des Menschen mit der Welt und bewahrt so die Wirklichkeit als einen festen „Konnex" auf dem Grunde der Analogie.

Wie indessen die menschliche Apperzeption nie integral sein kann, so unterliegt die Verbindung zwischen Innen und Außen graduellen Schwankungen; sie ist bei jedem Menschen in jedem Augenblick verschieden. Niemals reißt sie völlig ab; denn es gibt keinen absoluten Abschluß von der Welt. Wohl aber kann sie bis zur Schein-Verbindung herabgemindert werden. Solche Minderung der Wirklichkeit entsteht augenblicklich und schlagartig, wenn der Mensch die Welt nicht als Welt (oder im einzelnen ein Phänomen nicht als Phänomen) an sich heran läßt, sondern sie nur so weit vorläßt und ergreift, wie sie dem willkürlich gesetzten Maße seines Innern entspricht.

Diesen Vorgang bezeichnet Doderer außerordentlich treffend als „Apperzeptions-Verweigerung". In der Apperzeptions-Verweigerung erblickt er die „moderne Form der Dummheit". Diese sei „nicht, wie früher einmal, ein Fehlen der Intelligenz", sondern deren genaues Gegenteil: „eine umgeklappte Intelligenz mit negativem Vorzeichen". Die Dummheit ist für ihn keine Eigenschaft, sondern eine Gesinnung, ja eine Haltung; sie geht auf einen „bösen Entschluß" des Individuums zurück: „dumm ist, wer dumm sein will". Sie ist kein Nicht-Wissen, sondern ein Nicht-Wissen-Wollen, ein Anders- und Besser-Wissen-Wollen, und so eine konträr gegen die Intelligenz gerichtete Macht. Dabei besteht ihr „taktischer Vorsprung" vor der Intelligenz darin, daß sie sich „nie beim Namen nennt": „Nie wird ein von der Dummheit Besessener sagen, daß er für die Dummheit eintrete"; denn die Dummheit ist „unfähig zur Agnoszierung ihrer selbst und zum Bekenntnisse"[9].

Es versteht sich freilich von selbst, daß die Apperzeptions-Verweigerung ebensowenig integral ist wie die Apperzeption selbst. Allein: wenn der apperzeptive Mensch sich mit aller Kraft bemüht, die Welt so zu erfassen, wie sie ist, wenn er also die spezielle Wahrnehmung zum gänzlichen Erfassen zu führen trachtet, so hält der Apperzeptions-Verweigerer bei der speziellen Sicht: er beschränkt seine Apperzeption tendenziös; er verabsolutiert eine spezielle Erfahrung zur Überzeugung, die er durch eine neue Erfahrung nicht mehr korrigieren oder revidieren will, er macht sie im Gegenteil zum Maßstab jeder neuen Erfahrung; das bedeutet, konsequent verlängert, er baut eine Ideologie auf.

Dadurch aber wird die Analogie aufgehoben und die Wirklichkeit zerstört. Die Außenwelt wird nicht unvoreingenommen gesichtet und damit wirklich erfahren, sondern durch eine Überzeugung präokkupiert; und die präokkupierte Außenwelt ist nichts anderes als eine projizierte Innenwelt. Die Verbindung beider ist freilich gegeben, aber sie ist keine echte und fruchtbare Konkretion, die aus zwei konträren Elementen ein drittes schafft, sondern ein bloßer Schein: das Innen haftet nicht am Außen, das Außen geht nicht ins Innen ein. Es ist eine „Pseudo-Konkretion"; Doderer bezeichnet sie – im Gegensatz zur analogischen – als „pseudologisch".

Analogische und pseudologische Wirklichkeit sind einander formal gleich[10]; auch die Bestandteile sind in beiden Räumen dieselben. Nur der Akzent ist verlagert, genauer: der dort lebensgemäß wandernde Akzent wird hier fixiert. Der analogische Raum nämlich erhält sich durch den dialektischen Bezug zwischen Innen und Außen und bleibt so in lebendiger Bewegung. Der pseudologische Raum dagegen ist statisch; die Dialektik ist aufgehoben; der Akzent liegt fest auf dem Innen, das sich zum

„herrschsüchtigen Mittelpunkt" erhoben hat. So sagt Doderer: „Jede Egozentrizität enthält unstreitig im höchsten Grade die Gefahr, pseudologisch zu werden."[11]

Die pseudologische Wirklichkeit ist weder Wirklichkeit noch Unwirklichkeit im strengen Sinn. Zur Wirklichkeit fehlt ihr die Echtheit der Konkretion; von der Unwirklichkeit ist sie durch ihr Wesen als Schein-Konkretion getrennt. Sie ist eine bis an die Grenze der Unwirklichkeit herabgeminderte Wirklichkeit, eine wirkliche Unwirklichkeit oder eine unwirkliche Wirklichkeit; sie ist mit einem Wort „dämonisch". So formuliert es Doderer, indem er die bisher erörterte Problematik zusammenfaßt:

> Zwischen einem pseudologischen Innen und einem analogischen Außen gibt es keine Deckung und eben so wenig umgekehrt. Wohl aber ist, ganz wie eine analogische, auch eine pseudologische Deckung zwischen Innen und Außen möglich: ihre Erscheinungsformen sind die Dämonen oder mindestens Personen und Umstände mit dämonischem Akzent.[10]

Formal gesehen, gebraucht Doderer den Begriff ebenso wie Platon, der das Dämonische grundsätzlich als Zwischenbereich (metaxý) definiert hat. Inhaltlich jedoch meint er das präzise Gegenteil: was bei Platon ein überbrückendes Prinzip zwischen Sinnenwelt und Ideenwelt ist und von jener zu dieser emporführt, das ist bei Doderer ein chaotisches Prinzip der Irrealisierung, das von der Wirklichkeit zur Unwirklichkeit hinabführt.

Die dämonische Pseudologie wird zunächst nur punktuell wirksam. Pseudologische Konkretionen gehen auf Augenblicksentschlüsse des Individuums zurück. Hier noch ist der negative Ursprung (die Gegenbewegung gegen die analogische Wirklichkeit) erkennbar, auch die „tendenziöse Beschränkung" der Welt durch Fixierung nur eines Ausschnitts oder eines Aspekts. Doderer sagt: „Die Grundbewegung des Pseudologischen, sozusagen der Einsprung in seine Bahn, dessen bloßes Für-Möglich-Halten schon korrupt ist, besteht in der Exemtion eines Teilchens des Lebens von diesem selbst."[12] Erst die Verbindung einzelner pseudologischer Fixierungen schafft den „pseudologischen Raum" als ein Continuum. Hier ist der negative Ansatz bereits verschüttet: die pseudologische Wirklichkeit gibt sich als echte Wirklichkeit, ja sie erscheint sogar dem an der Oberfläche haftenden Blick als eine solche. Dieses Stadium ist nicht mehr ausschließlich negativ zu beschreiben. Es ist das Stadium der „zweiten Wirklichkeit". Hier gewinnt die Dämonie ihre Position.

In der zweiten Wirklichkeit wird das Nichts existent. Denn der Prozeß der Irrealisierung, welcher durch die pseudologische Beschränkung initiiert und durch den Ausbau des pseudologischen Raumes perfektioniert wird, führt nicht bis zu seinem logisch gemeinten Ziel: nämlich zu einem sublimen Mord der Welt und Selbstmord des Menschen oder – mit anderen

Worten – zur Nicht-Existenz von Innen und Außen, sondern zur Existenz des Nichts zwischen Innen und Außen.

Das existente oder „phänomenalisierte" Nichts bestimmt Doderer als „abklingende Materie (Epiphonie)": „Nihil apparens materia resonans."[7] Und so beschließt er das zum Teil schon zitierte Begriffs-Schema zur Problematik der Wirklichkeit folgendermaßen:

> Demnach wird das Nichts in der dialektischen Psychologie definiert als die Trennung zwischen Subjekt und Objekt, wobei für ersteres die reine Phantasmagorie, für letzteres die Außenwelt als angefügte mechanische Prothese ohne Spur organischer Durchwachsung dasteht.[7]

Bei alledem ist die „Existenz des Nichts" bereits dämonisch, nicht erst die „objektivierte Phantasmagorie", mit der Doderer das Dämonische bestimmt[13]. Und in dieser spezifischen Dämonie erblickt er die „kardinale Doktorfrage dieser Zeit"[5], die er selbst nicht müde wird theoretisch zu diskutieren und praktisch im Roman zu veranschaulichen.

4

Die zweite Wirklichkeit – so läßt sich nunmehr definieren – ist als Pseudo-Konkretion von Innen und Außen eine konkret gewordene Vorstellungswelt, objektivierte Phantasmagorie, zur äußeren Faktizität konstituierte Ideologie. Sie basiert auf der Apperzeptions-Verweigerung; ihre Setzung ist im Grunde ein revolutionärer Akt.

In der Tat ist es der in seiner Ideologie befangene Revolutionär, von dem die zweite Wirklichkeit gesetzt wird. Er geht mit einer „Sollvorstellung", die er ‚Weltanschauung' nennt, an die Welt heran und verstellt sich eben dadurch die wirkliche Anschauung der Welt; die nicht gesehene Welt aber trachtet er in der Richtung seiner ‚Weltanschauung' zu verändern. Insofern ist der Revolutionär für Doderer der Prototyp des Apperzeptions-Verweigerers und zugleich dessen gefährlichstes Beispiel; denn er bleibt nicht bei sich selbst. Er sucht „am Leben, wie es einmal ist, vorbeizukommen, obendrein mit sittlichem Pathos", indem er „‚idealistisch' einen Zustand [verabsolutiert], der sein soll, gegenüber dem tatsächlich seienden"[14]. Mit der Verabsolutierung hält der Revolutionär das schwankende Differential der Wirklichkeit an. Er will einen Zustand, der noch nicht einmal eingetreten ist, verewigen. Das heißt mit Doderers Worten: er konstituiert einen „Aion geminderter Wirklichkeit". Dabei ist die revolutionäre Bewegung immer schon entschieden totalistisch. Denn der Revolutionär ist durch den Vollkommenheits-Anspruch definiert: er will nicht hier und da etwas verbessern – damit bliebe er auf der Basis der gegebenen Welt, und damit wäre er noch kein Revolutionär –, sondern die „Grundlagen des Lebens überhaupt" will er verändern. So mündet die revolutionäre Bewegung in die zweite Wirklichkeit des totalen Staates. Hier ist zu Gunsten eines gesetzten Maßes das Schwebeverhältnis der Wirklichkeit aufgehoben, und damit zugleich das Leben und letzten Endes auch die Geschichte: ein außergeschichtlicher Raum ist fixiert. Und hier am Ende stellt Doderer die entscheidende Frage, die er selbst offen läßt: „Gibt es wirklich außergeschichtliches Geschehen?“[15]

Alles dies ist nur als Andeutung zu verstehen: es ging lediglich darum, nach der schematischen Begriffsbestimmung in möglichster Kürze die zeitgeschichtliche Grundlage, das weltgeschichtliche Ausmaß und die hohe Aktualität der ganzen Problematik sichtbar zu machen.

5

Die Problematik, die auf weltgeschichtlicher Ebene kaum anders als theoretisch erfaßbar ist, wird im Roman auf der Ebene individueller Menschengestaltung praktisch darstellbar. Denn hier sind die gleichen Mechanismen am Werk. So begreift Doderer das Ringen zwischen erster und zweiter Wirklichkeit, bevor sie noch feste Formen annehmen, als das „Ringen von Apperceptivität und Deperception im Einzel-Individuum“ und erblickt darin „ein aus nächster Nähe gesehenes Detail weltgeschichtlicher Entscheidung“[16]. Und so dient ihm die Darstellung von privaten Ideologien und Miniatur-Revolutionen als Modell.

Ein solches Modell ist bereits der 1939 geschriebene Roman Die erleuchteten Fenster; Zihals „totaler Ordnungs-Kosmos“, in dem die Welt zur ideologisch gesichteten „entzauberten Objekts-Welt“ degradiert wird, ist nichts anderes als eine parabolische Darstellung des Dritten Reiches. Ausdrücklich als Modell für eben dieses Dritte Reich wird in den Dämonen Schlaggenbergs Dicke-Damen-Ideologie bezeichnet[17].

Schlaggenbergs zweite Wirklichkeit konkretisiert sich – deutlicher noch als diejenige Zihals – auf dem Gebiet des Sexuellen. Und in der Sexualität sieht Doderer das eigentliche Modell – noch vor allen Modellfällen – für die ganze Problematik. Wie die ideologisch fixierte Überzeugung eine wirkliche Erfahrung der Welt unmöglich macht, so ist durch die „Vorliebe“ der Weg zur Liebe verstellt. Hier wie dort handelt es sich um eine Voreingenommenheit. Und die zweite Wirklichkeit, die auf der politischen Ebene als ideologisch gesetzter Total-Staat erscheint, konstituiert sich hier als angewandte Sexual-Ideologie, als „zweite Sexualität“, die schon damit beginnt, daß ein Mensch auf die Suche nach seinem „Typ“ geht. Wie der Revolutionär bewegt er sich über das Hier und Jetzt der Realität zu Gunsten eines phantasmagorischen Bildes hinweg. Diesen Vergleich hat Doderer in seinem Essay mit dem bezeichnenden Titel

SEXUALITÄT UND TOTALER STAAT selbst gezogen; er sagt darin, der Europäer habe „durch lange Zeit den totalen Staat in sexueller Praxis ... vorgeübt"[18].

Eben deshalb und zugleich, weil das Sexuelle für ihn das wirksamste Apperzeptions-Organ des Menschen ist (hier ist die Definition der Apperzeption als einer „chymischen Hochzeit" des Menschen mit der Welt wörtlich zu verstehen: „man geht da aus sich heraus und in einen anderen hinein ..."[18]), eben deshalb hat Doderer die Problematik der zweiten Wirklichkeit mehrmals auf der Ebene der Sexualität dargestellt (Schlaggenberg, Herzka, Achaz von Neudegg).

Indessen ist die Problematik keineswegs auf das Politische und auf das Sexuelle beschränkt; sie kann vielmehr auf jedem Lebensgebiet auftreten. Das besagt einerseits eine theoretische Bemerkung im Roman selbst: wenn einmal eine Verdoppelung der Wirklichkeit angenommen werde, „so ließe sich leicht denken, daß es auch zu einer zweiten Sprache kommen könnte, die mit den gleichen Wörtern doch nicht das gleiche ergreift, oder zu einer zweiten Ordnung, die ebensowenig mit der Wirklichkeit zu tun hat"[19]. Dasselbe sagt Stangeler: „Man kann übrigens auf diese Weise, ganz unabhängig vom Sexuellen, noch andere Sachen verdoppeln: zwei Sprachen, zwei Rechte, zwei Literaturen ..."[20] Andererseits wird die Problematik – auch jenseits der einzelnen Fälle – praktisch bei der individuellen Menschengestaltung immer wieder aktiv. Sie wird hier weniger „zerlegungsweise" formuliert als „gestaltweise" artikuliert; das heißt, sie ist kaum mehr als Problem benennbar, sie offenbart sich nur andeutungsweise als Zusammenstoß zweier Wirklichkeiten in einzelnen Augenblicken. Dies wäre der Schlüssel für so verschiedene Schicksale wie Quapp, Renata, Friederike Ruthmayr, Anny Gräven oder Neuberg, vor allem aber für Stangeler. Stangeler hat – so will es die Fiktion – den Begriff der zweiten Wirklichkeit geprägt; er hat die verschiedenen Definitionen des Revolutionärs gegeben, ja von ihm stammt die ganze Problematik überhaupt. Sie wird jedoch von ihm nicht nur theoretisch diskutiert, sie konkretisiert sich auch in ihm als einer höchst komplizierten Figur. Das meint Doderer, wenn er im Tagebuch schreibt: „René Stangeler – eine Person, die ich immer mehr als ein wahres Pandämonium dieser sich nähernden Mitte des zwanzigsten Jahrhunderts erkenne ..."[21]

Damit ist der Ausgangspunkt der ganzen Problematik erreicht: in dem Zusammenstoß zweier Wirklichkeiten sieht Doderer den spezifisch „modernen Sachverhalt"[22], den er immer wieder praktisch gestaltet. Er beruft sich dabei auf die „immer aufmerksamer erlebten Schwankungen unseres subjektiven Gefühles von Wirklichkeit ..., die immer mehr einen unwirklichen status auch der Objektswelt um uns an den Tag brachten ..."[8].

Nach alledem ist der Blick auf die Problemgestaltung frei. Es würde indessen den Rahmen der vorliegenden Abhandlung überschreiten, sollten sämtliche Einzelfälle hier eigens auf ihre Gestalt hin untersucht werden. Deshalb sei nur ein Beispiel herausgegriffen, allerdings ein gewichtiges, das auch formal besonders exponiert ist, nämlich der Fall Herzka; an diesem soll nunmehr gezeigt werden, wie sich die zweite Wirklichkeit „gestaltweise“ artikuliert.

6

Herzkas zweite Wirklichkeit ist eine Sexual-Ideologie. Sie entsteht, indem er – auf Grund einer tief eingewurzelten „Vorliebe“ für Hexenpeinigungen – verschiedene an ihn herantretende Umstände nicht in ihrer gemeinten Wirklichkeit erfaßt, sondern sie unverzüglich in der Richtung seiner sexuellen Wunsch-Vorstellungen interpretiert.

Das Kapitel, das seinen Fall eröffnet, trägt den Titel DIE FALLTÜR; dies wird im Text durch einen Vergleich mit der BRESCHE erklärt. Doderer gibt hier innerhalb von Herzkas Erinnerungen eine summarische Nacherzählung seines ersten Romans, in dem eben dieser Jan Herzka die Hauptfigur vorstellt. „Auch damals“, so heißt es, „waren gleichsam die Umstände über ihm eingeschnappt, wie eine Falltür.“[23] Es sind indessen nicht die Umstände, welche die zweite Wirklichkeit schaffen, sondern – wie gesagt – die voreingenommene Interpretation der Umstände. Das zeigt bereits eine genauere Betrachtung des ersten dieser „Umstände“.

„Plötzlich saß dem Jan Herzka ein Fräulein Agnes Gebaur im Pelz“ – so beginnt das Kapitel. Er sieht sie „zum ersten Male“, wie es heißt, „nachdem er sie, schätzungsweise, schon gut dreihundert Mal erblickt hatte, denn sie war seit einem Jahr im Geschäft“[24]. Dieses „erstmalige Sehen“ der Gebaur ist bereits korrupt, wenigstens aber zutiefst doppeldeutig. Einerseits wird Herzka von der Gebaur, wie es scheint, unmittelbar „angesprochen“: die „Art ihres körperlichen Existierens“ übt eine „schlagartige Wirkung“ auf ihn aus; ihr Körper erscheint ihm als etwas „im höchsten Grade Unbekanntes“[25]. Soweit handelt es sich um nichts anderes als um ein intensives erotisches Erlebnis, um eine „Explosion“ (das Wort fällt mehrmals) ganz wie in der BRESCHE; Herzka scheint die Gebaur als ganze und so, wie sie ist, zu apperzipieren; soweit auch verbleibt das Erlebnis im Bereich des Normalen, auf dem Grunde der Analogie. Andererseits aber ist Herzka bei seinem „erstmaligen Sehen“ schon pseudologisch infiziert. In der Szene nämlich, die ihn in den Roman einführt (es ist die Gesellschaft im Hause Siebenschein in dem Kapitel DER EINTOPF), zeigt er ein „lebhaftes“, „tiefdringendes“, „über den Rahmen des Bildungsmäßigen ... hinausgehendes Interesse“ an Hexenprozessen[26]; und eben diese „Vorliebe“ bildet eine Komponente bei seinem „erstmaligen Sehen". Er sieht also die Gebaur, betrachtet sie aber zugleich – durch Überschärfung einzelner Züge – als die Konkretisierung seines phantasmagorischen Wunschbildes: als Dulderin. Er vermeint, einen „unbestreitbaren Zusammenhang" zwischen der Tatsache, daß ihn die Gebaur jetzt am Montag, dem 16. Mai 1927, „antritt", und dem Gespräch über Hexenprozesse, das am Sonnabend davor stattgefunden hat, zu erkennen[27].

Auf solche Weise tritt neben die wirkliche (analogische) Anschauung eine verzerrende (pseudologische) Vorstellung; und die Tendenz, neben der ersten faktischen Wirklichkeit eine zweite phantasmagorische zu errichten, ist gegeben. Dazu einige Belege.

Die Beschreibung der Gebaur aus Herzkas Perspektive: „Man hätte es ein Madonnengesicht nennen können. Ein Kopftuch hätte wohl dazu gepaßt" wird durch eine objektive Zwischenbemerkung unterbrochen: „wir stellen hier als Außenstehende fest, daß die Gebaur einfach einen slawischen Typus darstellte". Damit sind die beiden Maßstäbe schon deutlich; entscheidend jedoch ist erst die Fortsetzung des Zitats: „... aber Jan Herzka machte alsbald aus dem Kopftuch so etwas wie einen schwarzen Schleier, einen Witwen-Schleier."[25] Das Bild der Dulderin entsteht, und zu Gunsten dieses Bildes, das Herzka sich macht, geht er über die Realität hinweg.

Ein anderes Beispiel ist die Stimme der Gebaur. Der Satz: „Die Stimme der Gebaur hatte für Jan einen dunklen Klang" wird durch den Zusatz eingeschränkt: „vielleicht nur für ihn"[27]. Tatsächlich ist dies bereits eine subjektive Vorstellung; Herzka bemerkt es selbst, als er die Stimme wieder hört: „Die dunkle Stimme war in der Realität weit weniger wirksam."[25] Es ist eine Ernüchterung. Und so heißt es später, als seine Vorstellungen bereits wuchern: „Die Wirklichkeit der dunklen Stimme befreite ihn von der Vision, die sich in einer übermächtigen, ja ganz brutalen Weise aufgezwungen hatte."[28]

Dieses Schwanken zwischen zwei verschiedenen Ansichten und damit zwischen zwei verschiedenen Wirklichkeiten wird nicht nur im Text angedeutet oder ausgesprochen, es wird auch strukturell artikuliert. Das Kapitel spielt auf zwei verschiedenen Ebenen: die Erzählung realer Vorgänge (Herzka im Büro, bei dem Notar, auf der Straße, mit Stangeler usf.) wird immer wieder durch die Darstellung seiner Visionen unterbrochen. Und diese Visionen – das ist entscheidend – werden wie reale Vorgänge erzählt. Dafür ein Beispiel. Auf einen objektiv geschilderten Vorgang: „Er schob die Schultern unter dem Rock zurecht ..." folgt ein Stück erlebter Rede: „Nichts sehen und hören: sondern die Gebaur sehen. Agnes ..." und unmittelbar anschließend die gleichermaßen objektiv erzählte Vision: „Jetzt hatten sich die Folterknechte mit ihr eingeschlossen ..."[29]

Herzka befindet sich also in dem dämonischen Zwischenbereich, in dem erste und zweite Wirklichkeit miteinander ringen. Dabei drängt das Phantasmagorische immer stärker vor, und er gerät immer tiefer in die zweite Wirklichkeit hinein. Diese wird schließlich konsolidiert, und zwar im präzisen Sinn als Pseudo-Konkretion. Am Ende des Kapitels Die Falltür[30] begreift er die Gebaur nicht mehr als ein reales Wesen, das ihm gegenüber erschienen ist („von der inappellablen Mechanik des äußeren Lebens" ihm „hinzugegeben"[18]), sondern im Grunde als ein Geschöpf seiner Phantasie. In einem Passional, über dem er den Sonntag nach dem Gespräch über Hexenprozesse verbracht hat (es ist das Buch, das in der Bresche die „Katastrophe mit der Güllich" auslöst), vermeint er sie jetzt „geradezu" abgebildet zu finden: „Sie war da. – Er hatte sie gerufen. – ... Sie war von ihm aus dem Buche hervorgerufen worden."

Daß es sich dabei um eine pseudologische Vorstellung, und nicht um einen wirklichen Sachverhalt handelt, wird wiederum auf verschiedene Weise kenntlich gemacht. Zunächst wird es ausgesprochen: Herzka „vermeint", in einem der Stiche ein Abbild der Gebaur zu erblicken. Ferner wird seine „Erkenntnis": „Nun erst erkannte er sie richtig wieder, die Agnes, die Agnes Gebaur, die tugendhafte Witwe (?!)", durch das Frage- und Ausrufezeichen (das sich hier wie schon vorher einmal[31] auf den letzten grotesken Ausdruck bezieht, das aber ebensowohl hinter das Wort „richtig" zu setzen wäre) desavouiert. Denselben Effekt erreicht Doderer schließlich durch einen kaum merklichen Wechsel zwischen „subjektiver" und „objektiver" Erzählung, dadurch also, daß in die Erzählung aus Herzkas Perspektive (mit ihm als Subjekt), die nur sein Urteil zum Ausdruck bringt, Stellungnahme und Kritik des Erzählers (Herzka als einem Objekt gegenüber) eingeflochten werden. Dies ist besonders deutlich, als Herzka nicht mehr in der Vorstellung die Gebaur mit dem Stich vergleicht, sondern sein Bild von ihr an dem Stich real bestätigt: „Er holte das Buch, und schlug Agnes auf. Sie war's." Darauf folgt eine Beschreibung des Stiches (sie endet: „Das war alles, was man auf dem Kupferstich sehen konnte"), sodann eine Kritik („ein schwaches Blatt"), schließlich eine Diskussion darüber, wie weit eine Ähnlichkeit zwischen der Gebaur und der abgebildeten Dulderin tatsächlich vorliegt: „Von einer Ähnlichkeit – wenigstens im üblichen Sinne – mit dem Fräulein Agnes Gebaur war nichts vorhanden. Jedoch gab es immerhin so etwas wie eine Analogie: es hätte der ... immer tief verhüllte Körper dieser Agnes Gebaur sein können ..." Der Vergleich stützt sich auf das (schon erwähnte) Kopftuch, das die Dulderin auf dem Blatt trägt; und jetzt erst spricht der Erzähler seine Stellungnahme, die er ja längst schon praktiziert, aus: „Aber wann hatte er je die Gebaur mit einem Kopftuche oder einem Schleier wirklich gesehen?" Diese zarte Abkehr von Herzkas Perspektive führt im nächsten Satz zur vollends objektiven

Aussage: „Herzka wußte auch nicht, daß man Hexen vor der Folter stets die Haare abschor oder wenigstens einband." Nach einer Reflexion über den Zeichner, die wiederum vom Erzähler ausgeht, wird endlich die Stellungnahme von außen durch einen Satz aus Herzkas Perspektive radikal weggewischt: „Genug, es war die Gebaur." Es ist ein nur scheinbar objektiver Satz. Vom objektiven Erzähler aus gesehen, müßte er lauten: Trotz allem halte Herzka daran fest, es sei die Gebaur; oder wie oben: Herzka „vermeine" trotz allem, es sei die Gebaur; oder der Satz müßte wiederum mit einem Frage- und Ausrufezeichen versehen werden. Dies alles geschieht hier nicht, bezeichnender Weise: denn Herzka befindet sich hier nicht mehr im Bereich der bloßen Vorstellung, sondern schon in dem der Schein-Wirklichkeit. Deshalb der pseudo-objektive Satz: „Genug, es war die Gebaur"; er meint die Pseudo-Konkretion der zweiten Wirklichkeit: Herzka betrachtet sein phantasmagorisches Bild als wirklich.

7

Nachdem Herzka die Gebaur in einen Zusammenhang mit dem Gespräch über Hexenprozesse gebracht hat, vermag er das zweite Ereignis dieses Tages, nämlich die Nachricht, daß er ein Schloß, die Burg Neudegg, geerbt habe, gar nicht mehr außerhalb des eben konstruierten Zusammenhanges zu begreifen. Er interpretiert es unverzüglich in der Richtung seiner sexuellen Vorstellungen: sein erster Gedanke betrifft die „Kavernen" dieser Burg (so wenigstens lautet die erste nähere Bestimmung aus seiner Perspektive: „Eine mittelalterliche Burg ... mit gewaltigen Fundamenten und Kavernen ..."[32]). Überdies ist es der erste telephonische Anruf, den die (an diesem Morgen zur Sekretärin beförderte) Agnes Gebaur an ihn weiterleitet. „Es stand im Zusammenhang mit der Gebaur: das war ihm zu innerst doch evident ..."[32] Damit ist die Konstruktion einer „falschen Evidenz" perfekt: „Wie ein breiter dunkler Rücken hob sich das jetzt unter ihm, drohte ihn wirklich davonzutragen, eine widersinnige Einheit aus diesem Mädchen, aus jenem alten Schloß, und nicht zuletzt aus – dem Abend von vorgestern, bei Siebenscheins ..."[25]

Wie Herzka auch hier seine Apperzeption tendenziös beschränkt, zeigt sein Verhalten beim Notar. Es kommt ihm – „wenigstens augenblicklich" – „auf ganz andere Dinge" an als jenem, der ihm Näheres über sein Erbe mitteilt. Der objektiv nächstliegende Gedanke, den der Notar denn auch ausspricht, nämlich: „Ein Schloß sei kein Pappenstiel", ist für Herzka sekundär[33]. Ihm gilt die Burg mit ihren „Kavernen" in erster Linie als der Ort, wo er seine sexuellen Vorstellungen verwirklichen könnte; und deshalb allein wünscht er sein Erbe sofort zu besichtigen („alles übrige war nur Vorwand"[34]). Erst in einem Augenblick, da der Andrang seiner Visionen nachläßt, denkt er: „Was jetzt blieb, war Geld und Gut ...

Die Sache war wohl des raschen Entschlusses wert. Ein Schloß ist kein Pappenstiel ...“ Darauf folgt der bezeichnende Satz: „Das ganze war jetzt – – etwa so, wie wenn er die Stimme der Gebaur wirklich hörte.“[35] Auch hier schwankt er also zwischen zwei verschiedenen Ansichten, allerdings mit dem Unterschied, daß hier die pseudologische Sicht von vornherein die wirkliche Sichtung überwiegt. Das wird besonders deutlich an einer Stelle, als Herzka sich bereits auf dem Schloß befindet: „Jan sah den Profit nicht.“ „Dabei war er Kaufmann. Der Kaufmann ist ein Mensch, der in seiner Umwelt immer den Punkt als ersten sieht, wo der Profit sitzt.“ Vorher schon fällt das entscheidende Wort: „Er begriff es durchaus nicht, daß ihm diese Erbschaft hier nicht aufging, daß sie keine Wirklichkeit annahm ...“; das heißt: er befindet sich bereits in einer zweiten Wirklichkeit, von der aus die erste nicht mehr sichtbar ist. Und vorher noch ist dasselbe in einer bildlichen Wendung ausgedrückt: „Er saß in der Badewanne wie über einem dünnen doppelten Boden seines Innern.“[36] Mit dem Bild des „doppelten Bodens“ veranschaulicht Doderer immer wieder die zweite Wirklichkeit als einen „Überbau“ über die erste.

8

Dafür seien nebenbei einige Beispiele gegeben. Von Stangeler heißt es einmal, er bewege sich in seiner Selbstbefangenheit „wie in einer Wirklichkeit mindern Grades und auf einem doppelten Boden, dazwischen die eigentlich aufzubrechenden Räume lagen, daß man endlich durchfallen könne bis auf den eigenen gültigen Grund“[37]. Dieses Bild wird bei Schlaggenberg realisiert: in dem Augenblick, da ihn seine zweite Wirklichkeit endgültig verläßt – so sagt er –, „spürte [ich] tief unter mir, und so, als ob ich ganz und gar darauf beruhen würde, ja, dies ruhig dürfe, etwas wie eine Kreuzung, oder eine zarte grüne Einrast, eine Angel, aus der ich noch gehoben war ...“[38]. Derselbe Vorgang ist bei Herzka in der genannten Stelle angedeutet: „Unter ihm öffnete sich die Möglichkeit eines ungeheuren Einbrechens.“[36] Später, bei seiner „Suchjagd“ nach Straßenmädchen, wird das Bild noch plastischer: „... unaufhörlich redend, wie ein Agitator, der irgendeine Parole in die Bauernschädel seiner Zuhörer hineinhämmern will, lief er auf dem doppelten Boden seiner zweiten Wirklichkeit eigensinnig im Kreise, den Lärm davon im Ohr, während doch die Außenwelt deshalb nicht nachließ, unaufhörlich dieselbe zu bleiben und sozusagen auf ihrer ersten Wirklichkeit zu bestehen und gegen jene zweite heranzudringen.“[39] Im übrigen gebraucht Doderer das Bild in Bezug auf die Lüge („pseudos“!): Stangeler, so heißt es, „gehörte zu jenen Leuten, die stets laut auftreten, wenn sie doppelten Boden unter den Füßen haben, also beim Lügen ...“[40]. In dieser wie in jener Bedeutung findet sich das Bild bei Gyurkicz, dessen Leben ein einziges

Lügengebilde ist: er bestellt einen „doppelten Boden" mit „Emblemen" (Adelstitel, Heldentum, Liebschaften)[41].

9

Indem Herzka einen „Zusammenhang" zwischen den drei Vorfällen – dem Gespräch über Hexenprozesse, dem „Sehen" der Gebaur, der Erbschaft – konstruiert, bildet sich eine „Richtung", in der er sich sodann konsequent fortbewegt.

Das heißt einmal: er macht Anstalten dazu, sich in seiner Vorstellungswelt einzurichten. So streift ihn der Gedanke, er hätte die Güllich heiraten sollen: „Er hätte sie zu seinen Wünschen erzogen"; und er folgert: „Die Gebaur heiraten", um also die Pseudologie gleichsam zu legalisieren, wenigstens aber sein plötzliches Erlebnis (das bei der Güllich – in der Bresche – einmalig geblieben ist) zu institutionalisieren, eine Einrichtung aus ihm zu machen[23].

Das heißt zum andern: er richtet seine Handlungen im Hinblick auf seine Vorstellungen aus. Schon sehr früh rührt sich in ihm die „Kombination", mit Stangeler – wegen seiner Kenntnisse in Bezug auf Hexenprozesse – „Fühlung zu nehmen"[29]; und er realisiert diese „Kombination", als ihr ein äußerer Umstand direkt entgegenkommt: der verstorbene Baron von Neudegg empfiehlt ihm in einem Brief, einen Gelehrten zur Durchsicht der Bibliothek hinzuzuziehen. Herzka verabredet sich mit Stangeler, sucht ihn auf, schließt einen Vertrag mit ihm ab, nimmt ihn nach Kärnten auf die Burg Neudegg mit. Alles geht plan und direkt (als er Stangeler in der Universität trifft, heißt es: „Er war hier eingeschlagen wie ein Geschoss ..."[42]). Mit alledem zielt er geradewegs auf das nächste Ereignis in seinem Fall: auf den Fund eines Manuskripts, das einen privaten Hexenprozeß zum Gegenstand hat.

Stangeler deutet den Fall (im Gespräch mit Grete Siebenschein) folgendermaßen: er vermutet mit Recht, „daß in ihm [Herzka] eine Art feste Verbindung entstanden ist zwischen dem Gespräch von vorgestern und dem Schloß von heute. Vielleicht ist noch etwas drittes oder viertes dabei, etwas uns Unbekanntes. Er kann das alles nicht mehr trennen. Es ist eine Rinne entstanden. Er kann sie nicht mehr verlassen. Und also muß unbedingt etwas [„auf Hexenprozesse Bezügliches"] gefunden werden –"[43]

Der paradoxe Schluß, den Stangeler selbst lange genug für paradox hält, läßt sich zunächst durch eine ebenso paradoxe Formel über das Wesen des Phantasmagorischen erklären, die Doderer einmal im Tagebuch notiert (Stangeler meint ja mit der „Rinne" nichts anderes als die phantasmagorische „Richtung" der zweiten Wirklichkeit). Doderer sagt: „Dem Phantasmagorischen eignet Abwehr gegen seine Realisierung. Aber freilich auch die wahre evocierende Wunschkraft.“[44] Dies letztere wird bei Herzka bestätigt. Der phantasmagorisch angezielte, „vernunftgemäß“ und „normalerweise“[45] höchst unwahrscheinliche Fund wird tatsächlich gemacht. Herzka besitzt ein „Vorwissen“ von dem Manuskript, eine „magische Wunschkraft“[46].

Dennoch handelt es sich um einen „Zufall“ oder, wie Doderer lieber sagt, um etwas „Hinzugegebenes“, das heißt: es ist ein Ereignis von reinster Einmaligkeit, es ist unwiederholbar: „Nie könnte man es veranstalten.“[47] Dieses „Hinzugegebene“ aber liegt bei Herzka gerade in der Richtung seiner Veranstaltungen (in der pseudologischen „Rinne“); und er begreift es bereits als seine Veranstaltung, erkennt es nicht als etwas Einmaliges, ordnet es glatt in seine Zwecke oder Bestrebungen ein (ganz so, wie er die Einmaligkeit des Erlebnisses mit Agnes Gebaur nicht begreift, sondern diese als von ihm „gerufen“, „aus dem Buche hervorgerufen“ betrachtet).

So ist Herzka durch den „hinzugegebenen“ Fund der entscheidenden „Möglichkeit beraubt ...: in's Leere zu fallen“, oder mit Stangelers Worten: „vom Ende seiner Rinne abzustürzen ...“, „aus seiner verdammten zweiten Wirklichkeit herauszukommen ...“. Deshalb sieht Stangeler in dem unwahrscheinlichen Fund (bevor er noch gemacht wird) den „planmäßigeren und platteren“, den „alltäglichen“ und „weniger wunderbaren Fall ..., so paradox immer dieser Gedanke sich zunächst anließ“[48].

Gleichwohl stellt der Fund ein Ereignis von erhöhter Wirklichkeit dar: Innen und Außen, Vorstellung und Sachverhalt decken einander restlos[49]. Hier aber zeigt sich das Paradox in seiner ganzen Tiefe: die Wirklichkeit wird innerhalb einer zweiten Wirklichkeit erhöht; und Herzka, in der zweiten Wirklichkeit befangen, begreift die Erhöhung der Wirklichkeit so wenig wie die Einmaligkeit; er sieht nur seine Veranstaltung und deren neuerliche Bestätigung, er bleibt in seiner „Rinne“, ja er konsolidiert sich in ihr, baut sie aus und perfektioniert sie.

10

Auf Grund seines direkten Vorgehens ist Herzka mit den anderen Sexual-Ideologen, Zihal und Schlaggenberg, und auch mit den politischen Ideologen Körger und Eulenfeld vergleichbar. „Diese Kerle“, so sagt Stangeler, „wollen alle in der Verlängerung von dem leben, was sie sich ausgedacht haben. Ganz wie der Herzka. Ansonst halten sie sich die Hände vor die Augen. Ein Embryo im Mutterleib.“[50] Wie Zihal, der sich im direkten Zugriff (mittels eines Fernglases) seines Liebesobjektes zu bemächtigen sucht, und wie Schlaggenberg, der durch direkte Suche (mittels Zeitungs-Annoncen) einen „Typ“ der „Dicken Dame“ zu ermitteln trachtet, so projiziert Herzka seine sexuellen Vorstellungen in die Welt hinaus. Nur ist der Sachverhalt bei ihm insofern komplizierter, als nicht nur – wie bei jenen – seine Bestrebungen in einer direkten Linie liegen, sondern scheinbar auch die Umstände selbst. So bildet sich gleichsam eine geradlinig verlaufende Kette, die sich aus faktischen wie aus phantasiegeborenen Gliedern zusammensetzt.

Dabei ist ein entscheidendes Merkmal den dreien – Zihal, Schlaggenberg, Herzka – gemeinsam: die „nach außen verlegte Sexualität", wie Doderer sagt[17]. Das heißt: sie verwandeln das Sexuelle, das seinem Wesen nach eine „zwingende Situation" ist, in etwas, das sich bewußt inszenieren läßt: in eine „Institution"[18]. Mit anderen Worten: sie wollen direkt „nehmen", was nach Doderers Auffassung nur indirekt „hinzugegeben" werden kann.

> Nie nehmen wollen, was nur hinzugegeben werden kann.
> Nie suchen, was uns nur besuchen kann.
> Nie anheben am näheren Ende, wo sich am End' eh' alles von selbst aufhebt.[51]

Dies ist eines der Kernprobleme in allen Fällen, die Doderer praktisch im Roman vorführt, und zugleich in seiner theoretischen Schrift SEXUALITÄT UND TOTALER STAAT; denn es gilt wie im sexuellen so auch im politischen Bereich:

> Bewegen wollen, wovon wir nur bewegt werden können ist die Wurzel jeder sexuellen Pseudologie – Vorbild oder Schema all' der vielen andern – und zugleich damit die Grundmechanik des totalen Staates, der dem wesentlich Zwecklosen geordnete Zwecke setzt: eine konsolidierte Entgleisung.[52]

Das sei nur angedeutet. In Bezug auf Herzka läßt sich sagen, daß die Problematik in seinem Fall am intensivsten gestaltet ist, indem ihm das direkte Nehmen – wenigstens vorläufig – zu gelingen scheint; und das ist das Fatale: daß rein „hinzugegebene" Ereignisse (die Gebaur, das Schloß, das Manuskript) von ihm „genommen" zu sein scheinen.

Wie Herzka sich in dieser Richtung weiter bewegt, wird nicht ausführlich dargestellt, sondern mit einem knappen Referat abgetan; denn:

> Bei Spaziergängen in einer zweiten Wirklichkeit fällt nie was ab ...; und es ist kennzeichnend für alles Dämonische, daß es zwar ungeheures Aufhebens macht und viel Bewegungen schafft, niemals aber noch irgendwem irgendwas danach in der Hand gelassen hat.[53]

Herzkas „Bewegungen" führen dahin, daß er „eine Art Ressort, einen Belang, ein Fach-Referat" schafft. Er läßt die Kavernen von Neudegg instandsetzen (Heizung, Licht). „Er hatte Pläne, Vorsätze, Erwägungen, Praktiken im Kopfe", die er „ausbaute, ordnete, systematisch förderte". In der Verlängerung dessen bemüht er sich um ein Straßenmädchen, das ihm die gewünschten Szenen vorspielen soll. Die zweite Wirklichkeit wird perfekt. „So wurde" – das ist vorerst das Ergebnis – „aus einer eingetretenen Explosion etwas Kontinuierliches gemacht, was widersinnig genug erscheint."[54]

11

In der Tat handelt es sich zunächst um eine Explosion. Herzka wird vom Leben „angetreten". Nach dem plötzlichen „Sehen" der Gebaur und nachdem er von der unvermuteten Erbschaft erfährt, denkt er – „grotesker Weise" – an Schillers Verse: „Rasch tritt der Tod den Menschen an, / Es ist ihm keine Frist gegeben –" und fügt hinzu: „Genau das gleiche gilt vom Leben."[32] Die Plötzlichkeit kommt überdies stilistisch zum Ausdruck: Herzkas innere Vorgänge werden kurzatmig in erlebter Rede ausgestoßen. Dabei ist die Explosion durchaus wertfrei, sie ist keineswegs schon „pathologisch". Wie die wirklichen Umstände an Herzka herantreten (wie sie ihn „antreten"), so werden ihm seine Visionen „aufgezwungen". Mit einem Wort: „Es war über ihn hereingebrochen."[29]

Mit der Explosion entsteht schlagartig eine Befangenheit. Auch diese ist zunächst wertfrei; denn sie ist für das Leben konstitutiv. Doderer schreibt im REPERTORIUM:

> Daß wir befangen sind: wir müssen es hinnehmen, es ist eine Grundbedingung. Wir haben nicht danach zu streben, durch komplettes Wissen unsere Befangenheit, aus der wir leben, zu sprengen. Andere Wege sind uns zugedacht, nicht gradaus, gegen die Gashülle zu, um sie zu zerreißen: sondern kurvenreich innerhalb ihrer, und so nicht minder in einem unendlichen Raum.[55]

„Pathologisch" und pseudologisch wird die Befangenheit erst durch ihre Verdichtung, durch die selbstgewollte „tendenziöse Beschränkung". So nämlich lautet Doderers Definition: „Das Pseudologische ist ein Ersetzen der fehlenden lebensnotwendigen Befangenheit durch tendenziöse Beschränkung."[56]

Herzka spürt eine erhöhte Befangenheit, als er sein Büro und damit die wirkliche Gebaur verläßt und jetzt seinen Phantasien über die vorgestellte Gebaur verfällt. Er empfindet das Wetter als eine „feuchtwarme, befangende Umgebung", als ein „Treibhaus", und denkt: „Ein Treibhaus auch innen."[29] In ihm „krampft" sich etwas zusammen, wie es später heißt; es scheint etwas „heißgelaufen" in ihm[57]. Das Dilemma beginnt damit, daß er diesen Zustand „durchaus bewahren" will: „er wollte aus ihm durchaus nicht heraus; es war eine Art angenehmer Fieberhitze ..."[57]. Dies ist im genauen Sinn die Haltung des tendenziösen Apperzeptions-Verweigerers, die Doderer immer wieder mit dem Bild des „Embryo, der sich die Hände vor die Augen hält", veranschaulicht[58]. Herzka will „nichts sehen und hören: sondern die Gebaur sehen"; dabei meint er nicht die wirkliche Gebaur, sondern sein Bild von ihr; mit diesem will er sich abschließen („Es wollte sich doch wieder abschließen: ja, das wollte es eigentlich")[29].

Mit der Fixierung dieses Zustandes gerät er auf die „pseudologische Bahn"; es entsteht jene „Richtung" oder „Rinne", die Doderer als das

„Leben neben dem Leben“ bestimmt[59]. Das wird bei Herzka wiederum bildlich ausgedrückt: indem er seine Befangenheit festhalten will, fühlt er sich „wie aus den Schienen gesprungen und neben das Geleis gesetzt“[57]. Damit zugleich tendiert er zu einem „pseudologischen Raum“, dem Raum der zweiten Wirklichkeit oder – in diesem Fall zunächst – einer „zweiten Sexualität“. Doderer sagt über den Wollüstling (und dieser ist es ja vor allem, der in seiner Befangenheit unbedingt verharren will): „Der Wollüstling ist garnicht begehrlich, etwa nach einem Weib oder einem Knaben oder meinetwegen einer Ziege, sondern vielmehr nach einem pseudologischen Raum, den er um eines seiner Objekte errichten will. Kurz: er will nicht leben; so wenig wie ein Morphinist oder Säufer. Er zieht eine Sexualität vor, die garkeine ist: denn was er für sein Teil sich darunter vorstellt, das hat es nie gegeben.“[60] Ein sichtbares Symbol für den „pseudologischen Raum“ stellen im Falle Herzkas die Kavernen dar: Herzka will sich „in den Kavernen von Neudegg und mit diesen Kavernen isolieren“[61]. Es ist eine wörtlich genommene Metapher. So bemerkt Stangeler schon vorher – metaphorisch wie wörtlich – Herzkas „Eingesperrtheit“, „gleichsam in einen Raum neben dem Leben“, „wirklich ein Verließ“[62].

Diese Metaphorik findet sich bei Doderer immer wieder. Zihals Wohnung, von der aus er seine Beobachtungen macht, wird eine „dunkle Höhle“ genannt, und er selbst ein „Troglodyte“, ein „Höhlenbewohner“[63]. Das Zimmer des Imre von Gyurkicz, das er mit seinen „Emblemen“ (Totenschädel, Pistole usf.) bestellt, wird als „eine kleine Welthöhle“ bezeichnet[64]. Der politische Ideologe Pinter haust in einem „festen versperrbaren Schuppen“ dicht an der ungarischen Grenze (hier treffen sich die Faschisten vom „Erwachenden Ungarn“); als „Kavernen-Mensch“ wird er geradezu mit Herzka verglichen[61].

Alles dies – der Fall Herzka in den Dämonen und zugleich der fundamentale Unterschied gegenüber dem in der Bresche – erscheint in einem Artikel aus Doderers Repertorium theoretisch zusammengefaßt. Doderer schreibt unter dem Stichwort Laster:

> Keine Befangenheit ist pathologisch, wenn sie spontan und unikal auftritt, ohne tendenziös gesucht worden zu sein, ein plötzlich aufschießender Geysir, der dann wieder in die Tiefe des Lebens zurücksinkt und sich dort unten mit ihm vereinigt, in ihm verliert. Einmal ist keinmal.
>
> Wird jedoch dieses Lebenswasser jedesmal aufgefangen, bewußt und tendenziös abgeleitet, abgesondert und gespeichert, so siedelt sich darin eine pathologische Flora an.
>
> Laster ist die Verbindung und Aussonderung von Punkten reinster Spontaneität durch ein hier ganz unzuständiges Continuum.[65]

In der Bresche vollzieht sich ein Akt von „reinster Spontaneität“ im Sinne des Zitats. Wie wenig Herzka selbst dabei „spontan“ ist und wie sehr er den Umständen passiv unterliegt, wurde gezeigt; doch bildet dies keinen Gegensatz zu jener Spontaneität eines wirklichen Ereignisses, die hier gemeint ist. In der BRESCHE bleibt Herzkas „Explosion“ unikal. In den DÄMONEN aber fängt er das plötzlich „aufschießende Lebenswasser“ auf und leitet es ab. Er schafft ein „Hausgärtlein der Erotik“, wie Stangeler es ausdrückt.[66] Er verabsolutiert seine Befangenheit.

Der entscheidende Grund für solchen Abschluß von der Welt wird im Roman selbst ausgesprochen: es ist die „Scheu vor der Wirklichkeit“ und ihrer Verbindlichkeit. Herzka will sich nicht wirklich festlegen, ja, „er will nicht leben“! Deshalb geht er nicht auf die wirkliche Agnes Gebaur ein, sondern schließt sich mit seinem Bild von ihr ab. Sie dient ihm nur als „Bild-Zeichen für's ganze“, als „Hiero-Glyphe“[67]; er macht sie zur „schwarzen Zentral-Sonne einer zweiten Wirklichkeit“[68]. Von ihr könnte man dasselbe sagen, was in Bezug auf die Kavernen gesagt wird: „Die Kavernen von Neudegg ... lagen für ihn außerhalb von Welt und Leben (was jedoch keineswegs zutraf, und hier hing der Haken) ...“[67] Allerdings: hier hängt der Haken, daß es nämlich neben der vorgestellten eine wirkliche Gebaur gibt; und durch diese, die ihm – „ganz simpel“ – „sympathisch“ ist, „über allem drüber noch, außer allem, neben allem“[67], durch diese wirkliche Agnes Gebaur wird Herzka denn auch von seiner zweiten Wirklichkeit erlöst.

12

Die Sprengung der zweiten Wirklichkeit ist in jedem Falle zwingend; denn die erste Wirklichkeit der Fakten und Grundgegebenheiten läßt sich auf die Dauer nicht ignorieren und vergewaltigen. So sagt Schlaggenberg, nachdem er von seiner Manie befreit ist, über sein Dicke-Damen-Manuskript:

> Es kommt mir vor wie eine geplatzte dicke Wurst, eine Blunzen etwa. Jede errichtete zweite Wirklichkeit muß einmal platzen. Sie hält sich nur beisammen und in einiger Form, so lange die Scheidewand, alias Wursthaut, hält. Mit dem Leben aber in direkten Kontakt gebracht, zerfällt sie sofort. Sie wird sogar ganz unverständlich. Jede geplatzte zweite Wirklichkeit ist unverständlich.[69]

Schon vorher heißt es einmal: „Jede zweite Wirklichkeit muß platzen, und auch dem Musterstaate Platon's wär' es – hätte man ihn je verwirklicht – gar nicht anders gegangen.“[70]

Dieses „Platzen“ ist stets (auch bei Herzka) ein mehr oder weniger katastrophaler Akt. Der Amtsrat Zihal z. B. stürzt bei seiner „Erlösung von totaler Ordnungspein“[71] buchstäblich vom selbsterrichteten Podest: seine zweite Wirklichkeit gerät mit dem Leben in direkten Kontakt, als sein Blick durch den Tubus auf seine wirkliche Geliebte fällt; und an der Wirklichkeit der Ich-Du-Beziehung scheitert sein Ordnungsprinzip, die Geliebte läßt sich nicht in ein „taxämtlich“ registrierbares „Objekt“ verwandeln. – Ebenso buchstäblich stürzt Gyurkicz von einem Podest, von dem aus er am 15. Juli 1927 agitiert und Schüsse auf die Polizei abgibt. Er gebraucht dabei eines seiner „Embleme", die Pistole, als wirkliches Instrument; und Geyrenhoff, der ihn beobachtet, erkennt, daß es nicht eine Kugel ist, die ihn tötet, sondern der „Starkstrom des Lebens selbst, von Imre zum Kurzschluß gebracht". Geyrenhoff sagt:

> Es ist unmöglich, eine innere Oberfläche, einen doppelten Boden, durch viele Jahre mit Emblemen zu bestellen und zu schmücken, um dann mit einem von ihnen jenen doppelten Boden zu zerschlagen: der plötzliche Kontakt mit der nackten und direkten, gar nicht irgendwie gemeinten, sondern nur sich selbst bedeutenden Konkretion ist tödlich. Lügen, die eingealtet sind und im Haushalt der Seele ihre notwendige Rolle spielen, können nicht plötzlich durch die Wahrheit ersetzt werden. Jede zweite Wirklichkeit, von der ersten schlagartig verdrängt, führt nicht in diese, sondern in den Tod.[41]

Herzkas zweite Wirklichkeit wird demgegenüber von der ersten Wirklichkeit gleichsam verschluckt. Zunächst stößt er mit seinen direkten Bemühungen auf eine Außenwelt, die seinen Phantasmagorien fremd und verständnislos gegenübersteht. Anny Gräven, das eine der Straßenmädchen, läßt ihn „aufprellen", indem sie ihn nicht verstehen will; und er fällt „ins Leere". Indessen wird die direkte „Rinne" erst eigentlich gesprengt, als die Gebaur von seitwärts her in diese Leere tritt. Es ist ein reales und banales Faktum: Agnes verstaucht sich den Fuß, Herzka leistet ihr Hilfe, dabei wird er „von einer Ahnung ihrer Körperlichkeit geradezu durchbohrt"[72]. Auf solche Weise wird der Anschluß an das „erstmalige Sehen" vollzogen: Herzka wird „zurückgeholt"[72]. Wie er sich zu Beginn „aus den Schienen gesprungen und neben das Geleis gesetzt" fühlt[57], so heißt es jetzt in deutlicher Korrespondenz: „Nun stieg er wieder in's Boot."[72] So gesehen erweist sich das Abbiegen von der Realität ins Phantasmagorische im ganzen als ein Versuch, die wirkliche Gebaur zu umgehen, wie im einzelnen die „nächtliche Suchjagd" nach Straßenmädchen als „Umgehungs-Manöver" bezeichnet wird[68]. Demgemäß ist Herzkas zweite Wirklichkeit wie diejenige Zihals „ein vorübergehendes Exil"[73]. Die Gebaur, die ihn lange schon heimlich liebt, fängt ihn auf. Sie beweist, „daß sie ein ganzes rundweg zu leisten vermochte"[74]. Das heißt: sie nimmt Herzka als ganzen, als den, der er ist, tut also eben das, was er von allem Anfang an zu tun gehabt hätte, nämlich der Liebe, wie sie nun einmal ist, bedingungslos zu folgen.

Die Szene wird in aller Kürze eher referiert als erzählt. Sie bildet zugleich den Schlußpunkt in Herzkas Geschichte:

> Es gehört zu den wenigen im eigentlichen Sinne des Wortes beispiellosen Vorgängen unserer Berichte hier, daß die Gebaur, als Herzka ihr – geradezu in Form eines Geständnisses – seine Geschichte und die ganzen Geschichten überhaupt erzählte, nach einigem Besinnen in aller Bescheidenheit und in aller Ruhe geäußert hat: „Warum nicht. Ich würde mir das ohne weiteres zutrauen. Wenn

ich mich ein wenig hineindenke, so ist gar nichts dabei." Unmittelbar nach diesen ihren Worten hatte Jan die Empfindung, als verließen ihn alle seine seltsamen Vorlieben: sie wurden ihm während einiger Augenblicke vollends unverständlich. Nun schaute er auf Agnes. Sie lächelte. Die künftige Herrin von Schloß Neudegg lächelte. Allmählich kehrte die Glut wieder in Jan, brannte neuerlich die empfangene Wunde: jetzt aber tief im Balsam gebettet, ja, in einer Art Kaverne, welche sie von allen Seiten mit dem heilenden Balsame der Wirklichkeit umgab, schützend vor jener Leere, die noch außerhalb des leeren Weltraumes ihren Ort zu haben scheint.[75]

Herzkas zweite Wirklichkeit als das System seiner „Vorlieben" wird also durch die wirkliche Liebe aufgehoben, und sie wird „unverständlich" – ganz so, wie Schlaggenberg es von jeder „geplatzten" zweiten Wirklichkeit behauptet. Dabei geht es ausschließlich um die Mechanik der Wirklichkeit; diese ist die Diskussions-Ebene; moralische Fragen jeder Art sind ausgeschaltet, denn sie sind für Doderer sekundär. So heißt es bereits, als Stangeler die paradoxe Möglichkeit des Fundes erwägt:

Zum Moralischen der Sache befragt, hätte er verstummen müssen; mangels jeder Stimme, die hier etwas dafür oder dagegen in ihm vorgebracht hätte: so sehr fiel der Akzent der Situation für ihn auf eine andere Ebene, auf einen ganz anderen Punkt. Man befand sich hier sozusagen ... am Ende der Rinne, ja fast wie am Beginn eines neuen Zeitalters, einer neuen Zuständlichkeit, wo die zarte Membrane, die bisher in dieser ganzen Angelegenheit Herzka's noch das Außen vom Innen geschieden hatte, nunmehr platzen mußte ...[76]

Es ist eben der Punkt, an dem ein „Detail weltgeschichtlicher Entscheidung" sichtbar wird (wie Doderer es in seiner Rede WÖRTLICHKEIT ALS KERNFESTUNG DER WIRKLICHKEIT ausdrückt), an dem nämlich die Möglichkeit gegeben ist, daß eine Wirklichkeit durch eine andere verdrängt wird. Indessen fällt die Entscheidung mit dem tatsächlichen Fund zu Gunsten der zweiten Wirklichkeit aus, genauer: diese findet Herzka durch den Fund bestätigt; erst mit der Antwort der Agnes Gebaur wird die zweite Wirklichkeit aus den Angeln und auf die Ebene der ersten Wirklichkeit gehoben, in der sie zugleich aufgelöst wird.

Im übrigen ist die Szene erst aus einem größeren Zusammenhang heraus verständlich. Deshalb sei hier eine Bemerkung über die Art der Darstellung und die formale Anordnung des Falles Herzka eingeschoben.

13

Es wurde schon mehrfach angedeutet, daß die einzelnen Stadien auf verschiedene Weise erzählt werden. Die motivierenden Ereignisse (das „Eintreffen" der Gebaur und die unvermutete Erbschaft) sowie der entscheidende Effekt (der Fund des Manuskripts) werden in den Kapiteln DIE FALLTÜR und DIE KAVERNEN VON NEUDEGG (II 5–6) ausführlich und bis ins einzelne gehend vorgetragen; das folgende Stadium (der Ausbau der zweiten Wirklichkeit) und der Schluß (die Erlösung durch die Gebaur) werden dagegen innerhalb des Kapitels KURZE KURVEN I (III 7) summarisch referiert. Im ersten Kapitel der Folge steht Herzka fast ausschließlich im Mittelpunkt; im zweiten tritt Stangeler gleichrangig neben ihn (von hier ab könnte man fast von einem Fall Stangeler sprechen, für den Herzka nur instrumentale Funktion hat); in den letzten Abschnitten erscheint Herzka als einer unter anderen. Demgemäß besteht das erste Kapitel fast durchweg aus einer kommentarlosen Erzählung äußerer Ereignisse und innerer Vorgänge; im zweiten Kapitel wird mit Stangeler die Dimension der Deutung eingeführt; die letzten Abschnitte sind immer schon gleichermaßen deutende Erzählung und erzählerische Deutung.

Diese unterschiedliche Darstellung hat ihren Grund und ihre Legitimation darin, daß der Fall Herzka nur eine Episode in den DÄMONEN bildet und also dem Formgesetz des ganzen Werkes unterworfen ist. Mit dem Ganzen ist er durch Bezüge verschiedener Art verbunden. Zunächst als „écartement" Stangelers. Zu anderen Figuren hat Herzka keine nähere Beziehung, wenigstens werden solche Bezüge nicht ausgewertet. Daß er dennoch zum „Lebensgewebe" des Romans gehört, zeigt beiläufig die Exposition (er nimmt an der Gesellschaft bei Siebenscheins teil) und – ebenso beiläufig – die nur erwähnte Tatsache, daß er sich später mit Agnes Gebaur bei Grete Siebenschein zum Tee einfindet. Auch Anny Gräven spielt kurz eine Rolle in seiner Geschichte, ebenso wie er in ihrer. Ferner gibt es einen wichtigen Handlungsbezug: seine Erbschaft hängt mit Quapps Erbschafts-Affäre zusammen.

Wichtiger als diese Bezüge ist der Vergleich: einerseits ist der Fall Herzka anderen Fällen zweiter Wirklichkeit (Achaz, Schlaggenberg, Körger, Eulenfeld, Pinter) analog und wird deshalb immer wieder mit ihnen verglichen, sowohl von Stangeler wie vom Erzähler selbst, indem dieser Stangelers Begriffe (vor allem den der zweiten Wirklichkeit) gebraucht. Andererseits wird durch einen ausgesprochenen Vergleich des Erzählers ein Gegensatz aufgedeckt zwischen Herzka und den sogenannten „Schicksalsgesunden".

14

Dies geschieht in der zitierten Schluß-Szene. Der Abschnitt, in dem sie steht, beginnt mit den Worten: „Es ist hier der Ort, zwei Paare miteinander zu vergleichen, von denen jedes in bezug auf das andere eine Art Jenseits im Diesseits darstellte: nämlich Mary und Leonhard mit Agnes und Jan."[77] Während Mary K. und Leonhard Kakabsa ihre Liebe als ein Schicksalsereignis unbedingt und augenblicklich hinnehmen (ebenso wie Agnes Gebaur), gibt sich Jan Herzka seiner Liebe nicht hin, er interpretiert sie ... Von jenen heißt es später in einer Zusammenfassung:

... Mary und Leonhard hatten den einmaligen Kranz, vom Leben ihnen, und nur ihnen beiden, zugeworfen, aufgenommen ohne Ansehn, ob aus Rosen oder Nesseln, oder aus beiden durcheinander gewunden, wie es denn zu gehen pflegt. Die meisten Liebesleut' aber klauben einander recht aus: das paßt nicht, und dies da paßt nicht (wie im Schuhgeschäft), und passen wir denn zueinander, und wohin soll das führen? Auf diesem Wege kann dem Himmel das allergeistreichste einfallen, und bleibt doch alles Flickwerk.[78]

Deshalb nennt Doderer das Verhalten der beiden „schicksalsgesund"; es erfüllt den Augenblick, die Gegenwart, und schafft zugleich eine Wirklichkeit höchsten Grades:

Selten, in unserer lebensängstlichen Zeit, welche die Gegenwart dem Götzen einer immer fragwürdiger werdenden Zukunft andauernd opfert, lebt ein Paar so ganz in dieser jetzt seienden und atmenden Minute, im präsenten Glück und Unglück, ohne beides mit geheimen Erwägungen zu entwürdigen und zu vergiften, was denn daraus werden, wohin das alles führen solle ...[78]

Herzka dagegen weicht dem „Hier und Jetzt" aus. Er begreift und ergreift den entscheidenden Augenblick, in dem Agnes ihn „antritt", nicht. Er gehorcht der „Anforderung" des Augenblicks nicht, und damit öffnet er dem Nichts das Tor, ja, liefert er sich dem Nichts aus. Doderer schreibt im Tagebuch:

Es ist das Nichts ..., was jedesmal und immediat sichtbar wird, wenn wir dem nächsten Bedürfnisse des Lebens, der nächsten Anforderung, dem nächsten Anruf, den es uns vernehmen läßt, nicht entsprechen, liege nun solches Bedürfnis, solche Anforderung oder solcher Anruf auf der niedersten oder höchsten Ebene: in uns ist eine Stimme, die das Leben bei Leben erhalten will und der es an Ausdrücken nie fehlt. Wird die Apperzeption dieser Ausdrücke jedoch verweigert, so erfüllt sich der von unserem Gehorsam nicht besetzte Raum sogleich wie mit einem feinen Gase, mit dem unendlich verwandlungsfähigen Nichts.[5]

Herzka spürt das Nichts bereits, als er die verschiedenen pseudologischen „Zusammenhänge" konstruiert. Er versucht zu arbeiten: „Die Post. Alles war wie glatt geschliffen, flach, er glitt geradezu darauf aus. Es war, als wollte sich die Materie, die er da zu bearbeiten hatte, in keiner Weise aufrauhen, dem Denken einen Halt bieten ..."[32] Das bedeutet: die Materie „klingt ab", wie Doderer sagt; sie ist noch vorhanden, aber sie wirkt nicht mehr; es ist nur noch ein Nachklang, eine „Epiphonie"[79]. Die Materie wird sozusagen von jenem „feinen Gase" des Nichts überzogen. So auch fühlt Herzka sich von ihm „umwölkt": „Er hätte sich Schleier oder Spinnweben von der Stirn reißen mögen, die er wie dunkelrötlich umwölkt fühlte seit dem Morgen."[32] Auch in der Schluß-Szene kommt das Nichts zum Ausdruck (wiederum bildlich, denn alles dies läßt sich ja nur bildlich fassen), und zwar als „Leere, die noch außerhalb des leeren Weltraumes ihren Ort zu haben scheint". Davor wird Herzka durch die Wirklichkeit der Agnes Gebaur und durch seine wirkliche Liebe zu ihr bewahrt.

15

Auf diese Szene folgt eine Passage, die man als eine indirekte Fortsetzung von Herzkas Geschichte bezeichnen könnte: Stangeler und Grete Siebenschein reisen nach Kärnten auf die Burg Neudegg; sie sollen sich für Herzka, der demnächst heiraten will, darum kümmern, „was dort unten für den Komfort einer Dame zu geschehen habe“[80]. In den Kavernen machen sie sich über Herzkas Manie lustig (Stangeler beabsichtigt mit Grete eine „Probe-Peinigung“ vorzunehmen), so daß alle „Reize und Schrecken“ der „Unterwelt“ „einfach platzten wie Wursthäute und gänzlich wirkungslos und nur mehr lächerlich wurden“[20]. Besonders das Bild der „platzenden Wursthäute“, das Schlaggenberg später auf das Schicksal jeder zweiten Wirklichkeit anwendet, deutet darauf hin, daß hier ein Stadium vorweggenommen wird, in das Herzka mit Agnes notwendig einmal geraten muß. Und wenn Grete Siebenschein ihre Reise mit Stangeler als Hochzeitsreise im voraus bezeichnet[81], so ist damit im Grunde Herzkas Hochzeitsreise gemeint.

In ähnlicher Weise hängt das spätmittelalterliche Manuskript DORT UNTEN, das sich unmittelbar an die Kapitel DIE FALLTÜR und DIE KAVERNEN VON NEUDEGG anschließt, mit Herzkas Geschichte zusammen. Dessen Wünsche erscheinen hier bereits erfüllt. So sagt es Stangeler: Herzka habe sich in Wien etwas gewünscht, was zu Neudegg längst geschehen sei[82]. Gemeint ist der private Hexenprozeß, den der Freiherr Achaz von Neudegg im 15. Jahrhundert inszeniert hat.

Doderer hat nicht nur den Titel dieses Kapitels von Joris Karl Huysmans übernommen; auch in der Problemgestaltung folgt er dessen Roman LÀ-BAS: in Huysmans' Roman schreibt der Schriftsteller Durtal die Geschichte des Kindesmörders Gilles de Rais aus dem 15. Jahrhundert; in Doderers Roman interpretiert der Historiker René Stangeler ein fingiertes Zeitdokument aus demselben Jahrhundert, das geschlossen in den Roman aufgenommen wird. In beiden Fällen werden Gegenwart und Vergangenheit – direkt im theoretischen Gespräch und indirekt durch Erzählung analoger Vorgänge – miteinander verglichen, und beidemal hat der Vergleich denselben Effekt: die Vergangenheit erweist sich als höchst aktuell. Während jedoch Huysmans mehr den Ton darauf legt, wie weit mittelalterliche Probleme (Dämonenglaube, Schwarze Messe, Satanismus) noch in der Gegenwart des 19. Jahrhunderts nachwirken, kommt es Doderer mehr darauf an, wie weit ein entscheidendes Problem des 20. Jahrhunderts, nämlich das Ideologische, bereits an der Wende vom Mittelalter zur Neuzeit sichtbar ist. Demgemäß bedeutet der metaphorische Titel DORT UNTEN bei beiden Autoren gleichermaßen im zeitlichen Sinn die ferne Vergangenheit („dort unten in der Tiefe der Zeiten“[83]) wie im inhaltlichen Sinn den Bereich des Dämonischen. Bei Doderer bezieht sich der Titel außerdem im räumlichen Sinn auf die Kavernen unter der Burg, die ihrerseits symbolisch den Bereich des Dämonischen bezeichnen.

Wie ernst Doderer den kulturgeschichtlichen Aspekt genommen hat, läßt sich schon daran ablesen, daß er die Episode zeitgerecht in der frühneuhochdeutschen Sprache des 15. Jahrhunderts abgefaßt hat[84]. Er führt also in einer geschlossenen Episode, die ähnlich wie Schlaggenbergs Manuskript DICKE DAMEN und das NACHTBUCH DER KAPS in den Roman eingeschoben und mit ihm verflochten ist, am Beispiel des Achaz von Neudegg das Schicksal einer Sexual-Ideologie vor. Diese steht auf derselben Ebene wie die Herzkas oder Schlaggenbergs. Weil Achaz ein „Ideologe" ist, weil er nämlich „seine Hand ausstreckte nach Erlebnissen, die nur – hinzugegeben werden können", deshalb nennt Stangeler ihn einen „modernen Menschen"[85], und eben deshalb ist Stangeler nahe daran, sie alle – Herzka und Schlaggenberg, auch Körger ebenso wie Achaz – für „wahnsinnig" zu halten: „Jeder im Stile seiner Zeit."[86] Achaz ist von dem Wahn besessen, die Keuschheit unbescholtener Witwen zu zerbrechen. Um ihrer habhaft zu werden und sich selbst einen Schein des Rechts zu geben, deklariert er zwei Bürgersfrauen als Hexen, unterwirft sie der peinlichen Frage usf. Es ist eine „gemachte und arrangierte Sexualität"; er hat ein „Programm"[85]. Der Fall soll hier im einzelnen nicht nachgezeichnet werden; seine Grundbewegung ist dieselbe wie bei Herzka oder Schlaggenberg. Es gibt indessen ein Stadium, das bei Herzka weniger deutlich zum Ausdruck kommt, nämlich die Reflexion über die „geplatzte" zweite Wirklichkeit: Achaz faßt am Ende in einem Satz seinen Fall zusammen. Dieser Satz wird im Roman mehrmals zitiert und interpretiert, es ist der Kernsatz der DÄMONEN. Darüber ist also noch ein Wort zu sagen.

Es handelt sich um den entscheidenden Punkt, wo der Mensch seiner zweiten Wirklichkeit, die er sich selbst geschaffen hat, passiv unterliegt. Der tendenziöse Apperzeptions-Verweigerer, der nur in der Richtung seiner Vorstellungen in die Welt blicken will, kann, nachdem er seine Vorstellungen einmal fixiert hat, die Welt nicht mehr frei apperzipieren; er wird gegenüber allem, was außerhalb seiner „Rinne" liegt, blind. Der selbstgewollte Abschluß von der Welt wird zum Zwang. Achaz sagt:

> Ain gebild, wann dich daz ueberkom, und du pist damit allainig undt verslozzen, entgehet dir all anders, bist verlân.[87]

Ebenso äußert sich Schlaggenberg. Befangen in seiner Dicke-Damen-Ideologie, die er selbst ausgebildet hat, die ihm dann jedoch ihrerseits ein Bild der Frau vorschreibt, vermag er die Frau Mary K. „nicht eigentlich zu sehen", obwohl er von ihrer Schönheit und Vortrefflichkeit weiß: „Die Apperzeption blieb flach, etwa wie ein flacher, hastiger Atem. Das

Wahrgenommene drang nicht durch, es drang nicht in mich ein ...“; er erkennt eine „tiefe Trübung“ seines Auges[88]. Herzka demgegenüber wird sich seiner Blindheit gar nicht bewußt. So heißt es wörtlich, als er mitten im Frühling vermeint, draußen sei alles herbstlich braun: „Es wurde ihm diese Vorstellung nicht eigentlich bewußt, sie war gleichsam nur die Spiegelung seiner tiefen Abgeschlossenheit.“ Von seinen „Praktiken“ eingenommen, ist er „für Wahrnehmungen aus der Umwelt ganz unzugänglich“[89]. Auch diesen Zustand gibt es bei Schlaggenberg, und zwar gegenüber Renata Gürtzner-Gontard. Sie, die – allen unbekannt – bei einem Ausflug der Unsrigen die Gesellschaft in zwei Gruppen scheidet und in dieser Funktion von Schlaggenberg erkannt wird, sie erscheint später in seiner ‚Bande‘; aber hier erkennt er sie nicht wieder: „er wußte es nicht, daß er blind war“[90]. Erst auf den letzten Seiten des Buches holt er die Erkenntnis nach und beurteilt seine zweite Wirklichkeit als einen „Zustand, in welchem nicht einmal Tatsachen mehr überzeugen können. Weil sie keineswegs wahrgenommen werden. So hatte ich gelebt.“[91]

Schlaggenbergs zweite Wirklichkeit hat eine zeitgeschichtliche Bedeutung – das muß hier vermerkt werden, denn von daher ist sein Verhalten erst voll verständlich. Seine Dicke-Damen-Ideologie ist eine private Ausformung des Antisemitismus. In einer „polemischen Konstruktion“ „ressentimentalen“ Charakters[19] entwirft er gegen den modisch-schlanken Typ seiner ehemaligen Frau, die jüdischer Abkunft ist, ein Bild des „reifen, starken Weibes“. Und deshalb vermag er die „Vortrefflichkeit“ wie die Schönheit der Jüdin Mary K. „nicht eigentlich zu sehen“. Deshalb auch erfaßt er Renata nur in der „ideologischen“ Funktion, die ihr von dem Faschisten Körger unterschoben wird: daß sie nämlich die Gesellschaft „visionär“ im Sinn „einer besseren Zukunft“ teile[92]. Der Begriff Antisemitismus wird dabei ausgespart. So verlangt Geyrenhoff am Ende von Schlaggenberg „den glatten und endgültigen Verzicht darauf, Ihre gewesene Frau abzuschieben – nun, sagen wir, nach der Methode Körger-Eulenfeld, und mit einem von dort erborgten Wort ...“, also mit dem Schlagwort „Antisemitismus“[91].

Ein anderer Effekt der Ideologisierung – neben der Blindheit – ist die Lähmung. Dies ist die eigentlich dämonische Wirkung der zweiten Wirklichkeit (das „gebild“, von dem Achaz spricht, ist ja nichts anderes als ein Dämon[93]). Im Zusammenhang mit Schlaggenberg fällt das Wort; über ein Rendezvous mit einer „dicken Dame“ schreibt er: „Deutliche Empfindung, daß ich hier über Levielle vielleicht Wichtiges erfahren könnte. Zugleich völlige Lähmung, Gleichgültigkeit, ja, Unfähigkeit, von dieser Ebene einer – – zweiten Wirklichkeit aus überhaupt irgendetwas aufzufassen. Gänzliche Unbereitschaft dazu. Vernagelt, von allem abgetrennt. Levielle – einfach nicht hierher gehörig ... Stehe wie hinter einer Wand, vom übrigen Leben abgeriegelt, abgeschrankt.“[94]

Die Lähmung selbst wird besonders in einem Traum des Ruodlieb von der Vläntsch anschaulich. Ruodlieb, der von der Manie seines Herrn Achaz angesteckt wird („man hatte ihm ... das Leben vergiftet“[86]), träumt, er höre einen Auerhahn, müsse ihn unbedingt jagen („als sollt ich mich geretten durch denselbig hanen undt dartzue den genedig hern“), könne jedoch nicht zum Schuß kommen: „Undt ich kunnt meyn fuessen nicht geheben von dem podem, undt stundt do wy von holtz und ân [„ohne“] macht mich bewegen.“[95] Dieselbe Lähmung erfährt Herzka, als ihm seine Erbschaft keine Wirklichkeit annimmt: „Aber er hatte bis jetzt sein Teil innerlich nicht genommen, er hatte nicht teilgenommen daran. Ihm war wie jemand, dem ein Glied eingeschlafen oder erfroren oder sonstwie fühllos geworden und gleichsam abhanden gekommen ist.“[36]

In Ruodliebs Traumbeschreibung heißt es weiter: „Undt gang durich mich wy ain greintz, undt do war ich der Ruodl, aber enhalp [„jenseits dieser Grenze“] war ich von holtz, undt koennnat nicht durich das holtz dringen undt denselbig Ruodl in das Holtz pringen undt hinnaus in walt wo der han sleifft.“[95] Stangeler interpretiert die Szene im Gespräch folgendermaßen: an der Stelle, wo Ruodlieb „im Traum vermeint, er sei zur Hälfte von Holz: da stoßen die zwei Wirklichkeiten aneinander. Noch entsinnt er sich der ersten, schon hat ihn die zweite.“[85]

Das Bild der Grenze, die quer durch den Menschen verläuft, findet sich immer wieder. Schlaggenberg z. B. spürt diese Grenze nach einem Spaziergang, der – weil im Zusammenhang mit den „Dicken Damen“ – zugleich ein „Spaziergang in einer zweiten Wirklichkeit“[53] ist; er beschreibt seinen Zustand („im Rückblick“): „Wie vermauert, oder durch einen schweren Vorhang geteilt. Die Wand lief mitten durch mich.“[96] Ähnlich ist es bei Zihal, dessen Leben schon äußerlich in zwei Hälften geteilt ist: in ein nächtliches, in dem er seine Beobachtungen macht, und in ein tägliches und alltägliches, in dem er seine Geliebte kennen lernt: hier erscheint er „nur als halber Mann“; „zwei verschiedene Mechanismen arbeiteten in ihm, getrennt durch das Zwerchfell“[97]. In komplizierterer Weise fühlt Stangeler die Grenze zwischen seinem (augenblicklich) freieren Zustand und Herzkas „Eingesperrtheit“ als eine Grenze, „die sein [eigenes] Inneres teilte: in einen freien Raum ... und in ein abgemauertes Segment, das er wohl kannte, aus häufigen Gefangenschaften; aus selbstgewollten, in die man sich noch einbohrte und eingrub ...“. Deshalb versteht er Herzka: „... er hatte einen Teil von ihm in sich.“[98]

Eben dieses Gefühl spricht Achaz von Neudegg aus, als ihn der Dämon seiner zweiten Wirklichkeit verlassen hat:

Undt mir ist, als wuerdt ich aus zweien halbeten mannern wyder ain ainiger gantzer; und war von den halbeten der ain von holtz.[87]

Stangeler, der dies erlebt wie Achaz und wie Ruodlieb, interpretiert wiederum die Stelle: „Es ist der moderne Sachverhalt, der Zusammenstoß zwischen einer ersten und einer zweiten Wirklichkeit, zwischen denen es eine Brücke nicht gibt ...“[22] Und von hier aus – von jenem Kernsatz des Romans aus – formuliert er sein (und zugleich Doderers) Wirklichkeitsbild; in einer Szene, die am 15. Juli 1927 spielt – die Schüsse zwischen Demonstranten und Polizei sind von ferne hörbar – erkennt er:

> ... Schwankte nicht ständig diese Holzgrenze, vor und zurück, das Leben ertötend, wenn sie voran drang, daß es sich glattgeschliffen schloß, dem Aug' und dem Geist nicht eine einzige jener kleinen Rauheiten mehr bietend, die als Reizmittel so notwendig sind, und ohne welche man wie in fugenlos betonierten Kanälen dahingehen würde, einzig und allein dies eine wissend: was man nun zu tun habe, was nun das nächste sei; während Außen und Innen gegeneinander her starrten, getrennt durch jenes furchterregende Intervall, das sofort klafft, wenn sie einander nicht übergreifen?
>
> Ihm schien, er wisse jetzt, was Wirklichkeit sei: und daß ihr Grad ständig schwanken müsse, der Grad von Deckung zwischen Innen und Außen. Hatte er nicht heute am Morgen solche Schwankung erlebt, im Heraufgehen durch die Wollzeile, da alles Öde sich aufrauhte, körniger wurde, sich belebte? Alle, die den starren Beton ihrer Ordnung erstreckt sehen wollten bis in's Unendliche der Zukunft: nichts anderes wollten und taten sie, als das fortwährende zarte Schwanken der Wirklichkeit anzuhalten: und im selben Augenblicke stand auch schon eine zweite Wirklichkeit da: es war jene starre und eingeschlossene des Herzka und des Achaz, und aller jener auch, die genau wissen, was und wie es sein soll, und auf wen man zu schießen hat, und warum. Von daher kam auch das ferne leise Klatschen, der letzte ersterbende Hall der Schüsse, die man über so viele Dächer herüber noch hören konnte.[6]

Stangeler – so heißt es zum Beschluß –, der dies alles einem anderen gegenüber nicht auszusprechen vermag, „fühlte ... das Geheimnis dieser Zeit hinter den verschlossenen Lippen im Munde liegen wie eine reife Beere, die er doch nicht zerbiß“.

10. KAPITEL

DER 15. JULI 1927

1

Der Brand des Wiener Justizpalastes am 15. Juli 1927 bildet das Hauptereignis in den DÄMONEN. Es ist ein historisches Faktum; doch sieht Doderer bei der romanhaften Darstellung hier so wenig wie sonst seine Aufgabe in der „Geschichtsschreibung", er sagt grundsätzlich:

> Der Romanschriftsteller ist nicht Geschichtsschreiber seiner Zeit, etwa en détail oder unter der Zeitlupe; sondern er dokumentiert und hält hoch, daß es trotz der Geschichte in seinem Zeitalter auch Leben und Anschaulichkeit gegeben hat.[1]

Dabei aber ist er überzeugt, daß die Darstellung des „Lebens" und der „Anschaulichkeit", und nicht die Registrierung politischer Geschehnisse, die eigentliche Geschichtsschreibung ausmache. In seiner Einleitung zu dem Band ÖSTERREICH – BILDER SEINER LANDSCHAFT UND KULTUR (1958) akzentuiert er in aller Schärfe die wesentliche Spaltung von politischer und eigentlicher Geschichte in unserer Zeit. Ausdrücklich ohne „apolitischer Indolenz" das Wort reden zu wollen, stellt er fest:

> Heute ist geschichtliches Leben bald schon allein das, was sich ihm zum Trotze vollzieht. Wir haben wahrlich keinen Grund mehr, „Geschichte" mit „politischer Geschichte" gleichzusetzen. Und keine Professoren, wie Ranke, Niebuhr oder Mommsen, werden das Wesentliche unserer Tage aufzeichnen. Vielmehr besorgt das die Romanliteratur.

Dies ist bereits das Prinzip der STRUDLHOFSTIEGE, wo Doderer den ersten Weltkrieg glatt überspringt. Auch das hat jedoch mit „apolitischer Indolenz" nichts zu tun, mag es gleich so scheinen, wenn es einmal heißt: Die Idyllik des „Schachl-Gärtchens" sei erhalten geblieben, „trotz des inzwischen über diese Menschen, die das gar nichts anging, von einigen Wichtigtuern des Ballhausplatzes verhängten ersten Weltkriegs"[2]. Vielmehr: wenn Doderer den Krieg überspringt, so bedeutet das eine Aussparung. Der Krieg ist sehr wohl mitgedacht; die Konfrontation bleibt zumindest im Hintergrund des Romans gegenwärtig. In den DÄMONEN dagegen ist die Konfrontation dem Roman immanent. Hier wird ein politisches Geschehen gleichermaßen wie der Alltag beispielhaft dargestellt, und beide werden gegeneinander ausgespielt.

Am 8. Mai 1945, als Doderer in Oslo den endgültigen Untergang des Dritten Reichs als die langerwartete „Wiederkehr des komplexen Lebens" begrüßt, notiert er im Tagebuch:

> Es würde mich sehr interessieren, einmal ein individuelles, hochkompliziertes, ja fast abseitiges Geschehen in Kontrapunkt zu setzen gegen vage, treibende Vorgänge (événements flottants et vagues) von der Art, wie Oslo sie seit gestern abends erlebt: und da hätte ich in den DÄMONEN bei der Erzählung vom 15. Juli 1927 die schönste Gelegenheit.

In den Jahren 1950–55, nach der Wiederaufnahme der Arbeit an den DÄMONEN, hat Doderer dieses Programm realisiert.

Es ist höchst bezeichnend, daß er ein auf den ersten Blick so unscheinbares historisches Ereignis wie den Brand des Wiener Justizpalastes zum Objekt gewählt hat, um daran die Zeitgeschichte des 20. Jahrhunderts exemplarisch zu demonstrieren. Dafür gibt es mehrere Gründe.

Zunächst ist es die Anschaulichkeit, die hier noch zur Geltung kommen kann; sie wäre fragwürdig geworden, hätte Doderer – wie Hilde Spiel es gerne will – ein „markanteres Datum, einen unheilvolleren Eingriff in die Staatsordnung"[3] zum Ausgangspunkt genommen. Historische Begebenheiten und Gestalten aus der jüngsten Vergangenheit lassen sich nur schwer in poetische Fiktion verwandeln, weil das reale Vorbild so stark ins Bewußtsein dieser Zeit eingeprägt ist, daß die Eigengesetzlichkeit der Fiktion kaum zum Ausdruck käme[4]. Und so könnte man sagen: gerade weil die Geschichte über den 15. Juli 1927 hinweggegangen ist und ihn über dem „Furchtbaren", das seitdem geschehen ist und das die OUVERTÜRE prophetisch anvisiert, hat vergessen lassen, gerade deshalb bietet es sich der poetischen Gestaltung an. Vollends vergessen und abgestorben, ist ein Ereignis erst – nach Doderers Romantheorie – der Wiederauferstehung im Roman fähig.

Auch hat das Unscheinbare – das so leicht wie etwas Selbstverständliches erscheint, das sich aber gar nicht „von selbst versteht", das wir vielmehr immer wieder erst neu verstehen müssen – auch hat das Unscheinbare rauhe Flächen, an denen die Sprache haften kann; es ist nicht glatt geschliffen wie die bekannten und immer wieder diskutierten historischen Begebenheiten (um in einer bei Doderer beliebten Metaphorik zu sprechen).

Im übrigen ist das Unscheinbare und scheinbar Selbstverständliche in hohem Grade zur Transposition ins Symbolische geeignet, wie schon Doderers Erhebung einer nahezu unbekannten Wiener Örtlichkeit, der Strudlhofstiege, zum „Nabel einer Welt" eindringlich erwiesen hat.

Ein weiterer, nicht minder entscheidender Grund, weshalb Doderer gerade dieses Datum zum Hauptereignis seines Romans gemacht hat, ist in seiner Auffassung der Geschichte und der Geschichtswissenschaft zu finden. In den DÄMONEN sagt der Historiker René Stangeler einmal im Gespräch:

... wenn irgend eine Zeit mit ihren Gestalten oder Erscheinungen und Formen begriffen werden soll, so muß man sich weit über diese Zeit hinaus in die Vergangenheit zurückziehen und die betreffende Periode von vorne anvisieren, nicht nur von rückwärts her sie betrachten.[5]

Hier wie in der OUVERTÜRE, wo sich der rückblickende Chronist einen „nach rückwärts gekehrten Propheten“ nennt, steht übrigens – ohne Angabe des Zitats – Friedrich Schlegels Definition: „Der Historiker ist ein rückwärts gekehrter Prophet“ zur Debatte[6]. Und in Abgrenzung dagegen resümiert Stangeler:

Geschichte ist keineswegs die Kenntnis vom Vergangenen, sondern in Wahrheit: die Wissenschaft von der Zukunft; von dem nämlich, was jeweils in dem betrachteten Abschnitte Zukunft war, oder es werden wollte. Denn hier liegt das wirkliche Geschehen, die Strom-Mitte, die Rinne der stärksten Strömung.[5]

Dieses Diktum ist die präzise Formel für Doderers Praktik in den DÄMONEN: einmal zieht er sich über den 15. Juli hinaus in die Vergangenheit zurück und visiert dieses Datum „von vorne“ an; zum andern hält er – vor allem durch den „idealen“ Chronisten – stets in Evidenz, was im Jahre 1927 Zukunft, was an diesem Punkte zukunftsträchtig ist. So heißt es z. B. in der OUVERTÜRE – in einem wahrhaft prophetischen Wort (diese Sätze wurden nicht, wie die Fiktion es will, „achtundzwanzig Jahre danach“ und also nach dem zweiten Weltkrieg geschrieben, sondern nach Doderers Versicherung im Jahre 1936):

Furchtbares hat sich begeben in meinem Vaterlande und in dieser Stadt, meiner Heimat, zu einer Zeit, da die Geschichten, ernst und heiter, die ich hier erzählen will, längst geendet hatten. Und eines Namens wurde würdig, wahrhaft eines schrecklichen, was bei währenden Begebenheiten hier noch ungestalt lag und wie keimweis gefaltet beisammen: aber es trat hervor, und bluttriefend, und jetzt auch dem Auge, das vor so viel Geschehen nahezu blöde geworden, in seinen Anfängen kenntlich, gräßlich bescheiden und doch so sehr kenntlich.[7]

Ein anderer Aspekt desselben Sachverhalts ist Doderers Überzeugung, daß ein „historischer Augenblick“ wesenhaft unscheinbar ist. Was im allgemeinen ein Ereignis von historischer und epochemachender Bedeutung genannt wird, ist nur das „Zu-Kristall-Schießen“ von Konstellationen, die in der Vergangenheit und im verborgenen schon tendenziös bereit liegen. Paradox formuliert: ein historischer Augenblick ist, wenn er handhaft in der Realität sich konstituiert, schon vorbei[8].

2

Einen echten „historischen Augenblick“ in der Geschichte Österreichs sieht Doderer im 15. Juli 1927. Freilich hat dieser Tag wiederum seine Vorgeschichte, noch ehe sie „in ein akutes Stadium“ tritt, „in jenes der Sichtbarkeit, wo die Lawine des bereits Handhaften dann rollt ...“[9].

Diese sichtbare und handhafte Vorgeschichte ist beiläufig innerhalb des Kapitels IM OSTEN zusammengefaßt; die Fakten sind kurz folgende: Nachdem schon in der Silvesternacht von 1926 auf 1927 zu Schattendorf im Burgenland – nahe an der ungarischen Grenze – der ‚Republikanische Schutzbund' und die ‚Frontkämpfer' (also Sozialisten und Faschisten) aufeinander gestoßen sind, kommt es eben da am 30. Januar 1927 zu Schießereien. Aus einem Wirtshaus, in dem sich die ‚Frontkämpfer' zu treffen pflegen, fallen Schüsse auf einen Zug vorbeimarschierender ‚Schutzbündler'; dabei werden zwei Menschen getötet: der einäugige Kriegsinvalide Mathias Csmarits und sein zehnjähriger Neffe Josef Grössing. Während die „Schattendorfer Morde" Anfang Februar großes Aufsehen erregen, ist das öffentliche Interesse an der Schwurgerichtsverhandlung darüber – fünf Monate später in Wien – äußerst gering. Am 14. Juli 1927 verneint das Volksgericht alle Schuldfragen, und die Mörder werden freigesprochen. Alle diese Daten gibt der Roman selbst an. Auch die Folgen werden hier bereits vorweggenommen:

> Eine von der sozialdemokratischen Führung am folgenden Tage, dem 15. Juli 1927, keineswegs vorgesehene Demonstration brachte die Arbeiter auf die Beine und in die Innenstadt. Sie marschierten nicht, weil die Mörder eines Kindes und eines Kriegsinvaliden frei gingen. Sondern weil jenes Kind ein Arbeiterkind gewesen war und der Invalide ein Arbeiter. Die ‚Massen' verlangten die Klassenjustiz, gegen welche einstmals ihre Führer so oft vermeint hatten, auftreten zu müssen. Das Volk schäumte gegen das Urteil des Volksgerichtes, gegen sein eigenes Urteil. Damit war der Freiheit das Genick gebrochen; sie hielt sich auch in Österreich nur mehr durch kurze Zeit und künstlich aufrecht.[10]

Die Beurteilung am Schluß des Zitats zeigt schon, welch epochale Bedeutung Doderer dem 15. Juli 1927 beimißt. Dem entspricht das zusammenfassende Wort nach der Darstellung dieses Tages; Geyrenhoff sagt:

> So endete für uns dieser Tag, der ganz nebenhin das Cannae der österreichischen Freiheit bedeutete. Aber das wußte damals niemand und wir am allerwenigsten.[11]

3

Das Geschehen des 15. Juli 1927 ist ein – in Doderers Sinn – dämonisches, als Erhebung der Masse sowohl wie als Vernichtung der Freiheit; denn beides bedeutet zugleich eine Negation der Wirklichkeit. Seine Darstellung – und das heißt immer schon Bewältigung und Überwindung – erfordert eine „antidämonische Besessenheit". Diese ist, positiv gewandt, nichts anderes als die „Sprachbesessenheit". Der Kampf gegen die Dämonen beginnt mit der Benennung. Vor der Wörtlichkeit, die für Doderer die „Kernfestung der Wirklichkeit" ist, weicht die Dämonie. Der zweite Schritt ist die kritische Sichtung und symbolische Deutung, der letzte – nach der Kontrapunktierung der dämonischen Wirklichkeit mit der fundamentalen Wirklichkeit des Alltags – ist die „Einkesselung" der „dämonischen Vacua". So sagt es Doderer selbst; er bezeichnet Romanhandlungen – denn diese sind ihm die Gewähr der Wirklichkeit – als „möglich, universal und repräsentativ",

> sobald die immer wieder auftretenden Vacua der zweiten Wirklichkeit sozusagen von einer ersten Wirklichkeit eingekesselt und umgeben bleiben: also der Deskription unterworfen, durch die Mittel der Kunst bewältigt und zum Ausdruck gebracht werden können.[12]

Diese Worte aus Doderers Traktat GRUNDLAGEN UND FUNKTION DES ROMANS lassen sich zur Analyse seiner Praktik in den DÄMONEN und besonders in dem Kapitel DAS FEUER heranziehen. Die „dämonischen Vacua" werden hier wahrhaftig „eingekesselt".

Inzwischen ist der entscheidende Grund berührt worden, weshalb Doderer den 15. Juli 1927 zum Hauptereignis seines Romans gemacht hat, und nicht ein, wie man möchte, „markanteres Datum" aus der Geschichte der dreißiger Jahre. Denn das Geschehen des 15. Juli läßt sich allerdings „einkesseln"; das Geschehen innerhalb totalitärer Ordnungen aber ist nicht mehr greifbar. Doderer sagt dazu:

> Ist aber die zweite Wirklichkeit uns nur benachbart, ist sie ein Reich neben uns und ein Maß in seiner Immanenz, dann steht des Schriftstellers Sache verzweifelt. Was er nicht mehr umfassen kann, ein Objekt, das er mit seinen empirischen Organen nicht allseitig mehr zu appercipieren vermag: es hebt ihn selbst auf ... Wo keine Romanhandlungen mehr möglich sind, dort beginnt das Schatten- und Aschenreich der Untertatsächlichkeiten, der nicht mehr umgreifbaren, ungar gebliebenen Pseudo-Konkretionen.[12]

4

Das dämonische Geschehen des 15. Juli 1927, das der Schriftsteller mit den Mitteln der Sprache und der Form noch „einzukesseln" vermag, ist jedoch für den einzelnen Menschen schon wesentlich ungreifbar. Eine Kluft hat sich geöffnet zwischen Mensch und Geschehen, die – wie Doderer gerne sagt – nur mehr der „kritische Pfeil" überfliegt. Das heißt: ein Erfassen ist als Einverleibung nicht mehr möglich, es geschieht als Beurteilung und Deutung durch das kritische Wort. Einzelne Fakten werden herausgegriffen und – da es gilt, die „Natur dieses Tages"[13] zu begreifen – sowohl kritisch gesichtet wie symptomatisch gewertet: neben der kritischen Formel steht die metaphorische und symbolische Veranschaulichung. Solche Deutungen gehen nicht nur von Geyrenhoff aus, sie finden sich auch in genuin romanhaften Passagen. So heißt es einmal:

> Dieser Tag ist reich gewesen an sogenannten ‚Instinkt-Handlungen', denen man gern was Positives und Unnachahmliches nachsagt; aber es gibt auch durchaus abträgliche, und solche werden sogar sehr leicht und gerne nachgeahmt.

Wilde Muskel-Beschlüsse, die ganz selbständig auftreten.
Ja, fast wie ein außen Geschehendes.
Meist sind sie sehr befremdlich auch für denjenigen, der sie ausführt.[14]

Von hier aus wird besonders deutlich, daß es bei der Erhebung der Massen nach der ursprünglichen Protestkundgebung gar nicht um Handlungen direkter und bewußter Art geht; es ist vielmehr – einmal in Bewegung geraten – ein Geschehen, das sich seiner eigenen Mechanik gemäß vollzieht und alle Beteiligten in seinen Strudel reißt. Es handelt sich dabei um die unerbittliche Mechanik des Lebens auf ihrer negativen Seite: sie wirkt sich in der Zerstörung aus, sie vernichtet die Freiheit. Und dennoch hat sie eine heilsame Wirkung zumindest insofern, als sie alle verborgenen und uneingestandenen Brüchigkeiten schonungslos zu Tage zerrt. So erkennt Doderer in der Tatsache, daß der erste Angriff einzelner Demonstranten der Universität gilt, „eine der wirklich bemerkenswerten ‚Instinkt-Handlungen' des Tages“:

Sie richtete sich für diesmal keineswegs gegen die Intelligenz – wie jene annahmen, die darüber im Buffet [der Universität] redeten, nicht ohne daß dabei einiges mildes Licht auf sie selbst fiel – sondern, ganz im Grunde: gegen einen Geruch. Gegen alle landsmannschaftlichen Stallgerüche ... gegen die hierher delegierte ‚Provinz', gegen eine konservative Gesinnung, die man nicht besitzt, etwa weil man sie eingeholt und wieder erworben hat, sondern weit mehr physisch be-sitzt, weil man darauf sitzen geblieben ist ...[15]

Dieser Satz ist ungemein aufschlußreich und um so wichtiger, als Doderer, der selbst den absoluten Konservativismus für die würdigste Haltung des Geistes erklärt, sich damit entschieden gegen jenen falschen und unfruchtbaren Konservatismus abgrenzt, der das, was er proklamiert, nicht mehr zu leben imstande ist.

Im übrigen aber gibt es keinen Zweifel an dem verheerenden, brutalen und dämonischen Charakter dieses Tages; der gemeinsame Nenner aller Begebenheiten ist die Sinnlosigkeit. Besonders zwei unscheinbare Vorfälle sind es, die Geyrenhoff symbolisch wertet. Er beobachtet vom Fenster aus, wie zwei junge Burschen eine Bogenlampe ausheben und sie wie einen Baum fällen. Geyrenhoff denkt im ersten Augenblick nicht daran, daß man damit offenbar den Grundstock für eine Barrikade gegen die Polizei zu legen trachtet:

Ich überlegte nicht den Zweck der Maßnahme. Ich sah das völlig losgelöst davon. Es war für mich keine zweckmäßige Veranstaltung von seiten jener, welche das Ding zu Fall gebracht hatten, sondern ein Beweis sehr tiefen Instinktes bei ihnen. Was hier gefallen war, bildete ja – als Teil der Straßenbeleuchtung – nichts anderes denn ein Stück der Kontinuität täglichen Lebens, des Alltags eben, und es war dieser Lichtmast ein Posten gewesen an unseren gewöhnlichen Wegen, der darüber wachte, daß wir sie gut sahen. ... Nun wollte man sie gar nicht mehr sehen, ja, man wollte sie nie mehr betreten, nie mehr entlangtrotten; wenigstens wollten das die jungen Menschen nicht mehr, durch deren Mühe der Lichtmast gefallen war.[16]

An der Strudlhofstiege wurde gezeigt, was Doderer für einen „Weg" erachtet und wie er ihn achtet; das ist an dieser Stelle mitzudenken. Darüber hinaus ist es höchst bezeichnend, daß im unmittelbar Folgenden angesichts des inzwischen brennenden Justizpalastes nur ganz beiläufig das Symbol „Justitia in Flammen" erscheint. Doderer verzichtet darauf, dieses Symbol, das sich ja geradezu aufdrängt, zu betonen; er spart vielmehr den Raum dafür aus und beschwört den Leser, ihn zu füllen, indem er vorher durch die symbolische Sicht der Bogenlampe den Blick in dieser Hinsicht geschärft hat.

Von einem anderen Vorfall, den Geyrenhoff als Symbol begreift, ist schon vorher die Rede. Es handelt sich um „die Frau mit den Milchflaschen", die offensichtlich tot auf dem Gehsteig liegt, – ein Beispiel wiederum dafür, wie der Alltag brutal überrannt wird.

> Gleich nachdem sie gefallen war (ich hatte es gesehen) – ob nun von einer Pistolen-Kugel der Polizei getroffen oder einem Geschosse ihrer Gegner blieb unerfindlich – liefen jene zwei Liter Milch schnell und strahlenförmig auf dem Pflaster auseinander. Danach aber quoll eine große Menge Blut unter ihr hervor und bald begannen die beiden Materien ineinander zu verfließen. Erst erschienen sie scharf abgesetzt: Rot – Weiß, Milch und Blut.

Soweit der Tatbestand, den Geyrenhoff beobachtet; darauf folgt seine eindrucksvolle Deutung:

> Die Metapher blühenden Lebens und gesunder Jugend war durch einen einzigen Schuss in ihre grob-stoffliche Grundbedeutung zurückgestürzt worden (und jetzt troff die Milch schon in den Rinnstein, zusammen mit dem Blut). Aber jede vom Leben zerschlagene und bis auf den platten Sockel ihrer direkten Grundbedeutung abgeräumte Metapher bedeutet jedesmal in der Tiefe einen Verlust an menschlicher Freiheit – die ja nur dadurch bestehen kann, daß die Fiktionen und Metaphern stärker sind als das nackte Direkte, und so unsere Würde bewahren – ja, es ist jede zusammengebrochene Metapher nichts anderes als die in den Staub getretene Fahne jener Freiheit, diesfalls Rot – Weiß.[17]

Ein Seitenblick auf die für Doderer spezifische Antithetik zwischen dem Direkten und dem Indirekten vermag erst den Sinn der Stelle zu erschließen. In dem Roman EIN UMWEG erscheint diese Antithetik als diejenige zwischen Schicksal und Leben; das anonyme Schicksal (das „nackte Direkte"), das mit jeder Geburt schon den Tod meint, gilt es hier „mit den Rundungen des Lebens" zu „umspielen", zum Umweg – das heißt: zum indirekten Weg des Lebens (dem Weg „menschlicher Freiheit") – auszubuchten und es so erst sinnvoll zu erfüllen; dies ist, wie gezeigt, die geistesmechanische Substruktion des Romans EIN UMWEG. Im Tagebuch nun – das ist eine weitere Voraussetzung zum Verständnis der Stelle – sagt Doderer einmal: „Die Metapher ist der Platzhalter des Indirekten in der Sprache, stellt also deren Grundbedingung dar."[18] Später heißt es sogar: „Ich neige dazu, der metaphorischen Bedeutung eines Begriffs die Priorität vor der direkten zu vindizieren ..."[19]; schließlich: „Metaphern sind Heimholungen eines Begriffes zu seinem ganzen Umfang. Die ‚Grundbedeutungen' leisten davon nur einen Ausschnitt, sind also sekundär."[20]

Damit ist der Weg zum Verständnis der Stelle frei. Die Metapher „Milch und Blut" bezeichnet eine Gegebenheit, die gleichermaßen ist wie bedeutet, sie ist umfassend, komplex. Ihre Grundbedeutung dagegen ist eng, sie leistet nur einen Ausschnitt, sie bezeichnet nichts als eine stoffliche Qualität. Indem „Milch und Blut" nur mehr in diesem letzteren Sinn als amorphe Masse erscheinen, ist das Sinnbild zerstört; die Metapher ist zerschlagen; die komplexe Fülle ist gewaltsam reduziert. Und dieser Prozeß bedeutet nichts anderes als die Abtötung des Lebens, und zwar ganz allgemein und ganz grundsätzlich; der Tod der Frau leistet seinerseits nur einen „Ausschnitt" des ganzen Vorgangs. Zum andern bedeutet die Zerschlagung einer Metapher, insofern diese den „Platzhalter des Indirekten in der Sprache", ja selbst etwas Indirektes darstellt, eine ebenso gewaltsame Ausrichtung des Indirekten zum Direkten, den Absturz vom Umspielenden in das Geradezu des Gemeinten und so einen Verlust der Freiheit.

Damit ist aber das Symbol noch nicht erschöpft. Der „Sturz der Farben" im weiteren Sinne, nämlich Rot-Weiß, bedeutet überdies im engeren Sinne „die in den Staub getretene Fahne", welche bis dahin die österreichische Freiheit symbolisiert hat. Auch diese Metapher verliert hier ihren symbolischen Wert, indem sie auf eine nichts als farbliche Konstellation reduziert wird.

Bei alledem handelt es sich um einen genuin sprachlichen Prozeß, nämlich um die Übertragung der Realität in die Sprache, die weder als bloße Abbildung noch als bloße Spiegelung (Mimesis) bezeichnet werden kann. Hier wird der Kern des Dodererschen „Naturalismus" sichtbar, der mit dem Naturalismus im gewöhnlichen Verstande nichts zu tun hat. Doderer konsolidiert die genaue Mitte zwischen einem Naturalismus, dem die Fakten alles sind, und einem Symbolismus, dem die Fakten nichts sind, dem es nur auf deren Bedeutung ankommt. Sein selbst gesetztes Ziel ist ein doppeltes: nämlich mittels der „dezidierten Deskription" die Fakten bei sich selbst zu belassen und gleichermaßen das Metaphorische der Fakten zu stärken. So sagt er es selbst: „Weil sonst nichts geschehen kann und das Vergängliche nicht zum Gleichnis wird, gilt der Stärkung des Metaphorischen unser ganzes Interesse."[21] Und auf solche Weise wirkt Doderer präzis dem negativen Prozeß der Geschichte, das heißt, der fortschreitenden Minderung der Wirklichkeit, entgegen. Gegen die Zerschlagung der Metapher durch die Geschichte setzt er die „Heimholung" der Begriffe zu ihrem ganzen Umfang durch die anschauliche Wirklichkeit des Alltags, die als ganze eine Metapher darstellt[22].

5

Die kritische Sichtung und die symbolische Deutung sind zwar geeignet, die „Natur dieses Tages“ zu erfassen; das Ganze dieses Tages aber ist damit noch nicht begriffen. Denn beide Arten der Betrachtung hängen letztlich von einem Ich ab, das immer nur einer Situation gegenübersteht und immer nur eine Situation erfassen kann.

Das Ganze eines Tages ist der Alltag. Das Ganze dieses Tages ist der Alltag in der Konfrontation mit einem politischen Geschehen. Damit sind die beiden Intentionen genannt, die sich in dem Kapitel DAS FEUER verbinden. Und es ist nicht zu entscheiden, welcher von beiden die Priorität zukommt. Es ist eine wechselseitige Kontrapunktierung: gegen das politische Geschehen steht der Alltag, gegen den wiederum sich das Geschehen richtet.

Im gleichen Maße, wie das Geschehen den Alltag brutal überrennt, wird die Alltagswelt jeder einzelnen Figur in ihrer Individualität und also im ganzen in ihrer Komplexität aufs stärkste akzentuiert. Jeder ist mit seinen höchst privaten Angelegenheiten beschäftigt. Quapp, deren „habituelle Unwissenheit“ als sprichwörtlich gilt, empfindet eine ihr bisher fremde „Sorglosigkeit“, die ihr mit der Erbschaft zugefallen ist; sie denkt an Géza von Orkay, sie genießt ihr „Verliebtsein“. Der Brauerei-Direktor Küffer holt Mary K.s Kinder ab, um mit ihnen sein neues Schwimmbad in Döbling einzuweihen. Schlaggenbergs ‚Bande‘ entwendet für ihren „Chief“ Dokumente aus Levielles Wohnung. Grete Siebenschein und Mary K. üben den „Hauptberuf der Frau“: das Warten. Neuberg schläft – nach vielen schlaflosen Nächten, die ihn der Zusammenbruch seiner Verlobung gekostet hat. Stangeler und Professor Bullog prüfen Lesarten. Rottauscher, der Klasse von „Leichtverbrechern“ zugehörig, übt im Gedränge seinen Beruf aus: ihm gelingt „die Ausführung von siebenundzwanzig Taschendiebstählen, darunter zwei an Wachebeamten“. Eulenfeld und Körger halten sich als „Schlachtenbummler“ an der ungefährlichen Peripherie des „Kriegsschauplatzes“ auf. Frau Mayrinker kocht Beerenobst ein („das Einsieden ist eine Zwangshandlung der Hausfrauen . . .“).

Dieser Katalog mag einstweilen genügen; er zeigt, wie das Leben „trotz der Geschichte“ weitergeht. Dabei bleiben die geschichtlichen Ereignisse am Rand, außerhalb und fremd. Die Orientierungslosigkeit ist allgemein; kaum jemand weiß, was eigentlich vorgeht. Dieses Motiv durchzieht das ganze Kapitel. Die Arbeiter-Demonstration wird zum ersten Mal im Zusammenhang der Wiener ‚Unterwelt‘ erwähnt (bezeichnenderweise, denn die Unterwelt ist es ja, die sich hier erhebt). Die „dicke Anita“, ein Straßenmädchen, teilt der Anny Gräven mit: „Es san a paar unt’ in der Schank, kimm’ aba, in der Stadt is a Wirbel, mir gengan alle hin.“ Die Gräven geht mit, doch weiß sie nicht, „was eigentlich in der Stadt los sei“[23]. Später noch, als sie sich bereits mitten im „Wirbel“ befindet, heißt es, daß „Wissen und Überblick“ über die Situation ihr fehlen[24]. Kababsa erfährt durch den Diener des Prinzen Croix von einer offenbar „größeren Störung“: das elektrische Licht funktioniere nicht, der Straßenbahnverkehr sei eingestellt[25]. Auch er, der sich – einem Zwang folgend – ins „Bad der Masse“[26] stürzt, begreift am Ende nichts[27]. Professor Bullog begibt sich „auf die Straße, um zu sehen, was eigentlich heute los ist in der Stadt“, und er bringt nicht mehr in Erfahrung, als daß „sich die Polizei beim Parlament schon mit demonstrierenden Arbeitern herum[schieße]“[28]. Ebenso ist Anna Diwald auf dem Weg in die Stadt, um zu sehen, „was es dort eigentlich gäbe“[29]. Neuberg bemerkt erst am Abend, nachdem er eine Störung in der Lichtleitung festgestellt hat, den rötlichen Schein vom Brand.[30] Auch Frau Mayrinker, die den Tag über vollauf beschäftigt gewesen ist, erblickt am Abend das Feuer: „Es war etwas geschehen. Sie mußte etwas übersehen haben.“[31] Quapp schließlich „befand sich auch diesmal wieder unter den allerletzten, die etwas erfuhren“[32].

Demgegenüber hat die junge ‚Bande‘ schon früh „heraus, daß heute irgend etwas los sei in der Stadt, auch war ja das Fehlen des Straßenbahnverkehrs von ihnen bemerkt worden. Sylvia wußte sogar ganz Genaues: daß man Arbeiter-Demonstrationen befürchte (sie sagte auch warum, aber das beachtete niemand).“[33] Der Legationsrat Géza von Orkay kennt freilich die Hintergründe und Zusammenhänge der ganzen Sache; auf Quapps grenzenlos erstaunte Frage: „Warum – was ist geschehen ...?“ antwortet er, sie vertröstend: „Erklär' ich Ihnen später einmal, Quappchen. Ehrensalven für eine Kindesleiche.“[34] Von Stangeler heißt es: „René wußte genau, warum die Arbeiter demonstrierten, und konnte sich später auch so ungefähr vorstellen, wie es da zum Schießen gekommen sein mochte.“[35] Er vergleicht die Situation mit „Gefechts-Handlungen“ im Krieg und denkt: „... ‚größerer Wirbel‘ ist es keiner, und Salven schon gar sind beinahe unverdächtig, da kann nicht viel los sein.“ Darauf folgt der Kommentar: „Es ist kaum glaublich, und doch wahr, daß er einen so ganz und gar unzuständigen Maßstab anlegte, und sich dabei beruhigte, und nicht bedachte, daß fünf Gewehrschüsse in den Straßen einer friedlichen Großstadt eine weitaus bedeutungsvollere Tatsache sind, als ein verschossener halber Munitionsverschlag im Felde...“[36]

Diese also wissen mehr oder weniger um die Zusammenhänge, doch wird ihr Wissen nicht expliziert. Die Rolle der gründlichen objektiven Betrachtung und Deutung kommt vielmehr hier wie so oft im Roman dem Sektionsrat Geyrenhoff zu. Allein, auch Geyrenhoff beruhigt sich zunächst, als er das Fehlen der Straßenbahn bemerkt, – wie Quapp und Neuberg, ja wie jedermann – mit dem Wort „Störung“. Er reflektiert darüber: „Man hat für solche Fälle als Normal-Schlüssel der Situation das Wort ‚Störung'. Auch ich gebrauchte diesen Schlüssel ... ‚Störung', und damit zur Genüge erklärt."[37] Später aber erweist er sich als ein intimer Kenner der Lage. Er beobachtet, daß z. B. die „Agitatorinnen" „alle damenhaft angezogen waren und gar nicht ‚proletarisch'"[38]. Er weiß, daß alle diese „spielen"; so sagt er über den Agitator und Propagandisten Gyurkicz: „Er verwendete, was ihm bisher von ‚revolutionären Reden' zu Ohren und Augen gekommen war, er verwendete das als fertige glatte Versatz-Stücke, die keine Aufrauhungen eigenen Erlebens weisen und deshalb leicht weiterzugeben waren und in den Umlauf glitten."[39] Später stellt Geyrenhoff fest, daß „sehr bald immer mehr an die Stelle der ursprünglichen Demonstranten, der Arbeiter", das „Gesindel" getreten ist[40]. Schließlich überliefert er ein treffendes Wort Gürtzner-Gontards: „Mit dem Sozialismus hat das nichts mehr zu tun."[41]

6

Diese Bemerkung stößt zum Kern des Sachverhalts vor. Stehen sich zunächst Aktionen von politischen Demonstranten und die Alltagswelt mehr oder weniger apolitischer Individuen gegenüber, und erfolgt demnach die Konfrontation beider auf der politischen Ebene, so entwickelt sich die Demonstration alsbald und konsequent zu einem Tumult der Masse, und damit ist eine neue Dimension eröffnet. Es ist die Dimension der brutalen Naturgesetzlichkeit: der Tumult wirkt am Ende wie ein „Elementarereignis"[42].

Dem entspricht wiederum ein starker Kontrapunkt; er wird unmittelbar zu Beginn des Kapitels durch drei intensiv gestaltete Landschaftsbilder markiert. Die Natur tritt hier gleichsam als ein An-sich in Erscheinung, in absoluter Schilderung, ohne die Perspektive einer Figur. Das erste Bild vergegenwärtigt die tiefste Nacht – nach dem Untergang des Vollmonds und vor Sonnenaufgang; es ist ein „vollkommenes Geräusch-Vacuum": „Der Wald schwieg wie ein Grabgewölbe." Im zweiten und dritten Bild ist die Perspektive schon die Stadt: die Pokornygasse in Döbling, und dann in unmittelbarer Nähe der Wertheimstein-Park; diese nach Osten gekehrte „Schanze", wie Geyrenhoff sie sonst bezeichnet, stellt einen jener Punkte in Wien dar, von denen aus der Sonnenaufgang sehr früh zu beobachten ist[43].

Wenn Doderer hier darauf verzichtet, eine der beteiligten Figuren als Perspektive einzusetzen, so hat das einen besonderen Sinn: er tut es einmal, um den Kontrapunkt, den die Natur gegenüber dem Geschehen bilden soll, nicht zu subjektivieren und dadurch zu relativieren, und zum andern (das ist freilich nur die andere Seite desselben Grundes), weil das Geschehen selbst anonym und ungreifbar, durch die Perspektive einer Figur nicht erfaßbar ist. Nur so – durch seine Absolutheit – steht der Kontrapunkt der Natur dem Geschehen genau und gültig gegenüber.

Geyrenhoffs Wort vom „Elementarereignis“ wird besonders im Zusammenhang mit Leonhard Kakabsa bestätigt: im wörtlichen Verstand erscheint das Unterste zu oberst gekehrt. Zwei seiner früheren Arbeitskollegen stoßen zufällig auf Kakabsa und suchen bei ihm Hilfe:

> Sie sagten, und immer wieder: „Führst' uns aussi, Leo, mir können des nimmer mit anseh'n. Der Ruass is' los, der ganze Ruass aus'm Prater. Siechst ja kan Arbeiter mehr ...“[44]

Damit ist das entscheidende Stichwort gefallen: der Ruass; es wird erklärt als „ein trefflicher Wiener Volksausdruck für das Unterste vom Untersten, das Letzte vom Letzten, daran man nicht im leisesten anstreifen könne, ohne sich fettig zu beschmutzen, wie an einer rußigen Platte“. Zum Toben dieser „Elemente“ („Salbengesichter, Prater-Huren und ihrer Zuhälter“[44]) ist die ursprüngliche Arbeiter-Demonstration ausgeartet. Es ist ein sinnloses Getriebe, die Erhebung der Masse. Es gibt keine Initiatoren, und das Ganze hat mit einer sozialen Auseinandersetzung wahrlich nichts mehr zu tun. Diese Tendenzen bleiben am Rande: die verworrene Situation wird von politischen Agitatoren nur ausgenützt, wie sie zugleich von Berufsverbrechern ausgenützt wird. Die „Reden“ der Agitatoren stehen auf derselben Ebene wie der Klamauk des Ruass. Und da nichts greifbar, sondern alles gleichermaßen sinnlos ist und anonym bleibt, kann die Erzählperspektive nicht vom Geschehen selbst ausgehen. So werden jene Agitatoren von Geyrenhoff nur aus der Ferne beobachtet; er kann auf seinem entfernten Standpunkt kein Wort verstehen, er nimmt die „Reden“ nur als Geschrei wahr. So auch kommt im Zusammenhang mit der Gräven nur gelegentlich etwas von den Äußerungen, vom Tun und Treiben der Masse unmittelbar zu Wort. Z. B. während der „Vater“ Rottauscher im Gedränge seine Taschendiebstähle verübt (während er also seinerseits die Situation ausnützt), heißt es nicht ohne Humor von seinem Schüler Zurek: „Dem Schüler Zurek fehlte solcher Berufs-Stoizismus, der immer ein gewisses l'art pour l'art zur Voraussetzung hat“; er fällt nämlich „direkt“ auf den „Wirbel“ herein: „Er beteiligte sich an sozialen Auseinandersetzungen, indem er unaufhörlich Steine auf die zurückgehenden Polizisten warf ...“ Ebenso verhält sich die Hure Anita: „Hinter dem in ganz standeswidriger Weise schreienden Zurek (dessen Beruf ja eigentlich ein lautloser war) stand die besoffene Grammel, schrie gleichfalls, und erzeugte zum Überflusse und Überdrusse immer wieder lange Pfiffe auf einer Trillerpfeife ...“ Von zwei Falschspielern heißt es, daß sie „weit weniger aus der Rolle und kopfüber in's Politikum fielen. Sie plünderten nur Zivilisten aus, die da oder dort mehr oder weniger schwer verletzt lagen ...“[45]

7

Ebensowenig ein Initiator und ebensosehr beteiligt ist der Schwerverbrecher Meisgeier. Die Tendenz der Demonstration ist ihm, wie es heißt, völlig fremd: er ist ein entschiedener Gegner der Sozialdemokraten, ja er sympathisiert sogar mit den Freigesprochenen[46]. An seinem Fall wird die Sinnlosigkeit aller Aktionen dieses Tages exemplarisch statuiert. Es ist sein irrsinniger Vorsatz, auf die harmloseste Weise der Polizei einen Streich zu spielen. Er begibt sich in die Kanalisationsanlagen unterhalb des Schmerlingplatzes – „unter den Bauch der Stadt"[47] – und stellt aus einem Kanalgitter heraus der vorgehenden Schützenreihe der Polizei eine Falle; tatsächlich bringt er mehrmals einen der Polizisten zum Sturz. Anna Diwald, die ihn begleitet und die bisher seine geheimnisvollen Aktionen mit äußerster Gespanntheit verfolgt hat, begreift am Ende „das wahre Gesicht" der Lage: „mit einem kindischen Geisteskranken zusammen eingemauert in diesen Schacht, ohne jede Möglichkeit eines Rückweges und einer Flucht durch die rauschende Finsternis hinter ihr, ohne Licht, ohne Kenntnis eines Ausganges"[48].

Vor allem mit Meisgeier wird die dämonische Dimension des Kapitels eröffnet. Der „Geierschnabel" – wie er wegen seiner Hakennase auch genannt wird – gehört zur dämonischen Metaphorik, ja er ist selbst eine Art Dämon.

Bereits im ersten Kapitel des Romans wird er vorgestellt, bezeichnenderweise ohne Namensnennung; denn diesem Wesen kommt, streng genommen, kein Name zu, weil es im Grunde kein Mensch ist; die Namengebung ist hier deutlich signifikant. Williams erzählt der Drobil von einem „höchst eigentümlichen Kerlchen, das er einst zu Murnau gesehen hatte, und von welchem geradezu fürchterliche Wirkungen ausgegangen waren". „Der Kleine habe ganz unglaublich ausgesehen, eigentlich wie ein nackthalsiger Geier, mit einer riesigen Hakennase, der ein ebensolches Kinn fast entgegen zu wachsen schien: ein ungemein scheußliches und darüber hinaus noch in schwer zu deutender Weise geradezu furchtbares Gesicht." Bei einer Schlägerei im Wirtshaus habe der „Geier-Schnabel", dieses „unheimliche Monstrum", über vier „gutmütige Riesen-Kerle" blitzschnell die Oberhand gewonnen und sei ebenso schnell verschwunden[49].

In einem Gespräch der Unsrigen, in dem man stolz seine Erfahrungen in Bezug auf die Wiener ‚Unterwelt' austauscht, wird Meisgeier zum zweiten Mal erwähnt, wiederum ohne Namen; Holder spricht von „einem ganz schrecklichen kleinen Mannsbild, von rein kriminellem Typus, hat ausgeschaut wie ein böser gerupfter Geier ..."[50].

Später tritt er mehrmals selbst auf. Anny Gräven beobachtet ihn als Fassadenkletterer: „Es war eine vollends unglaubliche Darbietung der

Kraft, Gewandtheit und des Mutes", „eine großartige Leistung", ein „Werk", wie es heißt[51] (dieses Erlebnis wird der Gräven zum Schicksal). Es handelt sich um den Mord an der Prostituierten Hertha Plankl, der deshalb so „furchtbar" ist, weil er kein immerhin erklärlicher Raubmord ist: „so aber war es der nackende Schrecken; ein Schrecken höherer Art, möchte man sagen: glatte Vergeltung; statuiertes Exempel; Drohung; Macht; Terror"[52]. Ferner erscheint Meisgeier, als er Gyurkicz in eine Schlägerei verwickelt[53], und schließlich in der Szene unter dem Kanalgitter[54].

Wichtiger als diese Realien ist die Metaphorik: sie erst enthüllt das Wesen Meisgeier. Der Zoologe Williams erzählt Stangeler von seinem Erlebnis mit einem Octopus (d. i. ein Kopf-Füßler, Kephalopode, ein Krake) in einer südamerikanischen Hafenstadt, „in einem ganz sicheren Hafen". Aus einem „Abflußloch mit Gittern, wie die Kanalgitter", sei ein langer Fangarm geschossen und habe einen Indio um den Knöchel gepackt. Er, Williams, sei hingesprungen und habe mit einer Pistole „durch das Gitter geschossen, so lange sich noch was gerührt hat"[55]. Auf eben diese Art kommt Meisgeier ums Leben. Nachdem er mehrmals einen Polizisten durch seine ausgelegte Schlinge zu Fall gebracht hat, wird er von oben erschossen. Aus der Perspektive Anna Diwalds heißt es: „in diesem Augenblick aber geschah wieder eine Verschattung von oben, und ein furchtbarer Schlag erfolgte, der die ganze untere Welt mit seinem Hall zu zersprengen schien"[48]; und in einem späteren Abschnitt wird derselbe Vorfall von Geyrenhoff beobachtet: „Wieder stürzte beim Kanalgitter einer von den mittleren Männern ... Unmittelbar danach sprang von drüben der Offizier mit zwei wahren Tigersätzen über die Fahrbahn und stieß den Lauf seiner Pistole in das Gitter des Schachtes. Er feuerte ein halbes Dutzend Mal hinab."[56]

Bei der Beschreibung des Octopus durch Williams ergeben sich weitere Analogien zu Meisgeier. Zur Abwehr des Kraken, so sagt er, kennen die Taucher einen „Trick"; „das Tier hat nämlich einen Schnabel, einen hörnernen Schnabel, wie der von einem Papagei, oder auch von einem Geier oder sonst einem Raubvogel. Es heißt, wer Ekel und Furcht überwindet, mitten zwischen die sich windenden Fangarme greift, den Schnabel auseinanderreißt und wie einen Handschuh umstülpt, der hat den Kraken erledigt."[55] Bei der Schlägerei entdeckt Gyurkicz rechtzeitig in Meisgeiers linker Hand eine Messerspitze, er blickt nicht auf die „rechte Faust, die einen Kinnhaken finten wollte", er reagiert blitzschnell und „landete ... einen geraden Stoß mit gut auftreffender Handkante und voller Wucht in des Geierschnabels Solarplexus, wodurch sogar der tief angesetzte gefintete Kinnhaken abgefangen war, der Messerstoß gegen den Bauch aber nicht mehr zum Sitzen kam ..."[53].

Die Drobil findet in Williams' Erzählung „am scheußlichsten von allem": den „Geierschnabel", wie es wörtlich heißt[55]. Williams indes kennt „noch etwas ärgeres an dem Tier": die Augen. „Sie sind unverhältnismäßig groß, sehr gut ausgebildet – ja, sie könnten ihrer Bauart nach bei Tieren einer weit höheren Entwicklungsstufe angetroffen werden ... Ein solches Auge hat natürlich schon das, was wir einen eigentlichen Blick nennen. Und gerade dieser Umstand macht aus den großen Kopffüßlern – die doch Verwandte der Schnecken sind und nur die zuhöchst entwickelte Klasse der Weichtiere vorstellen – fast eine Art Tier-Dämonen. Ein rechtes Teufelszeug."[55]

Eben diese Attribute und Metaphern werden später dem Meisgeier zugeschrieben:

> Dieses Geschöpf mochte nicht viel mehr als einen halben Doppelzentner, also fünfzig Kilo oder hundert Pfund wiegen; die schleichende Art der Fortbewegung schien für es zweckmäßig zu sein, wie es denn überhaupt im ganzen einen wohlorganisierten Eindruck machte, wenn auch auf einer tiefen Stufe in der Reihe der Lebewesen. So war zum Beispiel vom Gesicht nichts Überflüssiges vorhanden, nichts was als Weichheit oder schwammiger Schwindel den ganz eindeutigen Bau dieses Kopfes und Antlitzes verwischt hätte, gleichsam ein ‚Schwamm-drüber', wenn man sich vom ersten Schrecken erholt hatte. Oh nein! Hier war alles sauber reduziert. Nichts was für die Funktion der Kriminalität etwa nicht unbedingt erforderlich gewesen wäre, schummerte über den scharfen Rand dieses Gesichtes, das im wesentlichen aus einer ungeheuren, schnabelartigen Nase bestand, der unten das Kinn ähnlich entgegen wuchs. Das Auge jedoch – es waren zwei wohlausgebildete Augen vorhanden – gehörte zweifellos einer höheren Klasse von Lebewesen an als jene war, in welcher dieser Organismus ansonsten stand. Das Auge war verhältnismäßig überorganisiert, sehr hell, groß geöffnet und feucht geschlitzt. Das Auge war furchtbar. Es machte aus dem primitiven Geschöpf fast eine Art Teufelszeug.[53]

Alles in allem ist Meisgeier ein Dämon; er steht exemplarisch für den seinerseits dämonischen Ruass. Genauer: wie dieser markiert er einen jener Punkte, an denen sich die dämonische Dimension des Romans sichtbar konkretisiert. Eine ausführlichere Deutung wird sich im folgenden Kapitel bei der Behandlung der dämonischen Metaphorik ergeben.

8

Trotz aller Sinnlosigkeit seines Tuns ist Meisgeier noch greifbar. Dieses Übel ist lokalisierbar, es kann mit einem Schuß behoben werden. Das ganze Geschehen jedoch läßt sich nicht auf solche Weise mit einem Schlag abtöten. Einerseits wesentlich ungreifbar, andererseits höchst kompliziert, kann es nicht von innen heraus dargestellt werden, und ebensowenig von einem einzigen Punkt aus, der ihm gegenüber eingenommen würde. Deshalb tritt an die Stelle eines universalen Blickpunktes eine Vielzahl von Perspektiven, die jeweils von verschiedenen Figuren ausgehen. Das Geschehen wird allseitig anvisiert und so „eingekesselt".

Geyrenhoff macht seine Beobachtungen zunächst von außen; gemeinsam mit seinem ehemaligen Sektionschef Gürtzner-Gontard befindet er sich in dessen Wohnung am Schmerlingplatz: man sieht auf die Seitenfront des Justizpalastes. Dieser Blickpunkt ist von Doderer ungemein geschickt gewählt, insofern nämlich als ein totaler Überblick über das Geschehen von hier aus nicht gegeben ist; denn ein solcher würde auch ein totales Erfassen (wenigstens als Vollständigkeit) verlangen, was auf Grund der Anonymität der Begebenheiten unmöglich ist. So aber kann Geyrenhoff sagen:

> Es war vom Fenster aus, trotz des erhöhten Standpunktes – die Wohnung der Gürtzner-Gontards befand sich im obersten Stockwerk – keineswegs möglich, die Situation zu überblicken. Die Hauptfront des Justizpalastes lag von uns abgekehrt, seine Schmalseite verlegte das Blickfeld ... Ebenso deckten die Bäume des Parks einen Teil der Aussicht ... ich kann (wie eben in allem und jedem hier) nur meine sehr subjektiven Eindrücke wiedergeben ...[39]

So entscheidend der gelassene Ort am Fenster für die Beobachtung und wesentliche Deutung der Ereignisse ist, so wenig ist er als ausschließlicher Standpunkt geeignet, sie voll zu erfassen. Deshalb wechselt die Perspektive ständig.

Aus unmittelbarer Nähe, aus der Situation heraus, kommt das Geschehen in mehreren Szenen zu Wort, in denen die Perspektive vor allem dem Leonhard Kakabsa, der Anny Gräven und wiederum Geyrenhoff (der sich jetzt im Tumult befindet) folgt.

Die Sicht von unten im wörtlichen Verstande (durch Meisgeier und die Diwald) ist außerordentlich charakteristisch: das Geschehen spielt sich ja tatsächlich und in Wahrheit auf einem „doppelten Boden" ab, auf dem Boden einer „zweiten Wirklichkeit".

Im übrigen ragt es von ferne bis in diejenigen Passagen, in deren Mittelpunkt das Alltagsleben einer bestimmten Figur steht; hier dringt es mehr oder weniger nur als ferner Hall der Schüsse oder später als Widerschein des Feuers ein.

9

Neben der Anvisierung von seitwärts, von nahe und von ferne gibt es einen zutiefst symbolischen Blick von oben auf das Geschehen; von hier aus erscheint es in der Tat vollends mit erster Wirklichkeit umgeben und von dieser „eingekesselt":

> Von der Terrasse der Meierei beim Schlosse Cobenzl konnte man das Feuer in der Stadt wie auf einer flachen Hand sehen. Es saß im mittleren Hintergrunde der graublauen Häusermasse dort unten, die sich ausbreitete wie ein See, und es war durch den gewaltigen Sonnenglast klein gemacht, zusammengedrückt und auf sich selbst beschränkt wie eine Glühbirne, die am hellichten Tage brennt. „Schaut aus, als ob die Stadt ein rotes Wimmerl hätt'", sagte Géza. Doch zuckte

der Brand dann und wann etwas, auch konnte man Rauchwolken sehen, durch die er mitunter sogar ein wenig verdunkelt wurde.

Sonst herrschte hier heroben tiefer Friede, vor allem aber die Sonnenhitze, die freilich nicht als Schwüle wirkte, wie auf dem Asphalt oder dem Granitpflaster in den Straßen, welche sie zwischen den hohen Häuserfronten unnatürlich verstärken. Die Luft war warm, aber leicht, frei. Man stand da wie auf dem Dache der Stadt, ja, auf dem Dache der Geschehnisse selbst, von denen nichts übrig geblieben war als ein trüb rötender und dann und wann flackernder Punkt nahe dem Horizont.[57]

Zur Deutung dieser Stelle muß weiter ausgeholt werden. Wie Doderer gerne – mit Franz Blei – von der prinzipiell „fallenden Tendenz" des Lebens spricht, so ist die Gesamtbewegung der DÄMONEN als „fallende Tendenz" definiert. Das kommt auch in der Abwärtsbewegung des Chronisten von seinem idealen Standort („achtundzwanzig Jahre danach") auf die Handlungsebene von 1927 zum Ausdruck. Entscheidend aber ist erst die wesentliche Abwärtsbewegung der „Geschichte": von der – wie immer gearteten – Freiheit, die zu Beginn die Welt der Unsrigen konstituiert, führt der Weg zum Verlust der Freiheit am 15. Juli 1927. Es ist die fortschreitende Dämonisierung der Welt, die Minderung der Wirklichkeit.

Demgegenüber ist die progressive Aufwärtsbewegung zu einem immer umfassenderen Blick auf die Stadt ein starker Kontrapunkt; sie führt bis zur Konsolidierung eines archimedischen Punktes. Gleichsam senkrecht über dem Tiefpunkt des Romans, dem Brand des Justizpalastes, steht der totale Blick auf die Geschehnisse von der Höhe des Cobenzl aus. Stufenweise führt der Weg dorthin.

Geyrenhoffs Standort des Schreibens ist bei währendem Geschehen zunächst die Scheibengasse in Döbling. Um seine neue Wohngegend zu erobern, geht er viel spazieren: „Die Scheibengasse führt bergan ... Es leitete der Weg bald auf die Höhe"; oben kommt man „zu einem überraschenden und vollkommen freien Ausblicke". Solche „Fernsicht" hat Geyrenhoff in der Scheibengasse nicht. „Jetzt aber", so fährt er fort, „selbst wenn ich auf die große romanische Kirche schaue, muß mein Blick absinken, und wenn ich über sie hinwegsehen will, muß ich ihn nicht erheben. Aber es hat eben achtundzwanzig Jahre gedauert bis hierher."[58] Er meint den in der OUVERTÜRE angegebenen Standort: „Man sitzt hoch über der Stadt ..."

Nicht ganz in dieser Höhe befindet er sich auf seinem Heimweg vom sogenannten ‚Gründungsfest' der Unsrigen:

Die Straße erhob sich hier, mit einer Biegung, auf die Flanke eines Hügels und zu freier Aussicht. Ich sah hinab und hinaus, und ... fühlte ... hier, unter dem dunklen Nachthimmel und im schwach leuchtenden Schnee, Ort und Menschen da unten wie eine neue engere Heimat, deren schicksalhaften Bewegungen man verbunden bleibt.[59]

Höher noch führt der Weg die Unsrigen bei ihren Ausflügen hinauf, umfassender ist demgemäß der Blick auf die Stadt in der Tiefe. Als sie auf Skiern den Heimweg zu Tal nehmen, heißt es:

... wie der Aufgang einer riesenhaften und handnahen Milchstraße trat das Leuchtbild der Stadt herauf, ein trüber Himmel, rötlichen Scheins, voll zuckender und glimmender Sterne. Schon sah man weit drüben die Lichter von Villen, übereinander gereiht an den Hängen, vor einem Kissen von Dunkelheit, die bei genauerem Hinsehen sich zerlegte, entlang einer sanftgeschwungenen Linie: Nachthimmel und Berg. Und auch diesmal fühlte ich, vorgebeugt und den Fahrtwind um die Ohren, mit einem seltsam neuen Erstaunen, Ort und Menschen dort unten als meine Heimat, deren Bewegungen man verbunden bleibt.[60]

Das Motiv kehrt noch einmal wieder; die Unsrigen sind auf der Heimfahrt (im Auto):

Die Straße erhob sich hier, mit einem Knie, auf die Flanke eines Hügels und zu freier Aussicht. Das Auge stürzte in ein Kissen von Dunkelheit, die bei genauerem Hinsehen sich zerlegte, entlang einer sanft geschwungenen Linie: Nachthimmel und Berg. Man sah weit drüben noch die Lichter von Villen, übereinander gereiht an den Hängen. Jetzt aber, nach dem Durcheilen der Kurve und bei gewendeter Fahrt, zeigte sich der Himmel wie beunruhigt und entzündet vom rötlichen Widerscheine der Großstadt, deren trübes und schärferes Lichtgefunkel bis an den Rand des Gesichts gestreut tief unter uns lag, mit dem gegitterten leuchtenden Rost der Straßenzüge. Und auch diesmal, unter dem dunklen Nachthimmel und bei rascher, windziehender Fahrt, fühlte ich wiederum Ort und Menschen dort unten, seien sie nun wie immer, doch als meine gegebene Heimat, deren schicksalhaften Bewegungen man verbunden bleibt.[61]

Die Wiederholung hat eine wichtige Funktion; sie akzentuiert eine Grundgegebenheit, nämlich die Stadt Wien als die gültige Basis einer ersten Wirklichkeit. Damit ist der stärkste Kontrapunkt gegen alle zweiten Wirklichkeiten gesetzt. Zudem stehen die zitierten Abschnitte an überaus bedeutsamer Stelle: sie bilden jeweils die Schluß-Fermate einer Erzählphase, und zwar einmal die eines Unterabschnittes, zweimal sogar die eines Kapitels[62].

Die Bedeutung, welche die Akzentuierung des Gesamtbildes der Stadt Wien hat, offenbart sich vollends wiederum am Schluß eines Kapitels; hier kehrt das Motiv nochmals wieder. Nach dem Hauptereignis innerhalb der Geschichte der Unsrigen – also nach der Spaltung der Gesellschaft in zwei Gruppen – erinnert sich Geyrenhoff „an einstmalige Gänge und Ausflüge in diesen Umgebungen unserer Stadt",

den so oft geschauten entzündeten Lichterhimmel der Stadt dort unten wieder auf's neue bestaunend, mit seinen zahl- und endlosen scharfen und trüben, kranken und zuckenden Sternen ...

Und dann folgt der entscheidende Satz:

Schon jetzt, im Anstiege, bevor wir noch dort oben ankamen, wo unser Blick dann hinausfallen sollte, bis er tief dort unten zwischen den fliehenden Bergrücken des Stromes dunkles Band als Halt erfassen würde – schon jetzt löste sich, unter dem schweigenden und versöhnlichen Eindrange dieser heimatlichen

Umwelt, jene während der letzten Stunde so lebhaft und blank empfundene Widersätzlichkeit und Spannung innerhalb unserer kleinen Gesellschaft für mich bis zu dem Grade auf, daß sie mir unverständlich, fremd und leicht zu vergessen wurde. Ja, und den anderen ging's wohl nicht anders.[63]

Das Ganze der „heimatlichen Umwelt" wird hier als „versöhnlich" begriffen! Eine Grundüberzeugung Heimito von Doderers, die sich darin dokumentiert, wird weiter unten ausgeführt. Vorerst bleibt festzuhalten, daß alle bisher zitierten Abschnitte im Ersten Teil des Romans ihren Platz haben. Die Höhen, von denen aus der Blick auf die Stadt fällt, werden nicht immer genau lokalisiert; gemeint sind – soviel ist klar – die mittleren Hügelrücken oberhalb Döblings.

Der Latisberg oder Cobenzl, der in dieser Gegend gelegen ist, wird erst im Zweiten Teil mit Namen genannt; und hier wird jene zu interpretierende Stelle beiläufig exponiert. Williams und Eulenfeld fahren im Auto dort hinauf; dann heißt es:

Als sie auf der Terrasse saßen (man hat von dort die Stadt wie auf der flachen Hand) . . .[64]

Ebenso im Dritten Teil, im Zusammenhang mit Quapp und Géza von Orkay (die auch an der oben zitierten Stelle auf das Feuer hinabschauen):

Von hier aus konnte man die Stadt dort unten liegen sehen, wie auf der flachen Hand.[65]

Damit ist der Anschluß erreicht:

Von der Terrasse der Meierei beim Schlosse Cobenzl konnte man das Feuer in der Stadt wie auf einer flachen Hand sehen.[66]

Der Cobenzl fungiert in Doderers Roman als archimedischer Punkt der Stadt Wien. Dies besagen beide Bilder, die hier gebraucht werden: das von der „flachen Hand" wie das vom „Dach der Stadt". Beide Bilder werden von Doderer auch bei der Darstellung entscheidender Augenblicke im Leben eines Menschen verwendet, Augenblicke, in denen ein Mensch sich auf dem archimedischen Punkt seiner selbst befindet. Bei Geyrenhoff und bei Melzer gibt es einmal einen Blick ins eigene Leben „wie in eine hohle Hand"[67]. Nachdem Castiletz die Höhe über dem Tunnel erstiegen hat, steht er „wie auf dem Dache seines Lebens"[68]. Bei einem Gang auf dem Kamm eines Höhenzuges an der Raxalpe ist „Melzern so zu Mute, als schritte er wie auf einer Galerie über seinem sonstigen Leben, oder gleichsam auf dessen Dachfirst"[69]. Im Zusammenhang Kakabsas erscheint das Bild nicht unmittelbar als Vergleich mit einem realen Höhepunkt; es heißt: „Hier in der Stille, dem feiertäglich verspäteten Heraufkommen des Getriebes weit voraus [es ist Sonntagmorgen], fühlte er sich gleichsam auf dem Dache des Lebens sitzend, fühlte er sich Herr aller seiner Entschlüsse . . ."[70] In eben diesem Sinn gebraucht Doderer das Bild im Tagebuch zur Bezeichnung des „matinalen

Vorsprungs", der dem Schriftsteller gehöre: „Auf dem Dache des Lebens: so muß der Schriftsteller sitzen am Morgen, ante lucem, und dem Aufgehen des Tages zusehen."[71]

Vom archimedischen Punkt aus gesehen, erscheint jedes Geschehen, ja jede Epoche in ein Continuum eingeordnet. Geyrenhoffs Blick in sein eigenes Leben „wie in eine hohle Hand" zeigt ihm dieses Leben als eine kontinuierliche Fluchtlinie, bildlich vorgestellt als eine „lange Flucht von Zimmern". Gegenüber solcher Linearität ist das Continuum der Stadt Wien, wie es sich vom Cobenzl aus darbietet, kompakter. Die zeitliche Tiefe wie die räumliche Breite werden hier vorgestellt als „See" der Stadt. Das Feuer verschwindet fast in diesem See. Das Geschehen, das aus der Nähe wie ein Weltbrand erscheint, wird durch den Blick aus der Ferne und Höhe zu einer Entzündung („Wimmerl") an einem mächtigen Körper relativiert. Der Maßstab, der hier angelegt wird, antizipiert in gewisser Weise das Bild der Geschichte im Angesicht Gottes; zumindest ist dies seine Verlängerung, es ist ein Maßstab sub specie aeternitatis.

Das heißt präzis: es öffnet sich eine metaphysische Dimension. Dabei handelt es sich um jene schon angedeutete Grundüberzeugung Heimito von Doderers: um die „Vorstellung vom Wesen jedes genius loci":

> daß dieser nämlich nie was anderes darstelle als den Markierer eines Punktes innerhalb einer sozusagen apriorischen Geographie und Topographie vor aller politischen und daß er der letzte gute Grund überhaupt sei, warum irgendwo eine Stadt steht und worauf sie steht.

Daraus folgt für Doderer:

> nie, innerhalb eines und desselben Aeons, hört eine größere Stadt, wenn auch bis auf den Grund zerstört, auf zu existieren, im ganz materiellen Sinne. Die letzten Jahre haben's erwiesen.

In seinem Essay über Österreich, dem diese Zitate entstammen, bestimmt Doderer den Begriff einer solchen „metaphysischen Geographie" noch näher; er nennt sie die „Grundstimmung" einer Stadt, die „schlechthin wie das Schicksal gesonnen" sei. Damit ist das „Gefühl" Geyrenhoffs – beim Blick auf Wien, auf „Ort und Menschen, deren Schicksal man verbunden bleibt" – hinreichend erklärt; ebenso der „schweigende und versöhnliche Eindrang", der davon ausgeht. Und die Erklärung wird bestätigt durch einen Abschnitt wiederum aus jenem Essay, in dem Doderer den Begriff dieser „geheimnisvollen Geographie" an einem konkreten Beispiel veranschaulicht. Er meint den Turm des Domes zu St. Stephan, wenn er sagt:

> Einen ihrer Örter bezeichnet genau an der Grenze von Mitteleuropa jene schlanke Nadel, die, nähert man sich der Stadt Wien von den Höhen, so frisch aus dem Häusermeer springt, wie Einer, der eben erst sich erhoben hat.

„Nähert man sich der Stadt Wien von den Höhen" – Doderer denkt also hier, wie in den DÄMONEN, den Blickpunkt „auf einem der Berge des Wiener Waldes". Nur ist – und damit führt die Betrachtung zu ihrem Ausgangspunkt zurück – an der erörterten Stelle der DÄMONEN der „akzentuierte Punkt" nicht der sinnvolle „Bezugs-Punkt, den die schlanke Nadel des Turmes [von St. Stephan] markiert", sondern der sinnlose Bezugspunkt, den der Brand des Justizpalastes am 15. Juli 1927 bildet. Der Turm von St. Stephan wird hier aus dem Blickfeld verdrängt, er verblaßt vor dem Brand. Jedoch der „Sinn", den er repräsentiert, bleibt erhalten: nämlich als Continuum der Stadt Wien selbst, in deren organischer Ganzheit der Brand des Justizpalastes und mit ihm das Geschehen dieses Tages aufgehoben wird: es bleibt davon „nichts übrig ... als ein trüb rötender und dann und wann flackernder Punkt nahe dem Horizont".

10

Diese Sichtung geschieht also gleichsam sub specie aeternitatis; und so gesehen, läßt sich das Geschehen allerdings und vollends von dem Continuum erster und fundamentaler Wirklichkeit „einkesseln". Jedoch, der einzelne Mensch ist damit hier und jetzt noch keineswegs der realen Konfrontation mit dem Geschehen überhoben.

Eine Erörterung des Freiheitsbegriffes kann hier weiterführen. Freilich wird dieser höchst komplexe und mehrdeutige Begriff im Roman nicht philosophisch diskutiert oder systematisch abgehandelt; er hat vielmehr – wie alles und jedes – seinen spezifisch ästhetischen Ort innerhalb des Roman-Kosmos und wird von daher bestimmt. So ist zu unterscheiden: die Freiheit als Überzeugung, ferner die dichterisch gestaltete und anschaulich vorgeführte Freiheit, schließlich die Freiheit als Strukturprinzip.

Die Freiheit als Überzeugung wird vor allem gegen den Begriff der Masse ausgespielt: „Wer den ,Massen' angehört, hat die Freiheit schon verloren."[10] In dieser Hinsicht ist das Gespräch zwischen dem alten Wagmeister Alois Gach und dem jungen Arbeiter Niki Zdarsa im Wirtshaus ,Zum Storchennest' aufschlußreich. Gegen Gachs Worte zu Gunsten des Sozialismus, dessen Leistungen man bewundern müsse, wendet Zdarsa ein, die Zugehörigkeit zur Gewerkschaft sei ein Zwang, wenngleich kein gesetzlicher; in der Fabrik, in der er arbeite, könne sich keiner halten, der nicht sozialdemokratisch organisiert sei; und er schließt: „Das ist keine Freiheit, sondern Zwang. Wir sind aber doch für die Freiheit gewesen." Gach repliziert:

> Ohne Zwang gibt's keine Freiheit ... Nur muß einer den Zwang selbst machen, dann ist er frei. Wenn Sie zum Beispiel tief genug einsehen würden, daß die Kraft der Arbeiterklasse auf den Gewerkschaften beruht, so wären Sie damit schon freiwillig in Ihrer Gewerkschaft. Ich muß das sagen, obwohl ich kein Sozialist bin.[72]

Zdarsas Erwiderung darauf ist nichts als die Verlängerung von Gachs Gedanken, und damit stößt sie zum Kern der Fragestellung vor:

Was Sie sagen, seh' ich ein, Herr Wagmeister ... Aber wenn das notwendig ist, daß einer eine solche Einsicht hat, damit er dann freiwillig das Richtige tut – ich bitte, da muß ja einer wirklich ein Mensch für sich sein, für sich stehen, oder wie ich da sagen soll. Aber in unserer Parteipresse les' ich alleweil nix anderes als ‚die Masse', ‚die Massen', und immer wieder ‚die Massen'. Das gilt was, das zählt. Ich bin aber doch keine ‚Masse'. I bin a Mensch für mich. Und das bedeut' denen gar nix.[72]

Es ist ein grundsätzlicher Sachverhalt, der hier ausgesprochen wird. Epigrammatisch abgekürzt lautet er: „Das Fundament jedes wahren Sozialismus ist das Nicht-Soziale", das „Ungemeine", die Individualität[73]. Es geht um die „Freiheit der standpunkt-nehmenden Person"[74]. Das heißt: die Freiheit setzt die dezidierte Person (den „Menschen für sich") voraus. Hier wird die Problematik der Menschwerdung aufs neue aktiv, vor allem ihre existentielle Grundlage, die für Doderer in der absoluten Einsamkeit (solitudo) des Menschen besteht. Im Zusammenhang mit Renata Gürtzner-Gontard wird der Sachverhalt allgemein expliziert, nämlich:

daß jeder, der sich noch irgendwie ‚bündisch' macht, sich irgendwo anschließt und dann dazugehört ..., damit die Fähigkeit verliert, den eigentlichen gordischen Knoten der Zeit in der eigenen Brust zu lösen, was an keinem anderen Orte und auch nie im Vereine mit anderen geschehen kann ...[75]

Daran schließt sich eine Vorausdeutung auf die folgenden Jahre an, auf die Jahre totalitärer Herrschaft; es heißt:

daß vom einzelnen bald alles abhängen werde, und daß dieser seinen Ort jedem wie immer gearteten Kollektiv genau gegenüber zu beziehen nun verurteilt sei, für einige Zeit wenigstens: gleichsam ausgespien von seinem Zeitalter, als dessen unentbehrlicher Opponent hingestellt, ein ‚Expositus' in jedem Sinne; aber umgangen konnte diese Lage für ihn nicht werden, höchstens aufgeschoben.[75]

Indessen ist dieser Freiheitsbegriff so weit gefaßt, daß er noch jeden Freiheitswahn in sich beschließt. Als Seinsweise der Person ist die Freiheit der oft „malignen" Subjektivität des Einzelnen überantwortet. Solche negative Variante wird z. B. in einer Szene sichtbar, als Stangeler sich von Grete Siebenschein getrennt hat: „Er fühlte sich befreit und stürmte dahin, ohne daran zu denken, was er zurückließ, und was etwa hinter ihm nun vorgehen mochte. ... Hier schlug ein Egoismus wie rasend um sich, der gleichsam unterhalb seiner selbst einen archimedischen Punkt suchte, um sich aufzuheben. ... Die ‚Freiheit' wedelte ihm vor der Nase herum, und daß es eine recht maligne Freiheit war, dies wurde dem Herrn René nicht sichtig ..."[76]

Allein wie immer: die Freiheit der Person als unmittelbare Folge der Freiheit des Geistes – mag sie gleich von dem oder jenem hier oder dort subjektivistisch mißbraucht werden – ist im ganzen die Grundlage des Menschseins und im besonderen die der Demokratie. So legt es der Buchhändler Fiedler dem Leonhard Kakabsa dar; er bezeichnet die demokratische Freiheit als das „Maß" Europas, das seit der Schlacht von Marathon, „oft überwildert von völlig anderen Zuständen, bis auf den heutigen Tag" fortlebt[74].

Dieser „heutige Tag" ist einer des Jahres 1926. Im Spätsommer desselben Jahres findet das Gespräch im Wirtshaus ‚Zum Storchennest' statt. Es wird einmal unterbrochen durch einen Ausblick auf das folgende Jahr; der Bezug des Gesprächs über Freiheit und Masse zum 15. Juli 1927 wird realisiert, und von daher gewinnt die Unterredung ihre Bedeutung: „es verging weitaus kein Jahr", so heißt es, „und man verleugnete in Wien bereits die Freiheit zum ersten Mal, ja man wollte sie gar nicht mehr kennen"[77].

Vor allem am 15. Juli 1927 wird die Freiheit nicht nur als Überzeugung (einer Figur oder grundsätzlich) ausgesprochen, sondern dichterisch und anschaulich gestaltet. Ein Beispiel dafür ist die Haltung der Anny Gräven. Mehr noch als den Worten des Arbeiters Niki Zdarsa kommt ihrem Beispiel eine erhöhte Bedeutung zu, insofern sie – das Straßenmädchen! – ihrem „Stand" nach durchaus zu jenem „Ruass" gehört, der da mitwirkt, die Freiheit endgültig zu vernichten. Die Gräven „stand mitten im Wirbel und sah zu ... ohne Vergnügen". „Irgendwelche Instinkte kamen bei ihr nicht in Bewegung"[24]; sie wendet sich ab und geht davon. „Es zeigte sich jetzt, daß man diese Hölle hier sehr wohl verlassen konnte, wenn man das wollte, und vor allem, wenn man wirklich unbeteiligt war."[45] Nun, der ganze „Ruass" ist im Grunde unbeteiligt, nur wollen diese „Elemente" die „Hölle" nicht verlassen. So sagt es auch Geyrenhoff: „Ich dachte, daß wohl fast jedermann in der Lage gewesen wäre, jenen Schauplatz dort zu verlassen, so wie ich es getan hatte: wer aber blieb, der wollte doch bleiben, wenn auch vielleicht nicht gerade kämpfen: so hielt ihn doch ein Bezug und Interesse fest."[78] Als die Gräven zu Hause anlangt – „sie wunderte sich ..., wie sie mir nichts dir nichts da hineingeraten, und wie leicht sie wieder heraus gelangt war" –, „empfand sie wirklich so etwas wie Glück"[45].

Dieselbe Freiheit ist der Diwald durchaus gegenwärtig. In ihr erhebt sich die „Möglichkeit zum Protest", als Meisgeier sie zum Weg „unter den Bauch der Stadt" verführt. „Hätte sie bedacht und gewußt, daß es ihre allerletzte war ...: sie hätte dieser Möglichkeit wahrscheinlich Raum gegeben und wäre durch die unterirdische Halle wieder zurückgegangen, davon und an's Licht: was ohne weiteres sie vermocht hätte."[79] Auch diese „unmöglichen Personen"[80], die notwendig zur Vervollständigung der Welt gehören, sind also keineswegs bloße mechanische Funktionen ihrer „Instinkte", sondern Menschen und also durch die Freiheit definiert.

11

Bei alledem wird die Freiheit als positiv begriffen, zumindest als Position (sei es als gegebene oder als gewonnene); man ist „Herr seiner Entschlüsse“[81]. Im Hintergrund aber konstituiert sich bereits das Geschehen, obwohl ursprünglich ein negativer Akt: als Vernichtung der Freiheit wie als Zerstörung des Alltags, seinerseits zu bedrohlicher Position. Und damit schlägt das Verhältnis um: die genuin positive Freiheit wird angesichts der vordrängenden negativen Position des politischen Geschehens zu einer negativen Haltung. Das ist näher zu erläutern.

In einem Gespräch auf dem sogenannten ‚Gründungsfest‘ der Unsrigen werden Frieden und Krieg – wie hier Freiheit und Massengeschehen – miteinander konfrontiert. Auf eine emphatische Äußerung der Hedwig Glöckner: „Man kann nicht genug gegen den Krieg tun und gegen alle diese Dinge!“ antwortet Schlaggenberg in zunächst befremdlicher Dialektik: „Ich verstehe Sie als Frau vollkommen, liebe Gnädige, ... indessen kann etwas rein Negatives, wie die Verhinderung des Krieges, hier noch keine Einstellung bedeuten ...“ Die folgenden Worte Schlaggenbergs gehen im Gespräch unter, „aber dazwischen hörte man noch den Redakteur Holder sagen: ‚aber das ist doch keineswegs etwas rein Negatives, Sie sehen das zu formal ...‘“[82]. Der Einwand ist berechtigt, zumal zum Zeitpunkte der Unterredung die Gefahr eines Weltkrieges nicht unmittelbar besteht. Jedoch von heute aus gesehen, erscheint Schlaggenbergs Sicht bei aller „formalen“ Argumentation historisch gerechtfertigt. Die Positivität des Friedens schlägt angesichts der heranstehenden Position des Krieges in die Negativität um; was auf der einen Seite positiv die Erhaltung des Friedens bedeutet, das heißt auf der anderen – und mit den Jahren immer stärker werdenden – Seite negativ die Verhinderung des Krieges.

Solche Anvisierung des „rückwärts gekehrten Propheten“ ist insofern legitim, als Doderer ja mit der Darstellung des 15. Juli 1927 die Zeitgeschichte des zwanzigsten Jahrhunderts an einer ihrer Ursprungsstellen zu treffen intendiert. Heute nämlich scheint jener Umschlag konsolidiert zu sein. Doderer sagt, die Situation der zwanziger Jahre mit der heutigen vergleichend: „... man war in allem und jedem Herr seiner Entschlüsse – mehr als heute. Man lebte, man wurde nicht gelebt ...“; man war „Subjekt“, nicht bloß „Objekt des Geschehens“[81]. Dasselbe spricht er in seinem Essay über Österreich aus, wenn er die Spaltung von „politischer“ und „eigentlicher“ Geschichte betont. Die „geschehende Geschichte“, so sagt er, „passiert uns, wir sind passiv“; jedoch: „wenn's vorbei ist, hat jeder auf jeden Fall doch wieder was Gescheiteres zu tun, als sich um die ‚Geschichte‘ zu kümmern. Das eigentliche Leben geschieht heute – post tot discrimina rerum! – unglaublicherweise noch immer, ja erst recht, ohne Zusammenhang mit ihr, es geht beinahe trotz ihrer weiter . . .“[8]

Die Darstellung des Lebens „trotz der Geschichte“ – „noch immer, ja erst recht“ – ist mit Ausschließlichkeit das Prinzip der STRUDLHOFSTIEGE. Wenn Doderer in Bezug auf die heutige Situation sagt: „Wir kriegen die Weltgeschichte und dann auf jeden Fall Prügel“, und in Bezug auf die zwanziger Jahre: „Dieses Tiefentwürdigende fehlte damals ganz . . .“[81], so ist dieser letztere Sachverhalt in der STRUDLHOFSTIEGE anschaulich demonstriert. In den DÄMONEN dagegen setzt der Prozeß jener Entwürdigung bereits ein. Zwar gilt auch hier noch der Satz, mit dem Doderer die zwanziger Jahre allgemein kennzeichnet: die Menschen „lebten sich aus, ohne auch nur zu ahnen, was für eine Apokalypse sich ihnen schon bereitete“[81]; aber die „Apokalypse“ ist in dem Hauptereignis des Romans, dem Brand des Wiener Justizpalastes, bereits keimhaft enthalten und auch sonst im Untergrunde gegenwärtig. (Als z. B. die Jüdin Grete Siebenschein von der „höheren Sekurität“ spricht, die diese Zeit vor allen früheren auszeichne, wird dieses Wort von Orkay und Eulenfeld mit einem höllischen Gelächter begleitet.[83])

In der Tat veranschaulicht Doderer jenen Umschlagsprozeß von der Positivität in die Negativität beispielhaft am 15. Juli 1927. Die ursprünglich positive „private Existenz“ des Menschen wird angesichts der ursprünglich negativen Position eines anonymen Massengeschehens zu einer negativen Tatsache. Es handelt sich dabei um eine besondere Art der Negation, nämlich um die Privation, die Beraubung. Das Menschsein wird zu einer „privativen“ Tatsache. Hier bestätigt sich Doderers tiefsinniges Wort über die Zerschlagung der Metapher. Die Metapher „privat“ und also – nach Doderer – ihre konkrete und volle Bedeutung wird (wie die Metapher „Milch und Blut“ in jenem Beispiel) auf den „platten Sockel“ ihrer direkten Begriffsbedeutung „abgeräumt“; die konkrete Fülle wird reduziert, das „nackte Direkte“ hervorgekehrt, der negative Charakter sichtbar. Damit wird noch einmal anschaulich, was in jenem Beispiel formuliert ist: jede „zerschlagene Metapher“ bedeute „in der Tiefe einen Verlust an menschlicher Freiheit“.

Besonders in der Vorwegnahme jenes Umschlags des Menschenbildes besteht die hohe Aktualität des Dodererschen Werkes. Doderer antizipiert die Situation des Menschen innerhalb totalitärer Ordnungen. So gesehen, erweist sich ein mehrfach wiederholter Wunsch der Kritik nach einer „Fortsetzung“ der DÄMONEN als absurd: man wünschte sich, verfolgen zu können, wie es den hier beteiligten Figuren während des Dritten Reiches ergangen sei. Abgesehen davon, daß solche Fragestellung den Roman zum bloßen historiographischen Kompendium (das er zweifellos auch ist, aber eben nur auch) degradiert und so seine mit der Fiktion schon gegebene Symbolik mißachtet; abgesehen ferner davon, daß sie die formale Geschlossenheit eben der Fiktion übersieht, die – mag sie gleich die „offene" Form des totalen Romans sein – schlechthin eine „Fortsetzung" ausschließt; abgesehen von alledem enthält der Roman bereits diese gewünschte „Fortsetzung". Und von daher erst ist es berechtigt zu sagen, Doderer demonstriere wesentlich und exemplarisch am 15. Juli 1927 die Zeitgeschichte des 20. Jahrhunderts. „Exemplum docet, exempla obscurant."[84]

12

Der Verlust der Freiheit war bei der anfänglichen Konzeption als Finalisierungspunkt des Romans gedacht, und zwar in einem ganz wesentlichen Sinn. Die „fallende Tendenz", welcher der Roman in seinem Ablauf folgen sollte, hätte auf ein „fixiertes Differential" der Wirklichkeit geführt. Die Konstellation von Mensch und Geschichte, die stets ein schwebendes Verhältnis darstellt, wäre durch den Überdruck eines politischen Geschehens fixiert oder angehalten worden. Jedes Anhalten der Wirklichkeit aber bedeutet den Tod, im negativen wie im positiven Sinn: als Aufhören oder als Vollendung eines Lebens. Ein Beispiel für den letzteren Fall ist der Tod des Conrad Castiletz im MORD; ein Beispiel für den ersteren Fall wären die DÄMONEN geworden. Solche Finalisierung ist endgültig: die Welt eines Romans gerät auf einen absoluten Endpunkt.

Doderer hat die konsequente Finalisierung der DÄMONEN relativiert (das ist nebenbei der grundsätzliche Unterschied gegenüber dem MORD und auch dem UMWEG). Davon war schon bei der Erörterung des totalen Romans die Rede. Wären nämlich die DÄMONEN gemäß der ursprünglichen thematischen Konzeption durchgeführt worden, so hätten sie sich ohne viel Zwang auf den Schematismus einer logischen Antithetik zwischen erster und zweiter Wirklichkeit reduzieren lassen und wären deshalb selbst ein Zwang gewesen, der die Wirklichkeit als ganze vergewaltigt hätte.

So aber, indem jede Art von Thematik als Teilbereich einer Figur dem Continuum des Ganzen unter- und eingeordnet ist, so ist die Basis des Romans viel tiefer angelegt und befestigt. Es ist die Substruktion des totalen Romans. Dessen Devise lautet: die Wirklichkeit als ganze. Und das Instrument ist die „Handlung" im weitesten und vielfältigsten Sinn, mit deren Hilfe es nämlich gelingt, „die Gesinnung des Lebens nicht nur zu vertreten, sondern breitschlagend zum Durchbruche zu bringen"[85]. Leben besteht darin, „die Gegensätze in der Schwebe zu halten". Das bedeutet in diesem Zusammenhang: die Antithetik von Menschsein und Geschichte, die schon zum Schematismus auszuarten drohte, wird übersprungen. Hier wird das Prinzip der Doderersdien Wirklichkeitsgestaltung, als die andere Seite des „totalen Romans", in der Tiefe sichtbar.

Als ein Heurisma antizipiert Doderer eine Art „dialektischer Wirklichkeit“[86], die sowohl die erste Wirklichkeit wie alle zweiten Wirklichkeiten umgreift und noch deren Wechselspiel in sich aufhebt. Das heißt: die Darstellungsform ist die Ambivalenz. Freiheit und Masse, Alltag und Geschehen, Menschsein und Geschichte werden miteinander konfrontiert; auf eine endgültige Entscheidung (die metaphysisch und sub specie aeternitatis sehr wohl möglich ist) wird verzichtet. Stets wandert der Akzent, nie wird er fixiert. So ist es nicht zu entscheiden und bleibt unentschieden, ob Doderer dem Geschehen als Position die Welt des Alltags in einem Akt der Negierung (Defensive) kontrapunktisch entgegensetzt, oder umgekehrt der Position des Alltags die Negation (Offensive) des Geschehens. Im ersten Fall müßte das Gesamtbild als Flucht vor den Dämonen bezeichnet werden, im zweiten als gestörter Alltag. Beide Aspekte aber, absolut gesetzt, sind falsch. Denn gleichermaßen gestaltet Doderer die fortschreitende Minderung der Wirklichkeit durch die Geschichte wie die Mehrung der Wirklichkeit durch die jeweilige private Existenz.

Bezeichnenderweise setzt gerade der Druck der Geschichte in vielen Fällen die personale Existenz eines Menschen frei. Doch wenn der 15. Juli 1927 insofern für die oder jene Figur zur Epoche wird, so hat das mit der politischen Geschichte schon nichts mehr zu tun. Es sind vielmehr lebensgemäße Nebenwirkungen, die keineswegs in der Richtung und Tendenz der „Geschichte“ liegen. Sie vollziehen sich analog einem Gesetz, das zu Beginn des Romans beiläufig formuliert wird, nämlich:

> Jahrzeitwechsel sind kein kollektives Erlebnis – wie es dem gemeinen Verstande für's erste scheinen möchte – sie bilden vielmehr einen für jeden und jedesmal ganz anders gestalteten Baustein in jeder Biographie.[87]

Ganz ebenso wird der „historische Gezeitenwechsel“[88] – in Beziehung gesetzt zu den verschiedensten Figuren – jeweils zu einem individuellen Baustein in einer Biographie.

Konkret stellt sich das folgendermaßen dar: Die „ausnahmehafte“ Situation beschleunigt persönliche Entwicklungen; was längst bereit liegt, schießt zu Kristall. So ergibt sich „bei brennendem Justizpalaste“ die Verlobung zwischen Géza von Orkay und Quapp; so finden Kakabsa und Mary K. zusammen; ebenso Geyrenhoff und Friederike Ruthmayr; auch Stangelers Verhältnis zu Grete wird mit einem letzten Schub konsolidiert.

Auf diese Weise wird das Geschehen von den verschiedensten Seiten her aus der Anonymität gerissen und in einzelnen Aspekten von einzelnen Figuren in ihr Leben einbezogen. Wie es auf der negativen Seite den Charakter des Menschen und seine „Instinkte“ frei setzt (all die sinnlosen Aktionen im „Bad der Masse“ rühren allein daher), so offenbart es auf der positiven Seite die Freiheit der Person. Allerdings ist diese Freiheit schmerzlich genug erkauft (doch verleiht ihr nicht das allein ihren Wert?); denn ihre Erfahrung führt über die der existentiellen Einsamkeit des Menschen, die wiederum mit der Machtlosigkeit des Einzelnen gegenüber der „Geschichte“ zu Tage tritt. Hier wird die Ambivalenz in aller Schärfe deutlich: die Positivität der Existenz scheint der Negation durch die „Geschichte“ zu bedürfen, um freigelegt zu werden; im Augenblick ihrer Befreiung aber erscheint sie schon als Privation.

Die Ambivalenz erweist sich wiederum als konstitutiv bei der Finalisierung einzelner Handlungsstränge durch die Ehe. Es ist freilich eine bekannte Tatsache, daß, unter dem Druck historischer Ereignisse, die Macht der persönlichen Beziehungen – wie die Person selbst – bloßgelegt wird, schon psychologisch als Gegengewicht gegen die „Geschichte“. Die Bedeutung des Sachverhalts liegt allerdings tiefer, als ein Psychologismus reicht. Denn die Liebesbeziehung ist eine existentielle Relation und also ein Vehikel zur Befestigung erster und höchster Wirklichkeit. Wie der Amtsrat Zihal durch personale Beziehung zum Du von seinen Dämonen befreit wird, so bedeutet hier die Ehe einen individuellen Sieg über die Dämonen der „Geschichte“. Indessen ist nicht nur diese eine Seite hervorzukehren; die andere ist deutlich genug, wenn Geyrenhoff in Bezug auf die verschiedenen Verheiratungen von einem „Platzregen von Banalitäten“ spricht, und wenn er bei seiner Verlobung im Angesicht des brennenden Justizpalastes sagt: „Wir blieben uns des Unpassenden dieses Festes ebenso bewußt, wie der Fülle von Anlaß, welche für uns dazu bestand.“[89] Gegen den „strichzarten Geruch des Kampfers“, der ein Symbol für das Private darstellt (davon wird noch zu sprechen sein), steht der „unversöhnliche Geruch des Brandes“[89]. Die Ambivalenz bleibt also bestehen und wird nicht zu Gunsten nur einer Seite entschieden[90].

Erst durch das heuristische Prinzip der „dialektischen Wirklichkeit“ wird die Ambivalenz zu einer lebensgemäßen. Sie wäre ein Schematismus, solange sich erste und zweite Wirklichkeit als fixe Pole gegenüberstehen. Da aber das schwankende Differential der Wirklichkeit niemals angehalten wird, da erste und zweite Wirklichkeit, obwohl wesenhaft voneinander geschieden, ohne weiteres ineinander überzugehen vermögen, deshalb werden die Repräsentanten des Alltags nicht in die Rolle von Tugendbolden und vorbildlichen Gestalten gezwängt, die ein für allemal die erste Wirklichkeit verbürgen (welche Rolle so mancher „malignen“ Figur durchaus unangemessen wäre). Gleichwohl repräsentieren die einzelnen Figuren in ihrer Alltagswelt – jede für sich und auf ihre Weise – wenn schon nicht in jedem Fall die Stützpunkte erster Wirklichkeit, so doch die Vielfalt und Freiheit und damit das Fundament einer Welt (wobei dem Begriff der Freiheit seine Doppeldeutigkeit – positiv als Autonomie, negativ als Bindungslosigkeit – zu belassen ist). Und so gesehen, erweist sich das heuristische Prinzip der „dialektischen Wirklichkeit“ in der Tiefe mit dem Prinzip der Freiheit identisch.

Daß die Freiheit des Einzelnen, wie schon vermerkt, oft nur eine „maligne" ist, ein Wahn, ein falscher Schein, – das ist eine ebenso schmerzliche wie lebensgemäße Gewißheit. In diesem Sinn ist das Motto des Romans nach Tacitus zu verstehen: „Malignitati falsa species libertatis inest." Es ist ein prinzipieller Sachverhalt, der hier ausgesprochen wird, und keine wie immer geartete moralische Formel. Denn Doderer ist sich sehr wohl bewußt, daß eine Definition der Freiheit und die Forderung nach ihrer Erfüllung ein Anhalten der Wirklichkeit bedeuten würde, und daß die erste und höchste Wirklichkeit, begrifflich fixiert, schlagartig in eine zweite Wirklichkeit sich verwandeln müßte: aus der Seinsanschauung würde eine Sollvorstellung. Denn die logisch demonstrierbare Freiheit ist ein ideologischer Wahn, Dämonie unter dem Namen „Freiheitsideal". Die Freiheit erst ohne angebbaren logischen Grund – das ist die Freiheit mit existentiellem Grund.

Demgemäß übt Doderer eine strenge Begriffsenthaltung gegenüber den Grundgegebenheiten, die Leben und Wirklichkeit konstituieren. Auf die Frage, „was denn heute noch wirkliches Leben sei", antwortet er „metaphorisch und per exclusionem" mit der Definition: „Leben ist heute aller Wahrscheinlichkeit nach immer nur das, was durch Namensnennung in keiner Weise strapaziert wird."[91] Solcher Verzicht hat mit Resignation nichts zu tun; er mündet auch keineswegs in die skeptische „epoché", die im Bewußtsein, ihren Gegenstand nicht zu treffen, ihn erst gar nicht benennt. Vielmehr ist solche Haltung ganz im Gegenteil die Voraussetzung und der äußerste Ansporn dafür, die Fülle und Konkretheit begrifflich unbenennbaren Lebens gestalthaft zum Durchbruch zu bringen. Hier wird eine der wichtigsten Thesen Heimito von Doderers realisiert: daß es nämlich nicht darauf ankommt, „denkensgemäß zu leben", sondern „lebensgemäß zu denken"[92]. Und hier praktiziert Doderer die „Wissenschaft vom Leben, die als anerkannte Disziplin nicht existiert, es sei denn bei den Romanschreibern . . ."[93].

Diese „Wissenschaft vom Leben" ist eine dialektische weit höheren Grades als jede andere Disziplin. Ihr heuristisches Prinzip ist die „dialektische Wirklichkeit", ihre Darstellungsweise ist die Form im ästhetischen Sinn. Ihr „System" artikuliert sich weder ideell noch logisch (was beides gefährlich in die Nähe des Ideologischen rückt), sondern ästhetisch-formal. Ihre Glieder sind nicht Ideen oder Gedanken, sondern Wirklichkeitspartikel, Anatomien des Augenblicks. Die Verknüpfung ihrer Glieder geschieht durch formale Anordnung, durch ästhetische – und das heißt immer schon: symbolische – Bezüge. Ihr Wahrheitskriterium aber ist im einzelnen wie im ganzen die Wirklichkeit. Ja, in der Wirklichkeitsgestaltung erst kann sich die Form realisieren. Damit schließt sich der Kreis, und man kann sagen: die „dialektische Wirklichkeit", die es realiter gar nicht gibt, ist nichts anderes als die Form selbst: es gibt sie nicht außer im Roman.

Alle diese Prinzipien werden besonders bei der Darstellung des 15. Juli 1927 anschaulich. Hätte Doderer hier seine Überzeugung monographisch walten lassen, so wäre er nichts Besseres als ein Ideologe oder Doktrinär. Auch wäre es ihm kaum anders ergangen, hätte er den ganzen Roman als fingierte Chronik durchgeführt; denn der Chronist, dem neben der mehr oder weniger objektiven Betrachtung auch die Rolle der Deutung zukommt, ist ja als ein Ich genötigt, Überzeugungen auszusprechen, gerade dadurch jedoch seine Objektivität wiederum zu relativieren. So aber, durch die polygraphische Darstellung und allseitige Anvisierung, ist erst ein objektives und gültiges Bild möglich, weil es als Gesamtbild von keinem einzelnen Betrachter, der etwa die Perspektive einnimmt, mehr abhängt.

In der Tat entsteht hier ein Gesamtbild: neben der direkten Auseinandersetzung einzelner Figuren mit dem Geschehen (so vor allem Geyrenhoff, Kakabsa, auch Anny Gräven) steht die indirekte Konfrontation (so die Situation bei Küffers in Döbling, Neuberg, Quapp u. a.). Die Komplexität des Lebens als seine „Gesinnung“ ist es, die damit „breitschlagend zum Durchbruch gebracht“ wird. Und sie ist wahrhaftig eine complexio oppositorum; das Disparateste steht nebeneinander; es läßt sich keine Formel finden, die das Ganze dieser Welt mit einem Wort begreift; es gibt keine „Idee“ des Ganzen, wie sie ja klassischer Dichtung allgemein zu Grunde zu liegen scheint. Vielmehr handelt es sich hier um ein genuin dichterisches Bild, das sich formal, und nicht ideell artikuliert.

An die Stelle der ideellen Sinngebung tritt die formale Sinn-Konstitution. Der Verzicht auf „Sinngebung“ hat insofern einen hohen Wert, als dadurch das Sinnlose bei seinem Begriff erhalten wird. In Doderers REPERTORIUM heißt es: „Sinngebung erfolgt vielfach, weil man zu wehleidig ist, das Sinnlose bei seinem Begriffe zu belassen. Ein ganzes Netz von Sinngebungen dient uns am Ende, die Schrecklichkeiten des Lebens zu verschleiern.“[94] Und im Gespräch äußerte er einmal: „Das Sinnlose per se im Roman zur Darstellung zu bringen, ist deshalb so schwer, weil es, kaum eingeführt, sogleich an Sinn-Örter springt.“ Der „Sinn“ aber, den die Form schafft, ist nicht ideell präokkupiert, sondern umgreift noch das Sinnlose. Freilich hat das Sinnlose seinen Ort im Ganzen des Kunstwerks; dieser Ort aber ist von der Form bestimmt, nicht von einer Idee. Zum andern bleibt die Gefahr bestehen, daß der „Form-Ort“ zum „Sinn-Ort“ wird und daß sich also die Sinnlosigkeit (die ja für das Leben nicht minder konstitutiv ist als der Sinn) verflüchtigt. Dennoch gibt es ein stichhaltiges Unterscheidungsmerkmal zwischen ideeller Sinngebung und formaler Sinn-Konstitution: jener „Sinn“ läßt sich auf eine Formel reduzieren, dieser ist prinzipiell unbenennbar, er läßt sich nicht anders artikulieren als durch das dichterische Bild.

11. KAPITEL

FRAU MAYRINKER

1

Ein solches dichterisches Bild sei zuletzt herausgegriffen und als ein Beispiel näher betrachtet. Es ist ein für Doderers Technik repräsentatives Beispiel, nämlich eine durchaus realistisch erzählte banale Szene, die zuerst und zuletzt nichts als sich selbst meint, die aber inzwischen einerseits durch ihre Tiefendimension sowie durch den Zusammenhang, in dem sie steht, andererseits durch den Vorgang, der in ihr erzählt wird, und schließlich durch die Dialektik des Vorgangs eine exemplarische Bedeutung gewinnt. Gemeint ist die Episode, in der Frau Mayrinker beim Einsieden von Beerenobst – im Haus ‚Zum blauen Einhorn', am 15. Juli 1927 – von einem Feuer in ihrer Küche überrascht wird, das sie trotz seiner relativen Größe zu löschen vermag.

Zunächst gilt es die Szenerie vorzustellen. Es wurde bereits gesagt, daß Doderer nach Art der symphonischen Technik mit jedem neuen Roman-Teil („Satz") neue Handlungskreise („Themen" im musikalischen Sinn) einführt. Der letzte dieser Handlungskreise der DÄMONEN, eingeführt im Dritten Teil, ist das Haus ‚Zum blauen Einhorn': nach dem gleichnamigen Kapitel (III 3) gehören die Einschübe NACHTBUCH DER KAPS I und II (III 5 und III 10) in diesen Zusammenhang, ferner zwei Unterabschnitte des Kapitels KURZE KURVEN II (III 9) und wiederum zwei Passagen in dem Kapitel DAS FEUER (III 11).

Es ist eine belebte lange und breite Straße, vom Stadtzentrum gerade herausführend; an einer bestimmten Stelle biegen aus ihr die Straßenbahnschienen weg, welche da bisher liefen: und nun, von der anderen Seite der Kreuzung an, ist es nur eine Gasse. Man bemerkt nach hundert Schritten, die man noch zwischen gleichhinlaufenden hohen Fronten tat, daß da und dort die Häuser vor- oder einspringen; auch sinkt plötzlich die eine Gassenseite herab bis auf eines oder zwei Stockwerke. Hier steht das Haus ‚Zum blauen Einhorn'.[1]

„Tief donauwärts sind wir geraten", so heißt es noch in dieser Lokalbeschreibung, und:

Das Ganze ist jedoch sozusagen etliche Meter nur breit. Es ist wie ein kleiner Bissen, wie ein paar Krumen bloß, die schon in einem riesigen Rachen verschwinden.[1]

Schließlich folgt eine Deutung:

Kein Mensch kann sagen, wo dieser alte Stadt-Teil wirklich anfängt oder aufhört. So wenig wir das von unseren eigenen Befangenheiten sagen könnten. Es ist auch diese schmale Umwelt hier nur eine Befangenheit, in die man gerät, und vielleicht sind die kleinen alten Häuser gar nicht immer da, vielmehr auch geht man manchmal zwischen ihnen hindurch, ohne sie zu bemerken. Sie sind ein Zustand, einer, in den wir verfallen, der sich nur durch das seltene gleichzeitige Zusammenwirken vieler verschiedener Komponenten einstellt, so, als ob einem gelungen wäre, etwas noch einmal zu träumen, was man einmal schon geträumt hat. In solcher Art begegnet dies von Zeit zu Zeit hier wieder, und es mögen lange Abstände dazwischen sein.[1]

Eine Stelle aus Doderers Tagebuch ist hier aufschlußreich; Doderer schreibt einmal: „Das Gräßliche glitzert im Traum, und in ihm kehren wir zurück zu früheren Träumen; es gibt auch hier Kontinuität, eine zweite, rückwärtige Biographie."[2] Das Haus ‚Zum blauen Einhorn' nämlich, das eine traum-artige Existenz führt, mag auch im übertragenen Sinn eine „rückwärtige Biographie" haben; eine solche durchaus im wörtlichen Verstande hat wenigstens seine Bewohnerin Anna Kapsreiter.

Die Kaps, wie sie auch genannt wird, ist eine deutlich exponierte Figur; sie wird mit anderen, ebensolchen Exponenten im Roman selbst verglichen: „Es gibt in jedem Stande Leute, die aus ihm herausfallen, sei's die Treppe hinauf, sei's die Treppe hinunter. Es gibt Hocharistokraten [gemeint ist der Prinz Croix], die Bibliothekare züchten [gemeint ist Kakabsa] oder überragende Erkenntnistheoretiker sind. Es gibt Industrieproletarier mit geistesgeschichtlichen Wendepunkten [gemeint ist wiederum Kakabsa]. Es gibt Buchbinder mit genialischen Aspekten: man denke nur an Hirschkron aus dem ‚Café Kaunitz'. Es gibt Kleinbürger mit Weite des Herzens und großartiger Humanität. Ein solcher Fall war die Frau Anna Kapsreiter."[3]

Während bei Kakabsa der Geist als „Gegen-Gesinnung" gegen die Dummheit auftritt, besteht Hirschkrons „Möglichkeit zum Geiste" in seiner – wörtlich und positiv verstandenen – „Gesinnungslosigkeit" („Die Gaben des Geistes müssen aus solcher Gesinnungslosigkeit gereicht werden, wie sie Hirschkron eignete"[4]). In ähnlicher Weise wird Frau Kapsreiter charakterisiert. Nach einem Gespräch mit der jungen Licea (d. i. Renata Gürtzner-Gontard) heißt es:

Ihr Sprechen war ... kaum eine Ansprache, eine Mitteilung zu nennen. Sie dachte einfach laut, oder eigentlich halblaut. Sie öffnete einen Schuber und ließ sehen, was in ihr vorging. Licea sah gern da hinein. Man erblickte keine Grundsätze, keine Forderungen, keine moralischen Wurfgeschosse, keine Belehrungen. Man schaute in eine weitgehende Unabhängigkeit, die sich auf nichts berief, auf niemand stützte.[5]

Jedoch nicht deshalb wird die Kapsreiter hier besonders betrachtet, sondern weil sie ein Organ der Stadt ist, das in der Tiefe der Stadt wurzelt, ja das mit der Tiefe der Stadt im Grund identisch ist. Wenn Doderer im Tagebuch einmal sagt: „Die Menschen staken früher viel tiefer in ihrem Grunde, dem Lebensgrunde, dem Nähr-Grunde, dem Myzelium ..."[6], so ist damit schon der Fall Kapsreiter beschrieben. Ihr „Lebensgrund" ist das Haus ‚Zum blauen Einhorn':

Mit dem Nachmittag war auch das Haus ‚Zum blauen Einhorn' gleichsam tiefer in die Stadt eingesunken und in diese alten Gründe hier, als senke sich der Grundmorast jahrhundertelangen städtischen Lebens ein wenig unter den Mauern, und diese sänken mit ihm. Aus dem Erdboden, aus Kellerräumen, aus uralten Hausgängen trat im herankommenden Abend der genius loci auf die Straße, wie in einer verfrühten Geisterstunde ...[7]

Und diesen „Lebensgrund" spürt Licea, wenn die Kapsreiter spricht:

Dabei war es für Licea, mochte dies Gehörte auch simpel, ja, banal sein, jedesmal ein Blick tief hinab, ja, wie aus sich öffnenden Unter-Fenstern des Lebens in eine noch größere Tiefe, über der das Leben schwamm als eine Arche Noah, oder irgendwie schwebte; und wenn Frau Anna sprach, sah man gleichsam unten beim Bauch heraus.[5]

Die Existenz der Kapsreiter und der genius loci ihres Stadtteils bleiben nicht getrennt. Die Kapsreiter steckt nicht nur in ihrem Lebensgrunde, sie lebt nicht nur aus ihm heraus, sie spricht auch aus ihm: als der Mund des schweigenden genius loci. Sie führt nämlich ein Tagebuch, das eigentlich ein „Nachtbuch" ist und nur bei Tage niedergeschrieben wird: „Es enthielt sämtliche Träume der Frau Kapsreiter, aber aus ihrem wachen Leben nichts." So entstehen – und hier fällt das Stichwort – „geschlossen durch Jahre fortlaufende Aufzeichnungen einer zweiten Existenz, die außerhalb derselben gemacht wurden, nämlich morgens"[8]. Es ist die oben berührte „rückwärtige Biographie".

2

Mit dem Nachtbuch der Kaps wird die dämonische Dimension des Werkes vollends erschlossen; es bildet die metaphorische „Summe", das Sammelbecken oder den geometrischen Ort aller Dämonie des Romans. Hier gibt es wiederum den Bildkreis „dort unten", der aus dem Komplex Herzka bekannt ist; hier erscheint nochmals die Metaphorik, die mit Meisgeier und dem Octopus gegeben ist; hier wird schließlich der Brand des Justizpalastes prophezeit. Wie die Kapsreiter selbst eine „rückwärtige Biographie" hat, so bedeutet ihre Traumwelt gleichsam einen „rückwärtigen Naturalismus": die konstitutive Rückseite eines Romans, der sich Die Dämonen nennt. Das ist im einzelnen näher auszuführen.

Die Träume der Kapsreiter sind eine kontinuierliche Folge; so sagt sie es selbst: „Wenn ich mich abends zurückleg', ... dann ist ... die vorige Nacht wieder da. Es geht auch weiter ..."[9] Das Grunderlebnis ist immer wieder die Erfahrung und das Bewußtsein, „tief unten" zu leben. Tief

UNTEN – das ist der Titel, unter dem Huysmans' Roman LÀ-BAS in Deutschland bekannt wurde. Die Kaps sagt: „Es ist auch eine schlechte Gegend hier, so tief an der Donau, und ich wohn' doch nur im ersten Stock"[10]; oder: „Oft bin ich so bedrückt hier in dieser Gegend und denke, warum so tief wohnen, fast schon an der Donau, da kann das alles viel eher an unsereinen heran. Viele Leute wohnen heller ..."[11] So sehnt sie sich zuweilen nach der Höhe: „Ich weiß schon, daß ich in einer engen Gasse wohn', und daß jetzt die großen Häuser gebaut werden, dort wo es sehr hell und immer windig ist, siehst den Hermannskogel oder den Cobenzl ..."[12]

Es ist ein besonderer Effekt, daß hier der Cobenzl, der eine so wichtige Funktion im Roman hat, erwähnt wird: er bildet das symmetrische Pendant zur Unterwelt der Stadt; Höhe und Tiefe schaffen hier gewissermaßen eine senkrechte Achse durch die verschiedenen Dimensionen des Romans.

Mag die Kapsreiter zuweilen über die Tiefe klagen und sich nach der Höhe sehnen, – im Grunde wundert sie sich: „Ich hab' mich oft gewundert, daß ich so tief unten leben muß und auch da geboren bin und nicht an den hellen und trockenen Leiten oben, wie am Leopoldsberg zum Beispiel ..."[12] Schließlich bekennt sie sich zu ihrem Stadtteil: „Die Gassen hier ist schon meine Gassn, und muß ich zufrieden sein."[12]

In ihren Träumen sinkt sie noch unter die Oberfläche dieser Tiefe hinab: in „feuchte" oder „nasse" „Kavernen" („das Wort hab' ich immer so geträumt"[10]). Das ist eine Anspielung sowohl auf Herzkas Kavernen von Neudegg wie auf die Kanalisations-Anlagen, in die Meisgeier sich begibt, und auch auf das Ereignis in der brasilianischen Hafenstadt: die Kavernen sind durch „Kanalgitter" von der Oberwelt getrennt.

In den Kavernen haust der Kubitschek, ein dämonisches Wesen, das in verschiedenen Gestalten erscheint. Einmal ist es ein kleines kastenförmiges Gebilde aus Holz, das wie eine Spinne an der Zimmerdecke sitzt, mit Drahtarmen festgekrallt; dann wieder ist es ein riesengroßes polypenartiges Geschöpf, das aus dem Schlamm mit Fangarmen heraufgreift. Wegen seiner kubusförmigen Gestalt wird es von der Kaps auch „der Kubi" genannt; denn nur in dieser Form denkt und behält sie das Wort Kubus. Indessen assoziiert Doderer bei dieser Namengebung sicherlich auch die dämonischen Wesen Sukkubus und Inkubus.

Die Kapsreiter kennt den Kubitschek oder Kubi nur im Traum[13]. Die Traumgestalt setzt sich jedoch nicht nur aus ihren Visionen, sondern auch aus Materialien ihres Alltags sowie aus Bildvorstellungen des ganzen Romans zusammen.

Zunächst hat der Kubitschek einzelne Züge mit ihrem Bruder Mathias Csmarits gemeinsam. Diesen charakterisiert sie im Gespräch mit Renata:

er habe einen „viereckigen Kopf“, „wie ein Kastel“, sei deshalb stets „der Quadratschädel“ genannt worden, ja man habe einmal von ihm gesagt: „Das ist der Quadratschädel gesteigert zum Kubi ...“ Seine „komische Nasen“ kommt ihr „wie ein eckiger Henkel an dem Kastel“ vor, oder „wie ein krumm eingeschlagener Nagel“[14]. Ebenso beschreibt sie den Kubitschek des Traumes: „... fast viereckig, wie ein Kastl, mit der krummen Nasen wie ein Papagei mitten im Gesicht ...“[15] Außerdem haben beide nur ein Auge: Csmarits hat im Krieg ein Auge verloren (seitdem „reißt er das andere oft ganz groß auf“[14]); der Kubi hat „rückwärts ein rotes Auge“[13]. Wichtiger ist ein anderer Vergleichspunkt: wie sich die Kaps im Wachen darüber Sorgen macht, daß ihr Bruder ihren (und seinen) Neffen, den kleinen Pepi Grössing, überallhin mitnimmt – auch ins Wirtshaus, und zwar vor allem „dort unten“ in Schattendorf –, so erlebt sie im Traum immer wieder die Angst, daß der Kubitschek ihr das Kind nach „dort unten“ in die Kavernen entführen wolle. Und tatsächlich kommt ja der kleine Krächzi, wie sie ihn nennt, zusammen mit seinem Onkel bei den Schießereien in Schattendorf ums Leben: er wird ein Opfer des Dämons politischer Ideologien.

Csmarits gibt indessen nur die Folie für den Kubitschek ab. Dessen Wesen und Gestalt leiten sich auch von anderen Erlebnissen der Kaps her. So befindet sich in ihrem Vorzimmer ein „Kastel“ für die Batterie der Türklingel, mit dem sie die Physiognomie ihres Bruders vergleicht und das zugleich eine weitere Vorlage für den Kubi darstellt. Sie sagt (wiederum zu Renata): „Vorn ist ein Nagel eingeschlagen und umgebogen, damit man das Türl aufmachen kann. Das ganze schaut aus wie der Mathias.“[16] Aus dem „Kastel“ stehen nach allen Seiten Drahtenden weg „wie die gesträubten Haare“[16]. Dementsprechend hat der Kubi „viele Arme“, „zäh wie Draht“[17], ja „Draht-Armeln“[11]; „er wickelt ihn [Krächzi] ganz in seine Drahtarme ein“[17]. Wie das „Kastel“ „ganz oben beim Plafond festgemacht“ ist[14], so sitzt der Kubi zuweilen „oben in meinem Zimmer grad dort ..., wo der Plafond mit der Wand zusammenstößt ...“[15].

Dieses Motiv ist vor allem aus der Geschichte Geyrenhoffs bekannt: die Charagiel, die ihn in seiner Jugend durch einen „bösen Blick“ fürs ganze Leben tief verstört hat, streckt ihre „Fühler“ gegen ihn vor, und zwar aus der „oberen Kahlheit des Raumes, wohin man ja nicht eben häufig schaut, dort wo Zimmerdecke und Wand zusammenstoßen“[18].

Zu Geyrenhoff besteht noch ein weiterer Bezug. Die Kapsreiter, die bereits im Gespräch mit Renata das „Kastel“, aus dem sich die Drahtenden wegsträuben, mit einer Spinne vergleicht[16], träumt dann, daß der Kubi oben in der Zimmerdecke sitzt, „seine Arme nach allen Seiten auseinander gespreizt hat, und dort klebt, wie eine Spinne, die sich festhält“[15]. Dasselbe Bild erscheint, als Geyrenhoff sich einmal – wiederum beim Blick in die „obere Kahlheit des Raumes“ – an einen Kindheitstraum erinnert: in einer von zahllosen Kammern „... mußte – etwa so wie der Minotaurus in einem der Gänge des Labyrinths auf Kreta! – ein Geschöpf hausen, das wie eine mächtige Spinne an der Decke oben saß, grad wo diese mit der Wand zusammen stieß. Das Geschöpf bestand jedoch aus Holz und Drähten.“ Bei dieser Erinnerung wird Geyrenhoff „mehr und mehr so zumute, als hätte mich etwas ganz Fremdes betreten, was durchaus nicht von mir her kam, und also gar keine Kindheitserinnerung sein konnte. Ein Fremd-Gang. ...“[19]

Das Bild der Spinne findet sich auch bei der Charakteristik Meisgeiers. Anny Gräven beobachtet ihn als Fassadenkletterer: „Schon kam er herab: wie eine zuckende Spinne an der Mauer klebend“[20], und die Stelle unmittelbar vor seinem Tod unterhalb des Kanalgitters schließt hier an: „Wie eine Spinne klebte das Scheusal oben an der Sprosse.“[21]

In diesen Zusammenhang gehört schließlich der Octopus; er bildet das tertium comparationis zwischen Meisgeier und dem Kubitschek. Von ihm hat Frau Kapsreiter in einer „Romanzeitung“ gelesen; er dringt in ihre Traumwelt ein; mit ihm erst wird das Bild des Kubitschek vollständig.

Der Inhalt des abenteuerlichen Zeitungsberichts wird nicht im Zusammenhang der Kaps expliziert. Hier ist lediglich davon die Rede, daß sie regelmäßig sogenannte Romanzeitungen lese und dabei auch von den „Schreckenstagen einer Stadt in Brasilien“ erfahren habe, „in deren Kanalnetz riesige Polypen eingedrungen waren“[8]. Es ist nur eine Andeutung; der ganze Komplex ist nämlich an dieser Stelle im Roman bereits bekannt, und zwar aus dem Gespräch zwischen Williams und Stangeler. Stangeler erinnert sich hier an eine Romanzeitung, die er einmal in einer Tabak-Trafik in der Liechtensteinstraße ausgehängt gefunden hat; darin habe ein Artikel über „große ‚Geierkraken‘“ gestanden, „die eine mittelbrasilianische Stadt ‚unterwandert‘ haben, obwohl ganz fern vom Meer ... Fangarme schossen oft plötzlich aus den Kanalgittern ...“ Er erzählt Williams davon; es sei auch eine „tolle Zeichnung“ dabei gewesen: „Da hat man Leute gesehen, die mit Messern herbeilaufen, und sogar eine Frau mit einer großen Schere.“ Das Blatt sei von mehreren Personen verlangt worden: „drei oder vier alte Frauen waren es, glaub’ ich“. Unter diesen ist – ohne Namensnennung – Frau Kapsreiter[22]!

Dies besagt auch die Art, wie Stangeler sich erinnert. Das Bild der Romanzeitung taucht nicht unmittelbar in seinem Bewußtsein auf; er wird vielmehr über die Erinnerung an das Haus ‚Zum blauen Einhorn‘ dorthin geleitet: in ihm „löste sich ... ein Boot der Erinnerung vom Stege der Gegenwart: und auf solchem Nachen entglitt er für Sekunden, und weiter hinaus, und schon eine ganz andere Tiefe unter sich fühlend ...; nun aber kam's, tauchte herauf aus der bläulichen Tiefe, die man oft in den alten Wiener Vorstadtgassen zu spüren, ja, fast zu sehen vermeint. ... In der Liechtensteinstraße, wo sie schmal wird ...: das kleine Eckhaus, mit dem Einhorn aus blauer Glasur in der Nische über dem ersten Stockwerk ..."[23]

Alles dies – das ist noch zu vermerken – steht in einem Zusammenhang, der mit dem Stichwort „Fremd-Gang" bezeichnet ist. Geyrenhoff, der das Wort in der oben zitierten Stelle gebraucht, erinnert sich dabei, daß Stangeler seine Exkursionen in unbekannte Stadtgegenden „Fremd-Gänge" nennt. Auf einem solcher „Fremd-Gänge" trifft Stangeler am Donau-Ufer mit Williams und der Drobil zusammen; sie sprechen über den Octopus und – allerdings wird das nur erwähnt – über Drachen sowie über das mittelalterliche Manuskript DORT UNTEN. Das Gespräch ist also selbst ein „Fremd-Gang" – wie Stangelers Erinnerung an das Haus ,Zum blauen Einhorn', das er auf „Fremd-Gängen" entdeckt hat, und wie auch seine Erinnerung an die Romanzeitung.

Sämtliche Fakten, genauer: ihre abenteuerlichen Verzerrungen, welche die Romanzeitung angibt, gehen in die Träume der Kapsreiter ein. Die „Drahtarme" des Kubitschek werden zu „Fangarmen"; der Kubi, der oben in der Zimmerecke sitzt, als ein „Kastl", ist plötzlich nicht mehr so „kubi-klein", „sondern sehr groß, auch kein Kastl, sondern schlangenweich und voll Schleim"[15]. So auch hört die Kaps in den Kavernen ein Klopfen und meint: „das Klopfen kommt wieder von solchen hörnernen Greif-Krallen, wie sie manchmal am Ende von den langen Armen sich bewegen"[13]. Und wenn sie die krumme Nase des Kubitschek mit einem Papageienschnabel vergleicht, so dient nicht nur die Nase des Mathias Csmarits und nicht nur der krumm eingeschlagene Nagel an dem „Kastel" als Vorlage, es taucht vielmehr auch das Bild des Octopus auf, wie Williams ihn beschrieben hat: als ein Tier mit einem „hörnernen Schnabel, wie der von einem Papagei"[24]; ebenso ist die Hakennase Meisgeiers, der ihretwegen der „Geierschnabel" heißt, mitgemeint.

Für das schlangenartige Wesen, das den Kubitschek wie den Octopus kennzeichnet, sind außerdem ein Erlebnis der Kapsreiter selbst und ein Ereignis, von dem sie gehört hat, konstitutiv. Es sind zwei „merkwürdige" Begebenheiten. Beim Wirtshaus ,Zur Flucht nach Ägypten' stolpert Frau Kapsreiter über Weinschläuche, die sich von einem Wagen in den Keller über den Gehsteig spannen; sie erzählt Renata davon und sagt: „Das schaut auch merkwürdig aus. Wie eine schwarze Schlange, die aus dem Loch auf die Straße herauskriecht."[25] Dieses Bild findet sie in einer Begebenheit realisiert, von dem sie wiederum der Renata berichtet: man habe die brüchigen Fundamente eines Schlosses unter hohem Druck mit Beton ausgegossen; dabei sei der Beton „in eine schadhafte Abortröhre geraten, und oben beim Klosett wie ein Baumstamm herausgewachsen";

dort habe jemand gesessen, und plötzlich „rührt ihn von unten was Kaltes an, und schon hebt es ihn, und er springt herunter: da steigt aus der Muschel ein langer grauer Arm, immer mehr und mehr in die Höh' ...“[26].

An diesem nunmehr vollständigen Bild des Kubitschek läßt sich schon seine Wirkung ablesen: er greift mit seinen Fang- oder Saug-Armen durch den Abort herauf, und zwar um der Kapsreiter den kleinen Krächzi zu nehmen. Die Angst davor durchzieht fast alle ihre Träume; im ersten schon droht ihr der Kubitschek: „Das übrige werden Sie auf dem Klosett sehen ...“[13] Im zweiten heißt es: „Ich hab' nur furchtbare Angst um den Krächzi gehabt, denn das hat doch bedeutet, daß auch etwas heraufgreifen könnte und mir den Buben nehmen.“[27] Im dritten: „Dann hab' ich geträumt, der Bub ist am Klosett und kommt nicht wieder. ... Er ist nicht gekommen, er kommt nicht wieder! schrei ich, es ist ganz furchtbar gewesen, dann bin ich aufgewacht.“[28] Dieselbe Angst kennt sie im Wachen. Unmittelbar, nachdem sie ihr Erlebnis mit den Weinschläuchen erzählt hat, sagt sie: „Wissen Sie, Fräulein Licea, wenn der Krächzi endlich hierher kommt, das wird auch gut sein für den Buben.“[14] Und unmittelbar im Anschluß an die Erzählung der letzteren Begebenheit fragt sie: „Wo bleibt denn der Bub?“[29]

Der Tod Krächzis und die Vorahnung dieses Todes bilden die persönliche Wurzel für die Träume der Kaps. Und sie ist demgegenüber machtlos. Die Abwehrmittel gegen den Kubitschek: das Messer oder die Schere (es sind dieselben wie die gegen den Octopus, von denen Williams spricht und die Stangeler in der Romanzeitung abgebildet findet), die Abwehrmittel sind ihr im Traum in den entscheidenden Augenblicken nie zur Hand: „Unten hab' ich noch dazu jedesmal das große Küchenmesser vergessen gehabt.“[28] Diese Hemmung oder Lähmung, die ja für den Traum bezeichnend ist, hat darüber hinaus eine tiefe Bedeutung: die Kaps befindet sich in ihren Träumen auf einem archimedischen Punkt gegenüber den ihren eigenen Schicksalsweg gehenden Tatsachen, die sie nur beobachten und prophetisch voraussagen, nicht aber alterieren oder gar abwenden kann.

Obwohl eine Traumgestalt der Kaps, ist der Kubitschek dennoch kein reines Phantasiegebilde, sondern ein Wesen von dämonischer Realität. Er bezeichnet einen jener Punkte im Roman, an denen sich die Dämonie konkretisiert. Dies nämlich wollen die metaphorischen Bezüge besagen: die Dämonen sind in den verschiedensten Formen überall im Roman anwesend; sie werden immer wieder hier und da sichtbar. In Geyrenhoffs Erinnerung, die – wie er sagt – gar keine Kindheitserinnerung sein kann und also auch nicht mit Hilfe der Psychologie zu analysieren ist, in Geyrenhoffs Erinnerung tauchen sie als „etwas ganz Fremdes“ auf. Als Octopus (im Gespräch) und als Meisgeier (in der Realität) greifen sie aus dem Kanalgitter. Handhaft erscheinen sie als „Ruass“ am 15. Juli 1927 auf der Oberfläche.

Indem der Kubitschek sich aus allen Bildvorstellungen, mit denen diese Dämonen charakterisiert werden, zusammensetzt, scheint er so etwas wie ein integraler Dämon zu sein. Er ist jedoch selbst nur eine – wenngleich die intensivste und komplexeste – Erscheinungsform der Dämonie und – obwohl selbst schon unbegreiflich und ungreifbar – nur ein sichtbarer Teil von dieser. So wird er von der Kaps nie in seiner ganzen Größe gesehen. Sie sieht ihn nur als „Kastl-Kubi“, der ganz klein oben in der Zimmerecke sitzt:

> Dann, wenn ich ihn sehe, da fällt mir jedesmal ein, daß ich ihn unten in den Kavernen eigentlich noch niemals wirklich gesehen hab', es ist zum Glück nichts aus dem Wasser gekommen. Das wär' freilich nicht so kubi-klein gewesen, wo es einem vielleicht nichts tun kann, sondern sehr groß, auch kein Kastl, sondern schlangenweich und voll Schleim. Ich wär' gestorben, wenn es wirklich aus dem Wasser gekommen wär', ein Teil davon vielleicht, ein Arm, der saugen will.[15]

Sichtbar wird der Dämon also nur als ein Teil des anonymen Ganzen, das er in der unsichtbaren Tiefe (unter Wasser) ist.

Damit ist ein schon bekannter Sachverhalt aufs neue berührt: der „doppelte Boden“ der Wirklichkeit. Zwischen ihrer Grundfeste und ihrer sichtbaren Basis haben sich die Dämonen eingenistet. Die Kaps spricht diese Doppelbödigkeit in allgemeinen Wendungen aus: „Aber ich soll mir nicht einbilden, daß wir sicher sein können, weil es heroben trocken ist ...“[13]; und dann: „Ich möchte es gern vergessen, was da unten ist, und daß dort das Zeug herumkriecht, aber wir sind eben alle unterwandert ...“[28] Sie setzt in Klammern hinzu: „Das Wort war so im Traum“; der Anklang ist deutlich: das Wort „unterwandert“ stammt, wie Stangeler berichtet, aus der Romanzeitung. Als politischer Begriff ist es bekannt genug.

Daneben ist im Nachtbuch der Kaps die Problematik der doppelten Wirklichkeit (die Stangeler theoretisch andeutet) anschaulich gefaßt. Die Kaps sagt in Bezug auf ihre „rückwärtige Biographie“:

> Ich leb' eigentlich zweimal, hab' auch doppelt Sorg. Nicht alles ist doppelt. Der Kubi war doppelt. Das Fräulein Licea nie. Aber die Weinschläuche doppelt. Das Feuer bis jetzt einfach, rotes Wimmerl. Die Scher' einfach, leider, ich hab' sie niemals hinüber bringen können, man sollt's nicht glauben.[9]

Es handelt sich mit einem Wort um den dämonischen Sachverhalt, daß ein Gegenstand nicht mehr er selbst ist, sondern sein eigenes Gespenst, sein eigener Doppelgänger. So sind die dämonischen Organe grundsätzlich doppelt: an erster Stelle der Kubi, dann die Weinschläuche. Und gegen die dämonische Verdoppelung steht der einige und einzige Mensch, das Individuum im wörtlichen Verstande, hier als das Fräulein Licea; er erscheint indes angesichts der Dämonie schon als machtlos: die Schere ist „einfach“. Das Menschsein ist in die Rolle der Verteidigung gezwängt, es muß sich wehren; aber seine Mittel sind nur „einfach“, sie kommen gegen die Dämonie nicht mehr auf. Dies ist im ganzen nichts anderes als der anschauliche Erweis jener „Privativität“ des Menschseins.

„Das Feuer bis jetzt einfach, rotes Wimmerl“ – damit ist der Brand des Justizpalastes gemeint, den die Kaps im Traum voraussagt. „Der Kubitschek sagt mir, wenn sie ein großes Haus anzünden würden, da käm' alles herauf, damit tät' man's an's Licht treiben, und würden sich durch alle Löcher heraufstrecken, weil der Boden wird dann heiß, und das halten sie nicht aus.“[17] Hier also – „im Sommer vielleicht“[17] – wird die totale „Unterwanderung“ offenbar werden; hier wird sich der „Ruass“, der Dämon der Masse, aus dem Dunkel erheben, wofür Meisgeiers Aktion unterhalb des Kanalgitters nur ein Beispiel ist (eine wörtlich genommene Metapher)[30].

Das Nachtbuch der Kaps endet mit einer Vision:

> Wie ein rotes Wimmerl geht das Feuer auf, erst war es noch ganz klein, nur an einer einzigen Stelle, ein Stückerl glühender Kohle; ist auf dem Haus gesessen wie ein Wimmerl auf der Nasen. Aber es ist reif, es muß platzen. Jetzt haben sie den Krächzi umgebracht. Da kann man nicht mehr zurück. Hintri geht's nimmer. ... und so ist das Unglück geschehen, nicht nur für mich. Den Buben hätten sie nie umbringen dürfen. Denn jetzt halten sie's nicht mehr auf. Jetzt natürlich wird es brennen müssen, wird das Feuer sein, und ich möcht' wissen, wie die da jemals noch herauskommen wollen, denn das Kind macht keiner mehr lebendig.[11]

Der Tod Krächzis ist der persönliche Ausgangspunkt, er bleibt indessen zurück, der individuelle Fall weitet sich aus: das Unglück ist geschehen, „nicht nur für mich“, und „natürlich“ – das heißt: gleichsam naturgesetzlich, nach den „Gesetzen der Physik“ – muß es brennen ... Zugleich geht die Vision weit über den Brand des Justizpalastes hinaus: sie antizipiert den Weltbrand. Mit dieser Vision von unten her, die im „Wimmerl“ schon den Ursprung des folgenden Weltbrandes erkennt, ist das Komplement gegeben für den Blick von der Höhe des Cobenzl, der noch im Brand des Justizpalastes nur ein „Wimmerl“ sieht, als die Antizipation eines Blickes, für den auch der Weltbrand noch auf das Ausmaß eines „Wimmerls“ beschränkt wäre.

Unter allen Träumen der Kaps gibt es nur einen zutiefst versöhnlichen; er führt aus dem Bereich des Dämonischen heraus:

> Manchmal lieg' ich da wie unter einem Wasserspiegel, so tief in der Stadt drinnen, aber es ist nicht, weil die Donau vielleicht gestiegen ist, sondern es ist ein lila Nebel, ein Nebel-See, der alles bedeckt. Mein Mann war im Krieg gegen die Italiener und hat diesen großen Angriff bei Flitsch-Tolmein mitgemacht, wo die Österreicher im Tal unten bis zu den Hüften durch das grüne giftige Gas haben müssen, wie sie vorgegangen sind, das haben sie zuerst selbst losgelassen, und dann hat es sich unten gesammelt. So ist dieser lila Nebel, aber nicht giftig, sondern gut und duftig, und alles ist viel schöner, wenn er steigt, man sieht alles in ihm eigentlich viel besser, es ist so, wie wenn sich lauter Flieder aufgelöst

hätt' darin. Heute nacht war nur Flieder-Nebel, auf die da unten hab' ich ganz vergessen, auch nicht zum Plafond geschaut, ob vielleicht ein Kubi-Kastl da sitzt. Der Krächzi und ich sind im Flieder nur so geschwebt.

Jetzt, nachdem ich aufgewacht bin, hab' ich bald gewußt, daß er tot ist, nicht viel geweint, nur bissel. Das Lila war so gut.[9]

Ganz ebenso erscheint die Stadt vom Cobenzl aus wie ein „bläulicher See"[31]; und „aus der bläulichen Tiefe, die man oft in den alten Wiener Vorstadtgassen zu spüren, ja, fast zu sehen vermeint", taucht auch das Haus ‚Zum blauen Einhorn' in Stangelers Erinnerung herauf[23]. Mit alledem ist die Aura gemeint, die um die Dinge herum gelagert ist, in der sie bewahrt sind, und durch die sie, wie Doderer sagt, erst eigentlich sichtbar werden. „Wirklich gesehen werden ja die Sachen vermöge ihrer am wenigsten optischen Qualität, der Aura nämlich, die um sie liegt, in welcher sie stehen."[32] Dasselbe sagt die Kaps: „man sieht alles in ihm [im lila Nebel] eigentlich viel besser". Die Aura ist für Doderer eine zarte Schutzhülle des Lebens. Sie verflüchtigt sich wie das Leben selbst vor dem Andrang aller ideologisch gesetzten Dämonie. So spricht er immer wieder von dem „eigentümlich verarmenden Kalklichte innerhalb eines totalen Staates, das jede Aura abstreift und kassiert und auf solche Weise eigentlich alles unsichtbar macht"[32]. Ein Symbol dafür ist in den dämonischen Träumen der Kaps das „kahle Zimmer"[11].

Alles dies – die Tiefe der Stadt und der Vergangenheit, die Dämonie, die Aura, kurz: der spezifische genius loci des Hauses ‚Zum blauen Einhorn' – ist mitgedacht, wenn dieses Stichwort fällt. So heißt es nach dem Tode der Kaps, als Licea – das Nachtbuch, das sie geerbt hat, unter dem Arm – mit ihrer Freundin vom Haus ‚Zum blauen Einhorn' kommt:

Hier, wie überall in den Straßen und Gassen der Groß-Städte, schwebten noch die zerstäubten Reste zehntausendfacher Vergangenheiten über Örtern ebensovieler Erinnerungen, zu denen niemand mehr gesammelt war, hauchten die Gespenster von Leid und Freud am hellen Tag aus dunklen, kühlen Treppenhäusern durch die Haustore auf den sonnigen Gehsteig.[33]

3

Auf diese Basis stellt Doderer gegen Ende des Romans ein bisher nicht bekanntes Epizentrum. An die Stelle der Kaps tritt das Ehepaar Mayrinker; der sogenannte „Mayrinker-Raum" wird in das Haus ‚Zum blauen Einhorn' verlegt. Im übrigen ist es ein absolutes Epizentrum, das heißt: es ist einzig durch die Lokalisierung mit der Gesamthandlung des Romans verbunden. So auch werden die Mayrinkers nicht als Personen mit einem besonderen Schicksal exponiert, sondern vorerst als Bewohner des Hauses ‚Zum blauen Einhorn'. Ein Raum taucht aus der Tiefe der Stadt empor, und mit ihm ein Schicksal. In diesen einen unter den vielen

Räumen der Stadt wird hineingeleuchtet. Die beiden Abschnitte, in denen die Mayrinkers vorgestellt werden, sind von zwei Bildern eingerahmt, welche die Stadt in ihrer Eigenexistenz vorführen. Zu Beginn heißt es:

> Dem Sommergotte, dem großen Pan, wird in der Stadt mit Kampfer und Naphthalin geopfert. Es ist der kühle Einsamkeitsduft in den verlassenen und halb verdunkelten Behausungen, der als strich-zarter Geist um die verhüllten Möbel zieht, während die Bewohner solcher Räume in den wirklichen Wäldern gehn, oder in Gärten stehen und auf ganz schmalen Kieswegen zwischen Beeten mit bunten Glaskugeln. . . .

Und am Ende:

> . . . Die Stadt ist unter den Horizont gesunken. Sie sinkt in der Hitze in sich selbst ein und wird einsam, weil so viele sie verlassen haben, und wird einsamer über dem dunstenden Asphalt, wenngleich da hunderttausende Menschen noch herum fahren und rennen. Sie neigt zur Meditation. Sie hat viele Hohlräume dazu, Cavernen, Cavitäten: es sind die verhangenen, die kühl gekampferten. Endlich kommen die Möbel auch einmal zu ihrem eigenen Leben . . .[34]

Demgemäß wird zunächst die von den Mayrinkers verlassene Wohnung beschrieben: „Möbel und Dinge“, „Bilder unter Glas und Rahmen“; es ist der sichtbare „Mayrinker-Raum“, ein durchaus alltäglicher Raum, ein Beispiel für viele. Dann erst kommt der innere und eigentliche „Mayrinker-Raum“ zu Wort: das Leben dieses glücklichen Paares als ein „schlechthin vollkommenes“ Gebilde: „als schwebten sie im Innern einer Seifenblase, genau in deren Zentrum“[35]. Ihr Leben ist eine „Aussparung, Lichtung und Schonung“, das heißt: sie führen eine absolute, von „Einbrüchen“ unglücklicher Zufälle verschonte Existenz[35]. Dabei sind sie nichts weiter als Alltagsmenschen, ganz im Gegensatz zu der „rätselhaften“ Frau Kapsreiter.

Es gibt jedoch einen Punkt, in dem der Bankvorstand Mayrinker vom Alltäglichen abweicht (und in dem er sich zugleich mit der Kaps berührt): er ist ein Drachenliebhaber, ja ein Drakontomane; ihn „bewohnen“ Lindwürmer und Drachen, „wie einen anderen die Briefmarken bewohnen oder die Gärtnerei“[36]. Diese Liebhaberei wird in aller Heiterkeit abgehandelt; ihre Darstellung bildet das Zentrum der ganzen Episode.

Die Tiefendimension der Szenerie wird nicht beachtet: der Kontakt zwischen der Dämonie der Drachen und der mit der Kaps gegebenen Dämonie des Hauses ‚Zum blauen Einhorn‘ wird nicht geschlossen. Die Kaps wird hier überhaupt nur als die frühere Wohnungsinhaberin erwähnt[37]. Dennoch ist die Dämonie des Ortes anwesend. Die Passage, in der Mayrinkers Steckenpferd vorgestellt wird, endet folgendermaßen:

> Und er gedachte dieser sich nach allen Seiten windenden Schlangenleiber, und sah etwas abwesend empor, dorthin, wo Wand und Zimmerdecke zusammenstießen, in die obere Kahlheit des Raumes (des Mayrinker-Raumes), wohin man sonst selten schaut.[36]

Hier also scheint ein „Einbruch" in den „Mayrinker-Raum" bedrohlich nahe, der Einbruch von „etwas ganz Fremdem", wie Geyrenhoff es nennt; denn Mayrinker blickt in eben die Ecke, in der Frau Kapsreiter ihren Kubitschek gesehen hat.

Doch wird dies nur angedeutet. Betrachtet man die Episode für sich, so erscheint sie nur als eine perspektivische Verlängerung des Einhorn-Epizentrums: wie früher von der wunderlichen Kaps, so wird das Haus nunmehr von dem alltäglichen, harmonischen Ehepaar Mayrinker bewohnt; die Dämonie scheint sich verflüchtigt zu haben. Für diese (vorläufige) Auffassung zeugt auch die Struktur: die Episode ist abgerundet, sie schließt wie sie beginnt, in ihr wird eine „Lichtung und Schonung" von zwei Bildern der im Sommer versunkenen Stadt eingefaßt. Wenigstens ist sie an dieser Stelle kaum als Exposition eines Neuen erkennbar.

4

Indessen nimmt Doderer das Mayrinker-Epizentrum wieder auf, und er beläßt es nicht nur auf der dämonischen Basis, die das Haus ,Zum blauen Einhorn' bildet, sondern stellt es darüber hinaus in den Zusammenhang mit den dämonischen Ereignissen des 15. Juli 1927.

Einerseits ordnet sich diese zweite Mayrinker-Episode, die innerhalb des Kapitels Das Feuer Platz findet, zwanglos in die Reihe jener Alltagsbeschreibungen ein, die dem politischen Geschehen kontrapunktisch entgegengesetzt sind. Wie Quapp oder Neuberg ist Frau Mayrinker (sie steht jetzt im Mittelpunkt) ahnungslos gegenüber dem Geschehen, ganz mit sich selbst befaßt; sie geht ihren alltäglichen Beschäftigungen nach. Es heißt von ihr, nachdem sie am 14. Juli in die Stadt zurückgekehrt ist und ihre Vorbereitungen für das Einsieden von Beerenobst getroffen hat: „Sie schaltete das Licht aus und rollte sich zu einem glatten weißen runden Ei unter dem Nachthemd zusammen, ein Ei der Apperzeptions-Verweigerung, aus dem sie niemals kroch. Sie blieb ab ovo in ovo."[38] Die Episode besagt im ganzen – wie so viele andere neben ihr –, daß das alltägliche Leben „trotz der Geschichte" weitergeht und daß es seine eigenen Schwierigkeiten hat. Eine solche ist hier der unvermutete Ausbruch eines Feuers in der Küche. Es ist – von der Exposition her gesehen – zunächst nichts weiter als einer jener „unglücklichen Zufälle", von denen der „Mayrinker-Raum" bisher verschont geblieben ist. Indessen gelingt es der Frau Mayrinker, diese Schwierigkeit mit aller Anstrengung zu beheben: sie löscht den Brand. Und sie genießt als die „Frucht ihres Sieges über das Feuer" wiederum ihr „Glück: die Heimkehr in dieses nämlich (in den Mayrinker-Raum, würden wir sagen)"[39]. Ganz am Ende der Episode aber wird dieser persönliche Erfolg fragwürdig: Frau Mayrinker erblickt am Abend den Widerschein des Justizpalastbrandes und erfährt auf solche Weise, daß ihr Alltag nicht nur von innen und im besonderen, sondern auch von außen und im ganzen bedroht ist. So gesehen, ist die Episode eine unter anderen.

Andererseits ist sie durch die offenkundige Analogie des Vorgangs, den sie darstellt, zu dem Vorgang des ganzen Kapitels vor den anderen Episoden exponiert. Ihr Titel müßte ebenso lauten wie der des ganzen Kapitels, nämlich DAS FEUER. Hier wie dort bildet ein Brand das zentrale Ereignis. Während jedoch der Brand des Justizpalastes nur ein Teil, eine Komponente oder ein Effekt eines komplexen Geschehens ist, eben des Massenaufruhrs, ist demgegenüber der Brand in Frau Mayrinkers Küche nichts als ein Brand. Insofern handelt es sich nicht eigentlich um eine Analogie, vielmehr erscheint die Mayrinker-Episode als ein vereinfachtes, abgekürztes Bild des ganzen Kapitels, als eine Metapher. In dieser ist das komplexe Geschehen, das vorher schon mit einem Elementarereignis verglichen wird[40], auf sein Wesen reduziert, denn in der Mayrinker-Episode ist ausschließlich ein Elementarereignis dargestellt. Beide Ereignisse haben dieselbe zerstörerische Wirkung. Wie das Geschehen des 15. Juli in den Alltag der Stadt einbricht und die Ordnung der Stadt in Frage stellt, so bricht das Feuer in den Alltag der Frau Mayrinker ein. Dieser besondere „Einbruch“ scheint also exemplarisch für jenen allgemeinen dazustehen, ebenso wie der individuelle „Mayrinker-Raum“ für die Stadt überhaupt (der „Mayrinker-Raum“ wird ja deutlich genug als ein Exempel in den Roman eingeführt).

Dennoch ist die Mayrinker-Episode letztlich kein Modell des ganzen Kapitels. Zunächst deshalb, weil die Analogie nicht plan aufgeht: das kleine Feuer wird von Frau Mayrinker besiegt, während das ganze Geschehen unbesiegbar bleibt. Dieses Verhältnis konkretisiert sich vor allem in einem Motiv, das im großen wie im kleinen erscheint.

Frau Mayrinkers Sieg über ihr Feuer wird als Triumph des Kampfergeruches über den Brandgeruch vorgestellt. Erst in dem Augenblick, als sie sich tief in ihren Wäscheschrank hineinbeugt, genießt sie ihr „Glück“, gewinnt sie „Sicherheit“, findet sie „das kleine Lichtlein“ wieder, „das nun wie eh und je den Mayrinker-Raum erhellte“; denn „... hier erst schwand der Brand vollends, wichen seine letzten Spuren aus der Nase, verwischt, ja, getilgt vom kühlen Kampferdufte“[41].

Der „in sich gekehrte Kampferduft“ bezeichnet hier wie überall bei der Darstellung des 15. Juli symbolisch die in sich ruhende private Sphäre und zugleich die Stadt in ihrer Eigenexistenz, bildet also in jedem Fall einen Kontrapunkt gegen das politische Geschehen. Als solches Kontrastmotiv wird der Kampfergeruch im Zusammenhang mit Geyrenhoff gegen den Brandgeruch (den „bedrohlichen Stank“[42]) vom Justizpalast her ausgespielt; und der Widerstreit wird am Ende – gemäß der Anlage des ganzen Kapitels – in der Schwebe gelassen: Geyrenhoff erblickt von der Ruthmayrschen Terrasse aus den „gewaltigen" Feuerschein, er empfindet im „Nachgefühl" noch den Kampferduft von der Wohnung her, dagegen aber dringt der „unversöhnliche Geruch des Brandes" heran[43].

Indem diese Ambivalenz in Bezug auf das kleine Feuer eindeutig zu Gunsten des Kampfers entschieden wird, ist die Mayrinker-Episode kein Modell des Ganzen. Doch ist diese Schlußfolge nicht zwingend; denn es wäre immerhin möglich, daß im Modell ein endgültiger Sieg des Alltags antizipiert würde. Schlüssig ist die Aufhebung des Modell-Charakters erst durch den strukturellen Sachverhalt: das bis zuletzt absolute Epizentrum Mayrinker mündet im Schlußabsatz der Episode in die Romanhandlung ein und wird mit dem Gesamtgeschehen real konfrontiert. Das große Feuer tritt in Frau Mayrinkers Blickfeld; auf dem Wege zum Wirtshaus ‚Zur Flucht nach Ägypten' (hier ist Frau Kapsreiter über die Weinschläuche gestolpert) sieht sie den Himmel in „hoher Brandröte" stehen:

> ... Sie erschrak furchtbar; einen Augenblick hindurch brach in ihrer Schwäche und Erschöpfung ihr ganzes Glück zusammen, entschwanden schon erreichte Rettung und der Sieg. Es war etwas geschehen. Sie mußte etwas übersehen haben. Noch vermochte sie unsinnigerweise nicht, jenes Feuer dort drüben wirklich zu trennen von dem kleinen in ihrer Küche, das doch längst erloschen war.[44]

Mit diesem Schluß ist die Mayrinker-Episode als eine unter anderen ausgewiesen, sie ist nicht abgehoben, wie es eine reine Modell-Situation sein müßte.

Das Verhältnis der Episode zum ganzen Kapitel ist also durch den Schwebe-Charakter bestimmt, daß sie einerseits ein Beispiel unter anderen, andererseits ein Beispiel fürs Ganze und vor anderen ist. Das Feuer ist demgemäß einerseits ein Feuer für sich, andererseits kommt ihm eine exemplarische Funktion zu.

Komplizierter noch ist das Verhältnis des Feuers in Frau Mayrinkers Küche zur Tiefendimension der Szenerie. Zunächst läßt sich festhalten: wie der genius loci allgemein – das wird oft genug ausgesprochen – sämtliche („zehntausendfache") Vergangenheiten eines Ortes in sich aufnimmt und mit alledem stets anwesend ist, so ist – das wird niemals ausgesprochen – die Geschichte der Kaps und damit ihre dämonische Traumwelt in den genius des Hauses ‚Zum blauen Einhorn' eingegangen und in diesem Hause verborgen gegenwärtig, auch nachdem die Mayrinkers an die Stelle der Kaps getreten sind. Ferner ist festzuhalten: in ihren Träumen nimmt die Kaps den Brand des Justizpalastes als ein „bis jetzt einfaches" Feuer vorweg. Schließlich: an dem Tag, als diese Prophezeiung real bestätigt wird, bricht im Haus ‚Zum blauen Einhorn' – unabhängig vom Justizpalastbrand – ein Feuer aus.

Die Verbindung wird nicht vollzogen; es wird nicht ausgesprochen, daß der „Mayrinker-Raum“ von den Dämonen untergraben sei, wie die Stadt tatsächlich ideologisch „unterwandert“ ist; es wird nicht ausgesprochen, daß das kleine Feuer einen dämonischen „Einbruch“ in den „Mayrinker-Raum“ darstelle, wie die Massenerhebung und mit ihr das große Feuer tatsächlich den Ausbruch einer lange schon bestehenden ideologischen (und also in Doderers Sinn dämonischen) „Unterwanderung“ der Stadt darstellt. Es wird nicht ausgesprochen, daß nunmehr erst die Prophezeiung der Kaps voll bestätigt sei, indem das „bis jetzt einfache“ Feuer nunmehr doppelt sei, daß also das Feuer in Frau Mayrinkers Küche das dämonische Komplement zum Brand des Justizpalastes bilde, oder daß das kleine Feuer gleichsam eine Metastase des großen sei, und daß es sich schließlich um ein und dasselbe dämonische Feuer handele, das am 15. Juli 1927 im großen wie im kleinen die gewohnte Ordnung und den Alltag der Stadt in ihrer Existenz bedroht.

Alles dies wird nicht ausgesprochen, sondern im Gegenteil durch die realistische Deskription desavouiert. Das Feuer in Frau Mayrinkers Küche wird nicht nur realistisch beschrieben: sogar seine Herkunft, die „Physik der Sache“[45], wird plausibel erklärt; auch die Problematik wird realistisch – nach den Gesetzen der Physik – gelöst: das kleine Feuer läßt sich löschen. In derselben Weise heißt es an der Stelle, wo Frau Mayrinker einen Augenblick lang den Zusammenhang zwischen dem großen und dem kleinen Feuer wirklich erlebt, aus ihrer Perspektive und von der realistischen Erzählebene aus, sie erlebe dies „unsinnigerweise“. Das ist das Stichwort: die Verbindung wird nicht ausgesprochen, weil sie – real gesehen – „unsinnig“ ist. „Unsinnig“ wie der motivisch angedeutete Bezug zwischen Mayrinkers Drachen und Frau Kapsreiters Kubitschek, oder auch wie die Anspielung, die darin liegt, daß Frau Mayrinker an eben der Stelle mit dem großen Brand konfrontiert wird, wo Frau Kapsreiter über die Weinschläuche gestolpert ist.

Bei alledem aber sind diese Bezüge vorhanden, und die „unsinnige“ Bedeutung ist demgemäß durch die formale Anordnung und motivische Verknüpfung zwingend beschworen. Sie wird indessen letztlich nicht ausgesprochen aus dem einfachen und entscheidenden Grunde, weil sie prinzipiell unaussprechbar ist. Denn mit der Benennung würde eine Kausalität im logischen Sinn fixiert, die hier gar nicht gemeint ist. Deshalb werden die Bezüge nicht eindeutig realisiert, sondern nur angedeutet; sie werden „hingehaucht“, sie stellen ein „auratisches Element“ dar, wie Doderer sagt[46]. Das heißt: sie sind unerklärbar und wollen nicht erklärt sein. Die „Logik“, die hier gilt, ist eine Art „Traumlogik“. Es ist die „ästhetische Logik“: einzelne reale Glieder werden durch eine gemeinsame Aura zusammengezogen; die Bezüge wollen andeuten, wie die Welt des Romans in der Tiefe zusammenhängt, und damit sind freilich Lebenszusammenhänge artikuliert, die tiefer liegen als äußerlich-mechanische

Motivationen. Mit einem Wort: die einzelnen Glieder, die auf solche Weise in einen Zusammenhang gebracht werden, stehen im selben Licht.

So wird in der Mayrinker-Episode mit realistischen Mitteln und durch „unsinnige" Bezüge eine Aura geschaffen, in die das Dämonische hineinweht; und durch diese spezifische Aura ist die Episode repräsentativ für den ganzen Roman.

5

Dabei aber ist und bleibt sie eine reale Szene; sie ist im ganzen weder ein Modell noch ein Symbol, weder eine Parabel noch ein Analogon oder ein abgekürztes Bild des Ganzen; sie hat nur vorübergehend solche deutenden Funktionen, enthält sie in sich, aber geht nicht in ihnen auf.

Für das Wesen dieses dichterischen Bildes gibt es keinen präzisen Begriff. Es läßt sich indessen als Parallel-Erscheinung zu einem bereits betrachteten Phänomen auffassen. Im Hinblick auf die Bedeutungsfunktion zeigt die Mayrinker-Epsiode beispielhaft die dialektische Überwindung der Form durch die Wirklichkeit, die im Hinblick auf die Handlungsfunktion erörtert wurde. Der „totalistische" Anspruch, der mit dem Grundsatz der Priorität der Form im ganzen gegeben ist, meint ja im einzelnen nicht nur die Reduktion jeglichen Wirklichkeitsstoffes auf seinen funktionalen Handlungswert, sondern ebenso die Reduktion auf seinen metaphorischen oder symbolischen Bedeutungswert. Das heißt: bei einer planen Realisierung der Form erscheint ein Ding nicht als Ding in seinem Sein, sondern nur als Motiv, das die Handlung weiterführt, und zugleich nur als Metapher, die etwas bedeuten will. Wie Doderer nun darauf hinzielt, ein Ding als Motiv und zugleich wirklich als Ding zu etablieren, so tendiert er gleichermaßen dahin, ein Ding als Metapher und zugleich wirklich als Ding zu manifestieren. Der Effekt ist also in beiden Fällen die Konstitution des Gegenstandes als eines Selbstwertes, der dann erst Funktionen übernimmt – gemäß dem Grundsatz, daß eine Funktion immer nur etwas sein kann, was ein Ding hat, nicht was es selbst ist.

Dies läßt sich an einem – schon in verschiedenen Zusammenhängen betrachteten – Beispiel erläutern, nämlich an dem Sturz der Bogenlampe. Ein besonderer Vorgang steht hier exemplarisch für einen allgemeinen da: für die Zerstörung des Alltags. Der Vorgang und seine Bedeutung decken einander restlos, sie fallen zusammen, das heißt: der reale Vorgang ist zugleich ein Symbol. Dabei aber gehört der Symbolisierung die Priorität, obwohl der Vorgang zunächst als ein realer beschrieben und dann erst als Symbol gedeutet wird. Denn es ist offensichtlich, daß er nur deshalb überhaupt erzählt wird, weil er ein Symbol abzugeben verspricht. Anders: der reale Vorgang ist die Konkretisierung einer apriorisch gefaßten Bedeutung, letztlich also einer Idee. Dadurch aber ist sein Realitätsgrad von vornherein gemindert. Der ideelle Ursprung läßt sich freilich durch die Anschaulichkeit und Intensität, mit welcher der Vorgang gestaltet ist, verwischen, nicht aber aufheben. Der reale Vorgang wird immer als Veranschaulichung einer Idee gelten müssen. Um ihn indessen ausschließlich als realen Vorgang erscheinen zu lassen, stellt Doderer die Bogenlampe schon früher in einer Szene vor, in der sie ein reiner Realitätsbestandteil ist, ohne weitere Bedeutung. Auf solche Weise wird die Priorität des Realen gegenüber dem Symbolischen suggeriert.

In dieser Richtung geht Doderer bei der Artikulierung der Mayrinker-Episode weiter: er stellt eine reale Szene dar, die zuerst und zuletzt sie selbst ist, inzwischen als Symbol erscheint, jedoch nicht in ihrer Bedeutung aufgeht. Der Vorgang und seine Bedeutung decken einander nur teilweise. Hier wird die Priorität des Realen vor dem Symbolischen nicht nur suggeriert, sondern tatsächlich erreicht. Deshalb nennt Doderer die Mayrinker-Episode eine seiner „vorgeschobensten Positionen“[47]; denn in dieser Richtung ist er weiter gegangen und geht er weiter.

ANMERKUNGEN

Die Numerierung der Anmerkungen wird in jedem Kapitel neu begonnen. Herangezogene Literatur wird jeweils bei der ersten Anführung in einem neuen Kapitel vollständig zitiert. Ausgenommen davon sind diejenigen Werke Heimito von Doderers, für welche folgende Abkürzungen gebraucht werden:

Abenteuer	= Das letzte Abenteuer, Erzählung mit einem autobiographischen Nachwort, Reclam U. B. Nr. 7806/07, Stuttgart 1953.
Bresche	= Die Bresche. Ein Vorgang in vierundzwanzig Stunden, Wien 1924.
Dämonen	= Die Dämonen. Nach der Chronik des Sektionsrates Geyrenhoff, Roman, München 1956.
Geheimnis	= Das Geheimnis des Reichs. Roman aus dem russischen Bürgerkrieg, Wien 1930.
Grundlagen	= Grundlagen und Funktion des Romans, Nürnberg 1959.
Mord	= Ein Mord den jeder begeht, Roman, München ²1958.
Peinigung	= Die Peinigung der Lederbeutelchen, Erzählungen, München 1959.
Posaunen	= Die Posaunen von Jericho. Neues Divertimento. Die Kleinen Bücher der Arche Nr. 268/69, Zürich 1958.
Strudlhofstiege	= Die Strudlhofstiege oder Melzer und die Tiefe der Jahre, Roman, München 1951.
Tangenten	= Tangenten. Tagebuch eines Schriftstellers 1940–1950 (unveröfftl.).
Umweg	= Ein Umweg, Roman, München ³1950.
Zihal	= Die erleuchteten Fenster oder Die Menschwerdung des Amtsrates Julius Zihal, Roman, München 1951.

Einleitung

Der historische Ort des Dodererschen Romanwerkes

1. Georg Lukács, Die Theorie des Romans. Ein geschichtsphilosophischer Versuch über die Formen der großen Epik, Berlin 1920, S. 31.

2. vgl. Adorno a. a. O. (vgl. Anm. 5) S. 61.

3. Kayser a. a. O. (vgl. Anm. 5) S. 26.

4. Lukács a. a. O. S. 23 f.

5. Bei dem Abschnitt über die Krise des Romans handelt es sich im wesentlichen um ein Referat; folgende Arbeiten wurden zu Grunde gelegt:

Adorno, Theodor W.: Standort des Erzählers im zeitgenössischen Roman, in: Adorno, Noten zur Literatur, Berlin u. Frankfurt a. M. 1958, S. 61–72.

Blöcker, Günter: Die neuen Wirklichkeiten. Linien und Profile der modernen Literatur, Berlin 1957.

Eisenreich, Herbert: Die Romanciers erzählen wieder. Zum Werk von Heimito von Doderer, Monique Saint-Hélier und William Faulkner, in: *Forum* (Wien), 3. Jg., 1956, S. 323–325.

Emrich, Wilhelm: Protest und Verheißung. Studien zur klassischen und modernen Dichtung, Frankfurt a. M.-Bonn 1960.

Frisé, Adolf: Roman und Essay, in: *Neue Deutsche Hefte,* 7. Jg., 1960/61, H. 80, S. 1068–1080.

Horst, Karl August: Das Spektrum des modernen Romans. Eine Untersuchung, München 1960.

Jens, Walter: Statt einer Literaturgeschichte, Pfullingen 1957, 2. Aufl. 1958.

Kahler, Erich von: Untergang und Übergang der epischen Kunstform, in: *Die Neue Rundschau* 64, 1953, S. 1–44.

Kayser, Wolfgang: Entstehung und Krise des modernen Romans, Stuttgart [2]1957.

Mandelkow, Karl Robert: Hermann Brochs Romantrilogie DIE SCHLAFWANDLER. Gestaltung und Reflexion im modernen deutschen Roman, Diss. Hamburg 1958 (Masch. Schr.), darin besonders: „Die literaturgeschichtliche Stellung von Hermann Brochs Romantrilogie DIE SCHLAFWANDLER innerhalb der Situation des europäischen Romans der zwanziger Jahre“, S. 41–73.

Martini, Fritz: Wandlungen und Formen des gegenwärtigen Romans, in: *Der Deutschunterricht* 1951, H. 3, S. 5–28.

6. Blöcker a. a. O. S. 8.

7. Adorno a. a. O. S. 62.

8. Roy Pascal, Fortklang und Nachklang des Realismus im Roman des 20. Jahrhunderts, Vortrag auf dem 2. Internationalen Germanistenkongreß in Kopenhagen, 1960.

9. Harry Levin, James Joyce. A critical introduction, Norfolk 1941, 2. Aufl. London 1944. Zit. nach: Thomas Mann, Die Entstehung des Doktor Faustus. Roman eines Romans, 1949 (Bermann-Fischer), S. 83.

10. Adorno a. a. O. S. 71.

11. Gustav René Hocke, Manierismus in der Literatur. Sprach-Alchimie und esoterische Kombinationskunst, Rowohlts Dt. Enzykl. Bd. 82/83, Hamburg 1959, S. 227.

12. Der Begriff stammt von Jean-Paul Sartre, vgl. Gerda Zeltner-Neukomm, Das Wagnis des französischen Gegenwartsromans, Rowohlts Dt. Enzykl. Bd. 109, Reinbek 1960, S. 15 f.

13. Dies ist der Titel der eingeschobenen Kommentare in: Hermann Broch, Die Schlafwandler, Der dritte Roman, Huguenau oder die Sachlichkeit 1918 (1932).

14. Emrich a. a. O. S. 111 ff. (Die Struktur der modernen Dichtung).

15. vgl. Martini a. a. O. S. 24.

16. vgl. Adorno a. a. O. S. 67.

17. vgl. Robert Musil, Der Mann ohne Eigenschaften, Hamburg 1952, S. 665.

18. E. M. Forster, Ansichten des Romans, Frankfurt a. M. u. Berlin 1949, S. 95 u. S. 36 (engl. Aspects of the Novel, London 1927).

19. Für Broch ist „die Forderung nach Simultaneität ... das eigentliche Ziel alles Epischen, ja alles Dichterischen“. Vgl. Hermann Broch, James Joyce und die Gegenwart, in: Gesammelte Werke, Dichten und Erkennen, Essays Bd. 1, Zürich 1955, S. 192.

20. Forster a. a. O. S. 96.

21. vgl. Mandelkow a. a. O. S. 52 ff.

22. Kahler a. a. O. S. 35.

23. Mandelkow a. a. O. S. 48.
24. vgl. Kahler a. a. O. S. 30, Mandelkow a. a. O. S. 48.
25. Jens a. a. O. S. 15.
26. Th. Mann a. a. O. S. 51.
27. Th. Mann a. a. O. S. 38.
28. Broch a. a. O. S. 187 u. ö.
29. Broch a. a. O. S. 192.
30. Th. Mann a. a. O. S. 60.
31. vgl. Blöcker a. a. O. S. 320.
32. Näheres darüber im 8. Kapitel dieser Arbeit.
33. vgl. Käte Hamburger, Die Logik der Dichtung, Stuttgart 1957, S. 40.
34. Hermann Broch, Bemerkungen zum Tod des Vergil, Gesammelte Werke a. a. O. S. 265. Ebenda: „Obwohl in der dritten Person dargestellt, ist es ein innerer Monolog des Dichters."
35. Kayser a. a. O. S. 34.
36. vgl. dazu besonders Horst a. a. O. S. 20 ff.
37. Eisenreich a. a. O. S. 324.
38. vgl. auch Doderers Bemerkungen dazu in: Grundlagen S. 17.
39. vgl. Grundlagen S. 40 und 41 f.

Ferner: Hans Schwerte, Das Wirkliche. Zu Heimito von Doderers Roman Die Dämonen, in: *Blätter für den Deutschlehrer* 1958, H. 1, S. 4: „Doderer geniert sich nicht – und das im Zeitalter des angeblichen Surrealismus, der monotonen kafkaesken Weltverfremdung! – provozierend die eigene Schreibweise ‚naturalistisch' zu nennen."

Vgl. auch: *The Times Literary Supplement,* 23. 9. 1960, Beilage: German Writing Today, S. IV: „... Doderer, above all a novelist, has continued the attack on ‚the utopian or trans-real novel' of the present-day Germans, most provocatively calling himself something of a naturalist."

40. Robert Musil, Drei Frauen, Erzählungen (1924); in: Gesammelte Werke, Prosa, Dramen, späte Briefe, Hamburg 1957, S. 291.
41. vgl. dazu Jens a. a. O. S. 59–85: „Der Mensch und die Dinge. Die Revolution der deutschen Prosa. Hofmannsthal, Rilke, Musil, Kafka, Heym". In diesem Zusammenhang bietet Jens auch das Musil-Zitat (vgl. Anm. 40).
42. vgl. Adorno a. a. O. S. 66.
43. Grundlagen S. 40.
44. Näheres darüber im 2. Kapitel dieser Arbeit.
45. vgl. Grundlagen S. 35.
46. Tangenten, Am Weg zur Strudlhofstiege, 14. 5. 1942.
47. Tangenten 10. 11. 1946 und 26. 9. 1949. Näheres darüber im 8. Kapitel dieser Arbeit.
48. Näheres darüber im 4., 6. und 8. Kapitel dieser Arbeit.
49. vgl. Grundlagen S. 51.
50. Diese Ortsbestimmung des Dodererschen Romanwerkes versteht sich nur als Diskussions-Vorschlag. Es bleibt zur Zeit noch unentschieden, ob dieses Werk eine Stufe in einer allgemeinen Entwicklung darstellt; denn die Problematik der Krise ist weiterhin und auf neuer Ebene aktuell. Eine – dezidiert subjektive – Poetik der jüngsten deutschen Literatur (Walter Jens: Dt. Lit. der Gegenwart, München 1961) glaubt nicht an die Zukunft des „Panorama-Romans" (S. 149) und prophezeit die Herrschaft der Kurzform („Tendenz zur kleinen Form", S. 151), und zwar auf absolut antinaturalistischer Basis („Antinaturalismus im weitesten Sinn", S. 151). Solchen Thesen, die letzten Endes den „Tod des Romans" im herkömmlichen Sinn behaupten, stehen indes Romane gegenüber, die

durchaus Romane sind, die also zu einer Wiederbefestigung der Grundkategorien – wie vor allem des Erzählerischen und eines wie immer gearteten Realismus – tendieren. Doch ist bei der großen Nähe des Gegenstandes eine Entwicklung nicht mit Sicherheit festzustellen. Es sei nur eine Stelle aus einem 1959 erschienenen Roman zitiert, die für die Situation des Gegenwartsromans bezeichnend erscheint. Bei aller ironischen Absicht glaubt der Verfasser offenbar sich dafür entschuldigen zu müssen, daß er überhaupt einen Roman schreibt; er läßt seinen Erzähler zu Beginn sagen:

„Man kann eine Geschichte in der Mitte beginnen und vorwärts wie rückwärts kühn ausschreitend Verwirrung anstiften. Man kann sich modern geben, alle Zeiten, Entfernungen wegstreichen und hinterher verkünden oder verkünden lassen, man habe endlich und in letzter Stunde das Raum-Zeit-Problem gelöst. Man kann auch ganz zu Anfang behaupten, es sei heutzutage unmöglich, einen Roman zu schreiben, dann aber, sozusagen hinter dem eigenen Rücken, einen kräftigen Knüller hinlegen, um schließlich als letztmöglicher Romanschreiber dazustehn. Auch habe ich mir sagen lassen, daß es sich gut und bescheiden ausnimmt, wenn man anfangs beteuert: Es gibt keine Romanhelden mehr, weil es keine Individualisten mehr gibt, weil die Individualität verloren gegangen, weil der Mensch einsam, jeder Mensch gleich einsam, ohne Recht auf individuelle Einsamkeit ist und eine namen- und heldenlos einsame Masse bildet. Das mag alles so sein und seine Richtigkeit haben. Für mich, Oskar, und meinen Pfleger Bruno möchte ich jedoch feststellen: Wir beide sind Helden, ganz verschiedene Helden, er hinter dem Guckloch, ich vor dem Guckloch; und wenn er die Tür aufmacht, sind wir beide, bei aller Freundschaft und Einsamkeit, noch immer keine namen- und heldenlose Masse."

(Günter Graß, Die Blechtrommel, Roman, Darmstadt 1959, S. 11 f.)

1. Kapitel

Die Geburt des Schriftstellers – Doderers Verhältnis zu Gütersloh

1. Doderer, Die Ortung des Kritikers, in: *Zeitwende* (Hamburg), 31. Jg., 1960, S. 166. Das Zitat bezieht sich auf den Kritiker, es beginnt: „Der Kritiker ist, wie der Künstler, zunächst ein physiognomischer Geburts-Stand ..."

2. vgl. Doderer, Der Fall Gütersloh, Neue Vorrede 1960.

3. Brief an D. Weber 1. Juli 1960.

4. vgl. Doderer, Albert Paris Gütersloh, in: *Freude an Büchern* (Wien), 3. Jg., 1952, S. 179. Vgl. auch Der Fall Gütersloh, S. 108 f.

5. vgl. Doderer, Der Fall Gütersloh, S. 123 ff.

6. Paris von Gütersloh, Bekenntnisse eines modernen Malers, Die österreichische Reihe Bd. II, Wien und Leipzig 1926, S. 123.

7. Brief an D. Weber 28. August 1960.

8. Gütersloh a. a. O. S. 122.

9. Geheimnis S. 35.

10. Gütersloh a. a. O. S. 48.

11. vgl. Wieland Schmied, Eine sagenhafte Figur. Ein Gespräch mit dem Dichter Albert Paris Gütersloh in Wien, in: *Die Tat* (Zürich), 19. 3. 1960

12. Gütersloh a. a. O. S. 127.

13. Brief an D. Weber 28. August 1960.

14. Gütersloh a. a. O. S. 3.

15. Gütersloh a. a. O. S. 80.
16. vgl. Gütersloh a. a. O. S. 103.
17. Gütersloh a. a. O. S. 101.
18. Gütersloh a. a. O. S. 96.
19. Gütersloh a. a. O. S. 44.
20. vgl. Gütersloh a. a. O. S. 47 f.
21. vgl. Gütersloh a. a. O. S. 124.
22. Gütersloh a. a. O. S. 128.
23. Gütersloh a. a. O. S. 115.
24. Gütersloh a. a. O. S. 51.
25. vgl. Gütersloh a. a. O. S. 105.
26. Gütersloh a. a. O. S. 129.
27. Gütersloh a. a. O. S. 131.
28. Gütersloh a. a. O. S. 130.
29. Gütersloh a. a. O. S. 133.
30. Doderer, Der Aquädukt, in: Der Aquädukt. Ein Jahrbuch, hrsg. im 175. Jahre der C. H. Beck'schen Verlagsbuchhandlung. 1763/1938, München und Berlin 1938, S. 13–19. Alle folgenden Zitate daraus.
31. Tangenten 3. 2. 1950.
32. vgl. Grundlagen S. 30.
33. vgl. den Exkurs: *Doderer und der Expressionismus.*
34. Der Fall Gütersloh, S. 29.
35. in: *Plan* (Wien), 2. Jg., 1947/48, S. 2–14. Vgl. dazu neuerdings Doderers Darstellung seines Gütersloh-Erlebnisses: Dichter in Sibirien. Albert P. Gütersloh zum 75. Geburtstag in: *Neuer Kurier* (Wien), 3. 2. 1962.
36. Gütersloh a. a. O. S. 78.

2. Kapitel

Die Ortung des Schriftstellers – Doderers Romantheorie

1. vgl. Tangenten 6. 7. 1942: „Kein Gegenstand kann auf der Ebene dargestellt werden, auf welcher er erfahren wird – so wie kein Problem auf jener Ebene lösbar ist, auf der es sich stellt."

Der Titel Die Ortung des Schriftstellers wurde gewählt parallel zu Doderers Abhandlung Die Ortung des Kritikers (in: *Zeitwende*, 31. Jg., 1960, S. 165–174).

Dem Kapitel wurden im wesentlichen folgende Schriften Heimito von Doderers zu Grunde gelegt:

1) Grundlagen und Funktion des Romans, Nürnberg 1959.
2) Tangenten. Tagebuch eines Schriftstellers 1940–1950 (unveröffentlicht).
3) Innsbrucker Rede. Zum Thema Epik, in: *Akzente*, 2. Jg., 1955, S. 522–525.
4) Bekehrung zur Sprache, in: *Welt und Wort*, 7. Jg., 1952, S. 125 (auch als Sonderdruck vom Biederstein Verlag München).

2. Grundlagen S. 39.
3. vgl. Tangenten 30. 12. 1945.
4. Innsbrucker Rede S. 522 f.
5. Innsbrucker Rede S. 522.
6. Tangenten 6. 7. 1942.
7. Tangenten 6. 3. 1946.
8. Tangenten 3. 6. 1946.

9. Tangenten 13. 7. 1942.
10. Innsbrucker Rede S. 525.
11. Tangenten 12. 9. 1945.
12. Goethe, Maximen und Reflexionen, hrsg. von G. Müller, Stuttgart 3. Aufl. 1949, Nr. 993.
13. Tangenten 16. 7. 1945.
14. Tangenten 3. 6. 1947.
15. vgl. Tangenten 7. 3. 1945: „Weil sonst nichts geschehen kann und das Vergängliche nicht zum Gleichnis wird, gilt der Stärkung des Metaphorischen unser ganzes Interesse."
16. vgl. Tangenten 13. 1. 1940, 28. 6. 1945 und 3. 6. 1946.
17. Grundlagen S. 37.
18. Grundlagen S. 38.
19. Grundlagen S. 38.
20. Tangenten 19. 9. 1950. Am 11. 9. 1950 statuiert Doderer unter dem Motto „Die Tiefe ist außen" (Gütersloh) eine neue Grundlegung seines Tagebuches mit dem Titel JOURNAL EINES NATURALISTEN.
21. „... sich selbst in ihnen [in den Tatsachen] zu erkennen, das allein begründet eine Freundschaft mit der Welt" (Tangenten, Das kahle Zimmer 1944, IV).
22. Tangenten 14. 6. 1949.
23. Grundlagen S. 30.
24. Der Fremdling Schriftsteller. Rede, gehalten am 26. Januar 1960 in der Österreichischen Nationalbibliothek zu Wien, in: *Forum* (Wien), 7. Jg., 1960, H. 75, S. 102–104.
25. Tangenten 10. 8. 1950.
26. Tangenten 24. 8. 1950. Vgl. auch den Schlußvers von Goethes Gedicht DER BRÄUTIGAM: „Wie es auch sei, das Leben, es ist gut."
27. Tangenten 10. 2. 1950.
28. Tangenten 19. 12. 1944.
29. Tangenten 21. 12. 1944.
30. Tangenten 20. 12. 1944.
31. Tangenten 19. 12. 1944.
32. Grundlagen S. 29.
33. Tangenten 18. 10. 1942.
34. Grundlagen S. 32.
35. Tangenten 16. 7. 1945.
36. Tangenten 5. 8. 1945. Das letzte ist ein Zitat aus Faust II, V. 9984: „Nicht nur Verdienst, auch Treue wahrt uns die Person."
37. Tangenten 13. 1. 1940.
38. Heimito von Doderer, Der Konservative. Dr. Heinrich Beck zum siebzigsten Geburtstag, Interner Druck der C. H. Beck'schen Verlagsbuchhandlung München 1959.
39. Tangenten 13. 5. 1945.
40. Tangenten, Epilog auf den Sektionsrat Geyrenhoff, Diversion aus DIE DÄMONEN (1940–1944), Kap. 16.
41. Tangenten 26. 6. 1942.
42. Günter Ralfs, Kritische Bemerkungen zu Heideggers Lehre von der Wahrheit, in: Kantstudien, Bd. 48, 1956/57, S. 538. (Diese Worte beziehen sich bei Ralfs auf einen Wesenszug der Mystik.)
43. Grundlagen S. 29.
44. Tangenten 17. 7. 1946.

45. Grundlagen S. 28.
46. Tangenten 29. 7. 1946.
47. Tangenten 17. 7. 1946.
48. Grundlagen S. 27.
49. Grundlagen S. 28. Der französische Satz ist ein Selbstzitat Doderers, vgl. Grundlagen S. 27.
50. Tangenten 26. 12. 1944.
51. Grundlagen S. 29.
52. Heimito von Doderer, Der Aquädukt, in: Der Aquädukt; Ein Jahrbuch, hrsg. im 175. Jahre der C. H. Beck'schen Verlagsbuchhandlung 1763–1938, München und Berlin 1938, S. 13–19.
53. Grundlagen S. 27.
54. Bekehrung zur Sprache.
55. Tangenten 7. 10. 1950.
56. Innsbrucker Rede S. 522.
57. Tangenten 28. 4. 1947.
58. Innsbrucker Rede S. 523.
59. Tangenten 28. 5. 1947.
60. Tangenten 25. 9. 1948.
61. Tangenten, Epilog auf den Sektionsrat Geyrenhoff, Kap. 14.
62. Bekehrung zur Sprache u. ö.
63. Tangenten 11. 3. 1947.
64. Grundlagen S. 32.
65. Bekehrung zur Sprache.
66. Grundlagen S. 30.
67. Grundlagen S. 30.
68. Grundlagen S. 31.
69. Grundlagen S. 29.
70. Grundlagen S. 32.
71. Tangenten 17. 12. 1944.
72. Grundlagen S. 30.
73. Grundlagen S. 31.
74. zitiert nach Doderer, Tangenten 25. 1. 1945.
75. Der Fremdling Schriftsteller.
76. Artikel MITTEILUNG aus Doderers REPERTORIUM, abgedruckt in Jahresring 55/56, Stuttgart 1955, S. 242.
77. Grundlagen S. 28.
78. Tangenten 21. 8. 1948.
79. Grundlagen S. 38.
80. Grundlagen S. 35.
81. Grundlagen S. 35.
82. Grundlagen S. 38.
83. Heimito von Doderer, Gütersloh, in: *Wort in der Zeit* (Graz), 1. Jg., 1955, S. 131.
84. Heimito von Doderer, Theorie des Tagebuches (zu Julien Green, Tagebücher 1928–1945), in: *Freude an Büchern* (Wien), 4. Jg., 1953, S. 112.
85. Grundlagen S. 39.
86. Grundlagen S. 39.
87. ‚Gütersloh' a. a. O.
88. Grundlagen S. 39.
89. vgl. Tangenten 30. 12. 1945.
90. Theorie des Tagebuches a. a. O.

91. Grundlagen S. 35.
92. Grundlagen S. 33.
93. Das wahre Licht der Form. Gespräch mit Heimito von Doderer, in: *Freude an Büchern,* 3. Jg., 1952, S. 80 f.
94. Grundlagen S. 33.
95. Grundlagen S. 49.
96. Grundlagen S. 33.
97. Grundlagen S. 49.
98. Innsbrucker Rede S. 524.
99. vgl. Grundlagen S. 47.
100. vgl. Grundlagen S. 49.
101. Grundlagen S. 31 u. ö.
102. Grundlagen S. 47.
103. Grundlagen S. 33.
104. Grundlagen S. 48.
105. Grundlagen S. 48.
106. Grundlagen S. 39.
107. Tangenten 29. 8. 1944.
108. Innsbrucker Rede S. 525.
109. Tangenten 18. 8. 1942.
110. Tangenten 22. 4. 1947.
111. Artikel EINFÄLLE aus Doderers REPERTORIUM, abgedruckt in: Sonderdruck des Biederstein Verlages München 1951.
112. Grundlagen S. 50.
113. Grundlagen S. 49.
114. Heimito von Doderer, Die Sphinx (Essay über den Leser), in: Bücher, Schlüssel zum Leben, Tore zur Welt. Stimmen der Gegenwart, Bd. 1 der Bücherschiff Lese- und Literaturführer, hrsg. von Helmut Bode und Kurt Debus, Frankfurt a. M.-Höchst o. J. (1954), S. 43.
115. Grundlagen S. 34 f.; ferner: ebenda S. 40; auch Innsbrucker Rede S. 525; Abenteuer, Nachwort S. 125.

3. KAPITEL

DIE MENSCHWERDUNG – DODERERS MONOGRAPHISCHE ROMANE

1. Allein deshalb, weil das vorliegende Kapitel zugleich ein Bild von Doderers Frühwerk geben soll, wurden die verschiedenen Fälle einer Menschwerdung, die in seinem Spätwerk Gestalt finden, ausgeklammert. Die Menschwerdung bleibt ja auch in Doderers späteren Romanen eines seiner wichtigsten Themen. So müßte eine vollständige Problem-Analyse, auf die in der vorliegenden Arbeit gemäß dem gewählten Thema verzichtet wurde, vor allem den Weg Melzers (in der STRUDLHOFSTIEGE) und Kakabsas (in den DÄMONEN) mit einbeziehen.

1 a. A. P. Gütersloh, Rede anläßlich des sechzigsten Geburtstages des Herrn Dr. Heimito von Doderer, gehalten zu Wien am 5. September 1956 (unveröffentlicht).

2. vgl. Dämonen S. 1228 (in Bezug auf Kakabsa).
3. Zihal S. 79.
4. Tangenten 16. 1. 1940.
5. Doderer im Gespräch.
6. Tangenten 26. 2. 1947.

7. Tangenten 6. 7. 1942.
8. vgl. Tangenten 15. 1. 1940.
9. Brief an D. Weber 3. 4. 1960.
10. Dämonen S. 1256.
11. Tangenten 22. 5. 1947.
12. Das Wort „charakteriell“ scheint Doderer selbst geprägt zu haben (vgl. Fall Gütersloh S. 14; Abenteuer, Nachwort S. 122 u. ö.).
13. vgl. die neue Vorrede zu Der Fall Gütersloh (1960).
14. vgl. Grundlagen S. 26.
15. vgl. Tangenten 3. 6. 1946.
16. vgl. Grundlagen S. 32.
17. Mord S. 130. Worte Hohenlochers in Bezug auf seine Haushälterin Frau Schubert, gesprochen zu Castiletz, womit auf indirekte Weise dessen Fall gemeint ist.
18. Theaitetos 184 C/D.
19. vgl. Tangenten 3. 12. 1950.
20. Tangenten 6. 5. 1945.
21. Schopenhauer, Parerga und Paralipomena, 2. Bd., Kap. 29, § 377. (Sämtl. Werke, hrsg. von Paul Deussen, München 1911–13, Bd. V, S. 697–705).
22. Abenteuer, Nachwort S. 122 u. ö.
23. Tangenten 18. 10. 1942.
24. Tangenten 19. 6. 1946.
25. Tangenten 15. 1. 1940. – *Exkurs: Doderer und Schopenhauer.*

Die in diesem Abschnitt systematisch zusammengefaßten Äußerungen Heimito von Doderers zur Problematik des Charakters lassen deutlich eine Verwandtschaft mit Schopenhauerschen Gedanken erkennen. Mit Schopenhauer teilt Doderer die Überzeugung von der Unveränderlichkeit und mithin Unverbesserlichkeit des Menschen und der Welt, ohne sich jedoch zu dem Schopenhauerschen Heroismus der Verneinung aufzuschwingen; vielmehr bleibt sein Blick auf die Tatsachen gesenkt, die er, sofern sie wirklich sind, grundsätzlich bejaht: „Jedes Phänomen ist Position des Schöpfers, Seine dingliche Sprache und bleibe schon deshalb unwidersprochen“ (Tangenten 16. 2. 1950), und: „Jeder wahre Sachverhalt ist unverbesserlich, ein nicht zu verbessernder in doppeltem Sinne: weder soll man, noch kann man ihn verbessern“ (Tangenten 6. 12. 1944).

Zu fast jeder der vorgeführten Stellen bei Doderer läßt sich eine Parallele von Schopenhauer beibringen; und solche „Assonanzen an Schopenhauer sind nicht zufällig“, wie Doderer in einem Brief (an D. Weber 7. 10. 1960) schreibt, in dem er fortfährt: „Besonders sein Traktat (Preisschrift: ÜBER DIE FREIHEIT DES WILLENS) steht mir sehr nahe. Auch habe ich Schopenhauer'sche Texte seinerzeit in größerem Umfange, so z. B. die ganze Vorrede zu seiner Doktor-Arbeit (Satz vom Grunde), auswendig gelernt, und zwar sowohl um mein Gedächtnis zu schulen als um mich rednerisch zu trainieren.“

Zum Vergleich seien einige Zitate aus der Preisschrift ÜBER DIE FREIHEIT DES WILLENS (1839) gegeben. Schopenhauer entwickelt hier unter anderem in vier Sätzen seine Auffassung des Charakters. (Zitiert wird nach: Arthur Schopenhauer, Sämtl. Werke, hrsg. von Paul Deussen, München 1911–13. Die Schrift ÜBER DIE FREIHEIT DES WILLENS ist dort in Bd. III, S. 471–572 abgedruckt.)

1) „Der *Charakter des Menschen* ist ... *individuell*: er ist in Jedem ein anderer. Zwar liegt der Charakter der Species allen zum Grunde, daher die Haupteigenschaften sich in jedem wiederfinden. Allein hier ist ein so bedeutendes Mehr oder Minder des Grades, eine solche Verschiedenheit der Kombination und Modifikation der Eigenschaften durch einander, daß man annehmen kann,

der Unterschied der Charaktere komme dem der intellektuellen Fähigkeiten gleich ..." (III, S. 518).

2) „Der Charakter des Menschen ist *empirisch*. Durch Erfahrung allein lernt man ihn kennen, nicht bloß an Andern, sondern auch an sich selbst" (III, S. 518).

3) „Der Charakter des Menschen ist *konstant*: er bleibt der selbe, das ganze Leben hindurch. Unter der veränderlichen Hülle seiner Jahre, seiner Verhältnisse, selbst seiner Kenntnisse und Ansichten, steckt, wie ein Krebs in seiner Schaale, der identische und eigentliche Mensch, ganz unveränderlich und immer der selbe" (III, S. 520).

4) „Der individuelle Charakter ist *angeboren*: er ist kein Werk der Kunst, oder der dem Zufall unterworfenen Umstände; sondern das Werk der Natur selbst. Er offenbart sich schon im Kinde, zeigt dort im Kleinen, was er künftig im Großen seyn wird. ... Er ist sogar, in seinen Grundzügen, erblich, aber nur vom Vater, die Intelligenz hingegen von der Mutter ..." (III, S. 523).

Zusammenfassend definiert Schopenhauer, indem er seinen Begriff des Willens hinzuzieht: „Der Charakter ist die empirisch erkannte, beharrliche und unveränderliche Beschaffenheit eines individuellen Willens" (III, S. 565).

Was sich aus diesen Grundüberzeugungen, mit denen Schopenhauer freilich nicht allein dasteht, ergibt, ist die absolute Determination des menschlichen Handelns. Auch Schopenhauer beruft sich – wie Doderer – auf den scholastischen Satz: operari sequitur esse. Wie einer ist, so muß er – die Motive vorausgesetzt – handeln. Ließe sich auf solche Weise alle Verantwortung des Menschen für sein Handeln – und damit auch seine Schuld – auf die Umstände und auf seine eigene unveränderliche Beschaffenheit abwälzen, so widerspricht dem die für Schopenhauer „unerschütterliche Gewißheit, daß wir selbst *die Thäter unserer Thaten* sind" (III, S. 563). Aus dieser Aporie rettet sich Schopenhauer mit der Kantischen Unterscheidung von empirischem und intelligiblem Charakter. Wie Kant begreift er den empirischen Charakter als bloße Erscheinung des intelligiblen, der „außer aller Zeit, als das innere Wesen des Menschen an sich selbst zu denken ist" (III, S. 566). Unterliegt der empirische Charakter voll und ganz der Determination, so eignet dem intelligiblen absolute Freiheit. „Steht für die Welt der Erfahrung das Operari sequitur esse ohne Ausnahme fest", so gilt auf der anderen Seite der Satz: „Die *Freiheit*, welche daher im Operari nicht anzutreffen seyn kann, *muß im Esse liegen*." Aus alledem folgert Schopenhauer zum Beschluß, „daß wir das Werk unserer *Freiheit* nicht mehr, wie es die gemeine Ansicht thut, in unsern einzelnen Handlungen, sondern im ganzen Seyn und Wesen (existentia et essentia) des Menschen selbst zu suchen haben" (III, S. 567).

Den Konflikt des Menschen zwischen Determination und Freiheit zu beschreiben, war nicht Aufgabe der Schopenhauerschen Schrift.

An diesem Punkt setzt Doderer an. Radikaler als Schopenhauer empfindet er die Kluft zwischen empirischem und intelligiblem Charakter oder, mit seinen Begriffen, zwischen Charakter und Person. Er macht Ernst mit der theoretischen Entwertung des Charakters, indem er ihr die praktische Sprengung folgen läßt – das bedeutet ja die Menschwerdung. Ein Ansatz dazu läßt sich auch bei Schopenhauer feststellen, wenn er einmal sagt, jeder Mensch trage „moralisch etwas durchaus Schlechtes in sich, und selbst der beste, ja edelste Charakter wird uns bisweilen durch einzelne Züge von Schlechtigkeit überraschen; gleichsam um seine Verwandtschaft mit dem Menschengeschlechte, unter welchem jeder Grad von Nichtswürdigkeit, ja Grausamkeit, vorkommt, anzuerkennen. Denn gerade kraft dieses Schlechten in ihm, dieses bösen Princips, hat er ein Mensch werden müssen" (V, S. 230). Eben das ist es, was Doderer mit dem „eingebauten Konstruktionsfehler“ meint, den jeder Charakter enthalte. Und wie dieses Wort programmatisch in seinem Roman Ein Mord den jeder begeht formuliert wird, so ist es besonders dieses Werk, mit dem Doderer Schopenhauersche Prinzipien praktiziert. Conrad Castiletz übernimmt am Ende des Romans die volle Verantwortung für seine Tat (den „Mord“), wenngleich sie unbewußt geschehen ist, denn er weiß zuinnerst, daß er der Täter ist. Die folgenden generell gemeinten Sätze Schopenhauers lassen sich unmittelbar zur Deutung der eigentümlichen Situation des Conrad Castiletz heranziehen: „er sieht sehr wohl ein, daß diese Nothwendigkeit [mit der die Handlung geschehen ist] eine *subjektive* Bedingung hat, und daß hier objective, d. h. unter den vorhandenen Umständen, also unter der Einwirkung der Motive, die ihn bestimmt haben, doch eine ganz andere Handlung, ja, die der seinigen gerade entgegengesetzte, sehr wohl möglich war und hätte geschehen können, *wenn nur Er ein Anderer gewesen wäre:* hieran allein hat es gelegen. *Ihm,* weil er dieser und kein Anderer ist, weil er einen solchen und solchen Charakter hat, war freilich keine andere Handlung möglich; aber an sich selbst, also objective, war sie möglich. Die *Verantwortlichkeit,* deren er sich bewußt ist, trifft daher bloß zunächst und ostensibel die That, im Grunde aber *seinen Charakter*: für *diesen* fühlt er sich verantwortlich“ (III, S. 563). Und wenn Schopenhauer auf der anderen Seite sagt: „Die Willensfreiheit bedeutet, genau betrachtet, eine Existentia ohne Essentia; welches heißt, daß etwas *sei* und dabei doch *Nichts sei,* welches wiederum heißt, *nicht sei,* also ein Widerspruch ist“ (III, S. 528), so ist dieses Paradoxon bei Castiletz in der Tat erfüllt. Castiletz ist absolut frei geworden, er selbst ist gleichsam eine Existentia ohne Essentia, ohne essentiell-charakterielle Bestimmung nämlich; denn seinen Charakter hat er gänzlich überwunden, damit aber auch sein ganzes Leben, und so ist er nicht mehr lebensfähig, wie Doderer sagt, er ist erlöst. (Näheres darüber im 18. Abschnitt dieses Kapitels.)

26. vgl. Tangenten 7. 4. 1946.

27. Abenteuer, Nachwort S. 119.

28. Gütersloh, Bekenntnisse eines modernen Malers, Wien und Leipzig 1926, S. 128.

29. Bresche S. 12.

30. Zihal S. 7.

31. Posaunen S. 49.

32. *Exkurs: Doderer und der Expressionismus. Doderers ‚Bresche‘ und Hesses ‚Klein und Wagner‘ – Ein Vergleich.*

Doderers Werk ist im ganzen – epochengeschichtlich gesehen – dem Naturalismus wie dem Expressionismus verpflichtet; in jenem wurzelt seine Wirklichkeitsgestaltung, in diesem seine Thematik der Menschwerdung. Am deutlichsten ist der expressionistische Einfluß in den beiden frühen Romanen Die Bresche und Das Geheimnis des Reichs.

Die Bresche sei in dieser Hinsicht näher betrachtet. Dem in bürgerlicher Konvention erstarrenden „Halbmenschen“ (S. 31) wird hier der Abenteurer gegenübergestellt, der sich nicht ins „Geordnete“ fügt (S. 104). „Des Lebens rasende Breite“ (S. 104), die „Weite und Köstlichkeit der Welt“ und die „dunkle Glut des Lasters“ (S. 6), „die rasende Breite abenteuerlicher Möglichkeiten“ (S. 28) werden beschworen. Bei aller rauschhaften Fülle aber ist das Leben eine chaotische Macht, der der Mensch ausgeliefert ist, die ihn wie eine „Flaumfeder“ „vor dem Sturmwind“ (S. 51) treibt und ihn in seiner Existenz bedroht. („Was ich früher für Erdboden hielt, ... das ist ja der Rücken, der bewegliche Rücken irgendeines unbekannten, bösen, wilden, abgründigen Ungeheuers!“

S. 79) Das abenteuerliche Sich-auflösen in der Weite des Lebens („Jan ist schon weit, weit – er löst sich ganz auf, verteilt sich, ist überall", S. 52) geht über in ein Zerfließen (Herzka sucht Halt, „er zerfließt sonst, verteilt sich ganz und gar, verliert alles!" S. 55). Demgegenüber versucht sich der Mensch zu behaupten und seine Existenz zu bewahren („Schmutzige, klebrige Scharen von Insekten drängen heran: es wird fast ganz finster, nur das sausende Feuer schlägt Ecken aus der Nacht. Jetzt weiß Jan, daß er gerade alles das durchdringen und beherrschen soll und muß! und *muß*!" S. 55).

Der Abenteurer und der „Halbmensch" sind die Extreme, in deren Mitte eigentliches Menschsein sich begibt. So scheint durch das expressionistische Pathos bereits der spezifisch Dodererschc Ansatz hindurch: die Menschwerdung als die Befestigung des Menschen in der Wirklichkeit. Die Wirklichkeit erscheint hier als das Leben in seiner unerschöpflichen Fülle (die „Windrose des Schicksals" mit ihren „vielen tausenden von Lebens- und Erlebensmöglichkeiten", S. 6 f.) und zugleich in seiner ganzen Bedrohlichkeit (das Leben als „Pulverfaß", S. 79). Angesichts der „Übergewalt des Blutes" und der „großen Dunkelheit innen und außen" – „der Abgründe sind zahllose" (S. 86) – geht es um die Selbstbehauptung des Menschen im Leben.

Nicht nur im Hinblick auf die Thematik läßt sich Doderers kleiner Roman mit Hermann Hesses Erzählung KLEIN UND WAGNER (1920) vergleichen; auch hier stellt sich die spezifische Problematik eines Dichters im Materiale des Expressionismus dar, zu welcher Literaturepoche, im Grunde genommen, Hesse ebensowenig wie Doderer gezählt werden kann. Ganz im expressionistischen Sinne zunächst ist das Thema beider Dichter der Mensch im inneren Widerspiel zwischen seiner Charge, die er im bürgerlichen Leben vertritt, und dem Eigentlichen, das ihn zum Menschen macht, seiner „wirklichen Natur", die er aber vorerst nur dunkel erahnt. Beide Helden, Hesses Friedrich Klein und Doderers Jan Herzka, sind Bürger; beide spüren ein Ungenügen an solchem konventionell-schematischen Dasein, beide brechen aus ihm aus. Klein entdeckt in sich den potentiellen Mörder – den Wagner in ihm –, Herzka verfällt seinem ihm bisher verborgenen sadistischen Trieb. Bei beiden bewirkt dieser Zwang, der stärker ist als der bürgerliche Halt, die Sprengung der vertrauten, eingefahrenen Lebensbahn. Während Klein, um nicht der Mörder zu werden, der er ist, auf metaphorische Weise seine Natur verwirklicht durch einen Entschluß, der ihm allerdings sehr nahe gelegt wird (er nimmt eine Gelegenheit zur Unterschlagung wahr und verläßt Heimat, Amt und Familie), während Klein also mehr aktiv seine Fesseln bricht, verfällt Herzka mehr passiv seiner abnormen Wallung (durch äußere Umstände provoziert, mißhandelt er seine Geliebte). Beide fühlen sich durch ihre Tat ausgestoßen und befreit zugleich. So erscheint ihre schmerzvolle Erlösung als eine Erlösung mit wechselnd negativem und positivem Vorzeichen. Zusammenfassend könnte man sagen: beide befinden sich auf einem aporetischen Nullpunkt. Dies ist die Ausgangssituation bei Hesse, der seine Erzählung mit der Ausweglosigkeit Friedrich Kleins beginnt, und dies ist der erste Höhepunkt bei Doderer, der im ersten Teil seines Romans den Fall Herzkas stufenweise als eine Abwärtsbewegung darstellt.

An diesem Punkt aber weichen Hesse und Doderer voneinander ab, indem sie – ihrem verschiedenen Menschenbild gemäß – durchaus verschiedene Wege zur Lösung aus dem Dilemma einschlagen.

Hesse führt seinen Helden über den Selbstmord zur mystischen Einigung mit Gott. Als das Ergebnis seines Lebens gewinnt Friedrich Klein die Kraft, sich fallen zu lassen. Das „Sichfallenlassen", der „Schritt in das Ungewisse hinaus", bedeutet Überwindung aller Angst und endgültige Erlösung. In der Sekunde, da Klein sich vom Boot ins Wasser und in den Tod fallen läßt, erkennt er die kosmische Einheit und mündet in sie ein.

Demgegenüber geht es Doderer nicht wie Hesse um eine metaphysische Erlösung und um das Aufgehobensein im All, sondern um eine realistische Ortsbestimmung des Menschen hier und jetzt. Doderer könnte sich dabei auf Gütersloh berufen, der einmal sagt: „nicht ‚Hinan!' ist die Losung dieses Zeitalters, sondern ‚Hindurch!'" (in seinem in den zwanziger Jahren geschriebenen Roman: EINE SAGENHAFTE FIGUR, Wien 1946, S. 47). Friedrich Klein strebt empor, Herzka muß hindurch. „Auflösung oder Überwindung", heißt die unerbittliche Alternative für ihn, und den Weg zur Überwindung weist ihm der russische Tondichter Sascha Alexejwitsch Slobedeff, ein Abenteurer, dem alle solche Erschütterungen, wie Herzka sie jetzt erlebt hat, vertraut sind. Herzka wird von Slobedeff sokratisch geführt; macht doch schon die Abwärtsbewegung auf einen aporetischen Nullpunkt den Roman zu einem sokratischen Traktat des Lebens.

Ausgehend von Herzkas Konstatierung der Aporie: „Ich *bin* nicht" (S. 79), stellt Slobedeff dagegen fest: „Sie *waren* nicht. Und ich glaube daß Sie *noch nicht* sind" (S. 81). Durch die „Bresche" in die „Umhegung" oder „Umwandung" seiner vertrauten Lebensumstände, die also verfremdet werden, ist Herzkas bisheriges Leben in die Distanz gerückt und so erst überschaubar und für eine grundsätzliche Sichtung frei. Und jetzt erkennt Herzka, indem Slobedeff ihn führt, sein ganzes bisheriges Dasein als eine Pose, in die er schematisch und äußerlich durch Erziehung und Gewohnheit hineinversetzt worden ist, die er aber noch nicht innerlich bestätigt, noch nicht mit seinem eigenen Leben durchpulst, noch nicht verwirklicht hat. So gilt es nunmehr die leere Pose zu füllen und zur Position zu festigen – das ist die Forderung, die Slobedeff an Herzka stellt. Denn Zielstrebigkeit ist und bleibt trotz des schweren Schlages, der ihn aus der Bahn geworfen hat, Herzkas eigentliche Art zu sein. „Dieser Grundton aus Ihrem früheren Leben", sagt Slobedeff, „(der auch jetzt noch in der Tiefe liegen geblieben ist) ist vielleicht das einzige, das Ihnen immer wirklich eignete, ist es, was Sie ausmacht" (S. 84). Deshalb muß Herzka zurück, aber „solches Zurück – heißt eigentlich Vorwärts" (S. 84). Mit dieser Formel ist auf das genaueste umschrieben, was Doderer später Einholung nennt, mit welchem Begriff er denjenigen der Entwicklung ersetzt.

Dem Zug zur Auflösung von Ich und Welt, von Innen und Außen in einem kosmischen Raum bei Hesse und der Tendenz zur Befestigung hier und jetzt bei Doderer entspricht jeweils die Struktur der beiden Dichtungen. Die drei Hauptstadien, die zusammen die Hessesche Erzählung ausmachen: Kleins fluchtartige Reise in den Süden, seine Begegnung mit der Tänzerin Teresina, schließlich der Selbstmord, sind nicht eigentlich äußere Vorgänge, sondern die symbolischen Stationen eines inneren Weges. Traum und Wirklichkeit, Schlaf und Wachen, Anschauung und Vision gehen zwanglos ineinander über. Das ganze Geschehen ist nur vom Inneren Friedrich Kleins her greifbar. Bezeichnenderweise wird auch das Grundmotiv, das Klein in seinen jetzigen Zustand versetzt hat, die Unterschlagung, nicht als realer Konflikt direkt dargestellt, sondern, durch die Erinnerung des Helden gebrochen, nach und nach enthüllt. Solche Auflösung aller äußeren Daten und Vorgänge, die gleichsam aufgesogen werden vom Innen, ist bei aller Eigenart Hermann Hesses, die sich darin kundgibt, ein spezifisch expressionistisches Element.

Bei Doderer dagegen sind die Konturen von Außen und Innen gewahrt. Der Konflikt beruht durchaus auf demjenigen zwischen Innen und Außen und wird dann erst zum inneren Widerspiel in Herzka selbst. Darin offenbart sich neben allem expressionistischen Einfluß das naturalistische Erbe, dem Doderer treu geblieben ist. Freilich ist der Expressionismus auch im späteren Schaffen Heimito von Doderers noch wirksam, vor allem in der Metaphorik – dies sei hier ein für allemal vermerkt. Die Thematik der Menschwerdung indessen, die zweifellos im Expressionismus wurzelt, erfährt ihre eigentümliche Ausgestaltung bei Doderer erst auf naturalistischer Basis im späteren Werk.

Mit Güterslohs Fundamentalsatz: „Die Tiefe ist außen" grenzt Doderer sich heute gegen die Überbetonung des Innen, die seine Anfänge beherrschte, ab; er spricht von der „Mechanik des äußeren Lebens", in die Einblick gewonnen zu haben das Resultat langjähriger Übung sei, und sagt: „In ihr sind auch die Schlägereien unserer Jugend enthalten, und nicht, wie wir vermeinten, die ganze Welt in jenen" (Neue Vorrede zum Fall Gütersloh, 1960).

33. Bresche S. 6. Sperrung von mir.

34. Peinigung S. 93.

35. Zihal S. 34.

36. Gütersloh, Eine sagenhafte Figur, Roman, Wien 1946, S. 208.

37. vgl. Dämonen S. 679.

38. Zuerst ist da die Episode mit dem Selbstmörder (Kap. 5). Castiletz überhört dessen Hilferuf. „Durch eine Sekunde nur, aber deutlich, sah er an der Möglichkeit entlang, jetzt stehenzubleiben, zu fragen. Aber da sperrte und verdeckte ihm plötzlich der empfindliche Schatz im Arm [das sind Gläser für chemische Versuche, die Castiletz vorbereitet – Ausdruck seiner Selbstbefangenheit] die Verlängerung dieser inneren Richtung, er begann rasch und rascher zu gehen" (S. 39). So ist eine Gelegenheit, die Selbstbefangenheit zu sprengen, versäumt. Bald darauf beobachtet Castiletz vom Fenster aus, wie jener Mann sich erschießt, und er selbst ist schuldig, er ist der Mörder. – Ein weiteres Beispiel ist seine Liebe zu Ida Plangl (Kap. 9 und 10), die keine Liebe ist, da er sie als eine Sache unter anderen seinem Charakter gemäß ordnend traktiert. Er wird von ihr nicht eingenommen. Auch die Liebe wird ihm nicht Vehikel zur Verwirklichung seiner Existenz. Der Tod Idas, von dem er später erfährt, ist damit psychologisch schon vorweggenommen. – In diesem Zusammenhang steht schließlich die zentrale Interzession des Castiletzschen Lebens: was als Scherz gemeint war, wird zum „Mord". Auch hier ist der Anruf unüberhörbar, und dennoch gehorcht Castiletz ihm nicht. „Überaus verwischt sah er an der vergangenen Möglichkeit entlang, daß er ja auch in einem anderen Abteil Platz hätte nehmen können, und in der Verlängerung dieses Gedankens zeigte sich sozusagen zwingend, daß diese Möglichkeit gar nicht unbedingt vergangen war. Er lachte plötzlich laut mit" (S. 60). Damit aber hat er sich eingelassen, und damit ist jene Möglichkeit allerdings und unbedingt vergangen. (Näheres darüber im 15. Abschnitt dieses Kapitels.)

39. Zihal S. 39, vgl. Dämonen S. 20.

40. Mord S. 40.

41. Strudlhofstiege S. 13 f., 781, 828.

42. vgl. den Artikel TRANSCENDENZ in Doderers REPERTORIUM: „Wären wir auch nur für Augenblicke auf das eben jetzt seiende innere oder äußere Inventar beschränkt, ohne dessen – doch stets anwesende – unbegreifliche Elongaturen: wir stürben auf der Stelle. Auch die Ungläubigen, welche doch vermeinen, daß man so zu existieren vermöge: sie würden solche Augenblicke nicht überleben" (Abgedruckt in: *Wort in der Zeit* [Graz], 1. Jg., 1955, S. 14).

43. vgl. Tangenten 26. 6. 1950.

44. Mord S. 262.

45. Umweg S. 277.

46. Mord S. 263. Vgl. dazu 10. Kapitel, Abschnitt 9 dieser Arbeit.
47. Zihal S. 123.
48. Dämonen S. 821.
49. Peinigung S. 112.
50. Gütersloh, Bekenntnisse a. a. O. S. 128.
51. vgl. Meine Caféhäuser, in: *Magnum,* 8. Jg., 1960, H. 28, S. 28.
52. Bresche S. 83.
53. Tangenten 11. 3. 1950.
54. vgl. Posaunen S. 55 f.
55. Von der Unschuld im Indirekten, in: *Plan* (Wien), 2. Jg., 1947/48, S. 2–14.
56. Abenteuer, Nachwort S. 126.
57. Geheimnis S. 35.
58. Strudlhofstiege S. 690, Worte Stangelers.
59. Dämonen S. 458.
60. Tangenten 6. 10. 1950.
61. Schiller an Goethe 8. 7. 1796.
62. Gütersloh, Bekenntnisse a. a. O. S. 78.
63. Erster Teil: 13 Kapitel, 99 Seiten. Zweiter Teil: 16 Kapitel, 91 Seiten. Dritter Teil: 11 Kapitel, 94 Seiten. Vierter Teil: 11 Kapitel, 93 Seiten.
64. Mord S. 254.
65. Strudlhofstiege S. 416.
66. Tangenten, Epilog auf den Sektionsrat Geyrenhoff, Kapitel 12.
67. vgl. Mord, Kap. 2, S. 12–21 und Kap. 4, S. 25–34.
68. Strudlhofstiege S. 273.
69. vgl. Gütersloh, Eine sagenhafte Figur a. a. O. S. 380 f.
70. Mord S. 29, vgl. auch Kap. 3, S. 21–25.
71. Mord S. 105.
72. Bresche S. 6.
73. Zihal S. 154.
74. Tangenten 14. 2. 1940.
75. Mord S. 47.
76. ebda. S. 68.
77. ebda. S. 74 und 77.
78. ebda. S. 75, 77, 91, 93.
79. ebda. S. 83 f.
80. ebda. S. 90.
81. ebda. S. 93.
82. ebda. S. 98.
83. ebda. S. 156.
84. ebda. S. 56.
85. ebda. S. 62.
86. ebda. S. 63.
87. ebda. S. 117.
88. ebda. S. 170.
89. ebda. S. 104 f.
90. ebda. S. 155.
91. ebda. S. 184.
92. ebda. S. 178 f.
93. Gertrud Fussenegger geht in ihrem Aufsatz: DIE DICHTER UND DER MORD (*Zeitwende,* 29. Jg., 1958, S. 556 f.) von der „kriminalistischen Grundfabel“ aus und kommt so zu keiner einheitlichen Interpretation. – W. J. Sied-

ler (Tiefe der Jahre, in: *Neue Deutsche Hefte,* 5. Jg., 1958/59, S. 269 f.) spricht auch zunächst von einer „Kriminalgeschichte"; „dann aber", so sagt er, „und vor allem, gibt das Buch Bericht über eine Selbstbegegnung". Dies ist in der Tat der einzig richtige Ansatzpunkt einer Analyse des Romans; unter diesem Aspekt schreibt schon Willy Kramp seine gründliche Studie über Doderers MORD (Über Freiheit und Verstrickung, in: *Die Neue Rundschau,* 51. Jg., 1940, S. 255–260).

94. Mord S. 182.
95. Tangenten 21. 6. 1946.
96. Tangenten 16. 10. 1946.
97. Mord S. 225.
98. ebda. S. 137.
99. ebda. S. 286.
100. Mord S. 363 f.
101. Tangenten 28. 5. 1950.
102. vgl. Strudlhofstiege S. 644, 658, 678, auch Tangenten 17. 5. 1942.
103. vgl. Geheimnis S. 27, 33, 57.
104. Das ist der lang vorbereitete Fall der Frau Schubert.
105. Abenteuer S. 50, Worte des Marschalls zu Gauvain.
106. Tangenten 12. 7. 1950.
107. Von der Unschuld im Indirekten a. a. O. S. 14.

Alles dies meint keineswegs einen blinden Fatalismus. Der Aktivität des Menschen bleibt Raum genug, denn es liegt – nach Doderer – bei ihm allein, das Fatum überhaupt erst erheblich zu machen durch die Art, wie er sich ihm gegenüber verhält.

Das Bild des fliegenden Pfeils, dessen Richtung zu bestimmen dem Menschen nicht gegeben ist, findet sich übrigens in ähnlicher Bedeutung, wenngleich in einem anderen Sinnzusammenhang, bei Schiller. In seiner GESCHICHTE DES ABFALLS DER NIEDERLANDE spricht er über das Planen und das bewußte Wollen der Führer und des Volkes und sagt dann: „Des Fatums unsichtbare Hand führte den abgedrückten Pfeil in einem höhern Bogen und nach einer ganz andern Richtung fort, als ihm von der Sehne gegeben war ..." (Schiller, Sämtl. Werke, Säkular-Ausg., Bd. 14, S. 16; vgl. auch R. Buchwald, Schiller, Bd. I, Wiesbaden 1953, S. 30).

108. Gütersloh, Bekenntnisse a. a. O. S. 114 f.
109. vgl. Fall Gütersloh S. 31.
110. Tangenten 16. 9. 1950.
111. Tangenten 12. 9. 1942.
112. Doderer an Hanns von Winter 23. 8. 1951.
113. Dies zeigt neben dem ZIHAL auch Melzers Menschwerdung (in der STRUDLHOFSTIEGE), vgl. dazu das 6. Kapitel dieser Arbeit.

4. KAPITEL

DAS SIEBENTE DIVERTIMENTO – EIN FORMALES EXPERIMENT

1. Tagebuch 31. 7. 1959.
2. Brief an D. Weber 28. August 1960.

Doderer hat sieben Divertimenti geschrieben. Von den ersten sechs ist bisher nur das fünfte (entstanden 1926) veröffentlicht, unter dem Titel: DIVERTIMENTO in: *Merkur,* 8. Jg., 1954, S. 647–659.

3. Brief an D. Weber 12. Dezember 1960.
4. Geheimnis S. 51.
5. Geheimnis S. 129.
6. Geheimnis S. 134.
7. Doderer im Gespräch.
8. Tangenten 1. 11. 1946. Doderer grenzt hier den MORD von der STRUDLHOFSTIEGE ab.
9. Näheres über die Begriffe „exzentrisch“ und „epizentrisch“ im folgenden.
10. Geheimnis S. 56.
11. Geheimnis S. 61.
12. Geheimnis S. 52 f.
13. Doderer im Gespräch.
14. Der Roman endet, wie er beginnt, mit einer direkten Ansprache des Erzählers.

„Dein Gesicht, nah und frei gegen mich heranstehend, du, ein Einzelner für dich in der Landschaft, frei wie ich oder Baum und Stein; der Handschlag, der nicht binden will und der doch bindet und schafft ein Band, so unabhängig von allen Stößen und Zwängen, denen wir Sklaven pflichtig sind; nur solche Hände, von Käfig zu Käfig gestreckt, in denen wir Bestien sitzen, nur solche Hände sind frei, und wir, die Gehetzten, erschauen das erhabene Reich, an dem wir unser unverbrüchlich Teil behalten. Öffnet sich aber dieses Tor, ja dann kann freilich auch der östliche Pflüger mit seinem Gerät aus weiter Ferne knapp neben den traurigen Knaben treten, der deutsche Bauer neben das weiße Staket, der Wartende neben den Tempeldiener, und dieses ganze Gewölle, dieser ganze Ballen, den wir da ausgespien haben, diese ganze Kugel rinnt kreisend in eins zusammen und ist groß, wenn auch überschaubar, so daß wir etwa das aus Trümmern und Menschenleibern aufgetürmte Gebirg eines Krieges deutlich sehen können, das finster darauf von Westen nach Osten wandert und den ganzen Horizont dunkelrot aufbrennen läßt: ja, auch *das* geht drein, wenn wir's auch nur mehr durch die sich schon wieder verengenden Spalten sehen können, wie sie eben noch verbleiben zwischen der einzelnen Geliebten, dem einzelnen örtlichen Pflüger, dem einzelnen Peitschenstiel und der jetzt wieder geschlossenen Tür zum Nebenzimmer. Denn jene feine, am gegenüberliegenden Stadtrand überall verteilte Sehnsucht ist ja doch wollend, steht doch gedrängt schon wieder knapp vor der Grenze, wo alles zu einzelner Gestalt gerinnen muß – formt sie nicht da und dort schon ein dir, ein mir vorbestimmtes Antlitz? Fließt es aus ihrem Nebel nicht zusammen? Welchen Glanz, und zugleich weiterhin welch einen Sturz aus dem Himmel wird es bedeuten, wenn solch ein Antlitz wieder einmal wirklich gestaltet vorspringt, allsogleich seitwärts in Zeit und Fleisch abfallend. Jetzt aber wittern seine Züge noch geisterhaft im Westen dort am fernen Horizont; während hier ein unverstellter Sternenhimmel die Steppe und die beiden Männer überwölbt. Lebt wohl, Kameraden. Bei *euch* war das Reich, war das Heil“ (S. 251 f.).

15. Abenteuer, Nachwort S. 126.
16. Strudlhofstiege S. 331.
17. Peinigung S. 231 f.
18. Im zweiten Teil erreicht Ruy de Fanez die Burg Montefal, aber er wirbt nicht um Lidoine. Dieses anfänglich erstrebte Ziel kann ihm nicht mehr Abenteuer werden, da er sein wesentlich letztes Abenteuer in der Begegnung mit dem Drachen schon erlebt hat. Wenn dann im dritten Teil ein weiterer Werber, Gamuret Fronauer, auftritt, der gleichfalls den gefährlichen Wald durchzogen

hat, so droht die Einmaligkeit der Situation Ruys durch den möglichen Vergleich relativiert zu werden. In Wahrheit jedoch erweist sich gerade durch die Gegenüberstellung das vollends Unvergleichliche seines Falles. Nachdem im vierten Teil schließlich der junge Gauvain, Ruys früherer Knappe, mit Erfolg um Lidoine geworben hat, begibt sich Ruy de Fanez auf seine letzte Fahrt. Äußert sich bis hierher seine neue befestigte Haltung nur negativ, indem er nicht handelt, so löst er sie nunmehr positiv mit einer Tat ein, und das ist seine Bewährung.

19. Grundlagen S. 33.
20. Die Skizze ist unveröffentlicht.
21. Zum Divertimento Nr. V vgl. Anm. 2.
22. vgl. Innsbrucker Rede. Zum Thema Epik, in: *Akzente,* 2. Jg., 1955, S. 525.
23. Grundlagen S. 48.
24. vgl. Grundlagen S. 25 f.

5. Kapitel

Die Entstehungsgeschichte des Dodererschen Spätwerkes

1. Tangenten 6. 9. 1950.
2. Tangenten 29. 6. 1946.
3. Tangenten 17. 6. 1949.
4. Tangenten 1. 7. 1949.
5. vgl. Grundlagen S. 35.
6. vgl. 7. Kapitel: Der Fall Geyrenhoff.
7. vgl. Tangenten 30. 1. 1940.
8. vgl. 9. Kapitel: Die zweite Wirklichkeit.
9. vgl. 8. Kapitel: Der totale Roman.
10. Verlagsanzeige beim Erscheinen der Strudlhofstiege.
11. Tangenten 10. 7. 1948.
12. Das Zitat setzt sich fort: „... seltener direkt auf einen Menschen, auf eine Figur. Aber ich könnte mir gerade dieses Letztere in häufigerem und erhöhterem Maße vorstellen, bei den großen Autoren und Menschengestaltern." Diese Selbstkritik braucht man nebenbei bemerkt nicht zu unterstützen; denn die Bedeutung des Dodererschen Werkes, das die Menschengestaltung keineswegs vernachlässigt, besteht gerade in der Darstellung der Atmosphäre eines Lebensraumes.
13. vgl. Tangenten 5. 3. 1946.
14. vgl. Abenteuer, Nachwort S. 124.
15. Doderer gesprächsweise zu Hanns von Winter.
16. vgl. Tangenten 16. 3. 1947.

6. Kapitel

Die Form der ‚Strudlhofstiege'

1. Tangenten 28. 1. 1948.
2. Zunächst erscheint Mary K. als die „Einheit" der ersten zehn Kapitel des Ersten Teils und später als die einer Reihe von Kapiteln des Vierten Teils. („Einheiten", „Dynamik", „Motivik" sind die Rubriken in Doderers Kompo-

sitions-Skizze.) Genauer differenziert: Mary ist im Ersten Teil das eigentliche Zentrum lediglich in den Kapiteln 1–3 und 7–8 (S. 9–24 und S. 46–57). Und nachdem ihre Geschichte am Ende wieder aufgenommen wird, gehören ihr im Vierten Teil mit Ausschließlichkeit nur die Kapitel 1 und 23 (S. 559–569 und S. 769–785). Das 29. Kapitel (S. 820–832) teilt sie schon mit Grete Siebenschein, wobei ihr allerdings noch der wesentliche und weitaus größere Teil zufällt. Die Einheit der Kapitel 36–38 aber (S. 842–849) ist nicht mehr Mary selbst, sondern ihr Unfall. Sie wird hier nur noch von außen anvisiert (aus Melzers Perspektive). In den Kapiteln 43 und 50 (S. 870–873 und S. 903–909) ist dann von Mary nur noch kurz die Rede.

3. Strudlhofstiege S. 19 f.
4. ebenda S. 769 und 772.
5. ebenda S. 20.
6. ebenda S. 772.
7. ebenda S. 14.
8. ebenda S. 16. – K. A. Horst (Dämonie der zweiten Wirklichkeit. Rede auf Heimito von Doderer, in: *Merkur*, 10. Jg., 1956, S. 1005–1014) nennt dieses Motiv mit Recht ein „Symbol der leeren Zeit vor dem Einschlag des Ereignisses . . .“.
9. vgl. Strudlhofstiege S. 559 ff.
10. ebenda S. 22 f.
11. ebenda S. 831 und 843.
12. ebenda S. 66, 766, 773; vgl. Tangenten, Am Weg zur Strudlhofstiege, 6. 12. 1941.
13. vgl. Strudlhofstiege S. 773.
14. ebenda S. 781, vgl. S. 828.
15. ebenda S. 48 und 49.
16. ebenda S. 831 f.
17. Herbert Eisenreich, Einleitung zu: Heimito von Doderer, Wege und Umwege . . ., Graz und Wien 1960.
18. Strudlhofstiege S. 22.
19. Tangenten 12. 3. 1945.
20. vgl. Horst a. a. O.; Eisenreich a. a. O.
21. Strudlhofstiege S. 120.
22. ebenda S. 130.
23. ebenda S. 359.
24. ebenda S. 565.
25. ebenda S. 812 f.
26. ebenda S. 363.
27. ebenda S. 212.
28. Tangenten 27. 2. 1947.
29. Tangenten 1. 11. 1946. – Wenigstens nimmt Melzers Geschichte den größten Raum des Buches ein. Doch schon die Frage nach den Kapitel-Einheiten, die Melzer bilde, stößt auf eine Schwierigkeit. Er führt nämlich keine so isolierte Existenz wie Mary K.; seine Geschichte wird ebensowohl in Gruppenszenen wie auch monographisch erzählt. Eine Aufreihung sämtlicher Kapitel, in denen Melzer auftritt, wäre deshalb nur unübersichtlich. Besonders genannt seien nur die folgenden, in denen er zweifellos das Zentrum bildet. Zuerst der Block I 11–19 (S. 63–105), das zweite Drittel des Ersten Teils. Diese Kapitel zerfallen in zwei Abschnitte von genau gleichem Umfang (jeweils 21 Seiten). Beide exponieren Melzers Charakter und seine Lebensumstände: I 11–15 die des Leutnants vor

dem Kriege (1910), I 16–19 die des Amtsrates nach dem Krieg (1918/1923). Weiterhin ist es bemerkenswert, daß alle Schlußkapitel der folgenden Teile fast ganz aus Melzers Perspektive erzählt werden: II 14–16 (S. 295–355), III 31–33 (S. 544–558), IV 36–46 sowie IV 50 (S. 842–895 und S. 903–909).

30. Strudlhofstiege S. 85.
31. ebenda S. 226 f.
32. ebenda S. 319.
33. ebenda S. 337.
34. ebenda S. 338.
35. ebenda S. 339.
36. ebenda S. 341.
37. ebenda S. 343.
38. ebenda S. 354.
39. ebenda S. 371 und 448.
40. ebenda S. 486.
41. ebenda S. 521.
42. ebenda S. 530 f.
43. ebenda S. 680.
44. ebenda S. 677.
45. ebenda S. 689.
46. ebenda S. 681 f.
47. ebenda S. 688.
48. ebenda S. 690.
49. ebenda S. 740.
50. ebenda S. 763.
51. ebenda S. 876.
52. ebenda S. 856.
53. ebenda S. 226 und 530.
54. vgl. W. J. Siedlers Rezension von EIN MORD DEN JEDER BEGEHT u. d. T. TIEFE DER JAHRE, in: *Neue Deutsche Hefte,* 5. Jg., 1958/59, S. 269 f.
55. Tangenten 6. 10. 1950.
56. Tangenten, Am Weg zur Strudlhofstiege, 6. 12. 1941.
57. Dämonen S. 8.
58. Strudlhofstiege S. 406 f.
59. Tangenten 30. 10. 1946.
60. Mary: I 1–10 (55 Seiten); Melzer: I 11–19 (43 Seiten); Etelka: I 20–31 (59 Seiten); Editha: IV 4–5 (62 Seiten).
61. Das letzte Drittel des Ersten Teils ist eine Art Referat von Etelkas Lebensgeschichte, weit ausholend in ihre Kindheit und Jugend und vorgreifend bis auf ihre letzten Lebensjahre. Im Zweiten Teil steht Etelka ausdrücklich im Hintergrund; während des Skandals auf der Strudlhofstiege befindet sie sich auf einer ihrer „Eskapaden". Dieser für sie charakteristische Sachverhalt, gerade in diesem Zusammenhang, ist eine Vorausdeutung auf den späteren durch sie selbst veranlaßten Skandal, in dem der Dritte Teil, der auf weite Strecken ihrem Schicksal gewidmet ist, seinen Höhepunkt erreicht. Damit ist Etelkas Geschichte im Grunde schon abgeschlossen; ihr Selbstmord ist nur mehr eine „perspektivische Verlängerung" (vgl. S. 565) und wird deshalb nicht direkt gestaltet, sondern – durch den Bericht René Stangelers gebrochen – zusammenfassend referiert (IV 25; S. 790–810).
62. vgl. Tangenten 8. 3. 1946.
63. vgl. Strudlhofstiege S. 823. – Mary und Etelka sind durch das Ehepaar Fraunholzer „indirekt verbunden". Mary ist mit Lea Küffer-Fraunholzer be-

freundet; zwischen Etelka und Fraunholzer besteht ein Liebesverhältnis. Im Interesse Leas verfolgt Mary Etelkas Schicksal.

64. vgl. Strudlhofstiege S. 111.

65. vgl. Tangenten 1. 11. 1946.

66. Editha Schlinger-Pastré wird beiläufig schon im Ersten Teil charakterisiert, gelegentlich ihres Abenteuers mit Negria (I 9 und 10; S. 57–63). In dem Kapitel I 19 (S. 99–105), das wie die Episode mit Negria im Jahre 1923 spielt, erscheint sie zum ersten Mal wieder neben Melzer; wieder – denn schon im Jahre 1911 hat sie eine Rolle in dessen Leben gespielt, wovon der Abschnitt II 8 (S. 238–240) berichtet. Durch René Stangeler zur vollen Wirksamkeit ihres, wie es heißt, grundschlechten Charakters befreit (II 3; S. 204–206), gibt sie Anlaß zu dem Skandal auf der Strudlhofstiege. Inzwischen ist bereits aus II 2 (S. 183–204) bekannt, daß Editha eine Zwillingsschwester hat oder, wie an dieser Stelle von einigen Figuren im Gespräch vermutet wird, gehabt hat. Diese Mimi Scarlez, geborene Pastré, tritt im Frühjahr 1925 unter dem Namen Editha in Wien auf. Sie, und nicht die wirkliche Editha, ist es, von der bereits eine Passage in II 14 (S. 295–333) und dann alle betreffenden Kapitel des Dritten Teils handeln. Das sind nach dem kurzen Abschnitt in III 1 (S. 356–395) besonders die Kapitel III 18–22 (S. 468–504); in III 23 (S. 504–507) tritt die wirkliche Editha kurz ins Blickfeld, und in III 24 (S. 507–513) erscheinen die Zwillinge das erste Mal gemeinsam. Weshalb dieses ganze Täuschungs-Manöver von Editha angestellt worden ist, wird in den Abschnitten IV 4–5 (S. 592–654) ausführlich erklärt. Dabei geht es zu dem für die Gesamthandlung wichtigen Teil um Edithas Tabak-Manipulationen.

Eine kurze Inhaltsangabe mag die Komplexität dieses Handlungskreises andeuten. Editha benötigt große Mengen österreichischer Tabaksorten, die sie über die Grenze nach Deutschland zu bringen trachtet, da ihr Geliebter, Gustav Wedderkopp, Tabakhändler in Wiesbaden, davon zwar keinen geschäftlichen, wohl aber persönlichen Vorteil bei seinen Kunden haben würde. Mit der Beschaffung des Materials betraut sie den Rittmeister von Eulenfeld; und ihre Schwester Mimi erhält den Auftrag, während Editha selbst in Deutschland weilt, über den Amtsrat Melzer, der bei der österreichischen Tabak-Regie arbeitet, eine Legitimation für die zollfreie Expedierung zu erschleichen. Soweit der Plan, der im übrigen nicht zur Ausführung gelangt. Mimi verliebt sich in Melzer, und vom Tabak wird zwischen ihnen nicht mehr gesprochen. Eulenfeld wendet sich an seine derzeitige Geliebte Thea Rokitzer, und diese in seinem Auftrag an ihre Tante Oplatek, die eine Tabak-Trafik unterhält, um hier die Bestellung eines größeren Postens Rauchsorten vorzubereiten. Durch die Oplatek, die übrigens ablehnt, erfährt deren Nichte Hedi Loiskandl von dieser verdächtigen Affäre. Da nun gerade zu jener Zeit mehrmals von Tabak-Schmuggeleien und -Diebstählen in den Zeitungen zu lesen ist, ergreift die Loiskandl, die mit einem Polizisten verlobt ist, den sie gerne zum Inspektor avanciert sähe, die Initiative gegen Eulenfeld. Damit ist Edithas durchaus gleichrangige Gegenspielerin da. Die Loiskandl alarmiert die Eltern Rokitzer, tastet bei ihrer Stiefschwester Paula Pichler, Thea Rokitzers intimer Freundin, vor und vergewissert sich schließlich bei ihrer Cousine Thea selbst, daß diese nicht in Eulenfelds Machenschaften verwickelt ist. Paula Pichler und Thea, durch die Loiskandl aufgeschreckt, erkundigen sich beide unabhängig voneinander bei dem Amtsrat Zihal, ob ein Kauf größerer Mengen von Zigaretten zum gesetzlich festgelegten Preis in irgendeiner Weise eine strafbare Handlung sei oder zu einer solchen führen könne. Zihal endlich diskutiert diese Frage später mit Melzer. Inzwischen stehen dem Rittmeister von Eulenfeld, durch Vermittlung seines

Freundes Oki Leucht – von Scheichsbeutel, dem Sekretär Cornel Laschs, widerspruchslos besorgt – die Zigaretten für Editha zur Verfügung. Am 21. September 1925 verfliegt der ganze Spuk. Die vielen Namen aus den verschiedensten Handlungskreisen mögen zur Bezeichnung der Komplexität dieses Epizentrums ausreichen.

67. vgl. Strudlhofstiege S. 290.
68. ebenda S. 64, vgl. S. 66.
69. ebenda S. 309.
70. ebenda S. 860.
71. ebenda S. 907.
72. ebenda S. 555.
73. vgl. ebenda S. 305 u. ö.
74. vgl. ebenda S. 806.
75. vgl. ebenda S. 865.
76. Die Sequenz sei nur angedeutet: I 4 (S. 24–40), III 2 (S. 395–408), III 10–11 (S. 435–440), III 25–26 (S. 513–526), IV 8 (S. 667–672), IV 11 (S. 701–704), IV 16 (S. 727–731), IV 30 (S. 832 f.).
77. vgl. 8. Kap. dieser Arbeit.
78. vgl. Strudlhofstiege S. 182 f.
79. ebenda S. 315.
80. ebenda S. 180 f.
81. ebenda S. 364.
82. vgl. ebenda S. 893.
83. ebenda S. 368.
84. vgl. Tangenten 17. 4. 1945.
85. Tangenten, Am Weg zur Strudlhofstiege, 6. 12. 1941.
86. ebenda 26. 12. 1941.
87. Strudlhofstiege S. 43 f.
88. vgl. ebenda S. 490 ff.
89. ebenda S. 894.
90. vgl. ebenda S. 57.
91. vgl. ebenda S. 332.
92. ebenda S. 485.
93. ebenda S. 753.
94. vgl. ebenda S. 324.
95. ebenda S. 129.
96. ebenda S. 291 ff.
97. So wird der voraufgehende „Skandal“ im Badezimmer ironisch bezeichnet (vgl. S. 249).
98. Zunächst in einer Szene, die ein genaues Kontrast-Symbol zu Melzers Weg darstellt. Stangeler erzählt (indem er sich „geradezu an Melzer“ wendet): die Tapetentür, die einst die Stangerlersche Wohnung mit einer Wohnung des Nachbarhauses verbunden hat, sei im Kriege vermauert worden. Er sei dabei gewesen und habe dieses „Abmauern“ „nicht eigentlich als feindselige Handlung“ empfunden: „Aus einer Wohnung sollten wieder zwei werden, wie es ja ursprünglich gewesen war.“ Er fragt sich indessen, wann „sich die zwei Wohnungen wirklich trennen“ würden, wann „die Trennung sozusagen ausgeheilt“ wäre (S. 321 f.). – Stangeler wiederum gebraucht das Wort gegen Ende des Romans direkt in Bezug auf Melzer. Dieser spricht ihn darauf an, daß er Paula Pichler, deren Bekanntschaft René ihm vermittelt, schon vom Stiegen-Skandal her kenne, was Stangeler wohl wissen müsse. Stangeler antwortet: „Ich war ja blind. Da war eine unsichtbare Mauer, eine im Inneren: nun ist sie dort außen

eingebrochen! Und ich habe durch die ganzen Jahre Melzer und Paula in kontaktloser Evidenz geführt! Oder: ich habe Melzer zerteilt: damaliger Melzer, Leutnant. Heutiger Melzer. Jetzt heilt beides zusammen. In mir." (S. 753) Und Melzer selbst, der sich hier noch wünscht: „Würde doch alles so heilen!", sagt am Ende zu den Zwillingen Pastré: „Ihr waret eins, nun seid Ihr zwei. Bei mir verhält es sich wesentlich umgekehrt. Auch das heilt also zusammen" (S. 888).

99. Strudlhofstiege S. 295.

100. ebenda S. 329 ff.

101. ebenda S. 316.

102. ebenda S. 319.

103. ebenda S. 320.

104. Z. B. in einer Szene, die im Jahre 1910 spielt, wird Melzer, der sich augenblicklich außer Fassung befindet, von Lindner („halblaut über den Tisch herüber") gefragt: „Was hast' denn, Melzer?!" (S. 72) Ebenso (wiederum „halblaut") fragt ihn Eulenfeld einmal im Jahre 1923: „Na, mein Lieber – scheinst mir nicht eben in rosiger Stimmung zu sein?" (S. 93) Und Melzer erkennt die Analogie. Er beginnt „seine Selbständigkeit und Verantwortlichkeit als Kompaniekommandant jetzt gleichsam eingerahmt zu sehen von der allgemeinen Unselbständigkeit seines Lebens überhaupt, worin er niemals irgendwohin gegangen, sondern immer nur irgendwohin gekommen war. ... Er war mitgenommen worden ... Das alles erschreckte den Major gar sehr. Und so mußte er denn jene Augenblicke leiden, die niemand erspart bleiben, der eigentlich gelebt hat: die tiefe Angst nämlich, nicht eigentlich gelebt zu haben. Man könnte sagen, daß damit immerhin ein bedeutender und neuer Schritt ins Leben getan sei" (S. 96).

105. Strudlhofstiege S. 317.

106. vgl. ebenda S. 860: Melzers Erinnerungen zielen nach vorwärts auf Thea Rokitzer, „die solchermaßen ein nicht abtrennbarer Teil davon, ja damit eins wurde".

107. Daß dieses Verhalten einem Außenstehenden befremdlich erscheinen muß, wird in einem Gespräch zwischen Melzer und Asta Stangeler-Haupt im Jahre 1925 offenkundig. Melzer spricht mit ihr über den Stiegen-Skandal von damals, und sie hat den Eindruck, er („welcher sich alsbald kombinierend in die längst überlebten Details hatte einlassen wollen") behandele die Vergangenheit „wie ein Spezialist" (S. 553).

108. Strudlhofstiege S. 313.

109. ebenda S. 310 f.

110. Tangenten 9. 6. 1946.

111. Dämonen S. 1135, 1289.

112. Strudlhofstiege S. 231.

113. Im Flur seines Wohnhauses fliegt ihn ein „fremder Geruch" an: „Faules Laub? Moder? Aber es war etwas Dumpfes, wie Gummi, dabei." Im Vorübergehen erblickt Melzer in einer offenstehenden Rumpelkammer ein Fahrrad. So zuerst im Jahre 1923 (S. 100). Das Motiv verbindet sich später mit einem erinnerten Gesichtseindruck. Als er im Jahre 1925 einen Besuch auf der Villa Stangeler macht, erinnert ihn der „grüne Blätterschatten" einer dortigen Promenade an den „ganz leicht dampfig überhauchten Kies und Rasen vor dem Hause seiner Mutter in Neulengbach bei Wien". Damit faßt „der schleifende Anker des Gedächtnisses plötzlich und unvermutet Grund, und viel weiter weg noch von dem Strande, den Melzer erstrebte, viel weiter weg noch als er gewünscht hatte"; denn Neulengbach bedeutet für ihn nichts als die Ferienzeit des Unter-

gymnasiasten. Inzwischen wird seine Erinnerung deutlicher: der Raum unterhalb der Veranda dort erscheint vor seinem inneren Auge – „in tiefem Schatten und dumpfer Laub-Fäulnis, wo sein Fahrrad steht". Dort herrscht dasselbe „grüne Unterwasserlicht" wie jetzt hier auf der Promenade, wie in Astas Zimmer hinter herabgelassenen Jalousien, und wie mitunter auf der Strudlhofstiege (S. 547 f.). Melzer vollzieht alle diese Verbindungen selbst. Und als ihn am 21. September 1925 der „modrige, kellrige oder gummige" Geruch im Hausflur wieder antritt, ist der Zusammenhang für ihn „derart evident, daß er ihn auch nicht durch den kleinsten Bruchteil einer Sekunde erst zu suchen brauchte" (S. 785 f.).

114. Strudlhofstiege S. 868 f.

115. vgl. Tangenten 3. 12. 1950.

116. Strudlhofstiege S. 894.

117. vgl. ebenda S. 181.

118. vgl. ebenda S. 498 f. (Stangelers Ausführungen). Der Ausdruck „Sphinx ohne Rätsel" ist ein Wort des Lord Henry Wotton über die Frauen in Oscar Wildes BILDNIS DES DORIAN GRAY (Kap. 17).

119. Strudlhofstiege S. 668.

120. ebenda S. 744.

121. in: *Kontinente* (Wien), 7. Jg., 1953/54, H. 8, S. 20–23. Dieser Aufsatz ist gänzlich in die Einleitung zu dem Band: ÖSTERREICH. BILDER SEINER LANDSCHAFT UND KULTUR (Atlantis, Zürich 1958) eingegangen. Danach die Zitate.

122. vgl. Dämonen S. 108 ff.

123. Strudlhofstiege S. 146.

124. ebenda S. 286.

125. ebenda S. 287.

126. ebenda S. 173.

127. ebenda S. 210.

128. ebenda S. 135.

129. ebenda S. 285.

130. Dämonen S. 1143.

131. Strudlhofstiege S. 213.

132. Als „Genies in Latenz" zählen Ferdinand Schachl, Lina Nohel, der Amtsdiener Kroissenbrunner, auch Melzer (vgl. S. 509, 689, 706, 725).

133. Wörtlichkeit als Kernfestung der Wirklichkeit, Rede, gehalten in der Akademie der Künste zu Berlin am 20. Juni 1960 (unveröffentlicht).

134. Strudlhofstiege S. 359.

135. ebenda S. 722 f.

136. ebenda S. 892 f.

137. vgl. ebenda S. 738 f., 739 ff., 744.

138. vgl. ebenda S. 355.

139. Tangenten 20. 6. 1945.

140. Strudlhofstiege S. 490 und 492.

141. ebenda S. 275.

142. ebenda S. 325.

143. ebenda S. 473 f.

144. ebenda S. 695.

145. ebenda S. 494.

146. ebenda S. 128.

147. ebenda S. 694, vgl. auch S. 324, 764.

148. ebenda S. 330–332.

7. Kapitel

Der Fall Geyrenhoff

1. vgl. Tangenten 12. 2. 1940.
2. Grundlagen S. 47.
3. Dämonen S. 7 f.
4. Dämonen S. 10.
5. Zu den Begriffen: Erzählergegenwart, Handlungsgegenwart, Zukunftsgewißheit und -ungewißheit, wie auch zum folgenden vgl. Eberhard Lämmert, Bauformen des Erzählens, Stuttgart 1955.
6. Dämonen S. 10 f.
7. Dämonen S. 11; das letzte ist ein Zitat von F. Schlegel (Athenaeum I, 1798, 2, 20).
8. Dämonen S. 9 f.
9. vgl. Dämonen S. 281.
10. vgl. Dämonen S. 368.
11. Dämonen S. 9.
12. Dämonen S. 61.
13. Tangenten. Epilog auf den Sektionsrat Geyrenhoff, Kap. 7 (im folgenden zit. als: Epilog).
14. Dämonen S. 60 f.
15. vgl. Dämonen S. 60 und S. 839.
16. Dämonen S. 838 f.
17. Dämonen S. 12.
18. F. M. Dostojewski, Die Dämonen, übertr. von E. K. Rashin, München (Piper) 1956, S. 9.
19. ebda. S. 86.
20. ebda. S. 297.
21. Epilog Kap. 7.

Doderer hat sich auch sonst in diesem Sinn geäußert, z. B. in einer Besprechung von Jean Giraudoux' Roman Kampf mit dem Engel (Vom Jenseits im Diesseits, *Forum,* Wien, 2. Jg., 1955, S. 405 f.): „Man erinnere sich, in welch ausweglose Situation F. M. Dostojewskij sich in seinen Dämonen hineinmanövriert: immer mehr und mehr weiß die Ich-Stimme zu berichten, was zu berichten ganz und gar außerhalb ihrer Möglichkeiten liegt. Und so ungefähr in der Gegend von Seite 330 der Piper-Ausgabe hat sich der Löwe in seiner eigenen Falle gefangen und befreit sich allerdings aus ihr mit einem einzigen Ruck, wie es eben nur ein Löwe vermag. Dabei entsteht so nebenbei eines der besten Lehrbeispiele für die Erzählungskunst, welche es in der Weltliteratur gibt. Denn das aufgebrochene Werk läßt leichter in sich hineinschauen."

22. Albert Camus, Die Pest, Roman, übers. von Guido G. Meister, rororo Nr. 15, Hamburg 1950, S. 5 und 178.
23. Dämonen S. 1076 f.
24. Dämonen S. 488 f.
25. Dämonen S. 1248.
26. Dämonen S. 10.
27. vgl. Dämonen S. 1137.
28. Dostojewski a. a. O. S. 651.
29. Thomas Mann, Doktor Faustus. Das Leben des deutschen Tonsetzers Adrian Leverkühn erzählt von einem Freunde, Stockholmer Ges. Ausg. 1956, S. 576.
30. Dämonen S. 453.

31. Dämonen S. 286.
32. Gottfried Keller, Sämtl. Werke, hrsg. von Jonas Fränkel, 1926 ff., Bd. 6 (Der Grüne Heinrich, IV. Bd.), S. 48.
33. Epilog Kap. 6.
34. Dämonen S. 840, vgl. auch S. 62 und S. 1097.
35. vgl. Dämonen S. 472.
36. Später sagt Geyrenhoff, allerdings aus anderen Gründen: „Ich war auch einer von den ‚Unsrigen', nichts weiter" (S. 1078, vgl. S. 1094).
37. Dämonen S. 670.
38. Dämonen S. 377.
39. Dämonen S. 1062.
40. Dämonen S. 1137 f.
41. Dämonen S. 492.
42. Dämonen S. 495.
43. Dämonen S. 10, vgl. auch S. 965.
44. Dämonen S. 114 f., vgl. auch S. 10 und 377.
45. vgl. Dämonen S. 873, S. 1181 f., S. 1218, S. 1282.
46. Dämonen S. 489.
47. Dämonen S. 1282.
48. Dämonen S. 558.
49. Dämonen S. 1040 f. Weitere Stellen, an denen Geyrenhoff in dritter Person erscheint: S. 603, S. 670, S. 700, S. 873, S. 1181 f., S. 1192, S. 1208, S. 1209, S. 1218, S. 1282.
50. Dämonen S. 1043.
51. Dämonen S. 1258.
52. Epilog Kap. 14.
53. Epilog Kap. 17.
54. Dämonen S. 670.
55. Dämonen S. 80.
56. Dämonen S. 472 f.
57. Dämonen S. 965.
58. Dämonen S. 9.
59. Dämonen S. 1247.
60. vgl. Dämonen S. 18.
61. Dämonen S. 1249.
62. Dämonen S. 1069.
63. vgl. Grundlagen S. 28.
64. Epilog Kap. 17.
65. vgl. z. B. die Zusammenfassungen:
II 1, 3. Abschn. (S. 497 f.).
II 9 (S. 828 ff.).
III 6 (S. 959 ff.).
III 8, 5. Abschn. (S. 1092).
III 9, 5. Abschn. (S. 1119).
III 11, 9. Abschn. (S. 1232).
66. Epilog Kap. 14.
67. Epilog Kap. 7.
68. Insofern ist auch Käte Hamburgers Unterscheidung zwischen „fingiertem Ich-Erzähler" und „fiktiver Romanfigur" auf Geyrenhoff nicht anwendbar: er ist beides zugleich, fingiert und fiktiv! (vgl. K. Hamburger, Die Logik der Dichtung, Stuttgart 1957, S. 223)
69. Epilog Kap. 1.

70. Epilog Kap. 17.
71. Tangenten 26. 2. 1947.
72. vgl. Grundlagen S. 30.
73. Robert Musil, Der Mann ohne Eigenschaften, Hamburg 1952, S. 1636.
74. Tagebuch 31. 7. 1959.

8. Kapitel

Der totale Roman

1. vgl. Dämonen S. 1181.
2. Brief an D. Weber 8. Mai 1961.
3. vgl. Dämonen S. 260, 80, 1093.
4. vgl. Dämonen S. 81.
5. vgl. Dämonen S. 80 f.
6. Dämonen S. 285, vgl. auch S. 387.
7. Dämonen S. 309.
8. Tangenten 30. 1. 1940.
9. Dämonen S. 81.
10. vgl. Dämonen S. 202.
11. Dämonen S. 304 f.
12. Dämonen S. 260.
13. vgl. Dämonen S. 458, 424, 421.
14. Dämonen S. 454.
15. vgl. Tangenten 10. 11. 1946 und 26. 9. 1949.
16. Tangenten 2. 9. 1948.
17. Tangenten 18. 10. 1942.
18. Dämonen S. 11.
19. Tangenten 3. 12. 1950.
20. Tangenten 8. 1. 1950.
21. Tangenten 1. 4. 1950.
22. Der Begriff stammt von Charles Bally (Figures de Pensée et Formes Linguistiques, in: GRM VI, 1914, S. 405–422 und 456–470). Vgl. E. Lämmert, Bauformen des Erzählens, Stuttgart 1955, S. 281 f.
23. vgl. Strudlhofstiege S. 813.
24. vgl. Tangenten 7. 4. 1946.
25. vgl. Tangenten 18. 10. 1942.
26. vgl. Tangenten 18. 8. 1942.
27. Doderer im Gespräch.
28. Tangenten 12. 5. 1947.
29. vgl. Strudlhofstiege S. 710.
30. Grundlagen S. 40.
31. Dämonen S. 392.
32. Der Sachverhalt läßt sich mit einem bei Doderer oft wiederholten Grundsatz und dessen Umkehrung am besten formulieren. Doderer sagt: „Niemand bewirkt das eigentlich von ihm Gemeinte“; das bedeutet positiv gewandt: Jede Handlung hat Wirkungen, deren Ausmaß und Charakter der Handelnde nicht übersieht. – In den konkreten Fällen, die in den Dämonen zu Wort kommen, sieht das folgendermaßen aus: Geyrenhoff spricht, angeregt durch einen Zufall, Levielle gegenüber von einer Ähnlichkeit zwischen Quapp und Ruthmayr, die

ihm einmal aufgefallen ist, und Levielle ist aufs äußerste betroffen. Oder: Stangeler wird, ohne es zu wollen, Zeuge einer geheimen Besprechung zwischen Levielle und dessen Komplicen Lasch, und er wird von diesen als „Spion" verdächtigt. Schließlich: in einem theoretischen Gespräch zitiert Stangeler – in Gegenwart Laschs – Worte Levielles, die er aus jener Besprechung behalten hat, und ein verständnissinniger Blickwechsel zwischen Geyrenhoff und Schlaggenberg bei diesen Worten wirkt alarmierend auf Lasch. – Diese drei Szenen bestätigen bereits, daß es sich jeweils um einen indirekten Mechanismus handelt. Geyrenhoff sagt von seinem Vorstoß gegen Levielle: „So, dacht' ich bei mir, drücken sich uns Waffen in die Hand, die wir nicht geladen haben. – Doch lösen wir den Schuss" (S. 1072). Und über Stangeler sagt er zu Schlaggenberg: „eine sehende Henne hätte hier das Korn nicht sicherer finden können"; worauf Schlaggenberg antwortet (und hier fällt das entscheidende Wort): „Dabei ist er eigentlich nicht blind. Er hat nur die Technik des indirekten Sehens, so wie die Artilleristen im Kriege indirekt schossen. Er sieht gewissermaßen um die Ecke ... aber sehr gut" (S. 459). – Später, im Besitz konkreten Wissens, erwacht Geyrenhoff zur Aktivität. Jedoch, wie er bisher indirekt sicher geführt worden ist, so scheitert er jetzt in bezeichnender Weise schon mit seiner ersten direkten Bemühung. Er wähnt sich am „Schaltbrett" und vermeint zwischen den „Hebeln" wählen zu können, „um etwa die oder jene Verbindung herzustellen" (S. 965); aber das Leben läßt sich nicht dirigieren. Seine telefonischen Anrufe, die er unternimmt, um von Schlaggenberg oder Quapp Neues zu hören, sind vergeblich. Indessen ruft ihn unmittelbar danach Cornel Lasch an. Die direkten Anstrengungen bleiben erfolglos, doch der richtige Effekt stellt sich indirekt und von selbst ein. Geyrenhoff resümiert: „Ich hatte mit meiner ‚Aktivität' gleichsam auf den Busch geklopft, nun sprang der Bock heraus ..." (S. 968). – Schließlich, nachdem er von Schlaggenberg die Hintergründe der Geschichte erfahren hat, wird ein bewußter Vorstoß möglich. Geyrenhoff vollführt ihn indessen nicht direkt gegen Levielle, sondern gegen dessen Rechtsanwalt. Er stellt abschließend fest: „Mein zweiter Warnungsschuss, diesmal bewußt abgegeben, war aus dem Rohr. – Mehr konnte nicht geschehen" (S. 1096).

33. Dämonen S. 455.
34. Dämonen S. 829–838.
35. Dämonen S. 1080 f., 1084 f.
36. Dämonen S. 870 f.
37. Dämonen S. 626.
38. Dämonen S. 569–588.
39. vgl. Dämonen S. 660 f., 993.
40. Grundlagen S. 35.
41. Dämonen S. 11, vgl. S. 16, 18.
42. vgl. Doderer, Der Aquädukt, in: Der Aquädukt. Ein Jahrbuch, hrsg. im 175. Jahre der C. H. Beck'schen Verlagsbuchhandlung 1763/1938, München und Berlin 1938, S. 13.
43. Dämonen S. 961.
44. Dämonen S. 1342; vgl. S. 283 f., 307, 321, 1125.
45. Dämonen S. 908 ff.
46. Dämonen S. 487, 1271 ff.
47. Zihal S. 88.
48. Grundlagen S. 47.
49. Dämonen S. 668, 676, 815.
50. Den Prozeß von der Multiversalität zur Universalität, der hier gemeint ist, beschreibt K. A. Horst (Das Spektrum des modernen Romans, München

1960, S. 35 f. u. ö.) mit dem Begriff „Katholizität", den er wörtlich – also im aristotelischen Sinn – versteht; der Ausdruck ist zwar treffend, aber insofern unglücklich, als man ihn nur mit dem Hinweis, daß man ihn wörtlich nehme, gebrauchen kann.

51. Doderer, Gütersloh, in: *Wort in der Zeit* (Graz), 1. Jg., 1955, S. 133. Güterslohs Roman ist inzwischen erschienen: SONNE UND MOND, München 1962.

52. Robert Musil, Der Mann ohne Eigenschaften, Hamburg 1952, S. 1640.

53. Tangenten 2. 2. 1940.

54. Tangenten 5. 10. 1942.

55. Vgl. HEIMITO VON DODERER, Sonderdruck des Biederstein Verlages München o. J. (1951); auch Herbert Eisenreich, Lebenstafel, in: Doderer, Wege und Umwege, ausgew. und eingel. von H. Eisenreich, Graz und Wien 1960.

56. vgl. DODERER. DER SPÄTZÜNDER, in: *Der Spiegel* (Hamburg), 5. 6. 1957.

57. Grundlagen S. 36.

58. Doderer im Gespräch.

59. Tangenten 22. 4. 1947.

60. vgl. Grundlagen S. 49 ff.

9. KAPITEL

DIE ZWEITE WIRKLICHKEIT

1. Tangenten 30. 1. 1940.
2. Tangenten 12. 2. 1940.
3. Tangenten 16. 3. 1947.
4. Dämonen S. 1024.
5. Tangenten 18. 10. 1942.
6. vgl. Dämonen S. 1251 f. (Stangeler).
7. Tangenten 24. 6. 1948.
8. Grundlagen S. 37.
9. Alle Zitate aus der unveröffentlichten Rede: WÖRTLICHKEIT ALS KERNFESTUNG DER WIRKLICHKEIT (1958); zum letzten Zitat vgl. Tangenten 18. 10. 1942.
10. Tangenten 17. 8. 1949.
11. Tangenten 24. 7. 1949.
12. Tangenten 26. 10. 1948.
13. Tangenten 27. 8. 1948.
14. vgl. Dämonen S. 484 ff.: Gespräch zwischen Gürtzner-Gontard und Geyrenhoff über den Revolutionär.
15. Doderer im Gespräch.
16. s. Anm. 9.
17. vgl. Dämonen S. 861.
18. vgl. Doderers theoretische Schrift: SEXUALITÄT UND TOTALER STAAT (unveröffentlicht).
19. Dämonen S. 670.
20. Dämonen S. 1054.
21. Tangenten 27. 5. 1942.
22. Dämonen S. 1023 (Stangeler).
23. Dämonen S. 683.
24. Dämonen S. 677.
25. Dämonen S. 680.

26. vgl. Dämonen S. 436, 442, 444.
27. Dämonen S. 678.
28. Dämonen S. 688.
29. Dämonen S. 682.
30. vgl. Dämonen S. 704 ff.
31. vgl. Dämonen S. 690.
32. Dämonen S. 679.
33. Dämonen S. 684.
34. Dämonen S. 702.
35. Dämonen S. 692f.
36. Dämonen S. 711.
37. Dämonen S. 204.
38. Dämonen S. 1342.
39. Dämonen S. 1034 f.
40. Dämonen S. 1026.
41. Dämonen S. 1248.
42. Dämonen S. 692.
43. Dämonen S. 700.
44. Tangenten 18. 7. 1948.
45. vgl. Dämonen S. 725 u. 722 (Stangeler).
46. vgl. Dämonen S. 735 u. 732 (Stangeler).
47. Dämonen S. 734 (Stangeler).
48. Dämonen S. 727.
49. Stangeler sagt: „Diese ganze Sache hat sozusagen einen erhöhten Grad von Wirklichkeit“ (S. 735).
50. Dämonen S. 736.
51. Tangenten 4. 6. 1948.
52. Tangenten 20. 10. 1948.
53. Dämonen S. 1028.
54. Dämonen S. 1028 ff.
55. abgedruckt in: Jahresring 55/56, Stuttgart 1955.
56. Tangenten 23. 5. 1949.
57. Dämonen S. 687.
58. vgl. Dämonen S. 251, 487, 498, 851, 1275.
59. Tangenten 8. 9. 1949.
60. Tangenten 2. 11. 1948.
61. Dämonen S. 1031.
62. Dämonen S. 741.
63. vgl. Zihal S. 72, 91 u. ö.
64. Dämonen S. 929.
65. abgedruckt in: Sonderdruck vom Biederstein Verlag München (1951).
66. Dämonen S. 734. Auch das Bild der „pathologischen Flora“ kommt in Stangelers „innerem Dialog“ mit Herzka vor, in dem er auf dessen künftige Praktik vorausdeutet: „Dabei pflegen die Einzelheiten sogleich zu wuchern, wie die Pilze nach dem Regen. Sie werden auf das einzelste vom einzelnen kommen, denn sobald man sich einmal mit den Resten von Ereignissen irgendwie einschließt und abschließt, entsteht solch eine Brackwasser-Fauna und Tümpel-Flora ...“ (S. 734).
67. Dämonen S. 1028 ff.
68. Dämonen S. 1045.
69. Dämonen S. 1062.
70. Dämonen S. 1025.

71. So lautet der Titel einer Rezension von Hanns von Winter (in: *Freude an Büchern*, Wien, 2. Jg., 1951, S. 282 ff.). Vgl. auch Zihal S. 154. Doderer selbst gibt als Thema des kleinen Romans die „totale Ordnungspein" an (vgl. Tangenten 30. 1. 1940).
72. Dämonen S. 1046.
73. Zihal S. 191.
74. Dämonen S. 1049.
75. Dämonen S. 1049 f.
76. Dämonen S. 721 f.
77. Dämonen S. 1048 f.
78. Dämonen S. 1218.
79. vgl. Dämonen S. 1212.
80. Dämonen S. 1050.
81. Dämonen S. 1051.
82. vgl. Dämonen S. 732.
83. Dämonen S. 753.
84. Doderers sprachliche Vorbilder sind – wie er selbst versichert – ausschließlich historiographische Dokumente aus Österreich während des 15. Jahrhunderts, vor allem die WIENER ÖSTERREICHISCHE CHRONIK 1454–1467, im besonderen die Türken-Chronik des Pfarrers Jacob Unrest. Vgl. dazu Doderers Dissertation: ZUR BÜRGERLICHEN GESCHICHTSSCHREIBUNG IN WIEN WÄHREND DES 15. JAHRHUNDERTS, Wien 1925 (Masch. Schr.).
85. Dämonen S. 1022.
86. Dämonen S. 731.
87. Dämonen S. 805.
88. Dämonen S. 1082 f.
89. Dämonen S. 1028 f.
90. Dämonen S. 1125.
91. Dämonen S. 1342.
92. vgl. Dämonen S. 309.
93. So antwortet Williams, als Stangeler ihm jenen Satz des Achaz zitiert: „Damals nannte man's einen Dämon" (S. 1023).
94. Dämonen S. 860.
95. Dämonen S. 785.
96. Dämonen S. 858.
97. Zihal S. 146.
98. Dämonen S. 741 f.

10. KAPITEL

DER 15. JULI 1927

1. Tangenten 4. 8. 1944.
2. Strudlhofstiege S. 359.
3. Hilde Spiel, Welt im Widerschein, Essays, München 1960, S. 283–298.
4. vgl. auch Walter Jens, Deutsche Literatur der Gegenwart, München 1961, S. 138.
5. Dämonen S. 445.
6. vgl. Dämonen S. 11. – F. Schlegel, Athenaeum I, 1798, 2, 20.
7. Dämonen S. 21.
8. vgl. Doderer, Einleitung zu: Österreich – Bilder seiner Landschaft und Kultur, Zürich (Atlantis) 1958.

9. Dämonen S. 620.
10. Dämonen S. 624. Doderer hat hier sämtliche erreichbaren Quellen selbst ausgewertet.
11. Dämonen S. 1328.
12. Grundlagen S. 41.
13. Dieses Wort gebraucht Geyrenhoff gegenüber dem 15. Mai 1927, der für ihn wie für seine Chronik entscheidend ist (vgl. S. 838).
14. Dämonen S. 1225.
15. Dämonen S. 1289.
16. Dämonen S. 1273 f.
17. Dämonen S. 1243 f.
18. Tangenten 15. 12. 1944.
19. Tangenten 8. 3. 1945.
20. Tangenten 3. 5. 1945.
21. Tangenten 7. 3. 1945.
22. vgl. Tangenten 6. 7. 1942.
23. Dämonen S. 1212 f.
24. Dämonen S. 1257.
25. Dämonen S. 1216.
26. vgl. Dämonen S. 1289.
27. vgl. Dämonen S. 1290, 1310.
28. Dämonen S. 1236 f.
29. Dämonen S. 1265.
30. Dämonen S. 1305f.
31. Dämonen S. 1287.
32. Dämonen S. 1262.
33. Dämonen S. 1221.
34. Dämonen S. 1264.
35. Dämonen S. 1313.
36. Dämonen S. 1316.
37. Dämonen S. 1231.
38. Dämonen S. 1245.
39. Dämonen S. 1246.
40. Dämonen S. 1271.
41. Dämonen S. 1277.
42. Dämonen S. 1278.
43. Dämonen S. 1206 f.
44. Dämonen S. 1308.
45. Dämonen S. 1258 f.
46. vgl. Dämonen S. 625.
47. Dämonen S. 1266.
48. Dämonen S. 1270.
49. Dämonen S. 43.
50. Dämonen S. 327.
51. Dämonen S. 598.
52. Dämonen S. 613.
53. Dämonen S. 913 ff.
54. Dämonen S. 1265 ff.
55. Dämonen S. 815 ff.
56. Dämonen S. 1297.
57. Dämonen S. 1292 f.
58. Dämonen S. 55.

59. Dämonen S. 260.
60. Dämonen S. 285 f.
61. Dämonen S. 387 f.
62. S. 285 f. beschließen den ersten Abschnitt des 10. Kapitels; S. 260 bildet das Ende des 8. Kapitels: DIE ENTSTEHUNG EINER KOLONIE II; S. 387 f. sind der Schluß des 12. Kapitels: DIE UNSRIGEN II.
63. Dämonen S. 328 = Schluß des 10. Kapitels: DIE UNSRIGEN I.
64. Dämonen S. 667.
65. Dämonen S. 1010, vgl. auch S. 1343.
66. Dieser Satz ist nebenbei eine wörtliche Anspielung auf eine Stelle bei Dostojewski: „Aus dem großen Saal in Skworeschniki ... konnte man das Feuer wie auf der Handfläche sehen." (Dostojewski, Die Dämonen, übertr. v. E. K. Rashin, München u. Leipzig [Piper] 1906, II. Tl., S. 255. – Diese Stelle ist in der neuen Piper-Ausgabe von 1956 verändert.)
67. vgl. Dämonen S. 456, Strudlhofstiege S. 860.
68. Mord S. 263.
69. Strudlhofstiege S. 532.
70. Dämonen S. 564.
71. Tangenten 23. 2. 1950, vgl. ebda. 19. 7. 1949, 17. 11. 1949.
72. Dämonen S. 572.
73. Tangenten 12. 5. 1947.
74. vgl. Dämonen S. 159.
75. Dämonen S. 889.
76. Dämonen S. 201 f.
77. Dämonen S. 573.
78. Dämonen S. 1298.
79. Dämonen S. 1266.
80. vgl. Dämonen S. 846, 1040 (Worte des Prinzen Croix).
81. vgl. Doderer, Die zwanziger Jahre in Wien ..., in: *Magnum*, 9. Jg., 1961, H. 35, S. 53.
82. Dämonen S. 250 f.
83. vgl. Dämonen S. 452.
84. vgl. Dämonen S. 201 u. ö.
85. Tangenten 30. 1. 1940.
86. Begriff von Doderer, vgl. Tangenten 28. 5. 1946.
87. Dämonen S. 46.
88. vgl. Piero Rismondo, Das Jahr vor dem Justizpalast-Brand. Historischer Gezeitenwechsel in Doderers großem Wiener Roman, in: *Wort und Wahrheit*, 12. Jg., 1957, S. 52–55.
89. Dämonen S. 1327 f.
90. Insofern ist die einseitige Deutung der Finalisierung als „Flucht in die Ehe" und als „Flucht vor den Dämonen", die Ernst Alker einmal im Gespräch äußerte, letzten Endes nicht zutreffend; Alker war der Meinung, jene Finalisierung sei eine großartige Parodie des bekannten Wortes über die österreichische Heiratspolitik: „Bella gerant alii, tu felix Austria nube." Dies ist zweifellos ein glücklicher Einfall, doch trifft er den dialektischen Sachverhalt nur an einer Seite.
91. Tangenten, Das kahle Zimmer, 1944, Kap. 2.
92. vgl. Abenteuer, Nachwort S. 121.
93. Dämonen S. 1230.
94. vgl. HEIMITO VON DODERER, Sonderdruck vom Biederstein Verlag München o. J. (1951).

11. Kapitel

Frau Mayrinker

1. Dämonen S. 882 f.
2. Tangenten 19. 7. 1949.
3. Dämonen S. 890 f.
4. Dämonen S. 135.
5. Dämonen S. 903.
6. Tangenten 16. 10. 1950.
7. Dämonen S. 896.
8. Dämonen S. 892.
9. Dämonen S. 1202.
10. Dämonen S. 957.
11. Dämonen S. 1205.
12. Dämonen S. 1203.
13. Dämonen S. 956.
14. Dämonen S. 899.
15. Dämonen S. 1204.
16. Dämonen S. 900.
17. Dämonen S. 958.
18. Dämonen S. 54.
19. Dämonen S. 1090.
20. Dämonen S. 599.
21. Dämonen S. 1270 (aus der Perspektive Anna Diwalds).
22. Dämonen S. 818.
23. Dämonen S. 817 f.
24. Dämonen S. 816.
25. Dämonen S. 898 f.
26. Dämonen S. 901.
27. Dämonen S. 956 f.
28. Dämonen S. 957.
29. Dämonen S. 902.
30. Auch im einzelnen ist der Bezug auf den bevorstehenden Brand des Justizpalastes deutlich; die Kaps träumt von den „grauslichen schwarzen Viechern", den Weinschläuchen, und sagt: „Und am Schluß steigen s' noch beim Zwölf-Uhr-Läuten aus alle Kanalgitter zugleich, da hat man's dann, den nassen schwarzen Schrecken, freilich rennt dann alles, rette sich wer kann, und das Schießen nützt dann auch nichts mehr" (S. 1204). Das Zwölf-Uhr-Läuten spielt nämlich bei der Darstellung des 15. Juli 1927 eine wichtige Rolle: einmal akzentuiert es die Zeit; so steht es jeweils am Schluß des 12., 16. und 18. Abschnittes dieses Kapitels (S. 1249 = Geyrenhoff; S. 1257 = Trix; S. 1261 = Quapp); zum andern bedeutet es ein „Malzeichen täglicher Ordnung", das für Geyrenhoff „unter den gegebenen Umständen" von „paradoxer Kälte" ist, ja das er „als unangebracht und geradezu als taktlos" empfindet, so daß es ihn nicht wundern würde, wenn man die Kirchtürme statt der Bogenlampe zerstört hätte (vgl. S. 1274).
31. Dämonen S. 1293 u. ö.
32. Grundlagen S. 37.
33. Dämonen S. 952.
34. vgl. Dämonen S. 1180 und 1184. Beide Zitate hat Doderer übrigens geschlossen (mit nur geringfügigen Abweichungen) in seine Erzählung Ein anderer Kratki-Baschik (1956) aufgenommen (vgl. Peinigung S. 214 f.).

35. Dämonen S. 1180 f.
36. Dämonen S. 1183.
37. vgl. Dämonen S. 1180 und 1181.
38. Dämonen S. 1282.
39. Dämonen S. 1285 und 1286.
40. vgl. Dämonen S. 1278.
41. Dämonen S. 1286.
42. Dämonen S. 1271.
43. Dämonen S. 1328. Das Motiv findet sich gegen Ende des Romans häufig wieder. Zunächst sind die „Hohlräume", „Cavernen", „Cavitäten" der Stadt allgemein durch den Kampfergeruch gekennzeichnet, wie jene zitierten Passagen zeigen (S. 1180 und S. 1184). Im besonderen erscheint das Motiv – außer in den Mayrinker-Episoden – im Zusammenhang mit Kakabsa (vgl. S. 1219, 1333) und Neuberg (vgl. S. 1303); vor allem aber spielt es bei Geyrenhoff eine entscheidende Rolle. Für ihn bedeutet der Kampfergeruch den „Duft eines neu begonnenen Lebensabschnittes" (S. 1099, vgl. auch S. 1135, 1137). Es ist ein Kurz-Zeichen für seine Beziehung zu Friederike Ruthmayr. Als solches Symbol wird der Kampfergeruch gegen den Brandgeruch, also gegen das Geschehen des 15. Juli ausgespielt. (Mit der ersten näheren Beschreibung des Feuers ist übrigens sogleich vom „Brandgeruch" die Rede; vgl. S. 1270 f.) Geyrenhoff wird durch den Kampfergeruch, der ihm bei Gürtzner-Gontard „eine Art Heilsbotschaft der Abgekehrtheit zart vermitteln" will (vgl. S. 1272 f.), von dem Schauplatz der Ereignisse weg zu Friederike hingezogen: „der strichzarte Duft des Kampfers" ist „die stärkere Macht" (vgl. S. 1279 f.). Bei seiner Begegnung mit Friederike spürt er im Ruthmayrschen Hause wiederum „strichzart den Geruch von Kampfer" (S. 1299). Und auch nach der zitierten Stelle (der entscheidenden Konfrontation von Brandgeruch und Kampfergeruch, S. 1328) klingt das Motiv im Schlußkapitel wieder an (vgl. S. 1337, 1338).
44. Dämonen S. 1287.
45. Dämonen S. 1283.
46. Doderer im Gespräch.
47. Brief an D. Weber 12. 8. 1961.

ANHANG I

HEIMITO VON DODERER – LEBENSDATEN

Die Lebensgeschichte Heimito von Doderers ist als ganze in seinem Romanwerk enthalten. Wie es in seinen Romanen keine Figur gibt, der nicht ein reales Modell entspräche, so hat er sich selbst mehrfach und in verschiedenen Figuren porträtiert. Das Autobiographische ist in gewisser Weise konstitutiv für sein bisheriges Werk.

Seine Kindheit stand Modell für die Kindheitsgeschichte des Conrad Castiletz in EIN MORD DEN JEDER BEGEHT; seine Jugendjahre sind in der Jugendgeschichte René Stangelers in der STRUDLHOFSTIEGE gestaltet; das Kriegserlebnis ebenfalls René Stangelers im GEHEIMNIS DES REICHS spiegelt dasjenige Doderers selbst; dasselbe gilt für die Nachkriegsjahre wieder in der STRUDLHOFSTIEGE; in den DÄMONEN schließlich hat sich Doderer in drei Gestalten dargestellt: in René Stangeler als Historiker, in Kajetan von Schlaggenberg als Schriftsteller, in dem Sektionsrat Geyrenhoff als Chronist.

Aus alledem ein objektives Bild des Menschen Heimito von Doderer zu destillieren, würde in umgekehrter Richtung dieselbe Abstraktion erfordern, die Doderer vollzog, als er jene Gestalten aus sich herauslöste und in Romanfiguren objektivierte. Es hieße also, die chronistischen Elemente herauszuheben, die fiktiven zu eliminieren, und im ganzen den Umsetzungsprozeß, in dem aus der Chronik Romane wurden, rückgängig zu machen. Das soll hier nicht unternommen werden; es hieße nämlich – wenn man Doderers Wort folgt, in seinen Werken sei alles wahr, wenn auch nicht immer richtig, wobei er Richtigkeit nur als die oberste Schicht der Wahrheit gelten läßt –, die Wahrheit auf die Richtigkeit zu reduzieren.

Und das wäre in der Tat ein wenig ersprießliches Unterfangen, wenn man dagegen hält, daß am Ende die faktische Lebensgeschichte eines Künstlers gleichgültig ist gegenüber seinem Weg als Künstler, auf dem er sich wesentlich verwirklicht, und für den jene Fakten lediglich die Folie abgeben. Der Schriftsteller, der – wie Doderer sagt – „sein Leben nicht anders benennt als den Befreiungskampf um das Leben seiner Sprache", drängt sein Leben als Person an den äußersten Rand; er bewegt sich auf seine eigene Selbstaufhebung zu, und zwar zu Gunsten der Objektivität seiner erzählten Welt. Diesen Prozeß, den er nicht minder –

wohl aber wesentlicher – gelebt hat als sein äußeres Leben, beschreibt Doderer in seinen autobiographischen Skizzen, deren er mehrere verfaßt hat; davon ist bei der Betrachtung von Doderers Bild des Schriftstellers die Rede (vgl. 2. Kapitel: Die Ortung des Schriftstellers).

Im folgenden wird eine Reihe von biographischen Daten aufgeführt, die dazu dienen soll, dem Bild des Menschen Doderer, das er in seinen Romanen skizziert, und dem Bild des Schriftstellers Doderer, das sich in seinen autobiographischen Äußerungen abzeichnet, einen Halt zu geben.

1896 Heimito von Doderer wird am 5. September in Weidlingau bei Wien geboren.
Seine Vorfahren väterlicherseits stammen aus Heilbronn, kamen vor 1850 nach Österreich. – Der Großvater wurde kurz vor 1900 auf Grund seiner Verdienste als Architekt und akademischer Lehrer geadelt. –
Der Vater, Oberbaurat Wilhelm Ritter von Doderer (1854–1932), heiratete Luise Wilhelmine von Hügel (1862–1946), die Tochter ebenfalls eines Oberbaurats; sie stammte aus München. Von den sechs Kindern aus dieser Ehe ist Heimito das jüngste. –
Der traditionelle Beruf der Doderers war die Technik. Der Urgroßvater Gottlieb Doderer war Mühlbaumeister zu Heilbronn. Der Vater, ein bedeutender Mann, war als Bauingenieur am Bau des Nord-Ostsee-Kanals, als Unternehmer an dem der Tauern- und der Karawanken-Bahn beteiligt. – Seiner Familie gegenüber empfindet Doderer sich als „Atavismus. Schon äußerlich. Ich sehe ganz anders aus" (vgl. *Der Spiegel*, 5. 6. 1957). Er spricht von einem entfernt mongolischen Einschlag und kennt an sich einen depressiven Zug, in dem er das Erbe Lenaus vermutet; seine Großmutter väterlicherseits war eine Nichte des Dichters Nikolaus Lenau.

1914 Reifeprüfung am Landstraßer Gymnasium in Wien.

1914/15 Student der Jurisprudenz an der Wiener Universität.

1915 Militärische Ausbildung im k. u. k. Dragoner-Regiment No. 3 (Friedrich August König von Sachsen).

1915/16 Teilnahme am Feldzug gegen Rußland. Im Feld avanciert Doderer zum Fähnrich der Reserve, später zum Leutnant.

1916 Im Juni, während seines ersten und einzigen Fronturlaubs, beginnt Doderer zu schreiben. – Nach der blutigen Schlacht von Olesza (Ostgalizien) am 12. Juli 1916 gerät er in russische Kriegsgefangenschaft. In verschiedenen Lagern, zunächst in Krasnaja Rjetschka bei Chabarowsk (Primurskaja, Ost-Asien). Hier betreibt er das Schreiben systematisch. – Nach der russischen Revolution arbeitet Doderer unter anderem als Holzfäller und als Drucker.

1920 Doderer durchwandert zu Fuß die Kirgisensteppe und kehrt nach Wien zurück.

1920–25 Studium der Geschichtswissenschaft (daneben vor allem der Psychologie bei Hermann Swoboda, dem Jugendfreund Otto Weiningers), an der Universität Wien.

1923 Erste Buchveröffentlichung: GASSEN UND LANDSCHAFT, Gedichte.

1924 Erste Prosaveröffentlichung: DIE BRESCHE.

1925 Promotion zum Doktor der Philosophie bei dem Historiker Oswald

Redlich, mit der Dissertation: ZUR BÜRGERLICHEN GESCHICHTSSCHREIBUNG IN WIEN WÄHREND DES 15. JAHRHUNDERTS.

1927–31 Mitarbeit bei Zeitungen (Literaturkritik und historisches Feuilleton, insbesondere in *Der Tag*, Wien).

1929 Begegnung mit Albert Paris Gütersloh.

1930 Doderer heiratet Gusti Hasterlik, die Tochter des Wiener Stadtphysicus Dr. Paul Hasterlik. Die Ehe scheitert nach zwei Jahren und wird später geschieden.

1931 Beginn der Arbeit an den DÄMONEN.

1933 Doderer tritt der in Wien illegal bestehenden nationalsozialistischen Partei bei; läßt sich jedoch nach dem „Anschluß" Österreichs (1938) nicht mehr als Parteimitglied führen.

1937 Vorläufiger Abschluß der DÄMONEN.

1938 Erste Veröffentlichung im C. H. Beck Verlag München (EIN MORD DEN JEDER BEGEHT), der seitdem Doderers Werk betreut.

1940 Doderer konvertiert zum Katholizismus.

1940–45 Teilnahme am Zweiten Weltkrieg (zunächst als Leutnant, später als Hauptmann der Luftwaffe), in Frankreich und wieder in Rußland (hier ist Doderer ein Jahr lang Kompaniechef).

1945 Doderer gerät in Norwegen in englische Kriegsgefangenschaft.

1946 Rückkehr nach Wien.

1946–48 Arbeit an der STRUDLHOFSTIEGE.

1950 Aufnahme in das ‚Institut für österreichische Geschichtsforschung', auf Grund einer wissenschaftlichen Abhandlung über DIE ABTWAHLFORMEL IN DEN HERRSCHERURKUNDEN BIS ZUM 10. JAHRHUNDERT.
Wiederaufnahme der Arbeit an den DÄMONEN.

1951 Erscheinen der STRUDLHOFSTIEGE.

1952 Doderer heiratet zum zweiten Mal und wohnt seitdem teils in Wien, teils bei seiner Frau Maria Emma, geb. Thoma, die aus alter niederbayrischer Familie stammt, in Landshut (Bayern).

1954 Literaturpreis für Epik, vom Bundesverband der Deutschen Industrie.

1956 Erscheinen der DÄMONEN, zum 60. Geburtstag des Dichters.
Mitglied der Berliner Akademie der Künste.

1957 Doderer erhält den ‚Großen österreichischen Staatspreis'.

1958 Doderer erhält die Pirkheimer-Medaille in Nürnberg.

1961 Korrespondierendes Mitglied der Darmstädter Akademie für Sprache und Dichtung.

Über Doderers Biographie unterrichten besonders:

1. Hanns von Winter, Heimito von Doderer. *Die österreichische Furche* (Wien), 18. 8. 1951.
2. Hanns von Winter, Heimito von Doderer. *Wort in der Zeit* (Graz), 1. Jg., 1955, S. 3–6.
3. Hans Weigel, Das Lied vom braven Dichter. *Wort in der Zeit* (Graz), 2. Jg., 1956, S. 485 ff. (mehrfach abgedruckt, s. Bibliographie).
4. anonym, Doderer. Der Spätzünder. *Der Spiegel* (Hamburg), 5. 6. 1957, S. 53–58.
5. Hans Flesch-Brunningen, Doderer ist Wien. Ein Hörbild . . ., UKW des *WDR* Köln, 1. 12. 1960.
6. Herbert Eisenreich, Lebenstafel, in: Heimito von Doderer, Wege und Umwege, hrsg. von Herbert Eisenreich, Graz und Wien, 1960, S. 125.

Diese Veröffentlichungen wurden dem biographischen Abriß zu Grunde gelegt. Vor allem aber beziehe ich die Kenntnis von Daten und Einzelheiten direkt von dem Dichter, Herrn Dr. Heimito von Doderer, der in entgegenkommender Weise meine ihm vorgelegte Liste korrigiert und ergänzt hat.

ANHANG II

HEIMITO VON DODERER – EINE BIBLIOGRAPHIE

Inhalt

Vorbemerkung

Die vorliegende Bibliographie zum Werk Heimito von Doderers zerfällt in zwei große Abschnitte.

Der erste Abschnitt enthält Veröffentlichungen Heimito von Doderers (Nr. 1–126). Es versteht sich von selbst, daß seine Buchpublikationen (Nr. 1–17) sowie seine wichtigsten Beiträge in Anthologien (Nr. 20–47), in Zeitschriften und Zeitungen (Nr. 48–111) vollzählig aufgeführt wurden. Verzichtet wurde indessen grundsätzlich auf den Nachweis von Abdrucken in Zeitschriften und Zeitungen sowohl einzelner Passagen aus Doderers inzwischen publizierten Romanen wie auch derjenigen Erzählungen und Gedichte, die heute in Sammelbänden (Nr. 12 + 16) vorliegen. (Einzelne Erzählungen z. B. sind – wie Doderer versichert – seit dem Ende der zwanziger Jahre bis zu fünfzig Mal in den verschiedensten Tageszeitungen abgedruckt worden; und so ist es unmöglich, in dieser Hinsicht Vollständigkeit zu erreichen.) Dagegen wurden sämtliche Publikationen in Zeitschriften und Zeitungen, die anders nicht gedruckt vorliegen – von großen Essays bis hin zu Feuilletons und Antworten auf Rundfragen –, soweit sie mir zugänglich waren, genannt; freilich kann ich mich hier nicht für die Vollständigkeit verbürgen. (Eine große Lücke scheint vor allem darin zu bestehen, daß ich keinen Zugang zu Zeitungsbeiträgen Heimito von Doderers aus den zwanziger und dreißiger Jahren hatte.) – Die Anordnung der Beiträge innerhalb der Untergruppen folgt der Chronologie.

Der zweite Abschnitt enthält Veröffentlichungen über Heimito von Doderer (Nr. 127–409); er stellt nur eine Auswahl dar, die allerdings weit gefaßt ist. So wurden sämtliche größeren und wichtigen Aufsätze in Zeitschriften und Zeitungen, deren ich habhaft werden konnte, aufgenommen. Kurzrezensionen dagegen (deren Zahl unübersehbar ist) sowie Glossen und Rezensionen von Dichterlesungen wurden ausgeschieden. – Die Anordnung der Beiträge innerhalb der Untergruppen erfolgt hier alphabetisch nach Verfassernamen.

Eine Bibliographie zum Werk Heimito von Doderers gibt es bisher nicht (so wenig wie eine selbständig erschienene Schrift über Doderer); knappe bibliographische Angaben finden sich bei Hanns von Winter (s. Nr. 160) und Herbert Eisenreich (s. Nr. 17), außerdem bei H. W. Eppelsheimer (Bibliographie der deutschen Literaturwissenschaft, Bd. I: 1945–1953, Frankfurt a. M. 1957; Bd. II: 1954–1956, Frankfurt a. M. 1958); sie wurden hier verwertet.

Die Veröffentlichungen über Heimito von Doderer werden zum größten Teil im Biederstein Verlag München gesammelt, und zwar seit 1951. (Der Bestand von Rezensionen über Doderer, die vor dem Zweiten Weltkrieg erschienen sind und die gleichfalls in München gesammelt wurden, ist im Kriege verbrannt.) Über jene Sammlung, die ich im Mai 1960 durchgesehen und später ausgewertet habe, ist noch ein Wort zu sagen. Es gibt dort eine Anzahl von Zeitungsausschnitten, auf denen Ort und Datum des Erscheinens nur handschriftlich vermerkt sind; nicht in allen Fällen habe ich diese Vermerke realisieren können, so daß ich mich nicht durchweg für die Stimmigkeit der Zitierung verbürgen kann.

Die vorliegende Bibliographie wurde im Juli 1961 zusammengestellt. Später erschienene Beiträge sowie solche, die mir später erst bekannt wurden, sind bei der Drucklegung eingefügt worden; sie sind durch Buchstaben hinter der Nummer als Nachträge kenntlich (z. B. Nr. 48 a). Bei diesen kann ich für Vollständigkeit nicht garantieren.

Ich danke an dieser Stelle Herrn Horst Wiemer vom Biederstein Verlag München, der mir in entgegenkommender Weise erlaubt hat, das im Verlag gesammelte bibliographische Material durchzusehen. Gleichermaßen gilt mein Dank Frau Dorothea Zeemann, Wien, für ihre Korrekturen und Ergänzungen. Nicht zuletzt danke ich dem Dichter selbst, Herrn Dr. Heimito von Doderer, der mich auch in bibliographischen Fragen in liebenswürdiger Weise unterstützte. Ohne diese Hilfen wäre die vorliegende Bibliographie nicht zustande gekommen.

Veröffentlichungen Heimito von Doderers

I. Veröffentlichungen in Buchform

1 Gassen und Landschaft (Gedichte), Wien (Haybach Verlag) o. J. (1923)
2 Die Bresche. Ein Vorgang in vierundzwanzig Stunden (Roman), Wien (Haybach Verlag) 1924
3 Das Geheimnis des Reichs. Roman aus dem russischen Bürgerkrieg, Wien (Saturn Verlag) 1930
4 Der Fall Gütersloh. Ein Schicksal und seine Deutung (Essay), Wien (Haybach Verlag) 1930. Neuausgabe mit einer neuen Vorrede 1960
5 Julius Winkler (Essay), Wien und Leipzig (Verlag Doblinger und Herzmansky) o. J. (1937) (Broschüre)
6 Ein Mord den jeder begeht (Roman), München und Berlin (C. H. Beck) 1938. Neuausgabe 1958 (Die Bücher der Neunzehn, Band 41)
7 Ein Umweg (Roman), München und Berlin (C. H. Beck) 1940, ^{3}1950
8 Die Strudlhofstiege oder Melzer und die Tiefe der Jahre (Roman), München (Biederstein Verlag) 1951
9 Die erleuchteten Fenster oder Die Menschwerdung des Amtsrates Julius Zihal (Roman), München (Biederstein Verlag) 1951 (cop. 1950)
10 Das letzte Abenteuer (Erzählung), Stuttgart (Reclam U. B. Nr. 7806/07) 1953 (mit einem autobiographischen Nachwort)
11 Die Dämonen. Nach der Chronik des Sektionsrates Geyrenhoff (Roman), München (Biederstein Verlag) 1956
12 Ein Weg im Dunklen (Gedichte und epigrammatische Verse), München (Biederstein Verlag) 1957

13 Die Posaunen von Jericho. Neues Divertimento (Erzählung), Zürich (Die Kleinen Bücher der Arche Nr. 268/269) 1958
14 Österreich. Bilder seiner Landschaft und Kultur, Zürich (Atlantis Verlag, Reihe orbis terrarum) 1958 (hrsg. und eingel. von Heimito von Doderer)
15 Grundlagen und Funktion des Romans (Essay), Nürnberg (Glock und Lutz Verlag) 1959
16 Die Peinigung der Lederbeutelchen (Erzählungen), München (Biederstein Verlag) 1959
17 Wege und Umwege (Auswahl aus dem Werk, eingel. und ausgew. von Herbert Eisenreich), Graz und Wien (Stiasny Verlag, Reihe Das österr. Wort, Bd. 65) 1960
17a Die Merowinger oder Die totale Familie (Roman), München (Biederstein Verlag) 1962

II. Sonderdrucke

18 Heimito von Doderer, Sonderdruck vom Biederstein Verlag München o. J. (1951). (Enthält: Gedanken zum Selbstbildnis, Notiz über den Autor, Aus dem Repertorium)
19 Der Konservative. Dr. Heinrich Beck zum siebzigsten Geburtstag (Interner Druck der C. H. Beck'schen Verlagsbuchhandlung München und Berlin) o. J. (1959)

III. Beiträge in Anthologien

a) Aus: Die Dämonen

20 Herr G-ff geht über den ‚Graben'. In: Der Aquädukt. Ein Jahrbuch, hrsg. im 175. Jahre der C. H. Beck'schen Verlagsbuchhandlung 1763 bis 1938, München und Berlin 1938, S. 130–141
21 Ouvertüre zu ‚Die Dämonen'. In: Jahresring 54, Stuttgart 1954, S. 163 bis 167
22 Im brennenden Haus (aus dem Manuskript, in der Buchausgabe nicht enthalten). In: Botteghe Oscure, Bd. 19, Rom 1957, S. 438–444
23 Im Wirtshaus zum Storchennest. In: Lebendes Wort. Eine Auswahl zeitgenössischer Prosa, hrsg. von Carl-August von Willebrand, Helsinki 1958, S. 44–55

b) Erzählungen

24 Im Irrgarten. In: Lebendige Stadt, Almanach, hrsg. vom Kulturamt der Stadt Wien, Bd. I, 1951
25 Die Peinigung der Lederbeutelchen. In: Wechselnde Pfade. Heitere und ernste Erzählungen, hrsg. von Gerhard Wolter, Hamburg 1954, S. 24–36
26 Die Amputation. In: Lichter gleiten durch den Schatten. Erzählungen, hrsg. von Gerhard Wolter, Hamburg 1955, S. 95–100
27 Die Dogge Wanda. Ebenda S. 117–120
28 Aimée. In: Das kleine Mädchen Hoffnung. Eine Prosa-Anthologie, hrsg. von Gerhard Wolter, Hamburg 1955, S. 75–78
29 Die Lerche. In: Die Tage der Welt sind Gottes Tag. Ein Hausbuch zum Vorlesen, hrsg. von Gerhard Prager, Hamburg 1956, S. 90–94
30 Ein anderer Kratki-Baschik. In: Jahresring 56/57, Stuttgart 1956, S. 203–213

31 Léon Pujot (u. d. T. Die Entscheidung). In: Guten Morgen, alte Erde. Jahresgabe der Hoesch-Werke, hrsg. von Horst Mönnich, München 1958, S. 115–123

32 Das letzte Abenteuer. In: Die schönsten Erzählungen aus Österreich. Hausbuch unvergänglicher Prosa. Mit einem Geleitwort von Franz Theodor Csokor, München-Wien-Basel o. J. (1958), S. 598–648

33 Zwei Lügen oder eine antikische Tragödie auf dem Dorfe. In: Vom Licht der Welt. Christliche Erzähler der Gegenwart, hrsg. von Erich Bockholt, Berlin 3. erw. Aufl. 1958, S. 279–293

34 Die Dogge Wanda. In: Die Barke, Lehrer-Jahrbuch, Buchklub der Jugend, Wien 1959, S. 125–128

35 Ein sicherer Instinkt. In: Lebendige Stadt, Almanach, hrsg. vom Kulturamt der Stadt Wien, Bd. VI, 1959, S. 135–140

36 Das Verhängnis. In: Kaffeehaus, Literarische Spezialitäten etc. aus Wien, hrsg. von Ludwig Plakolb, München 1959, S. 49

37 Die Peinigung der Lederbeutelchen. In: Die Reise zum wonnigen Fisch. Die besten Humoresken der zeitgenössischen Weltliteratur, Wien 1960, S. 336 ff.

37a Zwei Lügen oder eine antikische Tragödie auf dem Dorfe. In: Moderne Erzähler (Anthologie), H. 13, Paderborn 1961, S. 63–75

c) Gedichte

38 Ad arcum meum / An meinen Bogen. In: Der Aquädukt. Ein Jahrbuch, hrsg. im 175. Jahre der C. H. Beck'schen Verlagsbuchhandlung 1763 bis 1938, München und Berlin 1938, S. 19

39 Der Flüchtling; Wienerwald; Im Herbst; Lange Rhythmen; Mit Vierzig; Ad arcum meum / An meinen Bogen. In: Sonores Saitenspiel. Österreichische Lyrik seit der Jahrhundertwende, Wien o. J. (1947), S. 132 bis 134

40 Strophen; Ad arcum meum / An meinen Bogen; Den Zigeunern. In: Continuum. Zur Kunst Österreichs in der Mitte des 20. Jahrhunderts, hrsg. vom Institut zur Förderung der Künste in Österreich, Wien o. J. (1957), S. 17 f.

41 Morgenidyll des Schriftstellers. In: Kaffeehaus, Literarische Spezialitäten etc. aus Wien, hrsg. von Ludwig Plakolb, München 1959, S. 46

d) Essays

42 Der Aquädukt (über den Schriftsteller). In: Der Aquädukt. Ein Jahrbuch, hrsg. im 175. Jahre der C. H. Beck'schen Verlagsbuchhandlung 1763 bis 1938, München und Berlin 1938, S. 13–19

43 Die Sphinx (über den Leser). In: Bücher, Schlüssel zum Leben, Tore zur Welt. Stimmen der Gegenwart, Bd. 1 der Bücherschiff Lese- und Literaturführer, hrsg. von Helmut Bode und Kurt Debus, Frankfurt a. M. – Hoechst o. J. (1954), S. 42–44

44 Roman – vom Leser her gesehen. Ebenda S. 61–63

45 Grundlagen und Funktion des Romans. Rede vor der Société des Etudes Germaniques zu Paris am 22. März 1958. In: Jahresring 58/59, Stuttgart 1958, S. 67–80

46 – dasselbe – (deutsch und englisch). In: P.E.N. – XXX. Kongreß der Internationalen P.E.N. in Frankfurt a. M. 1959, Berlin-Frankfurt a. M.-Wien 1960

e) Sonstiges

47 Repertorium. Aus einem Begreifbuch von höheren und niederen Lebens-Sachen. In: Jahresring 55/56, Stuttgart 1955, S. 237–244

47a Timurisation der Familie Kronzucker (aus Die Merowinger) (= Nr. 54). In: Hoffnung und Erfüllung. Eine Anthologie österreichischer Gegenwartsdichtung, hrsg. von Viktor Suchy, Graz und Wien (Stiasny-Bücherei Bd. 75) 1960, S. 61–66

47b Nach der Entscheidung (Romankapitel aus einem unveröffentl. Roman = Roman Nr. 7). In: Lebendige Stadt, Almanach, hrsg. vom Kulturamt der Stadt Wien, Bd. VIII, 1961, S. 95–102

47c Mein Gedicht (über Trakls ‚Grodeck') (= Nr. 93). In: Mein Gedicht. Begegnungen mit deutscher Lyrik, hrsg. von Dieter E. Zimmer, Wiesbaden 1961, S. 197–199

IV. Beiträge in Zeitschriften und Zeitungen

a) Erzählungen, die nicht im Sammelband (Nr. 16) enthalten sind

48 Divertimento. *Merkur*, 8. Jg., 1954, S. 647–659

48a Wiener Divertimento (= Nr. 48). *Christ und Welt*, 30. 3. 1962 (Österreich-Beilage)

49 Die Posaunen von Jericho. Neues Divertimento (Vorabdruck von Nr. 13). *Merkur*, 9. Jg., 1955, S. 1039–1068

50 Der Buchhändler. In: Weihnachtskatalog der Buchhandlung Karl Berger Wien, 1958

50a Trethofen (Kurzgeschichte). *Süddeutsche Zeitung* (München), 20./21. 5. 1961

50b Sonatine (Erzählung). *Manuskripte* (Graz), H. 5, 1962

b) Aus unveröffentlichten Arbeiten

51 Repertorium. Ein Begreifbuch von höhern und niedern Lebens-Sachen. Aus dem Manuskript. *Wort in der Zeit* (Graz), 1. Jg., 1955, S. 13 f.

52 Aus dem Manuskript: Repertorium, einem Begreifbuch von höheren und niederen Lebens-Sachen. *Der Akademiker* (Wien), 6. Jg., 1958, H. 12, S. 12 f.

53 Tagebuch eines Schriftstellers (Auszug aus Doderers Tagebuch). *Neuer Kurier* (Wien), monatlich, Febr. bis Juli 1958

54 Timurisation der Familie Kronzucker. Aus einem in Arbeit befindlichen Roman (= Die Merowinger) (= Nr. 47a). *Wort in der Zeit* (Graz), 5. Jg., 1959, H. 2, S. 72–75

55 Die Schiffahrt (aus einem in Arbeit befindl. Roman = Roman Nr. 7). *Wiener Zeitung*, 20. 3. 1960

55a Chwostik am Start (aus Roman Nr. 7). *Forum* (Wien), 9. Jg., 1962, H. 100, S. 155–158

c) Essays und Feuilletons

56 Von der Unschuld im Indirekten. Zum 60. Geburtstag Albert P. Gütersloh (unter dem Namen: René Stangeler). *Plan* (Wien), 2. Jg., 1947/48, S. 2–14

57 Inmitten des Weges (Selbstporträt). *Freude an Büchern* (Wien), 2. Jg., 1951, S. 248
58 Bekehrung zur Sprache. Ein Selbstporträt. *Welt und Wort* (Tübingen), 7. Jg., 1952, S. 125
59 Über mittelalterliche Bücher. *Deutsche Junglehrerzeitung* (Nürnberg), 30. Jg., 1959, S. 68
60 Der Anschluß ist vollzogen. *Kontinente* (Wien), 7. Jg., 1953/54, H. 8, S. 20–23
61 Innsbrucker Rede. Zum Thema Epik. *Akzente,* 2. Jg., 1955, S. 522–525
62 Aus: Kleine Autobiographie (aus dem Nachwort zu Nr. 10). *Reclams Literaturkalender,* 2. Jg., 1956, S. 115–120
63 Freude und Blässe (Feuilleton über Budapest). *Münchner Merkur,* Weihnachten 1956
64 Voraussetzungen österreichischer Lyrik. *Die Österreichischen Blätter* (Wien), 1. Jg., 1957, H. 2, S. 10–13
65 Rosa chymica austriaco-hispanica. Voraussetzungen österreichischer Lyrik. *Zeitwende* (Hamburg), 28. Jg., 1957, S. 605–608
66 Ravennatischer Sommer. *Sonntagsblatt* (Hamburg), 7. 9. 1958
67 Grundlagen und Funktion des Romans. *Forum* (Wien), 5. Jg., 1958, S. 183–186
68 – dasselbe – *Heute* (Wien), 2. Hälfte Juni 1959
69 Es gibt keine Orthographie. *Salzburger Nachrichten,* 14. 2. 1959
70 Der Nachbar und das eigene Gesicht. *Die Presse* (Wien), 29. 3. 1959
71 Die Wiederkehr der Drachen. *Atlantis* (Freiburg i. B.), 31. Jg., 1959, S. 101–112
72 Meine Caféhäuser. *Magnum,* 8. Jg., 1960, H. 28, S. 28
73 Die Ortung des Kritikers. *Zeitwende* (Hamburg), 31. Jg., 1960, H. 3, S. 165–174
74 Der Fremdling Schriftsteller. Rede, gehalten am 26. Januar 1960 in der Österreichischen Nationalbibliothek zu Wien. *Forum* (Wien), 7. Jg., 1960, H. 75, S. 102–104
74a Der Beitrag der Künste. *Die Presse* (Wien), 15. 5. 1960
74b Der Roman, der nichts erzählt (Abschn. aus Nr. 15). *Stuttgarter Zeitung,* 15. 10. 1960
74c Österreich heute. *Münchner Merkur,* 11. 3. 1961
74d Die zwanziger Jahre in Wien. Nicht alle zogen nach Berlin. *Magnum,* 9. Jg., 1961, H. 35, S. 53
74e Die Ortung des Kritikers (Fehlerhafter Abdruck von Nr. 73). *Wort in der Zeit* (Graz), 7. Jg., 1961, H. 9, S. 32–40
74f Die Technik war sichtbar. *Magnum,* 10. Jg., 1962, H. 40

d) Buchbesprechungen und Würdigungen

75 Offener Brief an Baron Kirill Ostrog (unter dem Namen René Stangeler an A. P. Gütersloh). *Plan* (Wien), 2. Jg., 1947/48, S. 398–402
76 Albert Paris Gütersloh. *Freude an Büchern* (Wien), 3. Jg., 1952, S. 178 f.
77 „Der innere Orden" (= ein Grillparzer-Brevier, hrsg. von Christoph Meyer, München 1947). *Freude an Büchern* (Wien), 4. Jg., 1953, S. 62 f.
78 Theorie des Tagebuches (zu: Julien Green, Tagebücher 1928–1945, übers., eingel. u. mit Anmerkungen versehen von Hanns von Winter, Wien 1952). *Freude an Büchern* (Wien), 4. Jg., 1953, S. 111 f.

79 Roman über dich, über mich, über uns alle ... (zu: Herman Wouk, Die Caine war ihr Schicksal, übers. von Christoph Ecke, Hamburg 1952). *Freude an Büchern* (Wien), 4. Jg., 1953, S. 235

80 Zu Hermann Lienhards Gedichten. *Freude an Büchern* (Wien), 4. Jg,. 1953, S. 261 f.

81 Friedrich Funder – Ein christlicher Journalist (zu: F. Funder, Vom Gestern ins Heute. Aus dem Kaiserreich in die Republik, Wien). *Süddeutsche Zeitung* (München), 28. 2. 1953

82 Um die Wahrheit (zu: George Saiko, Auf dem Floß, Hamburg [2]1954). *Merkur*, 8. Jg., 1954, S. 793–795

83 Gütersloh. *Wort in der Zeit* (Graz), 1. Jg., 1955, S. 129–133

84 Vom Jenseits im Diesseits. Zu Jean Giraudoux' Roman: Kampf mit dem Engel. *Forum* (Wien), 2. Jg., 1955, S. 405 f.

85 Eine junge Frau bekränzt den Tod (zu: Jean Giraudoux, Kampf mit dem Engel; anderer Text als Nr. 84). *Die Presse* (Wien), 8. 1. 1956

86 Geheimnisse der Euphorie. Würdigung des Dichters Hans Flesch von Brunningen zu seinem 60. Geburtstag. *Merkur*, 10. Jg., 1956, S. 94 f.

87 Gütersloh. Zum siebzigsten Geburtstag. *Arbeiter-Zeitung* (Wien), 3. 2. 1957

88 Zu Hermann Lienhards Gedichten (anderer Text als Nr. 80). *Wort in der Zeit* (Graz), 3. Jg., 1957, H. 8, S. 24

89 Die Ewigkeit des Augenblicks (zu: Marcel Proust, Auf der Suche nach der verlorenen Zeit, Bd. VI und VII, 1957; zu: André Maurois, Auf den Spuren von Marcel Proust, Hamburg 1956). *Zeitwende* (Hamburg), 29. Jg., 1958, S. 269 f.

90 Mit dem Ohre des Nachbarn (zu: Herbert Eisenreich, Böse schöne Welt, Roman, Stuttgart 1957). *Zeitwende* (Hamburg), 29. Jg., 1958, S. 557 f.

91 Wie ihr den Bogen spannt, so spannt auch eure Seele (zu: Thomas Marcotty, Bogen und Pfeile, München 1958). *Sonntagsblatt* (Hamburg), 29. 3. 1959

92 Die Vision des Stiers (zu: Vicente Marrero, Picasso und der Stier, übers. von Werner Beutler, Nürnberg 1957). *Zeitwende* (Hamburg), 30. Jg., 1959, S. 275 f.

93 Nicht Krankheit, sondern Bestimmung (Bemerkung zu Trakl, in der Reihe „Mein Gedicht"). *Die Zeit* (Hamburg), 27. 11. 1959 (= Nr. 47c)

94 Die gläserne Kathedrale. Über die lyrische Kunst Heinz Politzers, anläßlich des Erscheinens seines Gedichtbandes im Bergland-Verlag, Wien. *Forum* (Wien), 6. Jg., 1959, H. 72, S. 457

95 Ein dichterischer Balance-Akt (zu: Georg Drozdowski, Odyssee XXX. Gesang, Salzburg 1958). *Zeitwende* (Hamburg), 31. Jg., 1960, S. 62

96 Tarnung durch Belesenheit (zu: Inge Meidinger-Geise). *Zeitwende* (Hamburg), 31. Jg., 1960, S. 129 f.

97 Max Rychner (ohne Namensnennung des Verfassers). In: Die Verleihung der Willibald-Pirkheimer-Medaille für das Jahr 1960 zu Nürnberg, S. 29

98 Um eines Haares Breite (zu: Franz Blei, Schriften in Auswahl, hrsg. von A. P. Gütersloh, München 1960). *Merkur*, 15. Jg., 1961, S. 273–275

98a Bildnis eines Dorfes (zu: Hans Lebert, Die Wolfshaut, Hamburg 1960). *Merkur*, 15. Jg., 1961, S. 795 f.

98b Gedenkblatt für Hanns von Winter. *Forum* (Wien), 8. Jg., 1961, H. 94

98c Dichter in Sibirien. Albert P. Gütersloh zum 75. Geburtstag. *Neuer Kurier* (Wien), 3. 2. 1962

98d Eine gewichtige Übersiedlung. Notizen zu Ernst Alkers Geschichte der deutschen Literatur. *Forum* (Wien), 9. Jg., 1962, H. 103/104, S. 307 f.

e) Antwort auf Rundfragen

99 Mein Schmerzenskind. *Freude an Büchern* (Wien), 2. Jg., 1951, S. 327
100 Welches Buch nehmen Sie in den Urlaub mit? *Freude an Büchern* (Wien), 3. Jg., 1952, S. 186
101 Literatur-Prognose 1953. *Freude an Büchern* (Wien), 4. Jg., 1953, S. 1
102 Die drei besten Romane des Jahres 1954. *Forum* (Wien), 1. Jg., 1954, H. 11, S. 19
103 Kitsch und Kunst. *Forum* (Wien), 4. Jg., 1957, S. 291
104 Weihnachts-Umfrage über Kulturpolitik. *Berichte* und Informationen des Österreichischen Forschungsinstituts für Wirtschaft und Politik, 12. Jg., 1957, H. 596/597, S. 3 (20. 12. 1957)
105 Akademiker an die Front! Eine Rundfrage. *Die Österreichische Furche* (Wien), 5. 4. 1958
106 The Novel today: Death or Transmutation? A Symposium. *Books Abroad* (Norman, Oklahoma), Vol. 32, 1958, S. 120 f.
107 Zum 150. Mal (zum Thema „Blatt vorm Mund"). *Neuer Kurier* (Wien), 28. 2. 1958
108 Was hat Österreich der Welt noch zu geben? *Die Österreichische Furche* (Wien), Weihnachten 1959
109 Was ist der Mensch? *Magnum,* 7. Jg., 1959, H. 27, S. 38
110 Drei Fragen in der Silvesternacht. *Süddeutsche Zeitung* (München), 31. 12. 1959
111 Es geht uns alle an (Zu den jüngsten antisemitischen Ausschreitungen). *Die Kultur* (München-Wien-Basel), 8. Jg., 1960, Nr. 148 (Februar 1960), S. 3

V. Übersetzungen von Werken Heimito von Doderers

112 Sursis (Ein Umweg), Roman, ins Französ. übers. von Blaise Briod, Paris (Plon) 1943
113 Den nye Kratki-Baschik (Ein anderer Kratki-Baschik), Erzählung, ins Schwed. übers. von Gun och Nils A. Bengtsson. *Tysk Samtid,* hrsg. von Guenter Klingmann, Stockholm 1958, S. 35–47
114 Introduktion; Sommarnatt; Grumlad Sommardag; Vid Fyrtio År; Till Zigenarna. Gedichte aus Ein Weg im Dunklen, ins Schwedische übersetzt. *Sverige Tyskland,* 1958, Nr. 1, S. 13 f.
115 Due pagine dei Demoni (La gerente del caffé Kaunitz /Una serata dal principe Croix). Zwei Abschnitte aus den Dämonen, ins Italienische übersetzt von Margaret und Gianfranco Contini. *L'Approdo Letterario,* 4. Jg., 1958, Nr. 3, S. 81 f.
115a The Magician's Art (Ein anderer Kratki-Baschik), ins Engl. übers. v. Astrid Ivask. *The Literary Review,* Teaneck, New Jersey, Fairleigh Dickinson University, Autumn 1961, Vol. 5, No. 1, S. 5–17
115b The Demons (Die Dämonen), ins Engl. übers. von Richard und Clara Winston, 2 Bde, New York (Alfred A. Knopf) 1961
115c Le finestre illuminate ovvero Come il consigliere Julius Zihal divenne uomo (Die erleuchteten Fenster ...), ins Ital. übers. von Clara Bovero, Turin (Einaudi) 1961

115d Murha jonka jokainen tekee (Ein Mord den jeder begeht), ins Finnische übers. von Eila Nisonen, Porvoo Helsinki (Werner Söderström Verlag) 1961

115e Bases y función de la novela (Grundlagen und Funktion des Romans), *Eco* (Revista de la cultura de occidente, Bogotá), 1961, S. 609–627

115f Ubojstvo koje svatko počinja (Ein Mord den jeder begeht), ins Serbokroatische übers. von Zvonimir Golob, Reihe: Vikend Nr. 5, Zagreb (Lykos) 1962

VI. Sonstiges

116 Das wahre Licht der Form. Gespräch mit Heimito von Doderer (befragt von Margret Dietrich). *Freude an Büchern* (Wien), 3. Jg., 1952, S. 80f.

117 Galgenbruder bleibt Galgenbruder. Erzählung von Heimito von Doderer (= Kurzfssg. von Doderers Roman Ein Umweg, hergestellt von Luise Laporte). *Fränkische Nachrichten* (Tauberbischofsheim), 8. 1. 53

118 Über Wut und Grimm. *Merkur,* 10. Jg., 1956, S. 880–884

119 Ekloge. Auf Karl Schröpel zu seinem siebzigsten Geburstag. In: Karl Schröpel zum siebzigsten Geburtstag am 7. Januar 1957. Interner Druck der C. H. Beck'schen Verlagsbuchhandlung, München 1957, S. 3 f.

120 Unser übernationales Nationalgefühl ... Aus Heimito von Doderers Stuttgarter Rede über ‚Österreich heute'. *Neuer Kurier* (Wien), 14. 11. 1957

121 Die Aussage des Dichters über Pirkheimer. In: Die Verleihung der Willibald Pirkheimer-Medaille für das Jahr 1958 zu Nürnberg, S. 41

122 Ad arcum meum / An meinen Bogen (ohne Verfassernamen). In: Thomas Marcotty, Bogen und Pfeile, München 1958, S. 6

123 An den Herausgeber (Gedicht). In: Alte Wiener Lieder. Immergrüne Melodien mit Noten, Texten und Bildern zum Kranz gebunden von Hartmann Goertz, München o. J. (1959)

124 (Beitrag Heimito von Doderers). In: Heinz Gültig, baemu suti oder Das ibolithische Vermächtnis. Ein literarisches Gesellschaftsspiel, Zürich 1959, S. 35 f.

125 (Brief Heimito von Doderers). In: Quo via fert? Wohin führt der Weg? Unser Kompaß. Unsere Wegweiser. Die Schwelle und wir, überreicht von den Maturanten des Döblinger Gymnasiums, Wien XIX., Mai 1959, S. 11

126 Drei Dichter entdecken den Dialekt. Vorwort zu: F. Achleitner, H. C. Artmann und G. Rühm, hosn rosn baa, Wien 1959

Veröffentlichungen über Heimito von Doderer

I. Behandlung in Büchern

127 Bithell, Jethro: Modern German Literature, London [3]1959

128 Boesch, Bruno (Hrsg.): Deutsche Literaturgeschichte in Grundzügen. Die Epochen deutscher Dichtung, Bern [2]1961

129 Eisenreich, Herbert: Heimito von Doderer oder die Vereinbarkeit des Unvereinbaren = Einleitung zu: Heimito von Doderer, Wege und Umwege, 1960, S. 5–24 (vgl. Nr. 17)

130 Fechter, Paul: Geschichte der deutschen Literatur, Bd. II, bearb. von Kurt Lothar Tank und Wilhelm Jacobs, SM-Bücher 23, Gütersloh 1960

131 FRIEDMANN, Hermann und MANN, Otto (Hrsg.): Deutsche Literatur im XX. Jahrhundert. Strukturen und Gestalten. Zwanzig Darstellungen, Heidelberg [3]1959

132 GLASER, Hermann: Kleine Geschichte der modernen Weltliteratur, dargestellt in Problemkreisen, Ullstein Buch 126, Frankfurt a. M. [3]1960

133 HEER, Friedrich: Perspektiven österreichischer Gegenwartsdichtung. In: W. Kayser (u. a. Verff.), Deutsche Literatur in unserer Zeit, Vandenhoeck und Ruprecht Buchreihe 173/4, Göttingen 1959

134 HORST, Karl August: Die deutsche Literatur der Gegenwart, München 1957

135 HORST, Karl August: Lexikon der Weltliteratur im 20. Jahrhundert, Freiburg-Basel-Wien (Herder) 1960, Bd. I

135a IVASK, Ivar: Das Große Erbe. Stiasny-Bücherei Bd. 100, Wien-Graz 1962

136 KINDERMANN, Heinz: Wegweiser durch die moderne Literatur in Österreich, Innsbruck 1954

137 LANGER, Norbert: Dichter aus Österreich, 3. Folge, Wien 1958

138 LENNARTZ, Franz: Die Dichter unserer Zeit, Kröner 151, Stuttgart [7]1957

139 MAJUT, Rudolf: Der deutsche Roman vom Biedermeier bis zur Gegenwart. In: W. Stammler (Hrsg.), Deutsche Philologie im Aufriß, Bd. II, [2]1960, Sp. 1661ff.

139a MARTINI, Fritz: Deutsche Literaturgeschichte, Kröner 196, Stuttgart [10]1960

140 MEIDINGER-GEISE, Inge: Welterlebnis in deutscher Gegenwartsdichtung, 2 Bde, Nürnberg 1956

141 PONGS, Hermann: Im Umbruch der Zeit. Das Romanschaffen der Gegenwart, Göttingen [3]1958

142 SCHMIDT, Adalbert: Literaturgeschichte. Wege und Wandlungen moderner Dichtung, Salzburg-Stuttgart 1957

143 SPIEL, Hilde: Welt im Widerschein, Essays, München 1960, S. 283–298

144 WAIDSON, H. M.: The modern German Novel, Oxford 1959

II. Aufsätze in Zeitschriften, Zeitungen und anderen periodisch erscheinenden Veröffentlichungen

a) Zu Gesamtwerk und Persönlichkeit

145 ANGELLOZ, J.-F.: Un Romancier Autrichien de la Décadence: Heimito von Doderer. *Mercure de France,* 1954, Bd. 320, S. 525–528

146 CONTINI, Margaret: Presentazione di Heimito von Doderer. *L'Approdo Letterario,* 4. Jg., 1958, H. 3, S. 70–80

147 EISENREICH, Herbert: Das Glück in guten Händen. Zu Person und Werk des sechzigjährigen Heimito von Doderer. *Salzburger Nachrichten,* 4. 9. 56

147a FITZBAUER, Erich: Heimito Doderer. *Der Österreichische Bildungsfunktionär* (Wien), 1960, H. 71, S. 48–54

148 HAMBURGER, Michael: A great Austrian Novelist. *Encounter* (London), Vol. 8, 1957, H. 5, S. 77–81

149 HORST, Karl August: Dämonie der zweiten Wirklichkeit. Rede auf Heimito von Doderer. *Merkur,* 10. Jg., 1956, S. 1005–1014

150 IVASK, Ivar: Euroopa romaani vitalsusest Austrias (Von der Vitalität des europäischen Romans in Österreich). *Tulimuld* (Eesti kirganduse ja kultuuri ajakiri), 7. Jg., 1956, H. 6, S. 264–269

151 MEIDINGER-GEISE, Inge: Heimito von Doderer – Betrachtung eines dichterischen Weges. *Die Erlanger Universität* (Beilage des Erlanger Tageblattes), 24. 6. 1953

152 MEIDINGER-GEISE, Inge: Actualité de Heimito von Doderer (= frz. Übers. von Nr. 151). *Allemagne d'Aujourd'hui* (Paris), 1. Jg., 1952/53, S. 726–729

153 SEIDMANN, Gertrud: Heimito von Doderer. *Modern Languages* (Journal of the modern Language Association), Vol. 40, 1959, Nr. 2, S. 53–56

154 SWOBODA, Eduard: Heimito von Doderer. *Landstrasser Gymnasium*, Jahresbericht 1953/54, Wien Juni 1954, S. 5–7

154a TEDESCHI, Bruno: Prima di scrivere il suo libro lo aveva „disegnato" sutavolette di legno. *Il giornale d'Italia* (Rom), 26. 8. 1958

155 WEIGEL, Hans: Das Lied vom braven Dichter. *Wort in der Zeit* (Graz), 2. Jg., 1956, S. 485 ff.

156 – dasselbe – (ohne Titel). *Literatur Kalender Spektrum des Geistes*, hrsg. von Hartfrid Voss, 1958, S. 98

157 – dasselbe – (u. d. T. Ein Fanatiker der Wirklichkeit). *Süddeutsche Zeitung* (München), 1./2. 9. 1956

158 – dasselbe – (u. d. T. Ein Fanatiker der Wirklichkeit). *Der Tagesspiegel* (Berlin), 6. 9. 1956

159 WINTER, Hanns von: Heimito von Doderer. *Die Österreichische Furche* (Wien), 18. 8. 1951

160 WINTER, Hanns von: Heimito von Doderer. *Wort in der Zeit* (Graz), 1. Jg., 1955, S. 3–6

161 WINTER, Hanns von: Heimito von Doderer. Formprinzip und Metaphysik. *Literatur aus Österreich* (Wien), 2. Jg., 1958, Nr. 2, S. 1–4

162 anonym: Doderer. Der Spätzünder. *Der Spiegel* (Hamburg), 5. 6. 1957, S. 53–58

163 anonym: The Austrian Scene. *The Times Literary Supplement* (London), 56. Jg., 1957, Nr. 2894, 16. 8. 1957, S. X.

164 anonym: Heimito von Doderer. *La Table Ronde* (Paris), 1958, Nr. 131, S. 140 f.

b) Besprechungen des Romans EIN MORD DEN JEDER BEGEHT

165 BACKHAUS, Wilhelm: Drei Temperamente. Zwei ernste Bücher und ein heiteres. *Münchner Neueste Nachrichten*, 6. 10. 1938

166 FUSSENEGGER, Gertrud: Dichter haben es nicht leicht ... *Salzburger Nachrichten*, 29. 7. 1958

167 FUSSENEGGER, Gertrud: Die Dichter und der Mord. *Zeitwende* (Hamburg), 29. Jg., 1958, S. 556 f.

168 IVASK, Ivar: Heimito von Doderer: Ein Mord den jeder begeht. *Books Abroad* (Norman, Oklahoma), Vol. 34, 1960

169 KRAMP, Willy: Über Freiheit und Verstrickung. *Die Neue Rundschau*, 51. Jg., 1940, S. 255–260

170 MÜLLER, Wilhelm: Heimito von Doderer: Ein Mord den jeder begeht. *Bücherei und Bildung* (Reutlingen), 10. Jg., 1958, H. 7

171 PAUL, Wolfgang: Menschen der großen Stadt. *Berliner Morgenpost*, 4. 4. 1958

172 – r. – y.: Wiederbegegnung mit einem frühen Doderer. *Beruf und Gesinnung* (Graz), 12. Jg., 1958, H. 4, S. 1 f.

173 RAUCH, Karl: Heimito von Doderer: Ein Mord den jeder begeht. *Leipziger Neueste Nachrichten,* 12. 2. 1939

174 S., T.: Doderers Juwelensuche im Tunnel. Exakter Schilderer und Stilist. *Saar-Echo* (Saarbrücken), 24. 3. 1958

175 SIEDLER, Wolf Jobst: Tiefe der Jahre. *Neue Deutsche Hefte,* 5. Jg., 1958/59, S. 269 f.

176 SILEX, Karl: Ein früher Roman Doderers. *Die Bücherkommentare,* 7. Jg., 1958, Nr. 1, 15. 3. 1958

177 SPIEL, Hilde: Ein Mord den jeder begeht. *Die Weltwoche* (Zürich), 6. 6. 1958

178 WESELOH, Hans Achim: Nichts ist Zufall. *Thüringer Allgemeine Zeitung,* 4. 11. 1938

179 ZEEMANN, Dorothea: Ein Mord den jeder begeht. *Neuer Kurier* (Wien), 5. 3. 1958

c) Besprechungen des Romans DIE STRUDLHOFSTIEGE

180 AICHINGER, Gerhard: Zwischen Köpenik und Königgrätz. *Der Kurier* (Berlin), 11. 7. 1951

181 ALKER, Ernst: Wiener Kaleidoskop. *Wiener Zeitung,* 9. 12. 1951

182 – dasselbe – *Neues Abendland* (München), 7. Jg., 1952, S. 121–123

183 – dasselbe in engl. Übers. – (Vienna Kaleidoscope). *Books Abroad* (Norman, Oklahoma), Vol. 28, 1954, S. 424–426

184 ALKER, Ernst: Heimito von Doderer und die „verlorene Generation“. *Freude an Büchern* (Wien), 3. Jg., 1952, S. 57 f.

185 ALKER, Ernst: (über Die Strudlhofstiege). *Catholic Renascence* (Milwaukee, Wisconsin), Vol. 6, 1953, Nr. 1

186 BÄNZIGER, Hans: Zwei österreichische Erzähler. *St. Galler Tagblatt,* 15. 1. 1955

187 BODE, Helmut: Österreichisches Barock. *Bücherschiff,* 1. Jg., 1951, Nr. 2, S. 2

188 BREHM, Doris: Nach der Lektüre der ‚Strudlhofstiege‘. *Tagebuch* (Wien), 29. 3. 1952

189 D., M.: Heimito von Doderers ‚Strudlhofstiege‘. *Wiener Universitäts-Zeitung,* 1. 5. 1952

190 DOMKE, Helmut: Schicksal in Wien. *Frankfurter Allgemeine Zeitung,* 11. 8. 1951

191 FACKLER, Maxim: Melzer auf der Strudlhofstiege. Ein ungewöhnlicher Roman. *Badische Zeitung* (Freiburg), 20. 9. 1951

192 FALK, Hans Gabriel: Heimito von Doderer – ein österreichischer Epiker. *Schwäbische Landeszeitung* (Augsburg), 11. 6. 52

193 g., a.: Mehr als ein Epilog. *Die Gegenwart* (Frankfurt a. M.), 6. Jg., 1951, Nr. 17, 1. 9. 1951, S. 23

194 GOERTZ, Hartmann: Doderer und der moderne deutsche Roman. *Aktion* (Frankfurt a. M.), 2. Jg., 1952, Nr. 13, S. 77–79

195 GRÖZINGER, Wolfgang: Roman zwischen Dichtung und Reportage. *Hochland* (München), 44. Jg., 1951/52, S. 552–558

196 GROSSMANN, Walter: Heimito von Doderer: Die Strudlhofstiege ... *Books Abroad* (Norman, Oklahoma), Vol. 26, 1952, S. 353 f.

197 HATFIELD, Henry: Vitality and Tradition. *Monatshefte* (Madison, Wisconsin), 47. Jg., 1955, S. 19–25

198 Heiseler, Bernt von: Die Strudlhofstiege. *Zeitwende* (Hamburg), 27. Jg., 1956, S. 129 f.

199 Hoche, Klaus: Die Strudlhofstiege. *Deutsche Rundschau* (Gelsenkirchen), 77. Jg., 1951, S. 952 f.

200 Horst, Karl August: Das große Wiener Welttheater. *Das Literarische Deutschland* (Heidelberg), 2. Jg., 1951, Nr. 23, 10. 12. 1951

201 Horst, Karl August: Austria hispanica. *Merkur,* 5. Jg., 1951, S. 1094 f.

202 – dasselbe – *Jahresring* 54, Stuttgart 1954, S. 178–181

203 Ihlenfeld, Kurt: Heimito von Doderer, Die Strudlhofstiege. *Eckart,* 20./21. Jg., 1951/52, S. 186 f.

204 Knapp, Friedrich: Charmanter Abgesang. *Rheinischer Merkur* (Köln), 16. 11. 1951

205 Maier, Hansgeorg: Strudel der Menschwerdung. *Die Zeit* (Hamburg), 12. 7. 1951

206 Marwitz, Roland: Tratsch auf der Treppe. *Frankfurter Neue Presse,* 15. 9. 1951

207 Meyer, Christoph: Porträts einer Zeit. *Münchner Merkur,* 5. 10. 1951

208 Müller, Wilhelm: Heimito von Doderer: Die Strudlhofstiege ... *Bücherei und Bildung* (Reutlingen), 4. Jg., 1952, H. 3

209 Nitsche, Roland: Die ‚Strudlhofstiege'. Heimito von Doderers Wiener Riesengobelin. *Die Presse* (Wien), 22. 9. 1951

210 O: Die Jahre von gestern. *Stuttgarter Nachrichten,* 29. 6. 1951

211 Patera, Paul: Storstaden Wien som roman. *Göteborgs-Tidningen,* 15. 8. 1955

212 Paul, Wolfgang: Das Unvergängliche und seine Menschen. *Neue Zeitung* (Berlin), 12. 5. 1951

213 Paulsen, Wolfgang: Deutsch-österreichischer Zeitroman. *Symposium* (New York), Vol. 10, 1956, Nr. 2, S. 217–230

214 Riedl, Franz: Der große österreichische Roman. *Dolomiten* (Bozen), 27. 3. 1952

215 Riedtmann, Meret (Rn.): Ein großer Erzähler aus Österreich. *Basler Nachrichten,* 26. 2. 1956

216 Roschmann, Kurt: Schwierige Wiener G'schichten. *Stuttgarter Zeitung,* 1. 12. 1951

217 S., L.: Viel ist hingesunken, uns zur Trauer. *Der Standpunkt* (Meran), 14. 10. 1951

218 Schlocker, Georges: Mühevoller als andere Völker. *Deutsche Zeitung und Wirtschaftszeitung* (Stuttgart), 15. 9. 1951

219 Schlocker, Georges: Auf der Suche nach zeitgemäßen Ausdrucksformen. *Tagesanzeiger Zürich,* 26. 4. 1952

220 Spiel, Hilde: Chronik einer versinkenden Kultur. *Neue Zeitung* (München), 23./24. 6. 1951

221 Spiel, Hilde: Ausklang einer Kultur. *Der Monat,* 3. Jg., 1950/51, S. 428–431

222 Stemmer, Konrad: Ein großer deutscher Roman? *Der Tagesspiegel* (Berlin), 9. 9. 1951

223 Sulke, Franz: Tu felix Austria. *Süddeutsche Zeitung* (München), 18./19. 8. 1951

224 Sulke, Franz: Menschen an der Strudlhofstiege. Spectrum Austriae im Roman. *Wort und Wahrheit,* 6. Jg., 1951, S. 771–775

225 T., H.: Een dorp vol roman-figuren. De Weense schrijver Heimito von Doderer schilderde zijn stad en zijn volk. *De Maasboden,* 23. 8. 1952

226 THUN-HOHENSTEIN, Paul: Ein Wiener Roman. *Die Österreichische Furche* (Wien), 1. 12. 1951

227 -us: Die Strudlhofstiege. Ein neuer Romantyp. *Christ und Welt* (Stuttgart), 23. 8. 1951

228 WINKLER, Konrad: Literarisches Barock in unserer Zeit. *Schwäbisches Tagblatt* (Tübingen), 20. 10. 1951

229 anonym: Böcker och författare. Österrikisk kromosomroman. *Göteborgs-Posten,* 19. 7. 1951

230 anonym: Die Strudlhofstiege. *Oberösterreichische Nachrichten* (Linz), 9. 12. 1958

d) Besprechungen des Roman DIE DÄMONEN

231 ABENDROTH, Walter: Ein notwendiges „Plagiat". *Die Zeit* (Hamburg), 25. 10. 1956

232 AHL, Herbert: Literarische Marginalien. *Diplomatischer Kurier* (Köln), 5. Jg., 1956, S. 893–896

233 ANGELLOZ, J.-F.: ‚Les Démons' par Heimito von Doderer. *Mercure de France,* 1957, Bd. 331, S. 531–534

234 AUGUSTIN, Elisabeth: Heimito von Doderer. *Litterair Paspoort* (Amsterdam), Januar 1959, S. 15–17

235 AUGUSTINY, Waldemar: Ende des Romans? *Hannoversche Allgemeine Zeitung,* 20./21. 10. 1956

236 B., A.: Weltroman aus Wien. *Schwäbische Landeszeitung* (Augsburg), 17. 9. 1957

237 B., L.: Zeit-Spiegel, in 25 Jahren entstanden. Heimito von Doderers Roman ‚Die Dämonen'. Menschwerdung und Massengeist. *Nürnberger Nachrichten,* 29./30. 12. 1956

238 BALDUS, Alexander: Heimito von Doderer: Die Dämonen. *Begegnung* (Köln), 11. Jg., 1956, S. 302 f.

239 BASIL, Otto: Auf den Spuren der verlorenen Zeit. *Neues Österreich* (Wien), 4. 11. 1956

240 BAUER, Roger: Heimito von Doderer: Die Dämonen. *Allemagne d'Aujourd'hui* (Paris), 5. Jg., 1957, H. 4–5, S. 219 f.

241 BECHER, H. SJ: Heimito von Doderer: Die Dämonen. *Stimmen der Zeit,* 82. Jg., 1956/57, Bd. 160, H. 7, S. 77–79

242 BEER, Otto F.: Heimito von Doderers neuer Roman. Die Dämonen von ‚Döbling'. *Der Standpunkt* (Meran), 20. 11. 1956

243 BENEDEK, Karl M.: Heimito von Doderer oder: Die Ideologie der Ideologielosigkeit. *Tagebuch* (Wien), Februar 1958

244 BENESCH, Kurt: Heimito von Doderer: Die Dämonen. Bilder wiedergekehrter Vergangenheit. *Literatur aus Österreich* (Wien), 2. Jg., 1958, Nr. 2, S. 4–6

245 BENESCH, Kurt: Das österreichische Buch. *Die Stimme Österreichs* (Wien), April 1958

245a BERG, Robert von: New Yorker Echo auf die Wiener ‚Dämonen'. *Süddeutsche Zeitung* (München), 28. 11. 1961

246 BLUNCK, Richard: Ein europäisches Buch. *Hamburger Abendblatt,* 7. 3. 1957

247 BÖSE, Georg: Doderers ganz gewöhnliche Menschen. *Deutsche Zeitung und Wirtschaftszeitung* (Stuttgart), 17. 11. 1956

248 BRONNEN, Arnolt: Die Dämontscherln. *Tagebuch* (Wien), Januar 1958

249 Ek, Emy: Doderers ‚Demonerna'. *Svenska Dagbladet* (Stockholm), 22. 10. 1956
250 F., H.: I Demoni. *Il Borghese,* 5. 12. 1957
251 Fitzbauer, E.: Heimito von Doderer und seine ‚Dämonen'. *Kulturberichte aus Niederösterreich* (Wien), 15. 1. 1958
252 Fritz, Walter Helmut: Heimito von Doderer: Die Dämonen. Anatomie des Augenblicks. *Christ und Welt* (Stuttgart), 20. 9. 1956
253 G., W.: Das Hauptwerk Heimito von Doderers. *Hessische Nachrichten* (Kassel), 7. 3. 1957
254 Goertz, Hartmann: Abenteuerliche Chronik. *Rheinische Post* (Düsseldorf), 3. 11. 1956
255 Greitemann, Nikolaus: ‚Die Dämonen' van Heimito von Doderer. *Nieuwe Rotterdamse Courant,* 11. 5. 1957
256 Grözinger, Wolfgang: Der Roman der Gegenwart. Der intellektuelle Erzähler. *Hochland,* 49. Jg., 1956, S. 177–185
257 H., I.: Das österreichische Schicksal im Roman. Zu Heimito von Doderers Romanen ‚Die Strudlhofstiege' und ‚Die Dämonen'. *Südkurier* (Konstanz), 13. Jg., Nr. 176
258 Haerdter, Robert: Kunstlandschaft des Geschriebenen. *St. Galler Tagblatt,* 6. 10. 1956
259 –dasselbe– *Die Gegenwart* (Frankfurt a. M.), 11. Jg., 1956, S. 604 f.
260 Hahn, Karl Josef: Heimito von Doderers ‚Dämonen'. *Echo der Zeit* (Recklinghausen), 3. 2. 1957
261 hf.: Große Prosadichtung aus Österreich. *Allgemeine Zeitung für Württemberg,* 2./3. 11. 1957
262 Hn.: Auf dem Wasser zu lesen. *Erlanger Tageblatt,* 12. 4. 1958
263 Höbinger, Karl: Der große Roman einer Wiener Epoche. Heimito von Doderers gobelinhaftes Epos der Zeit zwischen den beiden Weltkriegen. *Die Presse* (Wien), 5. 10. 1956
264 Hornung, Peter: (über Die Dämonen). *Deutsche Tagespost* (Würzburg), 11./12. 1. 1957
265 Horst, Karl August: ‚Die Dämonen'. *Neue Zürcher Zeitung,* 13. 10. 1956
266 Ivask, Ivar: Heimito von Doderer's ‚Die Dämonen'. *Books Abroad* (Norman, Oklahoma), Vol. 31, 1957, S. 363–365
267 K., C.: Ein großer Roman. ‚Die Dämonen'. *Kasseler Zeitung,* 11. 12. 1956
268 Kemp, Friedhelm: Heimito von Doderer: Die Dämonen. *Das kleine Buch der 100 Bücher,* 1956
269 Klie, Barbara: Ein Widerhall reicher Geschichte. *Süddeutsche Zeitung* (München), 6./7. 10. 1956
270 Klie, Barbara: Die Strudlhofstiege war nur die Rampe. *Magnum,* 4. Jg., 1956, Nr. 11, S. 53
271 Koebner, Franz: Heimito von Doderer: Die Dämonen. *Die Pforte* (Eßlingen), 8. Jg., 1958, H. 88/89, S. 354–359
272 Koskimies, Rafael: Heimito von Doderer ja hänen ‚Demoninsa'. *Uusi Suomi,* 19. 1. 1958
273 Lauer, Hans: Heimito von Doderer: Die Dämonen. *Das Podium* (Bochum), Juli 1957, S. 18 f.
273a Lindley, Denver: Huge, Fine Novel of a City That Was (über die engl. Übers. der Dämonen). *Herald Tribune,* 24. 9. 1961
274 Machleidt, Dorothea: Dichtung ohne Furcht und Anklage. *Zeitwende* (Hamburg), 28. Jg., 1957, S. 129–131

275 MAIER, Hansgeorg: „Nun trinke draus, wenn du's vermagst". Heimito von Doderers ‚Dämonen' – ein Beitrag zur Weltliteratur. *Frankfurter Rundschau,* 15. 12. 1956

276 MEIDINGER-GEISE, Inge: Heimito von Doderer. *Begegnung* (Köln), 12. Jg., 1957, S. 23 f.

277 MEIDINGER-GEISE, Inge: Menschwerdung unter Dämonen. *Die Besinnung* (Nürnberg), 12. Jg., 1957, S. 5–8

278 –dasselbe– *Perspektiven deutscher Dichtung,* Jahrbuch, Nürnberg, 1. Jg., 1957, S. 7 ff.

279 MEIER, Leslie. DESCHNER, Karl-Heinz. SCHÜMANN, Kurt: Leslie Meiers Tafelrunde. Warenprobe aus Heimito von Doderer: ‚Die Dämonen'. *Konkret* (Hamburg), 4. Jg., 1958, Nr. 3, S. 9 f.

280 MEYER, Christoph: Wiener Spezialitäten ohne k. u. k. Romantik. *Münchner Merkur,* 20./21. 7. 1957

281 MITTNER, Ladislao: I mostri di Doderer. *Il Mondo,* 19. 5. 1959, S. 9 f.

282 MOHLER, Armin: Der Dichter des „Jenseits im Diesseits". *Die Tat* (Zürich), 1. 9. 1956

282a MORTON, Frederic: For a Literary Epic the Place is Vienna, the Time the Late Twenties (über die engl. Übers. der Dämonen). *The New York Times Book Review,* 24. 9. 1961

283 MÜLLER, Wilhelm: Die Dämonen. *Bücherei und Bildung* (Reutlingen), 9. Jg., 1957, H. 8/9, S. 364

284 MUMELTER, Hubert: Wien und Welt im Roman. *Alpenpost* (Bozen), 11. 5. 1957

285 NISSEN, Nis R.: Das Ringen mit den „Dämonen". Mehr als ein Zeitroman – Vom Ende einer freiheitlichen Epoche. *Lübecker Nachrichten,* 20. 3. 1959

286 PALLMANN, Gerhard: Weltliteratur aus Wien. *Welt und Wort* (Tübingen), 11. Jg., 1956, S. 314

287 PALLMANN, Gerhard: Doderers ‚Dämonen'. *Die Bücherkommentare* (Stuttgart), 5. Jg., 1956, Nr. 3, 15. 9. 1956

288 PALLMANN, Gerhard: Doderers ‚Dämonen'. *Sonntagsblatt* – Staatszeitung und Herold (New York), 19. 5. 1957

289 PATERA, Paul: Österrikisk storroman. *Hufvudstadsbladet* (Helsinki), 4. 9. 1956

290 PAUL, Wolfgang: Die Dämonen werden weichen. Heimito von Doderer: Ein Roman bekennt sich zu Europa. *Der Tag* (Berlin), 10. 10. 1956

291 PAUL, Wolfgang: Unzerstörbares Abendland. *Generalanzeiger der Stadt Wuppertal,* 10. 11. 1956

292 – dasselbe – *Darmstädter Echo,* 22. 2. 1957

293 – dasselbe – *Badisches Tagblatt,* 25. 6. 1957

294 POLLAK, Walter: Ein Wiener Epos vom Menschen in dieser Zeit. *Oberösterreichische Nachrichten* (Linz), 30. 4. 1957

294a PRESCOTT, Orville: Books of The Times (über die engl. Übers. der Dämonen). *The New York Times,* 25. 9. 1961

295 RASCHE, Friedrich: Dämonen in Wien. *Hannoversche Presse,* 22./23. 12. 1956

296 RIEDL, F. H.: Doderers Dämonen. *Dolomiten* (Bozen), 11. 12. 1956

297 RIEDTMANN, Meret: Heimito von Doderer und die Wissenschaft vom Leben. *Wort in der Zeit* (Graz), 2. Jg., 1956, S. 607–614

298 RISMONDO, Piero: Das Jahr vor dem Justizpalast-Brand. Historischer Gezeitenwechsel in Doderers großem Wiener Roman. *Wort und Wahrheit,* 12. Jg., 1957, S. 52–55

299 Rollett, Edwin: Heimito von Doderer: Die Dämonen. *Wiener Zeitung,* 28. 10. 1956
300 Ross, Werner: Die sanften Dämonen. Fauna der Zivilisation in Heimito von Doderers neuem Roman. *Rheinischer Merkur* (Köln), 25. 1. 1957
301 RS: Doderers Beitrag zur Weltliteratur. *Straubinger Tagblatt,* 20. 1. 1958
302 Scheurig, Bodo: Ein besonderes Roman-Ereignis. *Der Kurier* (Berlin), 2./3. 3. 1957
303 schm.: Doderer sieht hinter den Spiegel. *Westdeutsche Allgemeine* (Essen), 4. 3. 1957
304 Schwab-Felisch, Hans: Doderer und die Wirklichkeit. *Frankfurter Allgemeine Zeitung,* 8. 12. 1956
305 Schwarz, Hans: Dämonen 1927. *Schwäbische Landeszeitung* (Augsburg), 8. 12. 1956
306 Schwerte, Hans: Das Wirkliche. *Die Erlanger Universität* (Beilage des Erlanger Tageblattes), 17. 7. 1957
307 – dasselbe – *Blätter für den Deutschlehrer,* 2. Jg., 1958, H. 1, S. 3–9
308 Siedler, Wolf Jobst: Dämonen sind überall. *Der Tagesspiegel* (Berlin), 23. 12. 1956
309 Spiel, Hilde: Der Kampf gegen das Chaos. *Der Monat,* 9. Jg., 1957, H. 104, S. 65–68
309a Steiner, George: The Brown Danube (über die engl. Übers. der Dämonen). *The Reporter* (New York), 12. 10. 1961, S. 58–60
310 str.: Heimito von Doderer: Die Dämonen. *Schweizer Bücher-Zeitung,* 1957, H. 3
311 Tank, Kurt Lothar: Wie konnte geschehen, was wir damals erlebten? Gegen dämonische Verführung den Reichtum des wirklichen Lebens. *Die Welt* (Hamburg), 22. 9. 1956
312 Tank, Kurt Lothar: Das Abenteuer des Selbstverständlichen. Zu Heimito von Doderers abendländischer Chronik ‚Die Dämonen'. *Sonntagsblatt* (Hamburg), 11. 11. 1956
313 Tank, Kurt Lothar: Die Dämonen. *Eckart,* 26. Jg., 1957, S. 263–265
314 V.: Dämonen und Lemuren. *Badische Zeitung* (Freiburg), 15./16. 12. 1956
315 Vogel, Manfred: Zwischen „Gleichsam" und „Gleichwohl". Zur „dämonischen" Weltbetrachtung des Romanciers Heimito von Doderer. *Der Mittag* (Düsseldorf), 17./18. 11. 1956
316 Voorde, U. van de: ‚Die Dämonen' van Heimito von Doderer. Een Wereld in een Notedop. *De Standaard* (Brüssel), 19. 1. 1957
317 W., E.: Die Dämonen. *Österreichische Neue Tageszeitung* (Wien), 16. 9. 1956
318 Waidson, H. M.: Heimito von Doderers Demons. *German Life & Letters* (Oxford), Vol. 11, 1957/58, Nr. 3 (April 1958)
319 Weigel, Hans: Die Iden des Juli. *Salzburger Nachrichten,* 21. 9. 1956
320 –y–: Barockes Dämonium. *Main-Post* (Würzburg), 5. 4. 1958
321 Zeemann, Dorothea: Die Dämonen unserer Zeit. *Die Weltpresse* (Wien), 10. 10. 1956
321a anonym: Sad Splendor (über die engl. Übers. der Dämonen). *Newsweek,* 2. 10. 1961

e) Besprechungen der Gedichtsammlung Ein Weg im Dunklen

322 Abendroth, Walter: Gedichte werden wieder verkauft. *Die Zeit* (Hamburg), 12. 12. 1957

323 Basil, Otto: In der Drift der großen Romane. *Neues Österreich* (Wien), 24. 11. 1957

324 Hohoff, Curt: Verse eines Romanciers. *Der Tagesspiegel* (Berlin), 9. 3. 1958

325 Hohoff, Curt: Ein Weg im Dunklen. Doderers unglückliche Liebe zur Lyrik. *Christ und Welt* (Stuttgart), 27. 3. 1958

326 Kemp, Friedhelm: Heimito von Doderer: Ein Weg im Dunklen. *Das kleine Buch der 100 Bücher,* 1957

327 Mohler, Armin: Gedichte von Doderer. *Die Tat* (Zürich), 28. 12. 1957

328 Paul, Wolfgang: „Aus Trümmern mein Haus ...". *Berliner Morgenpost,* 20. 11. 1957

329 V., J.: Doderer als Lyriker. *Baseler Nachrichten,* 3. 1. 1958

f) Besprechungen des Erzählungsbandes Die Peinigung der Lederbeutelchen

329a Boltendal, R.: Verhalen en korte schetsen van Heimito von Doderer. *Friese Koerier* (Leeuwarden), 19. 11. 1960

330 Horst, Karl August: Schichten und Geschichten. *Merkur,* 14. Jg., 1960, S. 286–289

331 Kemp, Friedhelm: Heimito von Doderer: Die Peinigung usf. *Das kleine Buch der 100 Bücher,* 1959, S. 43

332 Laregh, Peter: Neues von Doderer. *Die Bücherkommentare* (Stuttgart), 8. Jg., Nr. 4, 15. 11. 1959

333 Olles, Helmut: Der Begriff des Lebens. *Kölnische Rundschau,* 18. 10. 1959

334 Olles, Helmut: Doderers „Eros zum Objektiven". *Wort und Wahrheit,* 14. Jg., 1959, S. 803 f.

335 Paul, Wolfgang: Zwar absurd, aber doch mit Geschmack. *Berliner Morgenpost,* 18. 10. 1959

336 Paul, Wolfgang: Der gepeinigte Mensch. *Der Tag* (Berlin), 1. 11. 1959

337 Pich, Marianne: Heimito von Doderer: Die Peinigung usf. *St. Galler Tagblatt,* 17. 12. 1959

338 Siedler, Wolf Jobst: Heimito von Doderers gesammelte Erzählungen. *Der Tagesspiegel* (Berlin), 8. 11. 1959

339 Spiel, Hilde: Heimito von Doderers kleine Prosa. *Süddeutsche Zeitung* (München), 28./29. 11. 1959

340 Stein, Ernst: Alte Schubladen verschiedenen Inhalts. *Die Zeit* (Hamburg), 30. 10. 1959

g) Besprechungen anderer Bücher

341 Abendroth, Walter: Abschied von großen Gefühlen (u. a. zu: Das letzte Abenteuer). *Die Zeit* (Hamburg), 12. 11. 1953

342 Angelloz, J.-F.: Le Cas Gütersloh ou Creation litteraire et Creation plastique. *Mercure de France,* 1954, Bd. 321, S. 520–523

342a Best, Anni: Heimito von Doderer: Der Fall Gütersloh. *Germanistik,* 3. Jg., 1962, H. 1, S. 157 f.

343 Grasshoff, Wilhelm: Die Theorie eines Praktikers (zu: Grundlagen und Funktion des Romans). *Frankfurter Allgemeine Zeitung,* 8. 10. 1959

344 Haas, Willy: Interessante Überspanntheit von 1930 (zu: Der Fall Gütersloh). *Die Welt* (Hamburg), 4. 2. 1961

344a Knöller, Fritz: Menschwerdung eines Amtsrates. *Neue Literarische Welt,* 25. 2. 1952

344b KNÖLLER, Fritz: Heimito von Doderer: Die erleuchteten Fenster. *Welt und Wort* (Tübingen), 7. Jg., 1952, H. 7

345 LOETSCHER, Hugo: ‚Die erleuchteten Fenster'. *Neue Zürcher Zeitung*, 20. 10. 1954

346 WINTER, Hanns von: Erlösung von totaler Ordnungspein (über Die erleuchteten Fenster). *Freude an Büchern* (Wien), 2. Jg., 1951, S. 282 ff.

h) Einzelprobleme und Behandlung in anderem Zusammenhang

347 ALKER, Ernst: Deutscher Surrealismus. *Helicon* (Amsterdam und Leipzig), 1941, Tome 3, Fasc. 1–3, S. 111–135

348 ALKER, Ernst: Die gegenwärtige Situation der deutschen Literatur. *German Life & Letters* (Oxford), 1952, Vol. 5, Nr. 2, S. 95–109

349 ALKER, Ernst: La Situación Actual de la Literatura Alemana. *Estudios Germanicos* (Buenos Aires), Boletin 10, 1953, S. 11–29

350 ALKER, Ernst: Österreichische Literatur. *Die Tat* (Zürich), 19./20. 6. 1954

351 ALKER, Ernst: Il romanzo sociologico. *Rivista de Letterature Moderne e Comparate* (Florenz), Vol. 11, 1958, Nr. 1

352 BLAUHUT, Robert: Der Metaphysiker des Staatsbeamten. Eine Studie zu Heimito von Doderer. *Wort in der Zeit* (Graz), 6. Jg., 1960, H. 8, S. 23–30

353 EISENREICH, Herbert: Die Romanciers erzählen wieder. Zum Werk von Heimito von Doderer, Monique Saint-Hélier und William Faulkner. *Forum* (Wien), 3. Jg., 1956, S. 323–325

354 EISENREICH, Herbert: Abseits vom Offiziellen. Zur Literatur europäischer Länder: I. Österreich. *Süddeutsche Zeitung* (München), 21. 7. 1957

355 ENGELHARDT, Viktor: Dichterische Aspekte Wiens (Musil, Weinheber, Doderer). *Eckart*, 25. Jg., 1955/56, S. 295–302

356 FLEISCHMANN, Wolfgang B.: New Look at Austrian Literature. *America*, 17. 9. 1960

356a HAYWARD-JONES, Sylvia: Fate, Guilt and Freedom in Heimito von Doderer's Ein Mord den jeder begeht and Ein Umweg. *German Life & Letters* (Oxford), Vol. 14, 1961, No. 3, S. 160–164

356b HÖSLE, Johannes: L'Epopea viennese di Heimito von Doderer. *Rivista de Letterature Moderne e Comparate* (Florenz), Vol. 13, 1960, S. 237–247

356c MEIDINGER-GEISE, Inge: Spiel der Sprache in Heimito von Doderers Werk. *Muttersprache* (Lüneburg), 1957, S. 361–366

357 MOHLER, Armin: Die drei Dialoge des Schriftstellers oder Jahnn, Doderer und die widerlegte Todesanzeige. *Frankfurter Allgemeine Zeitung*, 24. 12. 1952

358 OLLES, Helmut: Gibt es eine österreichische Literatur? Ein Versuch zu ihrer Wesensbestimmung. *Wort und Wahrheit*, 12. Jg., 1957, S. 115–134

359 WINTER, Hanns von: Von Hofmannsthal zu Heimito von Doderer. Herkunft und Hintergründe des österreichischen Romans. *Sonntagsblatt* (Hamburg), 15. 6. 1958

359a WINTER, Hanns von: Der österreichische Roman. *Wort in der Zeit* (Graz), 4. Jg., 1958, H. 4, S. 32–39

360 anonym: A re-awakened Culture. Fortune and Fortitude of four District Traditions. *The Times Literary Supplement* (London), 59. Jg., 1960, Nr. 3056, 23. 9. 1960, Beilage: German Writing Today, S. IV

i) Sonstiges über Doderer

361 AMERY, Jean: Heimito von Doderer. *Neues Winterthurer Tagblatt,* 25. 7. 1959

362 BETTIZA, Enzo: Radiografia di una società dopo la prima e la seconda guerra. Le opinioni di un romanziere. *La Stampa,* 12. 7. 1958

363 BODE, Helmut: Heimito von Doderer. Zum 60. Geburtstag. *Bücherschiff,* 6. Jg., 1956, Nr. 9/9 a, S. 3 f.

364 BOOTH, Friedrich van: Der Dichter der ‚Strudlhofstiege'. Zum 60. Geburtstag Heimito von Doderers. *Tiroler Wochenpost,* 1. 9. 1956

365 FIECHTNER, Helmut A.: Heimito von Doderer. Staatspreisträger 1958 und Nobelpreiskandidat. *Die Österreichische Furche* (Wien), 22. 3. 1958

366 FREUNDLICH, Elisabeth: An der Strudlhofstiege. PEN-Club feierte Doderer. *Mannheimer Morgen,* 12. 9. 1956

367 -ger: „Zugabe wie ein Kammersänger". Wir sprachen mit Heimito von Doderer. *Die Welt* (Hamburg), 10. 11. 1951

368 k.: Doderers Romane. *Aufbau* (New York), 29. 8. 1958

368a KRAUS, Wolfgang: Epiker des österreichischen Schicksals. Zu Heimito von Doderers 65. Geburtstag am 5. September. *Generalanzeiger der Stadt Wuppertal,* 4. 9. 1961

369 M., Ch.: Autorenporträt. *Die Barke* (München), 1952, H. 3

370 MARCUSE, Ludwig: Auf der Suche nach Maßstäben. Die befragten Romanciers wollen den Tod des Romans nicht bescheinigen. *Die Zeit* (Hamburg), 21. 11. 1958

371 MORTON, Frederic: Letters from Germany and Austria. *New York Times,* 7. 12. 1958

372 o. m. f.: Heimito von Doderer. Zum 60. Geburtstag des Dichters. *Die Presse* (Wien), 5. 9. 1956

373 SARNETZKI, Detmar Heinrich: Der Österreicher Heimito von Doderer. Zu seinem 60. Geburtstag am 5. September. *Kölnische Rundschau,* 2. 9. 1956

374 SPIEL, Hilde: Heimito von Doderer in England. *Neues Österreich* (Wien), 14. 2. 1957

374a TANK, Kurt Lothar: Der Weg des epischen Bogenschützen (zu Doderers 65. Geburtstag). *Die Welt* (Hamburg), 5. 9. 1961

374b WEBER, Dietrich: Die Umwege des Schriftstellers (zu Doderers 65. Geburtstag). *Der Tagesspiegel* (Berlin), 5. 9. 1961

375 WEIGEL, Hans: Fertig und doch vollendet. *Heute* (Wien), 1. 11. 1958

376 WINTER, Hanns von: Camus, der Nobelpreis und Österreich. Unser Land noch immer ohne Nobelpreis für Literatur. Auch ein würdiger Kandidat muß „präsentiert" werden. *Neuer Kurier* (Wien), 30. 10. 1957

377 WINTER, Hanns von: Der Nobelpreis und Österreich. *Österreichische Monatshefte* (Wien), 14. Jg., 1958, H. 1, S. 14–16

378 anonym: Das Porträt. *Evangelischer Literaturbeobachter* (München), 7. Jg., 1957, Folge 27, S. 535

379 anonym: Den nye diktarkungen. *Sverige Tyskland,* 1958, H. 1, S. 11–13

380 anonym: Heimito von Doderer (Bericht über die Verleihung der Pirkheimer-Medaille). *Die Verleihung der Willibald Pirkheimer-Medaille* für das Jahr 1958 zu Nürnberg, S. 11 f.

381 anonym: Heimito von Doderer zum sechzigsten Geburtstag. *Neues Österreich* (Wien), 5. 9. 1956

382 anonym: Doderer-Feier im Palais Berchtold. Gütersloh und Csokor sprachen zum Geburtstag des Dichters. *Die Presse* (Wien), 7. 9. 1956

383 anonym: Heimito von Doderer. Früh fällt der Einhieb (Bericht über die Doderer-Feier an der Strudlhofstiege). *Die Wochenpresse* (Wien), 15. 9. 1956

384 anonym: Thornton Wilder auf der Strudlhofstiege. *Neuer Kurier* (Wien), 28. 11. 1957

III. Rundfunksendungen über Heimito von Doderer

385 Böse, Georg: Heimito von Doderer: Die Dämonen. *RIAS* Berlin, 14. 10. 1956

386 Contini: Margaret: Heimito von Doderer. *Radiotelevisione Italiana* Florenz, 19. und 26. 5. 1958

387 Coulmas, Peter: Felix Austria. Kritische Gedanken zu Heimito von Doderers Roman ‚Die Dämonen'. *Bayerischer Rundfunk,* 27. 5. 1958

388 Eisenreich, Herbert: Das literarische Porträt. *NDR,* 16. 9. 1958

389 Fauler, Hermann: (u. a. zu: Ein Mord den jeder begeht). *Südwestfunk* Baden-Baden, 15. 1. 1959

390 Flesch-Brunningen, Hans: Doderer ist Wien. Ein Hörbild über den österreichischen Dichter Heimito von Doderer. *WDR* Köln, UKW, 1. 12. 1960

391 Freund, Cajetan: (u. a. zu: Die Strudlhofstiege). *Hessischer Rundfunk,* 5. 6. 1951

392 Goertz, Hartmann: Wissenschaft vom Leben. Heimito von Doderer: Die Dämonen. *Radio Salzburg,* 16. 3. 1957

393 Grolman, Adolf von: (zu: Die Strudlhofstiege). *Süddeutscher Rundfunk* Stuttgart, 7. 6. 1951

394 Handl, Joseph: Heimito von Doderer: Die Dämonen. *Österreichischer Rundfunk* Wien, 14. 1. 1957

395 Lenz, Herman: Heimito von Doderer als Lyriker und als Prosaist (zu: Ein Mord den jeder begeht und Ein Weg im Dunklen). *Süddeutscher Rundfunk,* UKW, 5. 8. 1958

396 Lewalter, Ernst: Wien 1925. Querschnitt durch den Roman ‚Die Strudlhofstiege' mit einem Hinweis auf ‚Die erleuchteten Fenster' von Heimito von Doderer. *NWDR,* 3. 8. 1951

397 Maier, Hans: Heimito von Doderer: Die Dämonen. *Südwestfunk* Baden-Baden, 23. 12. 1956

398 Nowotny, Friedrich: Heimito von Doderer als Lyriker. *Radio Klagenfurt,* 6. 2. 1959

399 Pfeiffer-Belli, Erich: Heimito von Doderer: Die Strudlhofstiege. *Südwestfunk,* 5. 8. 1951

400 Schlüter, Herbert: Heimito von Doderer: Die Dämonen. *Süddeutscher Rundfunk* Stuttgart, 17. 11. 1956

401 Schmiele, Walter: Heimito von Doderer: Die Dämonen. *Hessischer Rundfunk* Frankfurt a. M., 7. 9. 1956. *Radio Bremen,* 14. 11. 1956. *RIAS* Berlin II, 2. 4. 1957. *RIAS* Berlin I, 12. 4. 1957

402 Schonauer, Franz: (u. a. zu: Die Peinigung der Lederbeutelchen). *Hessischer Rundfunk* Frankfurt a. M., 7. 11. 1959

403 Seberich, Rainer: Heimito von Doderer: Die Dämonen. *Radiotelevisione Italiana* Bozen, 2. 9. 1958

404 Siedler, Wolf Jobst: Heimito von Doderer: Ein Mord den jeder begeht. *Sender Freies Berlin,* 26. 6. 1958

405 Tanzer, Franz: Aus der Mitte des Lebens. Heimito von Doderer: Die Dämonen. *WDR* Köln, 25. 2. 1957

406 Westphal, Gert: (u. a. zu: Die Strudlhofstiege). *Radio Bremen,* 8. 1. 1952

407 Wickenburg, Erik G.: Heimito von Doderer: Die Dämonen. *Bayerischer Rundfunk,* UKW, 19. 11. 1956

408 Wojczewski, Cuno: (zu: Die Strudlhofstiege und Die erleuchteten Fenster). *NWDR* Berlin, 8. 12. 1951

409 anonym: Vom ‚Geheimnis des Reichs' bis zu den ‚Dämonen'. *Radio Wien,* 24. 9. 1959